D0530636

Le Routard

Guadeloupe
Les Saintes, Marie-Galante, la Désirade, Saint-Martin, Saint-Barthélemy

Cofondateurs : Philippe GLOAGUEN et Michel DUVAL

Directeur de collection et auteur
Philippe GLOAGUEN

Rédacteurs en chef adjoints
**Amanda KERAVEL
et Benoît LUCCHINI**

Directrice de la coordination
Florence CHARMETANT

Directrice administrative
Bénédicte GLOAGUEN

Directeur du développement
Gavin's CLEMENTE-RUIZ

Direction éditoriale
Hélène FIRQUET

Rédaction
**Isabelle AL SUBAIHI
Mathilde de BOISGROLLIER
Thierry BROUARD
Marie BURIN des ROZIERS
Véronique de CHARDON
Fiona DEBRABANDER
Anne-Caroline DUMAS
Éléonore FRIESS
Géraldine LEMAUF-BEAUVOIS
Olivier PAGE
Alain PALLIER
Anne POINSOT
André PONCELET
Alizée TROTIN**

Conseiller à la rédaction
Pierre JOSSE

Administration
Carole BORDES

2018

hachette

TABLE DES MATIÈRES

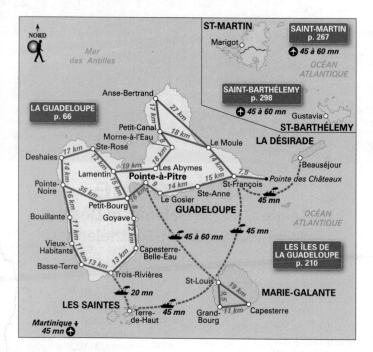

LA GUADELOUPE **66**

LES ÎLES DE LA GUADELOUPE **210**

SAINT-MARTIN **267**

Important : dernière minute

Sauf rares exceptions, *le Routard* bénéficie d'une parution annuelle à date fixe. Entre deux dates, des événements fortuits (formalités, taux de change, catastrophes naturelles, conditions d'accès aux sites, fermetures inopinées, etc.) peuvent modifier vos projets de voyage. Pour éviter les déconvenues, nous vous recommandons de consulter la rubrique « Guide » par pays de notre site • *routard.com* • et plus particulièrement les dernières ***Actus voyageurs.***

Recommandation à ceux qui souhaient profiter des réductions et avantages proposés dans le *Routard* par les hôteliers et les restaurateurs.

À l'hôtel, pensez à les demander au moment de la réservation ou, si vous n'avez pas réservé, **à l'arrivée.** Ils ne sont valables que pour les réservations en direct et ne sont pas cumulables avec d'autres offres promotionnelles (notamment sur Internet). Au restaurant, parlez-en **au moment** de la commande et surtout **avant** que l'addition soit établie. Poser votre *Routard* sur la table ne suffit pas : le personnel de salle n'est pas toujours au courant et une fois le ticket de caisse imprimé, il est souvent difficile de modifier le total. En cas de doute, montrez la notice relative à l'établissement dans *le Routard* de l'année et, bien sûr, ne manquez pas de nous faire part de toute difficulté rencontrée.

☎ **112 :** c'est le numéro d'urgence commun à la France et à tous les pays de l'UE, à composer en cas d'accident, agression ou détresse. Il permet de se faire localiser et aider en français, tout en améliorant les délais d'intervention des services de secours.

Ancienne fabrique de limonade, Le Moule (Grande-Terre)

LA RÉDACTION DU ROUTARD

(sans oublier nos 50 enquêteurs, aussi sur le terrain)

© R. Delalande et E. Dessons

Thierry, Anne-Caroline, Éléonore, Olivier, Pierre, Benoît, Alain, Fiona,
Gavin's, André, Véronique, Bénédicte, Jean-Sébastien, Mathilde, Amanda,
Isabelle, Géraldine, Marie, Carole, Philippe, Florence, Anne.

La saga du *Routard* : en 1971, deux étudiants, Philippe et Michel, avaient une furieuse envie de découvrir le monde. De retour du Népal germe l'idée d'un guide différent qui regrouperait tuyaux malins et itinéraires sympas, destiné aux jeunes fauchés en quête de liberté. 1973. Après 19 refus d'éditeurs et la faillite de leur première maison d'édition, l'aventure commence vraiment avec Hachette. Aujourd'hui, le *Routard*, c'est plus d'une cinquantaine d'enquêteurs impliqués et sincères. Ils parcourent le monde toute l'année dans l'anonymat et s'acharnent à restituer leurs coups de cœur avec passion.

Merci à tous les routards qui partagent nos convictions : liberté et indépendance d'esprit ; découverte et partage ; sincérité, tolérance et respect des autres.

NOS SPÉCIALISTES GUADELOUPE

Thomas Rivallain : transbahuté dès l'enfance dans le combi familial, les sens affûtés en tournées musicales ou louvoyant sur les itinéraires bis, tout est prétexte aux carnets de route pour cet admirateur de fleuves. Souvent parti là où on ne l'attend pas, il travaille ses guides en Anjou, auprès de l'indomptable Loire. En bon apôtre du voyage, Thomas ne croit que ce qu'il voit.

Florence Charmetant : très tôt le voyage est devenu une nécessité, quelle que soit la destination. Le voyage pour les personnes, les rencontres, les liens, les lieux, les cultures, les langues, les valeurs, les goûts, les parfums, les différences… Trente années ont passé, son appétit demeure et son envie de transmettre, à vous lecteurs du *Routard,* tout autant.

Gérard Bouchu : bourguignon d'origine, donc volontiers sédentaire, il est devenu par hasard journaliste spécialisé dans les voyages et la gastronomie. Il a ajouté en 1995 un sac à dos à ses sacs isothermes, pour pouvoir travailler tout en gardant le goût des pays visités. Trekkeur urbain plus que voyageur solitaire, il a toujours aussi soif et faim de nouveautés.

UN GRAND MERCI À NOS AMI(E)S SUR PLACE ET EN MÉTROPOLE

Pour cette nouvelle édition, nous remercions particulièrement :

- Le comité touristique des îles de Guadeloupe ;
- les offices de tourisme de Saint-François, du Moule, de Pointe-Noire, des Saintes et de Marie-Galante ;
- **Nathalie Bordy,** de l'office de tourisme de la Désirade ;
- **Ben,** pour ses éclairages concernant la côte Sous-le-Vent, en surface et sous les flots ; Eric et Stéphane, à Deshaies, pour leurs bons plans terrestres et extrater-restres ; Sophie Bedel qui connaît tout de la vie des tortues et des cétacés ;
- **Françoise Touboul** et toute l'équipe de l'office de tourisme de Petit-Bourg ;
- **la famille Gautier** pour ses bons tuyaux concernant la restauration guadeloupéenne ;
- **l'équipe de l'office du tourisme** à Terre-de-Bas ;
- **Kate Richardson** et l'équipe de l'office de tourisme de Saint-Martin ;
- **Julien Chalifour** à la Réserve Naturelle Nationale de Saint-Martin ;
- **Ophélie Magras,** du comité de tourisme de Saint-Barthélemy ;
- **Acée et Olivier** pour leurs bons tuyaux, leur aide précieuse et leur bonne humeur ;
- **Tanguy et Charlotte**, grâce à qui nous avons dégoté des adresses bon marché à Saint Barthélemy, ce qui n'est pas évident !
- Et tous les autres offices de tourisme qui, chaque année, nous apportent leur aide précieuse.

Pictogrammes du Routard

Établissements

🛏	Hôtel, auberge, chambre d'hôtes
⛺	Camping
🍴	Restaurant
🥖	Boulangerie, sandwicherie
🍦	Glacier
☕	Café, salon de thé
🍸	Café, bar
🎵	Bar musical
🎶	Club, boîte de nuit
🎭	Salle de spectacle
ℹ	Office de tourisme
✉	Poste
🏬	Boutique, magasin, marché
@	Accès Internet
✚	Hôpital, urgences

Sites

🏖	Plage
🤿	Site de plongée
🚲	Piste cyclable, parcours à vélo

Transports

✈	Aéroport
🚂	Gare ferroviaire
🚌	Gare routière, arrêt de bus
Ⓜ	Station de métro
Ⓣ	Station de tramway
🅿	Parking
🚕	Taxi
🚖	Taxi collectif
⛴	Bateau
🚢	Bateau fluvial

Attraits et équipements

🎿	Présente un intérêt touristique
🚶	Recommandé pour les enfants
♿	Adapté aux personnes handicapées
🖥	Ordinateur à disposition
📶	Connexion wifi
Ⓤ	Inscrit au Patrimoine mondial de l'Unesco

© HACHETTE LIVRE (Hachette Tourisme), 2017
Le *Routard* est imprimé sur un papier issu de forêts gérées.
I.S.B.N. 978-2-01-280008-3

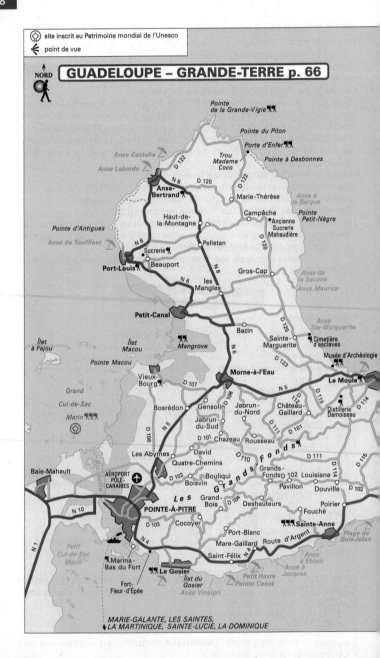

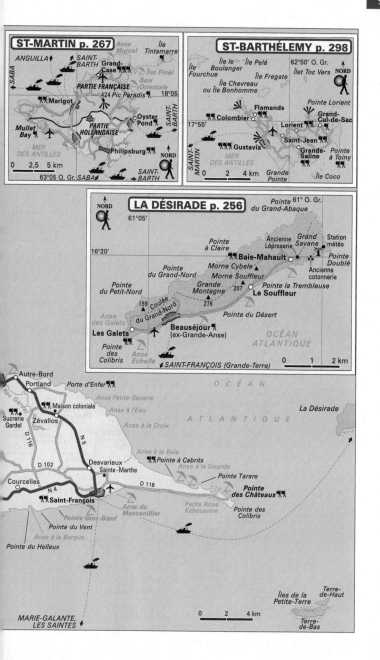

GUADELOUPE – BASSE-TERRE p. 126

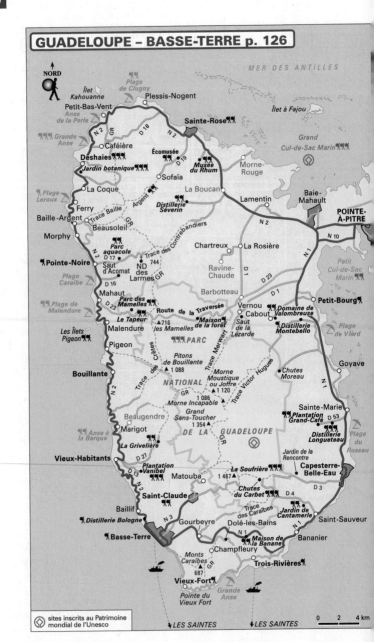

NORD

MER DES ANTILLES

Îlet Kahouanne
Plage de Clugny
Petit-Bas-Vent
Plessis-Nogent
Anse de la Perle
Îlet à Fajou
Sainte-Rose
Grande Anse
Caféière
Écomusée
Grand Cul-de-Sac Marin
Deshaies
Jardin botanique
Morne-Rouge
Musée du Rhum
Sofaïa
Baie-Mahault
La Coque
La Boucan
Argent
Ferry
Distillerie Séverin
Lamentin
POINTE-À-PITRE
Baille-Argent
Beausoleil
Morphy
Chartreux
La Rosière
Parc aquacole
Pointe-Noire
Petit Cul-de-Sac Marin
Saut d'Acomat
ND des Larmes
Ravine-Chaude
Plage Caraïbe
Barbotteau
Mahaut
Parc des Mamelles
Vernou
Domaine de Valombreuse
Petit-Bourg
Plage de Malendure
Route de la Traversée
Maison de la forêt
Cabout
Distillerie Montebello
Les Îlets Pigeon
Le Tapeur
les Mamelles
Saut de la Lézarde
Plage de V1ard
Malendure
PARC
Pigeon
Pitons de Bouillante
Morne Moustique ou Joffre
Chutes Moreau
Goyave
Bouillante
NATIONAL
Morne Incapable
Grand Sans-Toucher
Sainte-Marie
Plantation Grand-Café
Beaugendre
GUADELOUPE
Distillerie Longueteau
Marigot
DE LA
Plage du Roseau
La Grivelière
Jardin de la Rencontre
Vieux-Habitants
Plantation Vanibel
La Soufrière
Capesterre-Belle-Eau
Matouba
Chutes du Carbet
Saint-Claude
Jardin de Cantamerle
Baillif
Saint-Sauveur
Distillerie Bologne
Gourbeyre
Dolé-les-Bains
Basse-Terre
Maison de la Banane
Bananier
Champfleury
Monts Caraïbes
Trois-Rivières
Vieux-Fort
Grande Anse
Pointe du Vieux Fort
LES SAINTES
LES SAINTES

sites inscrits au Patrimoine mondial de l'Unesco

0   2   4 km

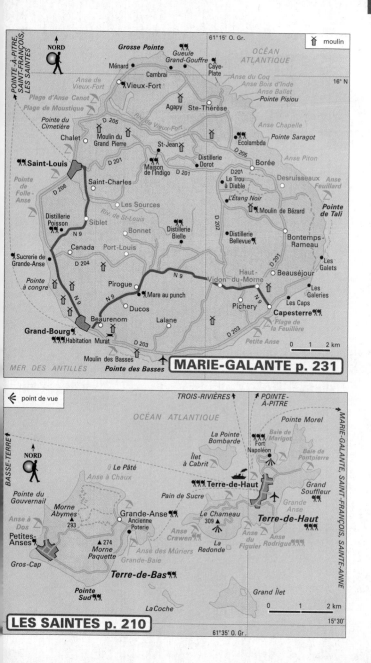

MARIE-GALANTE p. 231

⬆ moulin

61°15' O. Gr.

NORD

POINTE-À-PITRE, SAINT-FRANÇOIS, LES SAINTES

Grosse Pointe

Gueule Grand-Gouffre

Ménard

Cambrai

Câye-Plate

OCÉAN ATLANTIQUE

Anse du Coq
Anse Bois d'Inde
Anse Ballet

16° N

Vieux-Fort

Anse de Vieux-Fort

Pointe Pisiou

Plage d'Anse Canot

Plage de Moustique

Agapy Ste-Thérèse

Anse Chapelle

Pointe du Cimetière

D 205

Chalet

Moulin du Grand Pierre

St-Jean

Ecolamba

Pointe Saragot

Distillerie Dorot

D 205

Borée

Anse Piton

Saint-Louis

D 201

Maison de l'Indigo

D 201

D 201

Le Trou à Diable

Desruisseaux

Anse Feuillard

Pointe de Folle-Anse

Saint-Charles

D 206

Les Sources

L'Étang Noir

Pointe de Tali

Moulin de Bézard

Distillerie Poisson

Siblet

Riv. de St-Louis

Distillerie Bielle

D 202

Distillerie Bellevue

Bontemps-Rameau

Bonnet

Canada Port-Louis

Sucrerie de Grande-Anse

D 204

Pirogue

Haut-Vidon-du-Morne

D 201

Beauséjour

Les Galets

Pointe à congre

N 9

N 9

Mare au punch

N 9

N 9

Les Galeries

Pichery

Les Caps

Capesterre

Ducos

Lalane

N 9

Beaurenom

Grand-Bourg

Habitation Murat

Plage de la Feuillère

D 203

D 203

Petite Anse

0 1 2 km

MER DES ANTILLES

Moulin des Basses

Pointe des Basses

LES SAINTES p. 210

⬅ point de vue

TROIS-RIVIÈRES

POINTE-À-PITRE

OCÉAN ATLANTIQUE

Pointe Morel

MARIE-GALANTE, SAINT-FRANÇOIS, SAINTE-ANNE

BASSE-TERRE

NORD

La Pointe Bombarde

Baie de Marigot

Fort Napoléon

Baie de Pontierre

Îlet à Cabrit

Le Pâté

Anse à Chaux

Terre-de-Haut

Grand Souffleur

Pointe du Gouvernail

Pain de Sucre

Grande Anse

Morne Abymes
293

Grande-Anse
Ancienne Poterie

Le Chameau
309

Terre-de-Haut

Anse à Dos

Petites-Anses

274
Morne Paquette

Anse Crawen

La Redonde

Anse du Figuier

Anse Rodrigue

Gros-Cap

Anse des Mûriers

Grande-Baie

Terre-de-Bas

Pointe Sud

Grand Îlet

La Coche

0 1 2 km

61°35' O. Gr.

15°30'

L'îlet Gosier (Grande-Terre)

« An ba la tè pani plézi »
(Sous terre, il n'y a pas de plaisir)
Dicton créole

Posée sur l'arc des Petites Antilles, la Guadeloupe est constituée en réalité d'un **archipel de sept îles.** *Karukera,* comme on la nomme en créole, la partie principale, a la forme d'un papillon, à laquelle sont adjointes **les Saintes, Marie-Galante et la Désirade.** Les alizés l'auraient portée là, sous les tropiques, et cette indolente s'y serait plu – ne pouvant d'ailleurs plus bouger ses vastes ailes chargées de gommiers, de fougères, d'acomats-boucans et de palmistes-montagnes. Un vrai rêve de peintre obnubilé par le vert et le bleu. Guadeloupe si douce, abandonnée : longues plages blanches de Sainte-Anne, plages noires de Trois-Rivières, anses blondes bordées de mangroves et de cocotiers. Une île tropicale, grouillante et sonore de vie. Mais voici la pluie brève et brutale, et le vent qui monte – s'arrêtera-t-il ? Le cyclone, ici, est un monstre qui peut faire des ravages. **Des plages, des cocotiers, du soleil,** oui, bien sûr, sans oublier la **plongée sous-marine.** Les côtes guadeloupéennes offrent en effet de superbes fonds, des Saintes à Marie-Galante en passant par la Désirade ou encore la côte Sous-le-Vent. Cette dernière, l'aile ouest du papillon, est définitivement tournée vers le coucher du soleil, 365 jours par an. Et les amateurs de montagne et de randonnée apprécieront les **300 km de « traces » (pistes)** qui parcourent la Guadeloupe intérieure, principalement sur Basse-Terre, couverte aux trois quarts de forêt tropicale. Le **volcan** domine le paysage, qui bouillonne, totem menaçant de la Guadeloupe, qui semble dormir pour l'éternité.

La Guadeloupe se serait peut-être bien passée de certaines images la montrant elle aussi bouillonnante de colère, volcan humain dont certains redoutent les explosions à venir sans chercher à profiter du temps présent. Ce pays, il faut prendre le temps de l'apprécier au **contact de ses habitants,** dont vous apprendrez à partager les joies et les peines, en séjournant dans ces gîtes qui sont aujourd'hui la valeur refuge par excellence, surtout si vous avez la chance d'arriver chez des hôtes ayant à cœur de vous faire partager le quotidien de l'île.

© Du Boisberranger Jean/Hemis.fr

NOS COUPS DE CŒUR

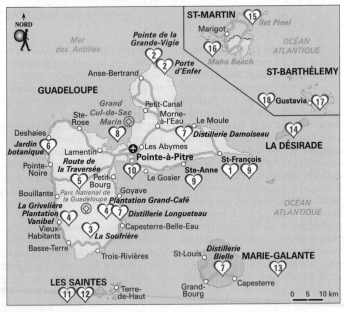

Map labels:

NORD

Mer des Antilles

ST-MARTIN (15) Îlet Pinel
Marigot
(16) OCÉAN ATLANTIQUE
Maho Beach

Pointe de la Grande-Vigie
(2)
(2) **Porte d'Enfer**

Anse-Bertrand

ST-BARTHÉLEMY

GUADELOUPE

Grand Cul-de-Sac Marin
Ste-Rose
(8)
Petit-Canal
Morne-à-l'Eau
Le Moule
(7) **Distillerie Damoiseau**

(18) Gustavia (17)

(14)
LA DÉSIRADE

Deshaies
Jardin botanique (6)
Lamentin
Pointe-Noire
Route de la Traversée
(5) Petit-Bourg
(10)
Les Abymes
Pointe-à-Pitre
Le Gosier
St-François
Ste-Anne
(1) (9)
(9)

Bouillante
Parc National de la Guadeloupe
Goyave
Plantation Grand-Café

OCÉAN ATLANTIQUE

La Grivelière Plantation Vanibel (4)
Vieux-Habitants
(4) (1) ***Distillerie Longueteau***
Capesterre-Belle-Eau
(3) ***La Soufrière***

Basse-Terre
Trois-Rivières
St-Louis
Distillerie Bielle
MARIE-GALANTE
(7)
(13)

LES SAINTES
(11) (12) Terre-de-Haut
Grand-Bourg
Capesterre

0   5   10 km

(1) **Les doigts de pied en éventail sur les plages de Sainte-Anne et de Saint-François,** compter les grains de sable blanc, les cocotiers et les pélicans en escadrilles.
Grand choix d'hébergements et d'activités dans la région. *p. 96, 106, 107*
Bon à savoir : c'est de là que l'on peut gagner en bateau Marie-Galante et la Désirade.

© Dozier Marc/Hemis.fr

② Au nord de Grande-Terre, randonner jusqu'à la Porte d'Enfer et admirer la pointe de la Grande-Vigie.

La Porte d'Enfer ressemble plutôt à un coin de paradis. Un endroit isolé avec un couloir d'eau qui s'enfonce profondément dans les terres, alors que tout au bout de Grande-Terre, sur la pointe de la Grande-Vigie, l'océan rugit de toute sa puissance sur les falaises abruptes. *p. 115, 117*

Bon à savoir : les sentiers sont très bien aménagés et balisés, mais prévoir de bonnes chaussures car les rochers sont parfois très coupants.

© Walter Bibikow/Age Fotostock

(3) Randonner autour de la Soufrière, si le temps le permet…

Du haut de ses 1 467 m, le volcan domine les Petites Antilles, mais son sommet est souvent dans la brume. Tout le secteur est propice à de belles randonnées sur ses flancs : la chute du Galion (une bien jolie cascade avec sa paroi orange ferrugineuse), la Citerne (ancien cratère devenu un petit lac)… Et, bien sûr, on peut effectuer l'ascension jusqu'au dôme. Là-haut, le volcanisme actif de la Soufrière se manifeste de façon spectaculaire. *p. 154, 158*

Bon à savoir : avant de partir, s'informer sur les conditions météo et vérifier l'état des traces auprès du parc national : • guadeloupe-parcnational.fr •

© Dozier Marc/Hemis.fr

(4) S'imprégner de ce qui fit la richesse des belles plantations de café de… Grand-Café, La Grivelière ou Vanibel.

Vieux-Habitants fut fondée en 1636 par les premiers colons de la Compagnie des isles d'Amérique. À cette époque, la culture du café assurait l'essentiel des ressources locales. Aujourd'hui encore, les trois plantations perpétuent la tradition artisanale de cet excellent arabica très doux. À visiter absolument pour découvrir les secrets du café, mais aussi l'intimité de quelques vieilles habitations qui constituent les rares monuments des Antilles. *p. 133, 162*

Bon à savoir : infos sur • vanibel.fr • habitationlagriveliere.com • cafe-chaulet.com •

© Christian Goupi/Age Fotostock

Gardel Bertrand/Hemis.fr

⑤ Emprunter la route de la Traversée pour s'immerger dans la forêt primaire, sa faune et sa flore.

Cette belle route traverse les hauteurs de Basse-Terre, au milieu d'une forêt tropicale humide, sorte de jungle dense et bien préservée. Elle passe par le col des Mamelles (615 m), puis redescend en révélant de superbes panoramas. Tout le long, plusieurs installations et activités dans la forêt, à la découverte de cascades, sur les cimes des arbres ou le long de sentiers de randonnées pédestres. *p. 178*
Bon à savoir : prudence lors d'intempéries, son accès peut alors être entravé.

© Sylvie Jarrossay/Alamy/Hemis

⑥ Visiter l'ancienne propriété de Coluche à Deshaies, transformée en jardin botanique.

Elle abrite un parc luxuriant qui compte plus de 1 300 espèces tropicales, de très beaux perroquets et des flamants roses. Le résultat est surprenant, entre avalanches de bougainvillées, arbres à saucissons ou du voyageur, impressionnant banian… et bien d'autres essences comme le majestueux tallipot. Passez la nuit dans l'un des deux bungalows, ou carrément à plusieurs dans la villa, pour pouvoir accéder à ces merveilles, seul au monde, après la fermeture et avant l'ouverture du jardin. *p. 195*
Bon à savoir : infos sur • jardin-botanique.com •

© Guiziou Franck/Hemis.fr

♡ **Faire la tournée des distilleries de rhum et rapporter quelques bouteilles pour affronter (avec modération !) les jours gris, au retour.**
Depuis la victoire de la betterave sur le sucre roux, le rhum demeure le seul débouché pour les plantations de canne à sucre qui datent de l'époque coloniale et de la monoculture. Riches en arômes complexes, les rhums vieux des Antilles comptent parmi les meilleurs au monde. Assez chers mais fabuleux ! On en trouve dans les distilleries comme Damoiseau au Moule, Longueteau à Sainte-Marie, Bielle à Marie-Galante… Leur visite permet en outre de se plonger dans l'histoire de la Guadeloupe. *p. 115, 133, 243*

8 **Partir en excursion dans la mangrove à l'aide d'embarcations parfois originales : VTT des mers, kayak de mer, bateau sans permis, « saintoise » ou… avec son masque.**

Rien de tel que de glisser en silence à la découverte de la mangrove et des îlets du parc national du Grand Cul-de-Sac Marin. Classée réserve mondiale de la biosphère, cette grande étendue naturelle fermée par un long récif de corail au nord de la Guadeloupe est habitée par de nombreuses espèces : poissons, coraux, oiseaux, reptiles, végétaux… *p. 125, 206*

© Cédric/Photononstop

9 **Acheter des épices aux doudous sur les marchés de Guadeloupe.**

Bien qu'envoûtantes, captivantes, colorées, les épices peuvent aussi dérouter si on ne les connaît pas : l'initiation passe alors par la case « marché », où les doudous s'empresseront, avec leur faconde habituelle, de vous familiariser avec ces condiments tout aussi exotiques que leurs noms. Nos marchés préférés : Saint-François et Sainte-Anne. *p. 97, 106*

© Dozier Marc/Hemis.fr

(10) Méditer sur la terrible période de l'esclavage dans les Caraïbes au Mémorial ACTe de Pointe-à-Pitre.

Inauguré en 2015, il aura fallu 10 ans pour que ce projet se concrétise et… 167 ans depuis la signature du décret d'abolition le 27 avril 1848 par Victor Schœlcher. Bâti sur le terrain d'une ancienne usine sucrière, c'est le premier du genre au monde. On y trouve aussi un espace de recherches généalogiques pour mieux connaître l'histoire et l'origine des noms de famille caribéens. *p. 79*

11 Passer une nuit aux Saintes pour retrouver l'ambiance d'un village de pêcheurs **quand ne restent plus sur l'île que ses habitants et quelques amoureux.**

Les Saintes se composent de deux petites îles principales, Terre-de-Haut et Terre-de-Bas. Incontestablement sublimes même si leur succès touristique fait perdre, pendant la journée, un peu de cette tranquillité qui en fait le charme. Dormez-y, vous profiterez alors pleinement des habitants, de l'ambiance d'une île encore dans son jus et de la fameuse baie, l'une des plus belles du monde. Sur Terre-de-Bas, isolement garanti, on est presque seul au monde ! *p. 210*

12 Succomber au moins une fois aux « tourments d'amour », **la spécialité culinaire des Saintes.**

Il s'agit de tartelettes à la confiture de coco (ou de goyave, de banane, etc.), coiffées d'une génoise. On dit que les Saintoises préparaient ces délices en attendant leur mari pêcheur sur la plage, où elles ramassaient les noix de coco. Le vrai tourment d'amour, c'était quand le mari(n) ne rentrait pas ! La recette est jalousement gardée, mais les mamies les vendent volontiers sur les quais. *p. 222*

© Gardel Bertrand/Hemis.fr

**⑬ Décompresser à Marie-Galante, dont le calme rappelle la Guadeloupe
d'il y a quelques décennies.**

Accessible en bateau au sud de Grande-Terre, Marie-Galante possède quelques-
unes des plus belles plages de l'archipel : Grand-Bourg, Folle-Anse, Vieux-Fort, la
Feuillère à Capesterre… Peu de touristes ici, les habitants ont conservé un mode
de vie rural, dans un environnement préservé du bétonnage intensif. À ne manquer sous aucun prétexte pour son cachet, son atmosphère, ses champs de canne
à sucre (le rhum titre ici à 59° !) et ses cabrouets (*kabwé* en créole) à la saison de la
récolte, ces charrettes locales tirées par deux bœufs. *p. 231*

(14) Faire une balade matinale entre mer et montagne, **au milieu des iguanes et des cactus,** à la Désirade.

Une île encore préservée du tourisme à découvrir en 4x4, en minibus avec chauffeur ou à pied si l'on est très bon marcheur (une petite vingtaine de kilomètres, environ 5h). Au programme : des iguanes aux Galets, un chemin de crête offrant de superbes panoramas à 280 m au-dessus de la mer et des orchidées sauvages à foison, une ancienne léproserie et la plage du Souffleur, paradisiaque avec son sable blond et ses cocotiers débonnaires. *p. 256*

© Giuglio Gil/Hemis.fr.

(15) **Profiter d'une journée de détente sur le paradisiaque îlet Pinel, à Saint-Martin.**

Un bateau-taxi vous conduit sur cet îlet magique, où se trouve probablement la plus belle plage de Saint-Martin. L'eau y est turquoise et limpide, le sable blanc immaculé, mais vous n'y serez pas seul ! Il faut donc y aller hors week-ends et vacances scolaires. Sympa aussi pour la plongée de surface, la location de planches, kayaks de mer, matelas… *p. 288*

(16) **Avant de quitter Saint-Martin, guetter à Maho Beach l'atterrissage des gros porteurs, dont les roues font s'envoler chapeaux et serviettes !**

Il s'agit d'une petite plage de sable fin où la mer est d'un bleu incroyable, à l'extrémité de la piste de l'aéroport. Les horaires des vols à l'arrivée sont affichés sur une planche de surf ! Idéal pour des photos chic (la mer bleue) et choc (les géants de l'air à l'approche). Un spectacle unique, mais attention tout de même, ne pas imiter ces fous qui s'accrochent parfois aux grilles et prennent le souffle des réacteurs en pleine poire ! *p. 296*

© Angelo Cavalli/Age Fotostock

(17) Lézarder sur l'une des 16 plages de Saint-Barth, toutes plus belles ou plus charmantes les unes que les autres !
On distingue les plages au vent, à l'est, et les plages sous le vent, donc abritées, à l'ouest. Évidemment, de nombreuses activités nautiques y sont possibles. La plongée de surface est sûrement l'une des plus accessibles. En arrivant sur certaines de ces plages, vous verrez des canettes recyclées en cendriers, pour y déposer vos mégots : c'est qu'ici on pense sérieusement à la préservation de l'environnement ! *p. 298, 306*

© Soberka Richard/Hemis.fr

(18) Fêter le Nouvel An dans la baie de Gustavia, à Saint-Barth, pour le magnifique feu d'artifice dans le port. Magique !
Ou juste pour entendre les sirènes des bateaux hurlant toutes ensemble à minuit. Étonnant ! Les Saint-Barths, qui ne souhaitent pas voir leur île prise d'assaut par des hordes de touristes en mal de soleil, ont opté pour la sélection d'une clientèle plus fortunée. Pendant la nuit de la Saint-Sylvestre, la baie de Gustavia est envahie de yachts de milliardaires venus des quatre coins du monde uniquement pour cette nuit-là. Ils rivalisent les uns avec les autres et, à minuit, c'est l'explosion des feux d'artifice et bouteilles de champagne. *p. 309*

(19) Plonger corps et âme dans les eaux limpides et chaudes à la rencontre inoubliable des tortues et des poissons multicolores.

Pour les plongeurs de tous niveaux, petits ou grands, la Guadeloupe est un véritable paradis, les sites nombreux et variés. Des Saintes à Marie-Galante en passant par la Désirade, ou encore Basse-Terre, les fonds marins sont éclatants, véritable mosaïque de couleurs vives où batifolent des quantités de poissons tropicaux. Chaussez de nouveau les palmes à Saint-Martin et Saint-Barthélemy, où l'on trouve des réserves marines de toute beauté. *p. 265, 274, 306*

© Antohi Georges/Hemis.fr

(20) Choisir de passer les fêtes de fin d'année au soleil, au rythme des concerts de Chanté Nwel, aussi pittoresques que populaires.

Décembre marque le début de la saison sèche, période où la température de l'air oscille autour de 27 °C, et où celle de l'eau ne descend pas en dessous de 24 °C. Tout au long du mois, dans presque chaque commune, les villageois se retrouvent pour des Chanté Nwel vraiment mémorables. Deux bonnes raisons d'aller passer les fêtes au soleil ! *p. 54*

Bon à savoir : attention, à partir de mi-décembre, c'est la haute saison touristique, il faut s'y prendre à l'avance pour les résas.

ITINÉRAIRES CONSEILLÉS

Les essentiels

De la luxuriance de Basse-Terre au plat pays de Grande-Terre, tout en s'aventurant dans les îles voisines, la Guadeloupe est pleine de surprises épiques et épicées, le séjour alternant entre plein de vitamine D, balades exotiques, faune aquatique avec ou sans bouteille et excursions parfois originales. L'idéal, c'est de loger dans les deux ailes du papillon de l'île principale, pour éviter les embouteillages à Pointe-à-Pitre lors du passage de l'une à l'autre. Sur Grande-Terre, à vous le sable de **Sainte-Anne** et **Saint-François (1)** ainsi qu'une excursion jusqu'à la **pointe des Châteaux (2)** et la **pointe de la Grande-Vigie (3)** ! Profitez-en pour vous échapper sur une journée ou plus depuis Saint-François jusqu'à la sauvage **Désirade (4)** et/ou l'authentique **Marie-Galante (5)**. Sur Basse-Terre, ne manquez pas la verdoyante **route de la Traversée (6)**, les trois spectaculaires **chutes du Carbet (7)**, le **parc du volcan de la Soufrière (8)**, le **jardin botanique de Deshaies (9)** si cher à Coluche et la **plage de Grande-Anse (10)**. De Trois-Rivières ou Saint-Claude, une virée jusqu'aux attachantes **îles des Saintes (11)** s'impose. De Sainte-Rose ou Vieux-Bourg, la **réserve du Grand Cul-de-Sac Marin (12)** se découvre de toutes les manières qu'il soit. Avant de quitter la Guadeloupe, passage obligé par Pointe-à-Pitre et son passionnant **Mémorial ACTe de l'esclavage (13)**, que l'on choisisse ou non l'option **Saint-Martin (14)** ou **Saint-Barthélemy (15)** par avion avec combinaisons possibles sur l'Europe.

Avec des enfants

Heureux bambins ! Ils découvriront les poissons multicolores à l'**aquarium de Pointe-à-Pitre (1)** avant d'aller les débusquer entre les rochers. Bien choisir les **plages (2)** car les plus belles ne sont pas nécessairement les plus sûres ! Les plus intrépides tenteront un baptême de plongée spécial jeunes. Savourez l'excursion à l'**îlet du Gosier (3)**

pour un pique-nique/baignade, le **parc des Mamelles (4)** pour surfer sur la cime des arbres, les **randos sur Basse-Terre (5)** pour se frayer un chemin dans la jungle avec d'hypothétiques machettes ou les **chutes du Carbet (6)** pour se prendre pour Christophe Colomb. Les sorties dans la mangrove sur des embarcations sans danger et parfois rigolotes sont vraiment à faire dans la **réserve du Grand Cul-de-Sac Marin (7)** ou à **Marie-Galante (8)**. À Saint-Martin, tyroliennes au programme à la **Loterie Farm (9)**, et arrimez bien les bobs au passage des avions au décoiffant aéroport de **Maho Beach (10)** ! Quant aux chanceux de décembre, ils connaîtront un pittoresque Noël au soleil, voire le feu d'artifice du Jour de l'an à **Saint-Barthélemy (11)**.

© Ask Images/Alamy/Hemis

Pas de vacances sans Histoire

Difficile de tout passer en revue ! Les musées Saint-John-Perse et Schœlcher à Pointe-à-Pitre (1) ainsi que la maison Zévallos au Moule (2) valent la visite pour leur architecture coloniale. Les traces du passé sont nombreuses entre les forts Fleur d'Epée à Pointe-à-Pitre (3), du Vieux-Fort (4) et Louis-Delgrès sur Basse-Terre (5), ou encore Napoléon à Terre-de-Haut (6), sans compter les musées d'Archéologie amérindienne au Moule (7) ou des Roches gravées à Trois-Rivières (8). L'histoire de la Guadeloupe est intimement liée à celles du café et surtout du rhum, à découvrir dans les distilleries (9) (Damoiseau au Moule, Longueteau à Sainte-Marie, Bielle à Marie-Galante) et dans les musées à Beauport (10), Sainte-Rose (11) et Marie-Galante (12), habitation Murat notamment. Corollaire de l'industrie de la canne à sucre, la douloureuse question de l'esclavage dans les Caraïbes, traitée avec humanité à l'incontournable Mémorial ACTe de Pointe-à-Pitre (13), ouvert en 2015. Et pour mieux apprécier toute la richesse de la culture créole, on conseille le pittoresque cimetière marin de Morne-à-l'Eau (14), l'écomusée créole de la Guadeloupe à Sainte-Rose (15), ainsi que l'étonnant espace des arts et du patrimoine Kreol West Indies (16) à Marie-Galante, sans oublier le festival Terre de blues.

Le cimetière marin de Morne-à-L'Eau

© Claude Thibault/Alamy/Hemis

Nature et randos

Sur Grande-Terre, frottez-vous aux paysages sauvages et venteux de la pointe des Châteaux (1), de la Porte d'Enfer (2) et de la pointe de la Grande-Vigie (3). La mangrove et les îlets du Grand Cul-de-Sac Marin (4) sont quant à eux un véritable havre protégé. Sur Basse-Terre, végétation luxuriante sur les nombreux chemins de randonnée du parc national de la Guadeloupe (5) et ambiance sulfureuse au volcan de la Soufrière (6). Également de jolies balades nature qui montent et qui descendent aux Saintes (7) et à la Désirade (8), à moins d'arpenter Marie-Galante (9) jusqu'au centre Ecolambda. À Saint-Martin (10) et Saint-Barthélemy (11), ouvrez grand

vos yeux, sur l'eau ou sous l'eau, dans les réserves naturelles marines.

Tranquillou sur la plage

Côté plages, l'embarras du choix ! Parmi nos préférées sur Grande-Terre : Sainte-Anne (1) (barrière de corail), le lagon de Saint-François (2) et les plages vers Anse-Bertrand (3). Sur Basse-Terre, on adore Grande-Anse (4) (vaste et très populaire avec cocotiers), mais il y en a tant d'autres. Et puis Pompierre aux Saintes (5), toutes les plages de Marie-Galante (6) et celle du Souffleur à la Désirade (7). À Saint-Martin, on passe volontiers une journée à l'îlet Pinel (8), au large de Cul-de-Sac. À Saint-Barthélemy (9), il n'y a que l'embarras du choix !

Volcan de la Soufrière (Basse-Terre)

LU SUR routard.com

La Guadeloupe, les sens en éveil
(tiré du carnet de voyage de Gavin's Clemente-Ruiz)

Un premier ti-punch avec modération pour prendre le pouls de cette terre d'outre-mer. Et c'est le départ pour un tour de Guadeloupe, entre Grande-Terre et Basse-Terre. Dans cette île de poètes, les sites de randonnée, les fonds sous-marins, les plantations de café, de bananes et de sucre, mais aussi le rhum, offrent mille et une possibilités de sorties, en famille ou entre amis.

Saint-François, l'une des villes balnéaires principales de Grande-Terre, est très séduisante avec son port de pêche, son petit bistrot où l'on prend un *ti kafé* et son golf. Le soir, on trouve de l'animation du côté de la marina et, le mardi, dans les allées de son marché nocturne. La *pointe des Châteaux,* balayée par les vents, est l'une des attractions dans les parages. Toute cette péninsule évoque les paysages bretons. La roche est déchirée, la mer s'y infiltre et l'on peut s'approcher au plus près des embruns.

Direction Basse-Terre, plus précisément au nord. Première étape, la distillerie du *domaine de Séverin,* un endroit qui cultive l'art de la canne mais aussi les ouassous, des espèces de crevettes-langoustines bien généreuses. On les déguste flambées au rhum vieux, entre autres modes de préparation ! Sainte-Rose invite à de belles escapades maritimes, comme le *Cul-de-Sac Marin,* classé à l'Unesco. Au large, la Tête à l'Anglais, un rocher qui aurait servi d'entraînement à l'artillerie française parce qu'il ressemblait à un casque... d'anglais !

Avant d'atteindre Bouillante, la plage de *Malendure.* Nombreux sont les amateurs de fonds marins qui viennent ici découvrir les îlets Pigeon. D'autres préfèrent prendre la bien nommée route de la Traversée, qui traverse Basse-Terre de part en part. À *Bouillante,* quelques bons souvenirs gustatifs. Souvent, la carte des restaurants annonce de la cuisine créole évolutive, imbrication des héritages et des influences. Stop dans le village de *Vieux-Habitants,* la plus ancienne commune de l'île, fondée en 1636 (d'où son nom), où règne une ambiance sympathique et bon enfant. Sur la plage de Simaho, sous le vieux tamarinier, des gargotes où il fait bon contempler la mer. Allez, hop, c'est parti pour la *Soufrière,* le célèbre volcan. Les plus courageux se renseignent auprès du parc national de Guadeloupe et du bureau des randonnées pédestres.

Christophe Colomb a mis le pied pour la première fois en Guadeloupe le 4 novembre 1493 tout près de *Capesterre-Belle-Eau.* Rien n'indique véritablement l'endroit, si ce n'est un restaurant tenu par Julien, rasta-poète au grand cœur et bon cuisinier. L'occasion peut-être de goûter de la christophine, tubercule proche de la pomme de terre, ainsi nommée à... Colomb. Les amateurs de rhum ne feront pas l'impasse sur la *distillerie Longueteau.* On goûte un petit rhum arrangé au maracuja, une merveille. Toujours avec modération... La boucle est presque bouclée.

Retrouvez l'intégralité de cet article sur

Et découvrez plein d'autres récits et infos

ALORS, MARTINIQUE OU GUADELOUPE ?

Beaucoup de voyageurs pensent que les Antilles françaises ont à peu près le même charme. Rien n'est plus faux ! Voici quelques éléments qui permettront de mieux choisir. Encore une fois, on ne va pas se faire que des amis, mais seul l'intérêt de nos lecteurs compte !

	Martinique	Guadeloupe
Points forts	– Accueil sympathique de façon générale. – Très grande diversité des paysages (végétation luxuriante dans le Nord et belles plages). – Habitat traditionnel encore bien préservé. – Hôtellerie et locations de bon niveau. – Retour à la cuisine créole vraiment authentique. – Riche patrimoine historique et nombreuses visites possibles (jardins, musées, distilleries). – Route de la Trace toujours magique. – Très bon réseau routier. – Randonnées pédestres sur la presqu'île de La Caravelle.	– Petites îles proches et pleines de charme : Les Saintes, La Désirade, Marie-Galante. – Parc national de la Basse-Terre : randonnées dans la forêt tropicale et sur le volcan de la Soufrière. – Plongées organisées et fonds marins exceptionnels accessibles à tous. – Réseau routier en amélioration. – Écosystèmes à découvrir (forêt, mangrove). – Dans le sud de la Basse-Terre, une nature authentique et omniprésente. – Mise en valeur des artisanats locaux. – Des gîtes de plus en plus accueillants.
Points faibles	– Végétation sèche dans le Sud, mais attention, ce n'est pas un désert pour autant ! – Fort-de-France : en pleine mutation, la capitale de la Martinique est toujours embouteillée.	– Grande-Terre : hormis la Pointe des Châteaux et la Pointe de la Grande-Vigie, paysages sans grande surprise. – Habitat plus bétonné qu'en Martinique. – Des mouvements autonomistes parfois inhospitaliers. – Grèves soudaines qui peuvent tout paralyser.
Points forts communs aux 2 îles	– On y parle le français. – Des médecins très compétents et des CHU d'excellente qualité, en particulier pour les enfants. Carte vitale qui fonctionne également. – On paie en euros. – Contrôles d'hygiène dans les restos. – Pour les Français, la carte d'identité suffit. – Il y fait beau toute l'année.	

LES QUESTIONS QU'ON SE POSE AVANT LE DÉPART

● Infos détaillées dans le chapitre « Guadeloupe utile » *p. 44*

➢ Quels sont les documents nécessaires ?

La carte d'identité suffit aux Européens qui se limitent au territoire français. Munissez-vous toutefois de votre passeport si vous devez aller sur des îles hors Caraïbes françaises, et de votre carte européenne d'assurance maladie pour les ressortissants non français.

➢ Quelle est la meilleure saison ?

La saison sèche, entre décembre et avril, est la période idéale. Température de l'air : autour de 27 °C ; celle de l'eau ne descend pas en dessous de 24 °C. Un conseil : début décembre (avant Noël) ou début mai, vous profitez encore des tarifs basse saison.

➢ Le coût de la vie est-il élevé ?

Oui, un peu plus qu'en métropole, sauf pour les produits locaux. En se faisant soi-même la cuisine, dans les gîtes, ou en mangeant dans les *lolos,* on réduit les dépenses, tout en jouant la carte locavore. À Saint-Martin et Saint-Barthélemy, le coût de la vie est plus élevé, surtout pour l'hébergement.

➢ Quel est le mode de séjour offrant le meilleur rapport qualité-prix ?

La solution la plus adaptée consiste à louer un bungalow ou un gîte et d'y séjourner à la semaine. Des forfaits avion/hôtel peuvent s'avérer attractifs à certaines périodes.

➢ Comment se déplacer ?

La voiture de location reste la meilleure solution (sauf aux Saintes, où la marche ou le scooter sont de rigueur, même si les voiturettes électriques se multiplient). Les bus, eux, sont loin d'aller partout, et leur fréquence laisse souvent à désirer.

➢ L'île est-elle sûre ?

Oui, même s'il est déconseillé de se balader dans certains quartiers de Pointe-à-Pitre le soir ou de partir seul en randonnée.

➢ Quel est le décalage horaire ?

Quand il est 12h en métropole, en Guadeloupe il est 7h en hiver (- 5h) et 6h en été (- 6h).

➢ Quel est le temps de vol ?

Environ 8h30 à l'aller, un peu moins au retour.

➢ Côté santé, quelles précautions ?

Être à jour dans ses vaccins traditionnels suffit. Mais surtout, privilégier surtout la prévention contre le chikungunya, la dengue et le virus zika (tous trois transmis par les moustiques). Dans ce dernier cas, si l'épidémie perdure, le voyage est fortement déconseillé aux femmes enceintes.

➢ Peut-on y aller avec des enfants ?

Oui, la Guadeloupe leur propose de nombreuses activités, entre mer, montagne et culture. La sécurité médicale à l'hôpital est maximale, en particulier pour eux. Repérez nos meilleurs sites grâce au symbole 🕴.

COMMENT Y ALLER ?

LES LIGNES RÉGULIÈRES

▲ AIR FRANCE
Rens et résas au ☎ 36-54 (0,35 €/mn – tlj 6h30-22h), sur ● airfrance.fr ●, dans les agences Air France et dans ttes les agences de voyages. Fermées dim.
➢ Au départ de Paris-Orly, Air France propose jusqu'à 2 vols directs/j. sur Pointe-à-Pitre.
Air France propose à tous des tarifs attractifs toute l'année. Pour consulter les meilleurs tarifs du moment, allez directement sur la page « Nos meilleurs tarifs » sur ● *airfrance.fr* ● *Flying Blue*, le programme de fidélité gratuit d'Air France-KLM, permet de gagner des miles en voyageant sur les vols Air France, KLM, Hop et les compagnies membres de *Skyteam*, mais aussi auprès des nombreux partenaires non aériens *Flying Blue*... Les *Miles* peuvent ensuite être échangés contre des billets d'avion ou des services (surclassement, bagage supplémentaire, accès salon...) ainsi qu'auprès des partenaires. Pour en savoir plus, rendez-vous sur ● *flyingblue.com* ●

▲ CORSAIR INTERNATIONAL
Résas au ☎ 39-17 (0,34 €/mn) et dans ttes les agences de voyages. ● corsair. fr ● (achat en ligne, paiement sécurisé).
➢ Relie Paris-Orly-Sud à Pointe-à-Pitre avec 1 vol/j. Également des vols à destination de Saint-Barthélemy et Saint-Martin en *code share* avec *Air Antilles*.

▲ XL AIRWAYS
Résas au ☎ 0892-692-123 (0,35 €/mn + prix d'appel), ☎ + 33-3-60-04-01-03 (depuis l'étranger) et sur ● xl.com ● ou dans les agences de voyages.
➢ La compagnie aérienne française relie Paris-Roissy à Pointe-à-Pitre jusqu'à 4 fois/sem de décembre à septembre.

Les compagnies *low-cost*

Plus vous réservez vos billets à l'avance, plus vous bénéficiez de tarifs avantageux. Attention, les pénalités en cas de changement de vols sont assez importantes. Plusieurs compagnies facturent maintenant les bagages en soute et limitent leur poids. En cabine, également, le nombre de bagages est strictement limité (attention, même le plus petit sac à main est compté comme un bagage à part entière). À bord, tous les services sont payants (boissons, journaux). Attention, également, au moment de la résa par Internet, à décocher certaines options qui sont automatiquement cochées (assurances, etc.). Au final, même si les prix de base restent très attractifs, il convient de prendre en compte les frais annexes pour calculer le plus justement son budget.

LES ORGANISMES DE VOYAGES

En France

▲ DES HÔTELS & DES ÎLES
– Paris : 120, rue La Boétie, 75008. ☎ 01-42-56-46-98. ● deshotelsetde siles.com ● Ⓜ Saint-Philippe-du-Roule ou Franklin-D.-Roosevelt.
Des Hôtels & des Îles est une chaîne hôtelière implantée dans les Caraïbes françaises depuis plus de 25 ans, qui a ouvert un département tour-opérateur spécialisé dans les destinations « îles ». La connaissance et la maîtrise de ses destinations sont un atout considérable et permettent d'élaborer des offres sur mesure, aux meilleurs prix et dans les meilleures conditions pour proposer aux voyageurs des séjours

PAS BESOIN
DE MANGER SA
MAIN
LE REPAS CHAUD EST
COMPRIS

Jusqu'à **8 VOLS**
par semaine au départ de Paris CDG vers
LES ANTILLES
TOUTE L'ANNÉE

NOUVEAU Des vols au départ de Bordeaux, Brest, Lille, Marseille, Nantes et Toulouse vers la Martinique et au départ de Lyon et Marseille vers la Guadeloupe dès janvier 2018.*

XL.COM

thématiques, des idées de voyages, etc. Des devis immédiats, *on-line*, reprenant les meilleures offres aériennes et hôtelières sont disponibles en temps réel.

▲ PASSION DES ÎLES

Rens et brochures sur demande en agence de voyages, par tél au ☎ 0825-16-15-00 (0,15 €/mn + prix d'appel) ou sur • passiondesiles.com •

Le spécialiste des îles et des lagons depuis plus de 40 ans. On trouve chez ce tour-opérateur tous les voyages sur mesure, combinés interîles et croisières aux Antilles. Définissez les dates de votre séjour et votre ville de départ, sélectionnez vos activités favorites (farniente, spa, découverte culturelle, aventure, plongée, golf...) et votre choix d'hôtellerie, l'équipe de Passion des Îles vous préparera « votre programme » cousu main... le tout au juste prix. Tous les types d'hébergement, de charme, de luxe ou pour les familles, sont proposés.

▲ TUI

Rens et résas au ☎ 0825-000-825 (0,20 €/mn + prix d'appel), sur • tui. fr •, et dans les agences de voyages TUI présentes dans tte la France.

TUI, numéro 1 mondial du voyage, propose tous les circuits Nouvelles Frontières, ainsi que les clubs Marmara et un choix infini de vacances pour une expérience unique. TUI propose aussi des offres et services personnalisés tout au long de vos vacances, avant, pendant et après le voyage.

Un circuit accompagné dans une destination de rêves, un séjour détente au soleil sur l'une des plus belles plages du monde, un voyage sur mesure façonné pour vous, ou encore des vacances dans un hôtel ou dans un club, les conseillers TUI peuvent créer avec vous le voyage idéal adapté à vos envies. Ambiance découverte, familiale, romantique, dynamique, zen, chic... TUI propose des voyages à deux, en famille, seul ou entre amis, parmi plus de 180 destinations à quelques heures de chez vous ou à l'autre bout du monde.

▲ VOYAGEURS DU MONDE

Voyageurs dans les Îles (Caraïbes, Méditerranée, océan Indien). ☎ 01-42-86-16-39. • voyageursdumonde.fr •

– *Paris : La Cité des Voyageurs, 55, rue Sainte-Anne, 75002. ☎ 01-42-86-16-00. Ⓜ Opéra ou Pyramides. Lun-sam 9h30-19h.* Avec une librairie spécialisée sur les voyages.

– *Des agences à Bordeaux, Grenoble, Lille, Lyon, Marseille, Montpellier, Nantes, Nice, Rennes, Rouen, Strasbourg et Toulouse. Également à Bruxelles et à Genève.*

Le spécialiste du voyage en individuel sur mesure.

Parce que chaque voyageur est différent, que chacun a ses rêves et ses idées pour les réaliser, Voyageurs du Monde conçoit, depuis plus de 30 ans, des projets sur mesure. Les séjours proposés sur 120 destinations sont élaborés par leurs 180 conseillers voyageurs. Spécialistes par pays et même par régions, ils vous aideront à personnaliser les voyages présentés à travers une trentaine de brochures d'un nouveau type et sur le site internet, où vous pourrez également découvrir les hébergements exclusifs et consulter votre espace personnalisé. Au cours de votre séjour, vous bénéficiez des services personnalisés Voyageurs du Monde, dont la possibilité de modifier à tout moment votre voyage, l'assistance d'un concierge local, la mise en place de rencontres et de visites privées, et l'accès à votre carnet de voyage via une application iPhone et Android.

Chacune des 15 Cités des Voyageurs est une invitation au voyage : accessoires de voyage, expositions-ventes d'artisanat et conférences. Voyageurs du Monde est membre de l'association ATR (Agir pour un tourisme responsable) et a obtenu sa certification Tourisme responsable AFAQ AFNOR.

Comment aller à Roissy et à Orly ?

Toutes les infos sur notre site • *routard.com* • à l'adresse • *routard.com/guide_dossier/id_dp/20/aeroports_de_paris.htm* •

Voir aussi au sein de chaque ville les agences locales que nous avons sélectionnées.

En Belgique

▲ AIRSTOP

☎ 070-233-188. ● airstop.be ● Lun-ven 9h-18h30, sam 10h-17h.
– Anvers : Jezusstraat, 16, 2000.
– Gand : Maria Hendrikaplein, 65, 9000.
– Louvain : Mgr. Ladeuzeplein, 33, 3000.
Airstop offre une large gamme de prestations, du vol sec au séjour tout compris à travers le monde.

▲ SERVICE VOYAGES ULB

● servicevoyages.be ● 25 agences dont 12 à Bruxelles.
– Bruxelles : campus ULB, av. Paul-Héger, 22, CP 166, 1000. ☎ 02-650-40-20.
– Bruxelles : pl. Saint-Lambert, 1200. ☎ 02-742-28-80.
– Bruxelles : chaussée d'Alsemberg, 815, 1180. ☎ 02-332-29-60.
Service Voyages ULB, c'est le voyage à l'université. Billets d'avion sur vols charters et sur compagnies régulières à des prix compétitifs.

▲ TUI

● tui.be ●
– Nombreuses agences dans le pays dont Bruxelles, Charleroi, Liège, Mons, Namur, Waterloo, Wavre et au Luxembourg.

▲ VOYAGEURS DU MONDE

– Bruxelles : 23, chaussée de Charleroi, 1060. ☎ 02-543-95-50. ● voyageurs dumonde.com ●
Le spécialiste du voyage en individuel sur mesure.
Voir texte dans la partie « En France ».

En Suisse

▲ STA TRAVEL

☎ 058-450-49-49. ● statravel.ch ●
– Fribourg : rue de Lausanne, 24, 1701. ☎ 058-450-49-80.
– Genève : Pierre Fatio, 19, 120. ☎ 058-450-48-00.
– Genève : rue Vignier, 3, 1205. ☎ 058-450-48-30.
– Lausanne : bd de Grancy, 20, 1006. ☎ 058-450-48-50.
– Lausanne : à l'université, Anthropole, 1015. ☎ 058-450-49-20.
Agences spécialisées notamment dans les voyages pour jeunes et étudiants.

150 bureaux STA et plus de 700 agents du même groupe répartis dans le monde entier sont là pour donner un coup de main (Travel Help).
STA propose des tarifs avantageux : vols secs (Blue Ticket), hôtels, écoles de langues, work & travel, circuits d'aventure, voitures de location, etc. Délivre la carte internationale d'étudiant et la carte Jeune.

▲ TUI

– Genève : rue Chantepoulet, 25, 1201. ☎ 022-716-15-70.
– Lausanne : bd de Grancy, 19, 1006. ☎ 021-616-88-91.
Voir texte dans la partie « En France ».

Au Québec

▲ VACANCES AIR CANADA

● vacancesaircanada.com ●
Vacances Air Canada propose des forfaits loisirs (golf, croisières, voyages d'aventure, ski et excursions diverses) flexibles vers les destinations les plus populaires des Antilles, de l'Amérique centrale et du Sud, de l'Asie, de l'Europe et des États-Unis. Vaste sélection de forfaits incluant vol aller-retour et hébergement. Également des forfaits vol + hôtel ou vol + voiture.

▲ VACANCES TOURS MONT ROYAL

● vacancestmr.com ●
Le voyagiste propose une offre complète sur les destinations et les styles de voyages suivants : Europe, destinations soleils d'hiver et d'été, forfaits tout compris, circuits accompagnés ou en liberté. Au programme Europe, tout ce qu'il faut pour les voyageurs indépendants : locations de voitures, cartes de train, bonne sélection d'hôtels, excursions à la carte, forfaits à Paris, etc. À signaler : l'option achat/rachat de voiture (17 jours minimum, avec prise en France et remise en France ou ailleurs en Europe). Également : vols entre Montréal et Londres, Bruxelles, Bâle, Madrid, Málaga, Barcelone et Vienne avec Air Transat ; les vols à destination de Paris sont assurés par la compagnie Corsair au départ de Montréal, d'Halifax et de Québec.

10% de réduction sur votre voiture Hertz !

La réduction s'applique dans les agences en France et dans la plupart des 150 autres pays du monde où Hertz est présent.

▲ VOYAGES CAMPUS / TRAVEL CUTS
● *voyagescampus.com* ●

Voyages Campus / Travel Cuts est un réseau national d'agences de voyages spécialisées pour les étudiants et les voyageurs qui disposent de petits budgets. Le réseau existe depuis 40 ans et compte plus de 50 agences, dont 6 au Québec. Voyages Campus propose des produits exclusifs comme l'assurance « Bon voyage », le programme de Vacances-Travail (SWAP), la carte d'étudiant internationale (ISIC) et plus. Ils peuvent aider à planifier un séjour autant à l'étranger qu'au Canada et même au Québec.

LES LIAISONS INTERÎLES

En Avion

▲ AIR ANTILLES
Rens et résas : ☎ *0890-648-648 (0,35 €/mn + prix d'un appel local).* ● *airantilles.com* ●

➢ Plusieurs liaisons/j. entre Pointe-à-Pitre et Fort-de-France, Saint-Martin et Saint-Barthélemy, mais également Sainte-Lucie, la République dominicaine ou encore la Guyane.

▲ AIR CARAÏBES
☎ *0820-835-835 (0,12 €/mn + prix d'appel).* ● *aircaraibes.com* ●

➢ Liaisons, entre autres, avec Saint-Martin (Grand-Case), la Martinique et Sainte-Lucie. Également des liaisons avec la République dominicaine et Haïti. Attention au surbooking et pensez à confirmer votre vol de retour.

▲ AIR FRANCE
Rens et résas : ☎ *36-54 (0,35 €/mn)* et dans les agences de voyages. ● *air france.fr* ●

➢ Air France assure plusieurs vols/j. entre Fort-de-France et Pointe-à-Pitre.

En Bateau

▲ L'EXPRESS DES ÎLES
● *express-des-iles.com* ●

Pour la Martinique et la Guadeloupe : ☎ *0825-359-000 (0,15 €/mn + prix d'appel ; tlj 24h/24 ; slt depuis les Antilles) ou* ☎ *05-90-919-520. Vente des billets également à la gare maritime de Bergevin, à Pointe-à-Pitre et au Terminal interîles, Quai Ouest, à Fort-de-France.*

➢ *L'Express des Îles* assure des liaisons par bateau rapide plusieurs fois/sem entre Pointe-à-Pitre et Fort-de-France, Castries (Sainte-Lucie), Roseau (Dominique), Marie-Galante et les Saintes. Possibilité d'embarquer la voiture sur certaines traversées. Réductions intéressantes.

> Voir aussi au sein de chaque ville les agences locales que nous avons sélectionnées.

COLOMBIE (avril 2018)

Pays d'une étonnante diversité : de l'océan Pacifique à la côte caraïbe, des lacs d'altitude et sommets enneigés en passant par les vastes prairies qui mènent à l'Amazonie, sans oublier, autour de Medellín, cette région fertile qui produit le meilleur café du monde et, cerise(s) sur le gâteau, les îles de San Andrés et Providencia... Une nature qui se prête à l'aventure : rafting et parapente à San Gil, escalade et treks dans le majestueux parc El Cocuy, randonnées en Amazonie et, sur la côte caribéenne, à la découverte de la *Ciudad Perdida*. De quoi en prendre plein les yeux à Villa de Leyva, Barichara et la capitale Bogotá, avec son fameux museo de Oro et le quartier de La Candeleria, aux murs couverts de superbes *murals*. Faire battre son cœur au rythme de la salsa à Calí et à Medellín, s'émerveiller devant les vestiges précolombiens de San Agustín, laisser filer le temps à Salento, adorable bourgade colorée au cœur de la *zona cafetera,* ou encore à Mompox, petite ville coloniale au bord du río Magdalena, qui s'anime pour son festival de jazz. Enfin, parcourir à pied les remparts et ruelles de la mythique Cartagena de Indias... Ce qui unit les Colombiens aujourd'hui ? Un incroyable sens de la fête, qui prouve que la population a su courageusement tourner la page des années noires.

GUADELOUPE UTILE

ABC de la Guadeloupe

- ❏ **Superficie :** 1 704 km² (Guadeloupe et dépendances).
- ❏ **Préfecture :** Basse-Terre.
- ❏ **Population :** 400 000 hab. (estimation 2015) – 27 % de moins de 20 ans.
- ❏ **Densité :** env 234 hab./km² (moyenne française : 112).
- ❏ **Statut :** département et région d'outre-mer.
- ❏ **Président de région élu en 2015 :** Ary Chalus (DVG).
- ❏ **Point culminant :** la Soufrière (1 467 m), le plus haut sommet des Petites Antilles.
- ❏ **Signe particulier :** compte six îles habitées (Grande-Terre, Basse-Terre, Terre-de-Haut, Terre-de-Bas, Marie-Galante et la Désirade).
- ❏ **Température de la mer :** 25 °C.
- ❏ **Température de l'air :** 30 °C.
- ❏ **Température du punch :** 55°.

AVANT LE DÉPART

Adresse utile

🛈 **Comité touristique des îles de Guadeloupe :** 8-10, rue Buffault, 75009 Paris. ☎ 01-40-62-99-07. ● info europe@lesilesdeguadeloupe.com ● lesilesdeguadeloupe.com ● Lun-ven 10h-12h, 14h-17h. Toute la doc nécessaire, sur place, par courrier ou consultable sur le site internet.

Formalités

Pensez à scanner passeport, visa, carte de paiement, billet d'avion et *vouchers* d'hôtel. Ensuite, adressez-les-vous par e-mail, en pièces jointes. En cas de perte ou de vol, rien de plus facile pour les récupérer sur la Toile. Les démarches administratives en seront bien plus rapides.

– Nous sommes dans un département français : une **carte d'identité** suffit aux Européens et aux Suisses. Mais un **passeport** en cours de validité est parfois nécessaire si vous voulez vous rendre dans les îles hors Caraïbes françaises, et dans ce cas, il vous faudra, théoriquement, avoir avec vous un billet de retour ou de continuation de voyage.
– Pour les Canadiens, pas de visa nécessaire pour un séjour de moins de 3 mois.
– **Douanes :** contrôles plus fréquents pour ceux revenant des ports francs, comme Saint-Martin et Saint-Barthélemy (attention aux appareils photo et autres gadgets électroniques).
– **Boutiques hors taxes :** on les trouve à l'aéroport, et elles sont assez bien fournies (rhum, parfums...), mais tarifs pas spécialement avantageux. Attention, en cas de transit par un aéroport intermédiaire, les produits liquides achetés ici seront de nouveau considérés comme « indésirables » en cabine si vous devez repasser un contrôle de sécurité.

Votre voyage de A à Z !

IMPORTANT : vérifiez bien auprès de votre compagnie aérienne le poids de bagages autorisé. Les contrôles sont désormais très stricts, notamment au niveau du bagage cabine. Et pour votre valise en soute, le surpoids guette vite si vous rapportez un peu trop de rhum.

Assurances voyage

■ **Routard Assurance :** c/o AVI International, 40-44, rue Washington, 75008 Paris ☎ 01-44-63-51-00. • avi-international.com • Ⓜ Georges-V. Depuis 20 ans, Routard Assurance, en collaboration avec AVI International, spécialiste de l'assurance voyage, propose aux voyageurs un contrat d'assurance complet à la semaine qui inclut le rapatriement, l'hospitalisation, les frais médicaux, le retour anticipé et les bagages. Ce contrat se décline en différentes formules : individuel, senior, famille, light et annulation. Pour les séjours longs (2 mois à 1 an), consultez le site. L'inscription se fait en ligne, et vous recevrez, dès la souscription, tous vos documents d'assurance par e-mail.

■ **AVA :** 25, rue de Maubeuge, 75009 Paris. ☎ 01-53-20-44-20. • ava.fr • Ⓜ Cadet. Un autre courtier fiable pour ceux qui souhaitent s'assurer en cas de décès-invalidité-accident lors d'un voyage à l'étranger mais surtout pour bénéficier d'une assistance rapatriement, perte de bagages et annulation. Attention, franchises pour leurs contrats d'assurance voyage.

■ **Pixel Assur :** 18, rue des Plantes, BP 35, 78601 Maisons-Laffitte. ☎ 01-39-62-28-63. • pixel-assur.com • RER A : Maisons-Laffitte. Assurance de matériel photo et vidéo tous risques (casse, vol, immersion) dans le monde entier. Devis en ligne basé sur le prix d'achat de votre matériel. Avantage : garantie à l'année.

ARGENT, BANQUES

Moyens de paiement

> **Avertissement**
>
> Si vous comptez effectuer des retraits d'argent aux distributeurs, il est **très vivement conseillé** d'avertir votre banque avant votre départ (pays visités et dates). En effet, **votre carte peut être bloquée dès le premier retrait** pour suspicion de fraude. C'est de plus en plus fréquent. Bonjour les tracasseries administratives pour faire rentrer les choses dans l'ordre, et on se retrouve vite dans l'embarras !

La monnaie est bien sûr l'**euro** (€) même si les dollars sont toujours bienvenus à Saint-Martin. Les **cartes de paiement** sont acceptées dans la plupart des commerces. Mais, attention, ce n'est pratiquement jamais le cas dans les gîtes et les chambres d'hôtes, comme en métropole. Il est préférable dans ce cas d'avoir des **espèces** et, petit conseil d'ami, de prendre la précaution de répartir son argent car on entend toujours parler de vols sur les plages comme dans certaines résidences non surveillées... Enfin, beaucoup de métropolitains qui gèrent des gîtes ou des restos sur place acceptent les règlements par **chèque.**
– **Distributeurs automatiques :** très nombreux et pas de commission de retrait (maximum autorisé variable selon votre carte). Prendre ses précautions en début de week-end (surtout lors des week-ends prolongés), et encore plus avant de gagner les îles de la Guadeloupe, car les distributeurs se vident parfois.
– Quelques établissements acceptent les **chèques-vacances,** les **chèques-déjeuner** et les **tickets-restaurant.** Une bonne occasion de les « écouler » les pieds dans l'eau.

Avant de partir, pensez à téléphoner à votre banque pour relever le plafond de retrait aux distributeurs et pour les paiements par carte, quitte à la faire rebaisser à votre retour. Par ailleurs, notez bien le numéro d'opposition propre à votre banque (il figure souvent au dos des tickets de retrait, sur votre contrat, ou à côté des distributeurs de billets), ainsi que le numéro à 16 chiffres de votre carte. Bien entendu, conservez ces informations en lieu sûr et séparément de votre carte.

L'assistance médicale se limite aux 90 premiers jours du voyage et l'assistance véhicule aux cartes haut de gamme (renseignez-vous auprès de votre banque). Et surtout, n'oubliez pas aussi de VÉRIFIER LA DATE D'EXPIRATION DE VOTRE CARTE DE PAIEMENT avant votre départ !

> Petite mesure de précaution : si vous retirez de l'argent dans un distributeur, utilisez de préférence ceux attenants à une agence bancaire. En cas de pépin avec votre carte (carte avalée, erreurs de code secret...), vous aurez un interlocuteur dans l'agence, pendant les heures ouvrables.

Banques

Généralement ouvertes de 8h à 12h et de 14h à 16h, sauf les samedi et dimanche. Selon les agences, elles ferment également le lundi ou le mercredi après-midi. Un conseil : prenez votre mal en patience si vous devez faire la queue.

BUDGET

> **Recommandation à ceux qui souhaitent profiter des réductions et avantages proposés dans le *Routard* par les hôteliers et les restaurateurs.**
>
> À l'hôtel, pensez à les demander au moment de la réservation ou, si vous n'avez pas réservé, **à l'arrivée.** Ils ne sont valables que pour les réservations en direct et ne sont pas cumulables avec d'autres offres promotionnelles (notamment sur Internet). Au restaurant, parlez-en **au moment** de la commande et surtout **avant** que l'addition ne soit établie. Poser votre *Routard* sur la table ne suffit pas : le personnel de salle n'est pas toujours au courant et une fois le ticket de caisse imprimé, il est souvent difficile de modifier le total. En cas de doute, montrez la notice relative à l'établissement dans le *Routard* de l'année et, bien sûr, ne manquez pas de nous faire part de toute difficulté rencontrée.

Il faut bien le reconnaître, les Antilles peuvent coûter assez cher si l'on ne fait pas attention. Grosso modo, un séjour de 15 jours pour deux personnes tout compris (vol, voiture de location, hébergement et nourriture) oscille autour de 3 000 € (sans trop se priver). Les *tarifs aériens* varient de 450 à 600 € pour un billet aller-retour, selon la saison, sauf aux périodes de pointe, où ils flambent. Autre poste onéreux, la *location de voiture* : compter 250 € minimum la semaine, sans les éventuelles assurances en option.

> Afin d'éviter d'être limité, vous pouvez demander à votre banque de relever votre plafond de carte de paiement pendant la durée de votre déplacement. Utile surtout avec les cautions pour les locations de voitures et les garanties dans les hôtels.

Côté *hébergement,* la tendance est aux locations à la semaine, en gîte, plus rarement en itinérant en chambre d'hôtes, mais aussi, bien sûr, en hôtel. D'où l'importance de bien choisir votre lieu de séjour. Et la location de voiture est vivement conseillée pour sillonner l'île (les hébergements proposent parfois des forfaits séjour + voiture).

Vos dépenses dépendront de la saison à laquelle vous voyagez et de vos choix. Si vous allez au resto midi et soir, que vous multipliez les planteurs et les visites (chères !) de sites ou de jardins, si vous vous offrez des sorties en mer, de la plongée sous-marine ou un petit tour en avion aux Grenadines, l'addition sera évidemment salée !

Hébergement

Les tarifs de l'hôtellerie classique demeurent assez élevés, sauf pour les forfaits tout compris (bien étudier ce que cela comprend ou pas). Heureusement, la fermeture des grands complexes hôteliers a permis l'émergence de gîtes, petits hôtels de charme... Les hébergements demandent souvent un minimum de 2 ou 3 nuits (la semaine étant souvent obligatoire en haute saison).

IMPORTANT : les prix des hébergements font le grand écart entre haute et basse saison, avec des pics souvent exorbitants pendant les fêtes de fin d'année.

Voici les fourchettes de prix pour nos différentes catégories, par nuit ou pour 1 semaine de location, en gîte ou en hôtel-résidence, pour deux personnes, selon la saison.

– *Bon marché :* moins de 50 € la nuit ; 250 à 300 € par semaine.
– *Prix moyens :* 50 à 80 € la nuit ; 300 à 500 € par semaine.
– *Plus chic :* 80 à 130 € la nuit ; 500 à 900 € par semaine.
– *Très chic :* plus de 130 € la nuit ; plus de 900 € par semaine.

Restauration

Les restaurants traditionnels sont souvent assez chers et avec un service vraiment longuet, sauf exception (compter au minimum 12 à 15 € pour un plat). Le plus économique est de faire sa popote dans son gîte. Sinon, on trouve assez souvent des camions-bars ou de petits vendeurs de sandwichs sur les plages. Et puis il y a les fameux *lolos,* les petits restos locaux où l'on peut manger correctement pour 15 € environ : acras, poulet boucané, fruits frais...

Voici nos fourchettes de tarifs, sur la base d'un repas complet sans la boisson. Dans nos textes, nous indiquons souvent le prix des plats, la plupart du temps copieux et suffisants pour un repas.

– *Très bon marché* (sandwichs, petits plats ou pâtisseries à emporter) *:* moins de 10 €.
– *Bon marché :* 10 à 15 €.
– *Prix moyens :* 15 à 25 €.
– *Chic :* 25 à 35 €.
– *Plus chic :* 35 à 55 €.
– *Beaucoup plus chic :* plus de 55 €.

Les produits de consommation courante sont en général plus chers qu'en métropole (sauf les parfums et le rhum), notamment les produits laitiers et la viande. Il suffit de s'adapter : on va au marché pour le poisson, les fruits et les légumes du pays, on mange du riz plus souvent que d'habitude. Puis on s'offre la bouteille de punch coco maison, à siroter dans le hamac de la terrasse.

– *Bon à savoir :* la brochure €*konomiz*, disponible un peu partout, contient un tas de coupons de réductions (petites, mais c'est toujours ça !) émis par toutes sortes de prestataires, des clubs de plongée aux sites et musées en passant par les compagnies de bateaux et même certains restos. N'hésitez pas à vous la procurer !

– *Boutiques hors taxes :* on les trouve à l'aéroport et elles sont assez bien fournies (rhum, parfums...), mais les tarifs pas spécialement avantageux. Les hypermarchés sont plutôt moins chers ! Attention, en cas de transit par un aéroport intermédiaire, les produits liquides achetés ici seront de nouveau considérés comme « indésirables » en cabine si vous devez repasser un contrôle de sécurité. Alors, si vous avez une escale, enroulez votre bouteille de rhum dans votre serviette de plage et calez-la bien au fond de votre valise.

Sites et musées

On ne peut passer sous silence les tarifs scandaleusement élevés des *musées* et *sites touristiques.* Les entrées coûtent bien souvent entre 7 et 15 € pour des « attractions » qui ne présentent finalement, en dehors de quelques sites majeurs développés dans nos pages, qu'un intérêt limité ou qui ne s'adressent qu'à un public motivé (bien lire nos commentaires pour savoir si vous avez vraiment envie de faire telle ou telle visite). Si vous avez décidé de profiter des après-midi de pluie pour vous distraire en famille ou vous cultiver, cela risque de vous coûter cher !

CLIMAT ET TEMPÉRATURES

Beaucoup de soleil, de la pluie aussi, du vent, des crépuscules tièdes et des nuits suaves : il fait bon vivre aux Antilles. Si la tradition antillaise a retenu le chapeau de paille, c'est que le soleil plombe fort. Ça tombe bien, la mer est tiède : elle peut dépasser 29 °C de juillet à octobre et ne descend jamais au-dessous de 24 °C durant la saison sèche. Concernant l'air ambiant, la fraîcheur existe dans les hauteurs. En gravissant la Soufrière, vous découvrirez plusieurs étages climatiques, chacun avec ses fruits et sa végétation spécifiques. Battu par les vents, le sommet est frisquet. Là-haut, l'humidité se condense en nuages, lesquels partent arroser les plaines...

– *La nuit tombe tôt :* toute l'année, le soleil se lève entre 5h et 6h, pour se coucher entre 17h30 et 18h30. D'un coup ou presque, le soleil disparaît à l'ouest comme une énorme boule rouge avalée par les flots (c'est notre moment de poésie et c'est aussi le moment d'observer le fameux rayon vert !).

– On compte principalement *deux saisons* : *de décembre à avril,* la saison sèche, appelée *carême.* C'est la HAUTE SAISON et c'est la plus agréable. Le thermomètre avoisine les 27 °C. Le temps est au beau fixe malgré quelques averses orageuses, et les hôtels sont (normalement !) complets. *De mi-juin à novembre* (les vacances scolaires d'été), c'est la BASSE SAISON, également appelée *hivernage.* L'air (30 °C) est lourd, voire étouffant, ne rafraîchit pas l'atmosphère, et les après-midi sont pluvieux. À cette période de l'année, il y a moins de touristes, principalement des Antillais expatriés en métropole passant l'été en famille, et dans les hôtels, le personnel est plus relax, les prix sont plus doux. On voit alors les familles se retrouver sur la plage autour de gigantesques pique-niques avec Cocotte-Minute, bâche et sono pour fêter les retrouvailles.

Durant la saison humide, les côtes orientales, dites « au vent », sont plus arrosées que les côtes occidentales, dites « sous le vent ». Cela étant, là aussi, vous savez bien qu'y a plus d'saisons ! On peut avoir une relative sécheresse en « été » et des grains fréquents en « hiver ». De plus, la présence de microclimats peut donner un temps resplendissant au nord de Grande-Terre ou à Saint-François tandis qu'il pleut à Pointe-à-Pitre, rien que pour embêter ceux qui s'y trouvent !

– *Mai, juin et novembre* sont des mois plutôt agréables, pas trop chauds, pas trop chers et surtout peu fréquentés. De plus, mai et juin sont vraiment propices pour découvrir la Guadeloupe en fleurs. Magnifique !

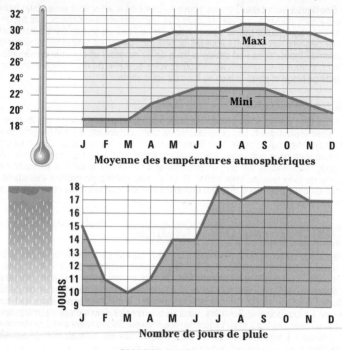

Moyenne des températures atmosphériques

Nombre de jours de pluie

GUADELOUPE (Pointe-à-Pitre)

Ces cyclones qui font de l'œil à tout moment

– *Août et septembre* sont les mois préférés des *cyclones,* mais leurs dates ne sont jamais fixées d'avance ! *Hugo* (1989), *Luis* (1995) et *Jeanne* (2004) ont tous fondu en septembre sur la Guadeloupe. *Lenny* (1999) a frappé très tardivement, à la mi-novembre, surprenant les habitants. Aujourd'hui, le cyclone est repéré très tôt, au moment de sa formation, et sa progression est surveillée de près par les services de la météo. À priori, pas de sur-

LES NOMS DES CYCLONES

Depuis le XVIIIe s, on donne un nom aux cyclones. Façon de conjurer le sort ? Certainement misogyne, le météo-rologue Wragge prenait des prénoms de femmes... ou de politiciens qu'il n'aimait pas. Depuis 1979, face aux critiques féministes, les cyclones sont baptisés alternativement par des pré-noms masculins et féminins. Les listes sont d'ailleurs établies à l'avance.

prise à redouter ! Quand il s'approche, le ciel se fait soudain limpide, et la mer d'huile : il est temps pour les bateaux de trouver un abri sûr, généralement dans la mangrove, véritable cocon naturel. Dans les cases, on démonte le toit de tôle pen-dant que les animaux geignent, on emballe les affaires dans des sacs-poubelle, et on cloue du mieux qu'on peut ce qui ne peut être démonté. Cinq minutes avant la tourmente, c'est quelque chose qui ressemble à la « fin du monde ». Beaucoup de professionnels du tourisme ferment d'ailleurs en septembre pour ne pas avoir à s'occuper, en plus, de métropolitains inexpérimentés qui paniquent vite.

Après la pluie, le beau temps !

– **Les pluies :** elles sont plus abondantes dans les îles au relief accentué. Il peut tomber à certains endroits plus de 8 m d'eau par an, et même 12 m sur les sommets de Basse-Terre ! La nature volcanique et les nombreuses sources qui ruissellent des pentes de la Soufrière favorisent les plantations de bananes, d'agrumes et de café, ainsi que l'existence de « sous-bois » à la fraîcheur bienfaisante. Voilà pourquoi la Guadeloupe est aussi verte. Voilà aussi pourquoi les îles sans montagnes dignes de ce nom (les Saintes, Marie-Galante et la Désirade) présentent des paysages moins luxuriants et parfois secs. Toute l'année encore, les « grains » peuvent tomber sans crier gare. Ce sont des cataractes d'une heure ou deux, ou simplement de 10 mn, capables de vous transformer en serpillière et de faire des rues de véritables torrents.

– **Conseil :** prévoir des **crèmes solaires** « écran total » avant le départ ; on en trouve sur place, mais elles sont plus chères. Elles sont indispensables car même par temps couvert, le soleil tape sans que l'on ne s'en rende vraiment compte, et on rissole (au 2e ou au 3e degré selon les carnations !) sous les alizés en moins de 30 mn. Prévoir aussi un chapeau. Cela est d'autant plus valable pour les sorties en mer, la réverbération du soleil sur l'eau étant un accélérateur ! On peut même rapidement rougir du dos en musardant dans l'eau avec ses palmes et son tuba (les langoustes en rigolent à antennes déployées !).

DANGERS ET ENQUIQUINEMENTS

– **Vols et agressions :** on parle épisodiquement de la délinquance, de la criminalité et du taux d'armement en Guadeloupe avec des chiffres battant tous les records en France, publicité dont l'île se serait bien passée, il va sans dire. Pour les visiteurs, il s'agit avant tout de respecter quelques règles élémentaires et de redoubler d'attention dans certaines parties de l'île, notamment dans la région la plus visitée par les amateurs de plages, entre Pointe-à-Pitre et Saint-François. Méfiez-vous en sortant des restaurants le soir et évitez les plages la nuit.
Ne laissez rien dans votre voiture, de façon générale. De même, nous vous déconseillons de vous retrouver seul – de jour comme de nuit – dans des coins trop isolés : les quartiers périphériques de Pointe-à-Pitre, les plages et certains secteurs du Gosier et de Sainte-Anne. Évitez aussi de partir seul sur les sentiers de randonnée en Basse-Terre (de toute manière, il est toujours prudent de bien préparer ses sorties, de prévenir de ses absences et du lieu où l'on se rend). Enfin, sans jouer les machos, on recommande une certaine prudence aux femmes non accompagnées.

– **Photo :** comme partout, évitez de prendre les habitants en photo ou de les filmer sans le leur avoir demandé au préalable. C'est vraiment la base de toute relation. Les doudous, les anciens qui jouent aux dominos, les enfants des écoles ou les coupeurs de canne sont peut-être patients, gentils, mais en général, ils n'aiment pas du tout ça. Normal !

– **Le bruit :** les nuits tropicales sont sonores. Un véritable carnaval des animaux, de grenouilles, de crapauds (encore plus fort), avec solos de vaches et même de chiens. Quant au coq antillais (ou « réveil à plumes »), il doit être insomniaque ou déréglé, car il chante même avant le lever du jour, provoquant la frénésie de ses congénères. De jour, l'homme prend le relais : radios à tue-tête, moteurs pétaradants, klaxons en liberté, tout devient une obsédante cacophonie. Solutions pour la nuit : soyez indifférent ou, si vous êtes trop sensible, mettez des bouchons d'oreilles. Le soleil (ainsi qu'une bonne sieste) vous retapera.

– **Les scolopendres :** appelées plus communément les mille-pattes. Ces petits carnassiers, fréquents en Guadeloupe, sortent souvent les jours de pluie. Leur morsure venimeuse, mais pas mortelle (on vous rassure !), est très douloureuse.

Si la bête est petite (5 cm), des corticoïdes en comprimés suffiront. Si c'est une grosse, appeler le toubib, car il y a une possibilité de choc allergique. En tout cas, penser à vérifier lit, draps et taies d'oreiller avant de dormir. On le redit, ça fait mal, et la morsure nécessite parfois une courte hospitalisation.

– *Les mancenilliers :* attention à ces arbres à l'aspect trompeur, qui ressemblent un peu aux pommiers et peuvent vous conduire tout droit à l'hôpital si vous vous abritez dessous ou les touchez (voir la rubrique « Santé »). Pas de psychose car il y en a de moins en moins, mais une question de prudence, surtout près des plages à Saint-Barthélemy, au Moule, aux Saintes... On ne veut pas que vous gâchiez vos vacances ! Ils sont reconnaissables par l'anneau de peinture rouge sur le tronc.

– *Randonnées par temps pluvieux :* du fait de pluies violentes, ponctuelles et locales, le moindre petit cours d'eau peut s'enfler en quelques secondes, quand bien même le soleil brille au-dessus de votre tête ! Donc prudence : si les eaux sont boueuses, mieux vaut rebrousser chemin. Voir la rubrique « Sports et loisirs. Randonnées pédestres » dans le chapitre « Hommes, culture, environnement » en fin de guide.

– *Baignades :* à chaque passage en Guadeloupe, nous constatons avec effarement l'absence de poste de secours et de maîtres nageurs sur les plages les plus fréquentées. Même si la plupart offrent des conditions de baignade plutôt sans danger, cette question mérite d'être considérée avec sérieux par les maires, qui sont responsables des plages. En attendant, soyez très prudent et renseignez-vous quand vous avez un doute ou quand la plage est peu fréquentée.

– Apparu en 2011, le phénomène des *algues sargasses* refait surface régulièrement à certaines périodes de l'année. À l'image des algues brunes sur les côtes bretonnes, ces immenses bancs d'algues nauséabondes et toxiques s'échouent parfois sur certaines plages des Caraïbes, dont la Guadeloupe, et affectent dans ce cas les pêcheurs et l'industrie du tourisme. Pas terrible en effet pour l'image, bien que les autorités et les particuliers s'évertuent à éliminer tant bien que mal ces intruses sous les cocotiers. Là encore, choisissez bien votre plage. Les propriétaires des hébergements sont tenus d'informer leurs locataires de l'état environnemental de la zone lors de l'établissement du contrat.

– Bon, il y a aussi des *oursins,* qui justifient largement l'achat de chaussures en plastique que nous vous recommandons lors de vos premiers passages sur les marchés du côté de Sainte-Anne ou Saint-François. On arrête là, vous n'allez plus vouloir vous tremper, ce serait dommage.

– Se reporter également à la rubrique « Santé », plus loin.

DÉCALAGE HORAIRE

Le décalage entre la métropole et les Antilles est de 5h en hiver et de 6h en été. Quand il est 12h à Paris, il est 7h en hiver et 6h en été aux Antilles.
Pour savoir à quelle heure précise se lève et se couche le soleil en Guadeloupe (et partout dans le monde), un site bien utile : ● *horlogeparlante.com* ●

FÊTES ET JOURS FÉRIÉS

Même si la campagne vous semble endormie, soyez sûr qu'il existe quelque part une fête patronale. À tour de rôle, chaque bourgade a la sienne. Les Antillaises, qui adorent s'habiller, sortent leurs plus beaux bijoux, leurs maris lavent les 4x4 et s'efforcent d'être à la hauteur de leur réputation. Les enfants sont sur leur trente et un, et les anciens épinglent leurs médailles. Tout le village défile ainsi après la messe, accompagné par des choristes, puis s'égaille dans les buvettes, les concours de blagues et les régates (une fiesta du feu de Dieu, à ne pas manquer) jusqu'au bal zouk du soir.

Les grands rendez-vous à ne pas manquer !

– *Le carnaval :* c'est la grande fête des Antilles. Il commence le dimanche de l'Épiphanie (1er dimanche de janvier) pour se terminer, 2 mois plus tard, par le mercredi des Cendres. Il donne lieu chaque fin de semaine, dans tous les villages, à des concours de danses, de costumes et de beauté. Attention, à cette occasion, beaucoup de commerces sont fermés, notamment le Mardi gras, férié, mais aussi le mercredi des Cendres, le lendemain. Le dimanche, les masques (jeunes et moins jeunes, déguisés et méconnaissables) circulent en ville et dans les campagnes, faisant claquer leurs fouets et rançonnant les automobilistes d'une pièce ou deux (pas de panique !). Puis commencent les trois « jours gras », apothéose du carnaval. Le lundi, jour des Mariages burlesques, dans les groupes ou « vidés » qui défilent, on aperçoit des couples curieusement assortis. Le Mardi gras est le jour des Diables rouges qui accompagnent les chars où se trouvent les effigies du carnaval, Vaval, autrement dit « le roi carnaval », et Bœuf Gras. Le mercredi des Cendres, jour du grand « vidé », les Diablesses vêtues de noir et blanc brûlent Vaval. Et durant cette période de carnaval, les bals du dimanche soir durent souvent toute la nuit. Surveillez les colonnes des journaux pour connaître la programmation ou demandez aux locaux, car la plupart des offices de tourisme n'apprennent les dates qu'au dernier moment.

– *Pâques :* le Vendredi saint voit défiler une multitude de processions vers la majorité des calvaires de la Guadeloupe. Le *rara,* instrument en bois qu'on fait tourner avec un bâton, convie les fidèles aux vêpres. Jadis, le samedi, le chant des cloches réveillait les populations qui se lavaient le visage (ou se jetaient carrément à l'eau !) et arrosaient leurs maisons pour porter chance tout au long de l'année. Rien de particulier le dimanche, mais le lundi, c'est l'éclate ! Le punch coule à flots, on se baigne, la musique retentit à tous les coins de rue et l'on déguste tout un tas de mets succulents, dont la chiquetaille de morue, le féroce et le *matété* de crabe (mélange de riz et de crabe de terre).

Des familles entières déménagent sur les plages de l'île pendant les vacances de Pâques. Dur de profiter alors du doux murmure des vagues : les dominos claquent sur les tables de camping, des barbecues de fortune naissent un peu partout, les parasols fleurissent, abritant la grand-mère ou le petit dernier. Le tout dans un joyeux brouhaha mâtiné de créole. Les plages les plus fréquentées se trouvent autour de Sainte-Anne et à l'Anse à la Gourde, ainsi qu'à la pointe des Châteaux.

– *La fête de l'Anniversaire de l'abolition de l'esclavage* (ou plutôt de l'application effective du décret en Guadeloupe) : le 27 mai. Tout est fermé !

– *La fête Victor-Schœlcher :* le 21 juillet, jour férié, on rend hommage à ce député guadeloupéen d'origine alsacienne qui contribua à l'abolition de l'esclavage.

– *La fête des Cuisinières :* à Pointe-à-Pitre, le samedi le plus proche du 10 août (le jour de la Saint-Laurent, leur saint patron), les cuisinières de l'île vont assister à la messe à la cathédrale, vêtues de leurs plus belles robes traditionnelles, coiffes et madras, parées de leurs plus beaux bijoux et portant un tablier sur lequel est brodé leur emblème : le gril de saint Laurent. Elles vont faire bénir leurs paniers garnis de spécialités qu'elles vont distribuer sur le marché. Elles défilent dans les rues en chantant et dansant, invitant tout un chacun au grand déjeuner qui conclut chaque année depuis un siècle, déjà, les réjouissances. Acheter la carte d'entrée directement à la *Maison des cuisinières,* rue d'Ennery. Assez cher toutefois, et de plus en plus touristique.

– *La fête de la Saint-Barthélemy :* le 24 août. De nombreuses manifestations nautiques et folkloriques sont organisées.

– *La Toussaint :* les cimetières sont illuminés par des bougies placées autour des tombes fleuries sur lesquelles s'assoient et trinquent les familles en mémoire des morts.

– *En décembre :* tout au long du mois, dans presque chaque commune, les villageois se retrouvent les soirs de week-end pour des *Chanté Nwel* vraiment mémorables. Dans les magasins de Pointe-à-Pitre, la radio diffuse aussi des chants de Noël version zouk. Également de grandes fêtes nommées *Nwel kakado,* qui font revivre les vieilles traditions. Celle de Vieux-Habitants est la plus réputée de toute la Guadeloupe.

Les fêtes patronales et communales

En dehors du carnaval, ces fêtes permettent également de mieux comprendre et d'apprécier la Guadeloupe. Dans la plupart des cas, les fêtes patronales durent 3 ou 4 jours. Renseignez-vous auprès des offices de tourisme et autres syndicats d'initiative. Sinon, liste non exhaustive sur ● *guadeloupe.fr/fetes-patronales-et-communales-en-guadeloupe* ● ou encore ● *terres-de-guadeloupe.com/fetes-en-guadeloupe/* ●

Événements sportifs

– *Le Tour de la Guadeloupe :* grands amateurs de cyclisme, les Guadeloupéens se passionnent pour cette compétition qui a lieu en août. Le jour de l'arrivée à Pointe-à-Pitre, c'est le délire. Gros embouteillages et énorme fête.
– *Les courses à la voile :* tous les 4 ans, depuis 1978, la *Route du rhum,* la plus célèbre des transatlantiques en solitaire, relie Saint-Malo à Pointe-à-Pitre. Certaines des plus belles pages de la course au large y furent écrites. Pour ceux qui le peuvent, assister à l'arrivée d'une Route du rhum est un sacré événement. Ne manquez pas en 2018 la prochaine édition.
– Mais l'archipel de la Guadeloupe accueille d'autres courses comme la *Mini Transat,* la *Transat AG2R,* des régates annuelles ainsi que bien d'autres compétitions pour différentes catégories de bateaux.

HÉBERGEMENT

Si vous n'êtes pas revenu en Guadeloupe depuis quelques années, vous serez agréablement surpris par une évolution qui a vu se multiplier gîtes et hôtels au design contemporain plus épuré, petites résidences pieds dans l'eau et chambres au vert chez l'habitant. Les gros complexes hôteliers ont disparu ou se sont reconvertis.
La règle générale demeure la location à la semaine, surtout en haute saison, dans les gîtes. Tant pis pour les voyageurs itinérants, qui se rabattront, du moins durant cette période, sur les chambres d'hôtes (pas si nombreuses) ou les petites structures hôtelières (souvent assez chères).
Malgré une sélection stricte que nous vérifions régulièrement, il arrive que certains propriétaires de gîtes pratiquent le surbooking et que vous soyez logé ailleurs, dans d'autres gîtes, par exemple, ou chez des amis, etc. On peut ainsi avoir de mauvaises surprises. Demandez toujours confirmation par écrit. Et n'hésitez pas à nous signaler les problèmes de cet ordre, si vous en rencontrez. Enfin, prenez toujours la précaution de réserver longtemps à l'avance, surtout en pleine saison.

Camping, à vos risques et périls

Le camping sauvage est interdit, et il n'y a pas de réel camping officiel. En revanche, il est théoriquement possible de camper dans tous les villages en demandant l'autorisation à la mairie. Un emplacement gratuit et adéquat est normalement prévu à cet effet.
Cependant, nous ne pouvons que vous mettre en garde contre les risques de vol ou d'agression si vous campez dans un lieu isolé.

Adresses utiles

■ **Guadeloupe Autrement :** *domaine de Vanibel, Cousinière-Caféière, 97119 Vieux-Habitants.* ☎ 05-90-00-00-00. ● *info@guadeloupe-autrement. fr* ● *guadeloupe-ecotourisme.fr* ● En partenariat avec le parc, cette association est habilitée à attribuer la marque du parc national aux prestataires touristiques (hébergements et activités) qui se sont engagés dans une démarche de respect et de valorisation du patrimoine naturel et culturel de Guadeloupe.

■ **Gîtes de France :** *5, pl. de la Victoire, juste à côté du comité du tourisme ; adresse postale : BP 759, 97172 Pointe-à-Pitre Cedex.* ☎ 05-90-91-64-33. ● *gitedefrance.gpe@wanadoo. fr* ● *gitesdefrance-guadeloupe.com* ●

Lun-ven 7h-16h. Plusieurs centaines d'adresses. Toutefois, ne vous fiez pas aveuglément aux écussons jaune et vert (très nombreux) que vous verrez sur les routes, ils ne garantissent pas toujours la qualité censée correspondre à ce label.

■ **Bienvenue à la ferme :** *à la chambre d'agriculture de la Guadeloupe, Convenance, 97122 Baie-Mahault.* ☎ 05-90-25-17-17. ● *bienvenue-a-la-ferme.com/guadeloupe* ● Gîtes à la ferme : une formule originale et souvent de qualité pour plonger dans la Guadeloupe profonde.

■ **Échanges de maisons :** ● *bovile. com* ● ou ● *echangedemaison.com* ● entre autres. Une autre façon d'aborder la vie locale.

LANGUE

Tout le charme des Antilles. Chuintant, chantant, tout en voyelles et sans aspérité, en remplaçant les « r » par des « w », avec des finales un peu traînées comme un hamac qui se balance : *l'accent créole, c'est déjà les îles.* Les békés pure souche parlent aussi avec l'accent créole, et cela peut parfois paraître insolite aux visiteurs de l'île peu habitués.

Et pour ponctuer tout cela, des gestes, des rires rocailleux, des expressions imagées qui évoquent la vieille France d'outre-mer. Ainsi, on se donne à tout propos du « mon cher », « ma chère », beaucoup de « d'accord » et de « voilà », et quand la maraîchère vous dit « mon doudou », on lui achèterait volontiers tous ses fruits. Il est vrai que le créole puise une partie de ses origines dans les *patois normands, poitevins ou encore picards* quand il ne s'agit pas de *vieux français.* Avec la langue créole, vous risquez d'en rester longtemps au B.A.-BA. L'étranger n'entend goutte à ce français nasalisé (exemple : « zanmis », les amis ; « lanmé », la mer), émaillé de mots anglais, espagnols, caraïbes, africains et d'idiotismes purs. De La Réunion jusqu'à Haïti (où il est cependant très différent de celui des Antilles), il est le *trait d'union entre les îles.* Le créole passait autrefois (il suffit de relire certains romans !) pour du « petit-nègre » ; aujourd'hui, les linguistes les plus reconnus affirment haut et fort que chaque créole (puisqu'il en existe autant que de lieux distincts) est une langue à part entière, née de la nécessité pour les esclaves de communiquer entre eux. En effet, le brassage des esclaves, voulu par les négriers, les isolait de leurs communautés d'origine. Les Africains venaient d'ethnies différentes et ne se comprenaient donc pas entre eux. On pense qu'en une ou deux générations le créole est né ainsi, sur la base de langues africaines, avec un vocabulaire emprunté en grande partie à la langue des maîtres et des contremaîtres. Aujourd'hui, on l'enseigne, on l'édite, on le diffuse avec la *fierté d'une langue nationale.*

Pour ceux qui voudraient en savoir un peu plus, deux dictionnaires : le *Dictionnaire élémentaire français-créole* de Pierre Pinalie (éd. L'Harmattan) et le *Dictionnaire créole-français (Guadeloupe)* de R. Ludwig, D. Montbrand, S. Telchid et H. Poullet (éd. Maisonneuve et Larose). Il existe même *Le Créole guadeloupéen de poche* (éd. Assimil).

Leçon de créole guadeloupéen : vocabulaire

Môn	petite montagne isolée
Kaz	récif (en mer), maison (sur terre)
Yen-yen	moustique minuscule
Ouassou	grosse crevette d'eau douce
Zabitan	petite écrevisse (les « z'habitants » des rivières)
Chomé	s'amuser
Ti-bo	petit baiser
Pa mannyé mwen	laisse-moi tranquille (littéralement, ne me touche pas)
Pani pwoblém	pas de problème
Ka ou fé ?	comment ça va ? ou salut !
O-là ou kalé ?	où es-tu allé ?
Ou sa ou ka alé ?	où vas-tu ?
Ban mwen on ti-punch	fais-moi un ti-punch
An kay dômi	je vais au lit
Ban mwen on ti favè	fais-moi plaisir
Manman kochon	urne
Fé mannèv	se presser
La pli ka tonbé	il pleut
On moun	une personne
On pété-pyé	le dernier punch, celui qui « casse les jambes »
To, to, to	onomatopée typiquement créole pour annoncer son arrivée ou entrer chez quelqu'un
Lolo	minuscule épicerie

Proverbes créoles

– *Avan ou mayé sé chè doudou, apwè mayé sé si mwen té savé :* « Avant de te marier c'est chérie, après c'est si j'avais su. »
– *Fam enmé kankan con mouch-an-miel enmé siwo :* « Les femmes aiment les commérages comme les abeilles le sirop. »
– *Ravèt pa janmé ni wézon douvan poul :* « Le ravet (cafard) n'a jamais raison devant une poule. »

LIVRES DE ROUTE

Littérature antillaise

Voir aussi la rubrique « Personnages célèbres » dans « Hommes, culture, environnement » en fin de guide.

– ***Pluie et vent sur Télumée Miracle*** (1973), de Simone Schwarz-Bart ; Le Seuil, coll. Points (1995). Née à Pointe-à-Pitre en 1938, l'auteur fit ses études à Pointe-à-Pitre, Paris et Dakar. Elle rencontra André Schwarz-Bart en 1957 et écrivit avec lui *Un plat de porc aux bananes vertes* (1967). Son livre suivant, *Pluie et vent sur Télumée Miracle,* est un véritable chef-d'œuvre poétique, original et pittoresque. Il sera suivi en 1979 de *Ti Jean l'horizon.* En 2015, elle publie *L'Ancêtre en solitude* (éd. du Seuil).
– ***Traversée de la mangrove,*** de Maryse Condé ; Folio (1992). Une vingtaine de personnes, toutes très différentes, se retrouvent à veiller un homme dont on ne sait pas grand-chose. En fonction de son origine et de son statut social, chacun révélera une facette de la personnalité du défunt. Un joli roman, à la fois habile et onirique, qui dépeint la quête identitaire de la société guadeloupéenne, ses contradictions et ses tensions.

– *Désirada,* de Maryse Condé ; coll. Pocket. Maryse Condé suit le destin de trois générations de femmes marquées par l'exil et le déracinement. Marie-Noëlle, abandonnée à sa naissance, se met en quête de ses origines et, à travers la recherche de sa mère installée en métropole, remonte jusqu'à sa grand-mère, originaire de la Désirade. Un beau roman, sensible, qui s'interroge sur la condition de la femme guadeloupéenne.

– *Tambour-Babel,* d'Ernest Pépin ; Gallimard, coll. Blanche Gallimard (1996). Cet ouvrage de l'auteur (né au Lamentin) de *L'Homme-au-bâton, Noir des îles* et *Le soleil pleurait...* a reçu le prix RFO du livre 1997. C'est le récit du *léwoz,* le rassemblement traditionnel des joueurs de tambour virtuoses qu'on surnomme les *tanbouyés.* Ici, la langue française se tord et se transmue en mélopées créoles, envoûtantes, obsédantes, endiablées.

– *L'Île et une nuit,* de Daniel Maximin ; Le Seuil, coll. Points, n° 1044 (2002). Un cyclone se dirige vers la Guadeloupe. Marie-Gabriel, jeune Antillaise, est seule, barricadée dans sa maison. Pour apprivoiser sa peur, elle parle pendant sept heures et sept chapitres.

– *Le Siècle des Lumières* (1962), d'Alejo Carpentier ; Gallimard, coll. Folio, n° 981 (1977). Si le mot baroque a un sens, il s'applique à cet ouvrage du grand romancier cubain d'ascendance bretonne, juteux comme un fruit tropical, évocation inattendue de la Révolution française vue des Caraïbes, construit autour de la figure fascinante et inquiétante du révolutionnaire Victor Hugues.

– Régalez-vous avec les polars signés Raphaël Confiant, Ernest Pépin ou Lyonel Trouillot, publiés ces dernières années chez Caraïbeditions, première maison à publier des ouvrages en créole ou ayant un lien avec les Antilles. Parmi nos préférés : *La Darse Rouge,* d'Ernest Pépin, qui se déroule à Pointe-à-Pitre ou *Du rififi chez les fils de la veuve,* de Raphaël Confiant, dans le milieu franc-maçon.

– *L'Île fauve* (2005) et *Deux ou trois jours aux Saintes* (2011), de Pierre Séguret ; éd. Orphie. Dédiés aux Saintes, deux romans qui restituent à leur manière, par petites touches, l'histoire, la géographie et l'imaginaire de cette partie du monde.

– L'incontournable *Dictionnaire créole-français,* de Ludwig, Montbrand, Poullet et Telchid ; éd. Maisonneuve et Larose.

PERSONNES HANDICAPÉES

Le label Tourisme et Handicap

Ce label national, créé par le secrétariat d'État à la Consommation et au Tourisme en partenariat avec les professionnels du tourisme et les associations représentant les personnes handicapées, permet d'identifier les lieux de vacances (hôtels, campings, sites naturels, etc.), de loisirs (parcs d'attractions, etc.) ou de culture (musées, monuments, etc.) accessibles aux personnes handicapées. Il apporte aux touristes en situation de handicap une information fiable sur l'accessibilité des lieux. Cette accessibilité, visualisée par un pictogramme correspondant aux quatre types de handicaps (moteur, visuel, auditif et mental), garantit un accueil et une utilisation des services proposés avec un maximum d'autonomie dans un environnement sécurisant.

Pour connaître la liste des sites labellisés : • *rendezvousenfrance.com* • (rubrique « Tourisme et Handicap »).

Par ailleurs, dans notre guide, nous indiquons par le logo ♿ les établissements qui possèdent un accès ou des chambres pouvant accueillir des personnes handicapées. Certaines adresses sont parfaitement équipées selon les critères les plus modernes. D'autres, plus simples, plus anciennes aussi, sans répondre aux normes les plus récentes, favorisent l'accueil des personnes handicapées en facilitant l'accès à leur établissement, tant sur le plan matériel que sur le plan humain. Évidemment, les handicaps étant très divers, des lieux accessibles à certaines personnes ne le seront pas pour d'autres. Appelez donc auparavant pour savoir si l'équipement de l'hôtel ou du resto est compatible avec votre niveau de mobilité. Malgré les combats menés par les nombreuses associations, l'intégration des personnes handicapées à la vie de tous les jours est encore balbutiante en France. Il tient à chacun de nous de faire changer les choses. Une prise de conscience est nécessaire, nous sommes tous concernés.

SANTÉ

Département français, la Guadeloupe est soumise aux mêmes normes et réglementations sanitaires que la métropole. En conséquence, n'oubliez pas d'apporter votre carte Vitale, voire la carte européenne d'assurance maladie pour les ressortissants de l'Union non français. L'infrastructure médicale et hospitalière y est comparable. Ainsi, les Antilles françaises sont à l'évidence l'endroit le plus sûr de la région à plusieurs milliers de kilomètres à la ronde. En cas de pépin, le numéro du SAMU est le ☎ 15.

Les maladies infectieuses et parasitaires, autrefois redoutées, ont disparu dans cette zone, pourtant tout à fait tropicale. On retiendra néanmoins un chiffre grave : les Antilles sont considérées comme une des régions françaises les plus touchées par le virus du *sida,* juste avant l'Île-de-France. Malgré cela, l'usage du préservatif n'est pas vraiment banalisé. Pensez-y et n'oubliez pas votre imperméable.

Il est recommandé d'être à jour de ses vaccinations « universelles » : diphtérie, tétanos, polio, hépatite B, et pour les séjours un peu longs, l'hépatite A.

■ *Centres de vaccination :* pour les centres de vaccination partout en France, dans les DOM-TOM, en Belgique et en Suisse, consulter le site internet ● *astrium.com/espace-voyageurs/centres-de-vaccinations-internationales.html* ●

Les moustiques et la dengue, le chikungunya, le virus zika...

– Des épidémies de *dengue* surviennent régulièrement, comme dans toutes les zones humides et chaudes du globe, spécifiquement pendant la saison humide. Il s'agit d'une infection virale qui se traduit par les mêmes signes que la grippe, mais généralement en plus cogné (très forte fièvre). Il ne faut pas la prendre à la légère, et la convalescence est longue. Cette maladie est transmise par un *moustique* qui a la particularité de ne piquer que le jour. Un vaccin est commercialisé depuis 2016. Les voyageurs en partance pour la Guadeloupe et Saint-Martin ont découvert par ailleurs, en 2014, que le *chikungunya,* après La Réunion, avait fait son apparition aux Antilles, et surtout le *virus zika* en 2015 et 2016, également transmis par le moustique *aedes.* Ce dernier peut conduire dans des cas limités à des effets neurologiques graves et pour les femmes enceintes à un risque de malformation pour leur bébé. Pour se tenir informé, ● *invs.santepubliquefrance.fr/Regions-et-territoires/Actualites/(aa_localisation)/Guadeloupe* ●

– Les *yen-yens,* de minuscules moucherons très pénibles qui ressemblent à de tout petits moustiques, sont un véritable fléau et piquent non-stop. Méfiance, donc, dès que le temps change ou quand la nuit tombe, l'attaque risque de se déclencher sans prévenir.

– Pour combattre toutes ces bestioles, il est recommandé de porter des vêtements longs et de s'enduire les parties découvertes du corps, de jour comme de nuit. Il faut savoir que la quasi-totalité des répulsifs vendus en grande surface ou en pharmacie sont peu ou insuffisamment efficaces contre ces moustiques. Il existe une gamme conforme (OMS, ministère de la Santé) et fiable : *Insect Écran* (adulte, enfant, vaporisation, imprégnation des tissus). Il est recommandé, aussi, de dormir sous une moustiquaire imprégnée, dans les endroits sans brasseur d'air ni AC. Et si l'on a un bébé, l'idéal est de le faire dormir également sous une moustiquaire imprégnée de produit.

– Ces produits et matériels, ainsi que beaucoup d'autres utiles aux voyageurs se trouvent sur place ou dans les pharmacies. Sinon ils peuvent être achetés par correspondance sur le site de *Santé Voyages* ● astrium.com ● Infos complètes sur toutes les destinations, consultation, boutique web, téléchargement du catalogue. Commandes et paiement en ligne sécurisés. Expéditions en France, DOM-TOM et à l'étranger, en Colissimo Expert ou Chronopost. ☎ *01-45-86-41-91 (lun-ven 14h-19h).*

Mais aussi...

– Certains *poissons* contiennent des toxines qui peuvent entraîner, en cas de consommation, quelle que soit la cuisson, des troubles parfois graves (paralysie, chute de tension) et toujours désagréables (démangeaisons, fourmillements, vertiges, etc.). C'est ce que l'on appelle la *ciguatera* ou « gratte ». Évitez autant que possible de manger des poissons que vous auriez pêchés avant de les avoir montrés à un connaisseur.

– Sur les *plages,* il est préférable de porter des sandales pour marcher sur le sable, et de s'allonger sur une natte ou une serviette. Les chiens errants peuvent laisser des parasites qui, en pénétrant la peau, développent une petite larve sous-cutanée qui donne de fortes démangeaisons *(Larva migrans).*

– Évitez de vous rafraîchir les pieds dans des *étangs* d'eau douce ou de marcher dans la *boue* : si la bilharziose a disparu des îles, l'ankylostomiase et l'anguillulose peuvent encore s'attraper.

– Il n'y a pas de serpents venimeux en Guadeloupe. Une bonne nouvelle.

– On n'observe plus guère de *mancenilliers* (de l'espagnol *manzana,* qui signifie « pomme »), sauf encore à Saint-Barthélemy, au Moule, aux Saintes, à Marie-Galante... On en trouvait autrefois partout et principalement au bord des plages. Tout est toxique dans ce végétal redoutable – qui ressemble au pommier, fruits compris (mais ses « pommes » sont plus petites) –, de l'écorce à la sève, en passant par les fruits et même les feuilles. Si, en Guadeloupe et en Martinique, la plupart des rares mancenilliers restants sont bien signalés (pancarte ou tronc peint en rouge), rien ne les distingue dans les autres îles, et notamment à Saint-Barthélemy.

– Il est recommandé d'être prudent avec tout ce qui fait le charme de ces îles : les *boissons alcoolisées* un peu raides (le rhum notamment), évidemment, et le *soleil,* qui tape fort (pensez à la *Biafine®,* excellent remède pour apaiser brûlures et coups de soleil)...

À part ça, pas de raison de vous inquiéter outre mesure ; ce sont de simples recommandations d'usage.

Carte européenne d'assurance maladie

Pour les ressortissants de l'Union européenne non français, pensez à vous procurer la carte européenne d'assurance maladie. Cette carte fonctionne dans tous les pays membres de l'Union européenne, ainsi qu'en Islande, au Liechtenstein, en Norvège et en Suisse. C'est une carte plastifiée bleue, valable 2 ans, gratuite et personnelle (chaque membre de la famille doit avoir la sienne, y compris les enfants).

SITES INTERNET

● *routard.com* ● Le site de voyage n° 1 avec 750 000 membres et des millions d'internautes chaque mois. Partagez vos expériences avec la communauté de voyageurs : forums de discussions, avis, bons plans et photos. Pour s'inspirer et s'organiser, plus de 250 fiches pays actualisées avec les infos pratiques, les incontournables et les dernières actualités, ainsi que des reportages terrains et des carnets de voyage. Enfin, vous trouverez tout pour vos vols, hébergements, activités et voitures pour réserver votre voyage au meilleur prix. Routard.com, votre voyage de A à Z !

● *lesilesdeguadeloupe.com* ● Le site officiel du comité du tourisme.

● *guadeloupe-parcnational.fr* ● Le site officiel du parc national de la Guadeloupe. Pour tout savoir sur les randos, les sites (la réserve de Grand Cul-de-Sac Marin, les chutes du Carbet, la Soufrière, etc.).

● *sailpilot.com* ● Indispensable pour tous les routards navigateurs, ce site anglophone actualisé régulièrement par une association de marins recense les plus belles escales, les ports et les points de mouillage, les clubs et les spots de plongée des Antilles. Il offre aussi de nombreuses infos très pratiques comme les formalités de douanes maritimes, les cartes satellites, les fréquences radio, la météo...

● *gastronomiecreole.chez.com* ● Le site officiel des *Cahiers de la gastronomie créole* propose toutes les recettes de ti-punch et l'ensemble des plats traditionnels antillais.

TÉLÉCOMMUNICATIONS

– Les **numéros** comportent 10 chiffres, comme en métropole. Les téléphones fixes commencent par 05-90 et les portables par 06-90, à composer sans préfixe depuis la métropole. Mais depuis l'étranger, composer le 00-590 suivi de neuf chiffres (sans le 0 donc).

– Depuis ou vers la métropole, avec les formules d'abonnements illimités sur les postes fixes, la gratuité est de mise chez les opérateurs, y compris vers un portable.

– N'oubliez pas le décalage horaire pour ne pas appeler à des heures incongrues !

Le téléphone portable en voyage

Depuis 2016, il n'y a plus de frais de roaming entre les DOM-TOM et la métropole. Et depuis juin 2017, un voyageur européen titulaire d'un forfait dans son pays d'origine peut utiliser son téléphone mobile *au tarif national* dans les 27 pays de l'Union européenne, sans craindre de voir flamber sa facture. Des plafonds sont néanmoins fixés par les opérateurs pour éviter les excès... Cet accord avantageux signé entre l'UE et ses opérateurs télécoms concerne aussi la consommation de *données internet 3G ou 4G,* dont le volume utilisable sans surcoût dépend du prix du forfait national (se renseigner). Par ailleurs, si le voyageur réside plusieurs mois en dehors de son pays, des frais peuvent lui être prélevés...
Dans ces pays, donc, plus besoin d'acheter une carte SIM locale pour diminuer ses frais.

La connexion internet en voyage

En Guadeloupe, les hôtels et une partie des restos, des bars, et mêmes certains espaces publics disposent du wifi gratuit. Mieux que la connexion 3G et 4G qui peut entraîner des frais en usage intensif, le wifi permet aussi de profiter d'un débit parfois supérieur.

Une fois connecté au wifi, vous avez accès à tous les services de la *téléphonie par internet*. *Whatsapp, Messenger* (la messagerie de *Facebook*), *Viber, Skype,* permettent d'appeler, d'envoyer des messages, des photos et des vidéos aux quatre coins de la planète, sans frais. Il suffit de télécharger – gratuitement – l'une de ces applis sur son smartphone. Elle détecte automatiquement dans votre liste de contacts ceux qui utilisent la même appli.

TRANSPORTS

Bus

Le transport par *bus* est à la fois pratique, vivant et économique pour découvrir l'île et sa population, à condition d'avoir du temps devant soi. Nous vous donnons les fréquences des principales lignes dans ce guide, mais seulement à titre indicatif : l'idéal est vraiment d'aller les vérifier, au besoin, dans les offices de tourisme (quand ils ont le renseignement !) et les gares de départ, ou directement auprès des chauffeurs. Noter que beaucoup de bus circulent encore peu, voire pas du tout, les mercredi après-midi, samedi après-midi, dimanche et jours fériés. Et cela est valable pour toute l'île.

Location de voitures quasi obligatoire

C'est bien sûr la *meilleure solution* quand on veut découvrir les secrets de l'île, surtout si l'on voyage à plusieurs. Attention, en haute saison, il est recommandé de réserver longtemps à l'avance.
Nombreux loueurs et grosse concurrence sur le marché des voitures de location, on s'en doute. En effet, on peut dire que la voiture est quasiment indispensable ici. Les prix débutent, avec les grosses agences, autour de 30-40 € par jour, kilométrage illimité. Prévoir des frais de surcharge d'aéroport (environ 25 €) avec certaines. Prévoir également de rendre le véhicule propre (dedans comme dehors) : c'est une exigence courante chez les loueurs guadeloupéens.
Gare aux surprises : on trouve de plus en plus de particuliers ou de petites entreprises qui proposent des locations meilleur marché que les loueurs classiques, et si l'on peut faire de belles affaires, on peut aussi tomber sur une arnaque ! Une solution est de passer par votre hôtel ou votre hôte, qui réservera la voiture dans une agence avec laquelle il a l'habitude de travailler, et donc facilement joignable en cas de pépin. Dans ce cas, essayez de négocier le transfert aéroport/hébergement gratuitement, et louez le véhicule le lendemain matin ou un peu plus tard selon vos besoins. De nombreux loueurs disposent d'agences en divers points de l'île. Les voitures, même les bas de gamme, sont très souvent climatisées. Si possible, essayez de louer une voiture un peu haute de caisse, ça vous évitera d'arracher la plaque d'immatriculation dès que vous quitterez la route principale à Basse-Terre (où ça grimpe dur !), ou encore de vous retrouver dans le fossé parce que la voiture, une fois chargée, ne peut plus repartir en première.
L'*essence* est un peu plus chère qu'en métropole mais son prix est le même dans toute la Guadeloupe (pas besoin de comparer). Autre point : certains recommandent d'enlever les enjoliveurs (quand ce n'est pas déjà fait) afin d'éviter tout vol, et donc facturation de la part du loueur. N'oubliez pas que les dommages causés aux *pneumatiques* sont toujours à la charge de celui qui loue, de même que le *bas de caisse,* quelle que soit l'assurance souscrite. Il peut être intéressant de louer un petit 4x4. En tout cas, bien faire attention à l'état du bitume et rouler au pas sur les chemins caillouteux. Et vérifier que la voiture qu'on loue a bien sa roue de secours (en bon état).
ATTENTION : n'oubliez jamais dans vos calculs du temps de trajet le facteur *embouteillages* ! Vous pourriez, selon les heures de la journée, mettre plus de

1h30 pour aller de l'aéroport au Gosier, alors qu'en réalité il n'y a qu'une quinzaine de kilomètres ; idem dans l'autre sens et pire de Saint-François, ou encore pour traverser Pointe-à-Pitre vers Basse-Terre. Bref, ici, les embouteillages font partie du paysage, et vous n'y échapperez pas, à moins de circuler de nuit, et encore...

– Procurez-vous gratuitement la *carte routière* de la Guadeloupe au 1/100 000 (chez les loueurs, dans certains offices de tourisme et certaines stations-service), vous y trouverez tous les noms des bourgs que nous citons, et cela facilitera vos déplacements.

■ *Hertz Antilles :* central de résa pour les Antilles-Guyane au ☎ 05-90-89-28-05 ou 0810-323-113. ● reservation@hertzantilles.com ● hertzantilles.com ● Hertz, n° 1 de la loc de véhicules aux Antilles-Guyane, offre aux lecteurs du Routard des tarifs allant jusqu'à 20 % de réduc sur son site internet : taper le code promo « routard » afin de bénéficier de 10 % spécial Routard et 10 % supplémentaires en payant à l'avance. Hertz propose une large gamme de véhicules récents (voitures économiques, écologiques, familiales, 4x4, véhicules sans permis, etc.) pour découvrir les îles en toute quiétude ! Les 11 agences de l'île apportent assistance et dépannage 24h/24.

■ *BSP Auto :* ☎ 01-43-46-20-74 (tlj). ● bsp-auto.com ● Les prix proposés sont attractifs et comprennent le kilométrage illimité et l'assurance tous risques sans franchise (LDW). *BSP Auto* propose exclusivement les grandes compagnies de location sur place, assurant un très bon niveau de service. Les plus : vous ne payez votre location que 5 jours avant le départ. Remise spéciale de 5 % aux lecteurs de ce guide avec le code « ROUTARD18 ».

■ *Avis :* ☎ 05-90-21-13-54 ou 0821-230-760 (0,12 €/mn + prix d'appel). ● avis.fr ● Nombreuses formules de location et catégories de véhicules. Cartes de fidélité *Club*.

■ *Europcar :* ☎ 0825-358-358 (0,15 €/mn + prix d'appel). ● europcar-guadeloupe.com ● De nombreuses offres pour les détenteurs d'une carte de fidélité aérienne ou de transport.

■ *Jumbo Car Guadeloupe :* aéroport Pôle Caraïbes. ☎ 05-90-21-13-50. ● jumbocar-guadeloupe.com ● Réduc de 10 % sur vos loc au comptoir des 7 agences sur présentation de ce guide. Loc à partir de 13 €/j. selon saison avec le code « Rout2017 » sur le site internet. Véhicules récents, clim, kilométrage illimité et assistance 24h/24.

■ *Voitures des Îles :* ☎ 0890-03-30-40 (0,80 €/mn), lun-ven 8h-12h. ● voitures desiles.com ● Spécialiste de la location de voitures dans les îles, ce central de réservation propose les plus grands loueurs aux meilleurs prix. Qualité du service et assistance 24h/24. Réservation facile en ligne ou par téléphone. Confirmation immédiate. Annulation sans frais.

■ Mais, bien sûr, de nombreux autres loueurs sont présents en Guadeloupe (voir aussi « Arrivée à l'aéroport Pôle-Caraïbes » à Pointe-à-Pitre). Citons simplement *Ada* (☎ 05-90-25-30-27 ; ● ada.fr/location-voiture-guadeloupe.html ●) et *Budget* (☎ 05-90-21-46-57 ; ● budget-guadeloupe.com ●).

– Également sur Marie-Galante, *Magauto* : ☎ 05-90-97-98-75 ou 15-97. ● magauto.sarl.location@wanadoo.fr ●

Location de scooters et de motos

Très peu développée. À part les scooters aux Saintes, on ne vous conseille pas cette formule, à moins que vous ne soyez un as du deux-roues. Les bonnes routes incitent à aller un peu vite, un peu trop même. Sable dans les virages, rétrécissements soudains, conducteurs ivres venant en face, dos-d'âne non matérialisés... Les dangers sont partout. Malgré ces avertissements, si vous louez un scooter, pensez à prendre votre permis. À partir de 80 cc, il est obligatoire, et comme cette cylindrée est de plus en plus présente...

Bien vérifier l'éclairage (on n'y pense jamais quand on loue la bécane de jour), l'efficacité des freins et l'état des pneus.

Distances entre les communes

Vieux-Habitants	Trois-Rivières	Sainte-Rose	Saint-François	Sainte-Anne	Pointe-à-Pitre	Pointe-Noire	Port-Louis	Petit-Bourg	Le Moule	Le Gosier	Deshaies	Capesterre-Belle-Eau	Bouillante	Anse-Bertrand	Les Abymes	Distances en km
61	51	25	30	24	5	45	26	18	22	12	44	37	49	28		LES ABYMES
89	79	53	41	40	33	73	9	47	27	40	72	66	77		28	ANSE-BERTRAND
11	36	48	81	66	47	16	75	39	71	54	30	48		77	49	BOUILLANTE
36	13	43	69	54	35	53	63	19	59	42	61		48	66	37	CAPESTERRE-BELLE-EAU
42	66	17	75	60	41	14	69	41	65	48		61	30	72	44	DESHAIES
65	55	31	29	14	9	49	37	23	33		48	42	54	40	12	LE GOSIER
82	72	48	14	15	27	66	26	40		33	65	59	71	27	22	LE MOULE
61	32	25	50	35	16	35	44		40	23	41	19	39	47	18	PETIT-BOURG
86	76	52	40	37	30	70		44	26	37	69	63	75	9	26	PORT-LOUIS
27	52	32	77	61	42		70	35	66	49	14	53	16	73	45	POINTE-NOIRE
58	48	24	35	20		42	30	16	27	9	41	35	47	33	5	POINTE-À-PITRE
77	67	43	15		20	61	37	35	15	14	60	54	66	40	24	SAINTE-ANNE
92	82	58		15	35	77	40	50	14	29	75	69	81	41	30	SAINT-FRANÇOIS
59	56		58	43	24	32	52	25	48	31	17	43	48	53	25	SAINTE-ROSE
25		56	82	67	48	52	76	32	72	55	66	13	36	79	51	TROIS-RIVIÈRES
	25	59	92	77	58	27	86	61	82	65	42	36	11	89	61	VIEUX-HABITANTS

Route

La Guadeloupe se place dans le peloton de tête des départements les plus dangereux quant aux accidents de la route. Car, malgré un tempérament paisible, les Antillais se métamorphosent parfois derrière un volant. Conduite collé-serré, pied au plancher, dépassement « aspiration ». Quand on vient d'arriver, qu'on ne connaît pas la route, et qu'on a loupé le panneau indicateur masqué par la végétation, ça énerve. Complétons ce tableau par des surprises du réseau routier : une double voie qui se resserre en plein virage, des routes de montagne plutôt étroites, souvent dépourvues d'accotements stabilisés, mais encadrées de fossés profonds. Autre particularité, les rues et routes partant à l'assaut des collines s'embarrassent peu des virages, ce qui engendre des pentes très marquées que la voiture peine parfois à gravir (révisez vos démarrages en côte !). Pas de panique, toutefois, rouler doucement, ouvrir l'œil et avoir de bons réflexes. Respecter le slogan « *Si on pwan la gout', pa pwen la wout'* », traduction créole du « Boire ou conduire, il faut choisir ». Savoir aussi que de nombreux automobilistes conduisent sans assurance (quand ce n'est pas sans permis), et que la plupart ne mettent pas leur ceinture sans que personne ne sourcille (il fait chaud !...).

– Veillez à ne pas vous garer dans des recoins sombres, voire sur des places de parking d'hôtel mal ou peu éclairées, pour éviter tout risque de vandalisme. Et bien sûr à ne rien laisser traîner de visible, on se répète, mais c'est important.

Liaisons maritimes

– N'oubliez pas de toujours vérifier si le départ annoncé est bien maintenu ! Il est préférable de prendre son billet la veille (les compagnies proposent généralement un service de vente à distance) ou d'arriver à l'ouverture du guichet. Faire jouer la concurrence, le prix du billet peut varier.

– Même s'il n'y paraît pas, la mer est souvent agitée au large. Remettez éventuellement à plus tard si la météo est vraiment mauvaise. Ceux qui sont sujets au mal de mer s'abstiendront de prendre un bon petit déj planureux... Ils pourront prendre de la *Nautamine*® (ou équivalent) avant la traversée et éviteront la proue du bateau (ça secoue plus fort qu'à l'arrière).

– Bien s'assurer que l'on monte dans le bon bateau : rien n'est indiqué, bien souvent, et les bateaux se suivent parfois à quelques minutes.

Liaisons aériennes

Plusieurs compagnies proposent des liaisons avec certaines îles des Antilles (voir le chapitre « Arriver – Quitter »), mais pour l'heure, il n'y a plus de vols avec les îles de l'archipel guadeloupéen (Marie-Galante, les Saintes et la Désirade).

URGENCES

Urgences médicales

■ *SAMU :* ☎ 15 ou ☎ 05-90-91-39-39.
✚ *Centre hospitalier régional universitaire* (plan Pointe-à-Pitre C-D3) *:* bd de l'Hôpital. ☎ 05-90-89-10-10 ou 79. À la sortie de Pointe-à-Pitre, direction Le Gosier.
■ *Association des médecins de garde (ADGUPS) :* 129, route de Chauvel, **Les Abymes**. ☎ 05-90-90-13-13 (médecin régulateur).
■ *Centre médical de l'aéroport Pôle-Caraïbes :* ☎ 05-90-21-71-41. Tlj 9h-23h.
■ *Urgence en mer :* ☎ 196.

Perte/vol carte de paiement

Une carte perdue ou volée peut être rapidement remplacée. En appelant sa banque, un système d'opposition, d'avance d'argent et de remplacement de carte pourront être mis en place afin de poursuivre son séjour en toute quiétude.

– *Carte Bleue Visa : numéro d'urgence (Europ Assistance),* ☎ *(00-33) 1-41-85-85-85 (24h/24).* ● *visa.fr* ●
– *Carte MasterCard : numéro d'urgence,* ☎ *(00-33) 1-45-16-65-65.*

● *mastercardfrance.com* ●
– *Carte American Express : numéro d'urgence,* ☎ *(00-33) 1-47-77-72-00.*
● *americanexpress.fr* ●

Perte/vol téléphone portable

Suspendre aussitôt sa ligne permet d'éviter de douloureuses surprises au retour du voyage ! Voici les numéros des quatre opérateurs français, accessibles depuis la France et l'étranger.

– *SFR : depuis la France,* ☎ *10-23 ; depuis l'étranger,* ▤ *+ 33-6-1000-1023.*
– *Bouygues Télécom : depuis la France comme depuis l'étranger,* ☎ *+ 33-800-29-1000 (service et appel gratuits).*

– *Orange : depuis la France,* ☎ *0800-100-740 ; depuis l'étranger,* ☎ *33-178-56-9560.*
– *Free : depuis la France,* ☎ *32-44 ; depuis l'étranger,* ☎ *+ 33-1-78-56-95-60.*

Vous pouvez aussi demander la suspension de votre ligne depuis le site internet de votre opérateur.
Avant de partir, notez (ailleurs que dans votre téléphone portable !) votre numéro IMEI, utile pour bloquer à distance l'accès à votre téléphone en cas de perte ou de vol. Comment avoir ce numéro ? Il suffit de taper sur votre clavier *#06#. Puis reportez-vous au site ● *mobilevole-mobilebloque.fr* ●

LA GUADELOUPE

GRANDE-TERRE

● Carte *p. 68-69*

 Moins accidentée et plus petite que Basse-Terre, Grande-Terre, un triangle de 40 km de côté, forme la partie orientale de la Guadeloupe. Au nord, la campagne est occupée par des champs de canne à sucre et bordée par un littoral escarpé qui se termine par des falaises abruptes. On se croirait sur une « côte normande tropicale », voire la côte bretonne à l'extrême est, à la pointe des Châteaux. Au sud, du Gosier à Saint-François en passant par Sainte-Anne, s'étendent le long de la côte des stations balnéaires et de belles plages.

Pour rejoindre Pointe-à-Pitre, qui mérite une visite ne serait-ce que pour le Mémorial ACTe, mieux vaut prendre son mal en patience, les embouteillages sont fréquents (c'est un goulot d'étranglement routier entre Grande-Terre et Basse-Terre qui ne s'améliore pas au fil des ans) et l'environnement le moindre souci de ceux qui ont multiplié ici les zones industrielles.

Pour rejoindre Basse-Terre, mieux vaut quitter la côte et aller se perdre dans l'arrière-pays de Sainte-Anne, microrégion discrète et peu fréquentée, restée encore dans son jus : les Grands-Fonds forment un labyrinthe un peu à part de mornes cultivés et de vallées encaissées.

LE SUD DE GRANDE-TERRE

POINTE-À-PITRE (97110) env 16 000 hab.

> ● Plan *p. 72-73*

Si Basse-Terre est la capitale administrative de la Guadeloupe, Pointe-à-Pitre en est le poumon économique au travers de la zone industrielle de Jarry-Houëlbourg et de l'aéroport international Pôle Caraïbes des Abymes. PAP (ou « *lapwent* », pour les intimes) forme, avec les communes limitrophes des Abymes et du Gosier, une agglomération de plus de 100 000 habitants. Un ensemble qui se développe vers l'ouest aussi, autour de l'industrieuse Baie-Mahault-Jarry et de son colossal (et controversé) terminal de conteneurs, qui doit voir le jour d'ici 2025, pour répondre à l'afflux attendu de porte-conteneurs en mer des Caraïbes suite à la mise en œuvre de nouvelles écluses sur le canal de Panama. On passe forcément à Pointe-à-Pitre, en avion, en bus, en voiture ou en bateau, mais on n'a que peu de raisons de s'y arrêter. La cité n'a rien de très glamour : tristes banlieues bétonnées, zones industrielles et commerciales, trafic automobile pénible aux heures... de pointe. Le soir et le week-end, changement radical de décor, la ville devient un véritable désert urbain fréquenté par une faune pas toujours bien intentionnée. On se contentera donc de jeter un coup d'œil à son centre historique : la place de la Victoire et le quartier du marché central qui gardent quelques belles demeures de style colonial, bâtiments administratifs en ciment armé signés Ali Tur et autres vieux immeubles créoles intercalés de cases en bois pittoresques.

C'est au mois de décembre que la ville swingue le plus, à l'occasion du festival Jazz à Pointe-à-Pitre. Et, tous les 4 ans, la fameuse Route du rhum finit sa course dans la marina, à 4 km du centre-ville. La prochaine édition est pour novembre 2018.

LE QUARTIER DU PORT, LIEU DE MÉMOIRE

Pour les amateurs de polars et d'authenticité, mieux vaut lire des ouvrages comme *La Darse Rouge* (Caraïbes éd., 2011), d'Ernest Pépin, un grand écrivain au style poétique et savoureux qui fait revivre la cité de son enfance, quand « l'usine Darboussier lançait des vapeurs de vie, irriguait les bars et chauffait le lit des femmes. C'était alors une turbulence populaire où les cris, les rires, les phrases salées, voltigeaient comme des étincelles toujours prêtes à s'embraser... ».

C'est dans ce même quartier du port qu'il faudra aller pour découvrir un des plus fascinants espaces muséographiques conçus ces dernières années pour réconcilier les hommes, d'ici ou d'ailleurs, avec leur histoire. Un lieu incontournable qui offre au visiteur le plus intelligent (et le plus ludique aussi, pour les plus jeunes) moyen de transport dans le temps des îles : le Mémorial ACTe, encore indiqué sur nombre de cartes par le nom de l'usine (Darboussier) démolie pour permettre sa construction, en 2015. Libre à vous ensuite de prolonger la balade côté marina ou de traîner sur les marchés, selon l'heure.

UN PEU D'HISTOIRE

La Guadeloupe fut rattachée à la France en 1674, mais la future ville de Pointe-à-Pitre ne se développera vraiment que lors de l'occupation anglaise en 1759 (durant la guerre de Sept Ans). Les Anglais créent le port, édifient des magasins sur

GRANDE-TERRE

GRANDE-TERRE

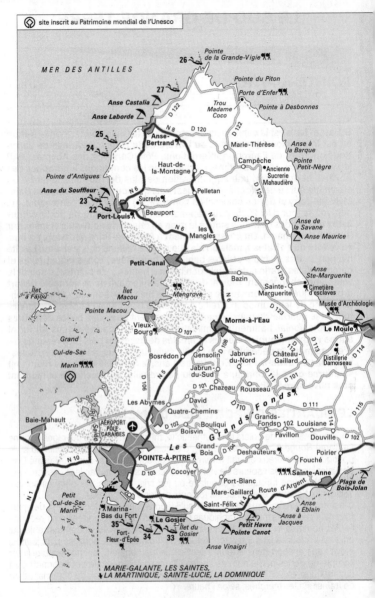

site inscrit au Patrimoine mondial de l'Unesco

MER DES ANTILLES

MARIE-GALANTE, LES SAINTES,
LA MARTINIQUE, SAINTE-LUCIE, LA DOMINIQUE

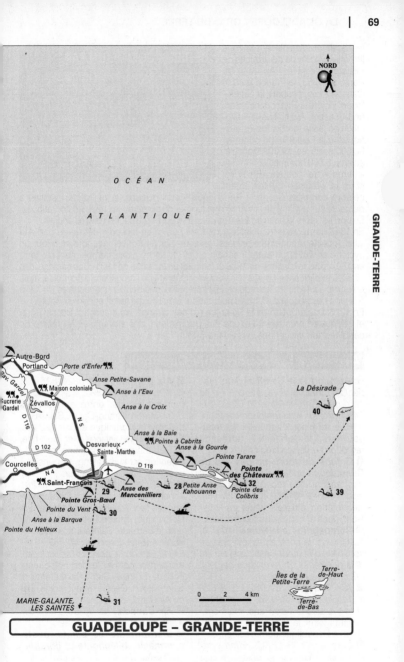

OCÉAN

ATLANTIQUE

La Désirade

40

Autre-Bord
Portland
Porte d'Enfer
Anse Petite-Savane
Maison coloniale
Anse à l'Eau
Sucrerie
Gardel
Zévallos
Anse à la Croix
D 116
N 5
Anse à la Baie
Pointe à Cabrits
Anse à la Gourde
D 102
Desvarieux
Sainte-Marthe
Pointe Tarare
Courcelles
N 4
D 118
Pointe
des Châteaux
Saint-François
29
Anse des
Mancenilliers
28 Petite Anse
Kahouanne
32
Pointe des
Colibris
39
Pointe Gros-Bœuf
Pointe du Vent
30
Anse à la Barque
Pointe du Helleux

Îles de la
Petite-Terre
Terre-
de-Haut

0   2   4 km

MARIE-GALANTE,
LES SAINTES
31
Terre-
de-Bas

GUADELOUPE – GRANDE-TERRE

NORD

les quais et assainissent la zone littorale avec l'aide de dizaines de milliers d'esclaves. Au traité de Paris, en 1763, la France perd le Canada mais récupère la Guadeloupe. Pointe-à-Pitre connaît alors un bel essor. Avant que la Révolution ne fasse tomber les « statistiques », la Guadeloupe comptait 90 000 esclaves, 14 000 Blancs et environ 3 000 hommes et femmes « libres » de couleur. En 1794, sous le « règne » du tristement

SÉRIEUX COMME UN PAP !

Le nom « Pointe-à-Pitre » est lié à l'histoire de Peter, un pêcheur hollandais débarqué avec les colons hollandais venus du Brésil vers 1654. Il s'installa sur une pointe de la rade, et les gens prirent l'habitude d'appeler l'endroit la « pointe à Peter ». Nul ne sait si Peter était un drôle de type, mais le temps a déformé le nom du lieu.

célèbre commissaire de la République Victor Hugues, la guillotine installée à demeure sur la place de la Victoire fait tomber de nombreuses têtes aristocratiques. Le port est alors la base arrière des corsaires qui harcèlent les navires anglais.

En 1843, un terrible tremblement de terre suivi d'un incendie détruit en partie la ville. À peine reconstruite, elle est ravagée par un nouvel incendie en 1850, un cyclone en 1865, un autre incendie en 1871, un nouveau tremblement de terre en 1897, puis re-cyclone en 1928 et (encore) un incendie en 1931. Ces cataclysmes répétés expliquent en partie le caractère disparate de l'architecture pointoise, mais en partie seulement : les requins de l'immobilier des dernières décennies du XXe s n'ont pas eu besoin d'excuses pour mettre à mal ce qui tenait encore debout...

En 1976, une éruption de la Soufrière n'a rien arrangé, en menaçant Basse-Terre, et surtout en précipitant l'exode des populations, des entreprises, et même de certaines administrations vers Pointe-à-Pitre.

Arrivée à l'aéroport Pôle Caraïbes

✈ *Aéroport Pôle Caraïbes (hors plan par C1) :* Les Abymes, *à env 3 km au nord de Pointe-à-Pitre.* ☎ 05-90-21-14-00 (rens). ● guadeloupe.aeroport. fr ● *Le terminal 1 accueille les long-courriers, le terminal 2 (attenant) regroupe les liaisons régionales.*

🛈 *Comité du tourisme des îles de Guadeloupe :* point d'accueil en face des tapis où l'on récupère ses bagages. ☎ 05-90-21-71-26. Tlj 13h-20h. Réservation d'hôtels (sans commission), docs et cartes des îles gratuites.

■ *Compagnies aériennes :* ttes, sf XL Airways, *la compagnie low-cost au nom plein d'humour (l'espace ayant été plus que réduit entre chaque rangée), ont un bureau à l'aéroport.*

■ *Air France :* ☎ 0820-820-820 (0,11 €/mn), tlj 7h-19h. ● airfrance. com ● *Liaisons vers Paris, mais également Miami, la Martinique, Cayenne, Haïti, la République dominicaine...*

■ *Corsair :* ☎ 39-17 (0,35 €/mn + prix d'appel), tlj 7h-20h. ● corsair.fr ● *Liaisons avec Paris, mais également Saint-Martin, Saint-Barthélemy et la Martinique.*

■ *Air Caraïbes :* ☎ 0820-835-835 (0,12 €/mn), tlj 7h-22h. ● aircaraibes. com ● *Liaisons, entre autres, vers Saint-Martin (Grand-Case), Saint-Barthélemy, la Martinique et Sainte-Lucie. Également des liaisons avec Cayenne, la République dominicaine et Haïti. Attention au surbooking, et pensez à confirmer votre vol de retour.*

■ *LIAT :* ☎ 1-888-844-LIAT (5428 ; appel gratuit). ● liat.com ● *Dessert surtout les îles Caraïbes anglophones : la Dominique, Trinidad-et-Tobago, Antigua, la Barbade, Sainte-Lucie, etc.*

■ *Air Antilles Express :* ☎ 0890-648-648 (0,35 €/mn + prix d'un appel local). ● airantilles.com ● *Dessert notamment Fort-de-France, Saint-Barthélemy et Saint-Martin. Généralement moins cher qu'Air Caraïbes.*

■ *Air Canada :* ☎ 05-90-21-12-77. ● aircanada.com ●

■ *Distributeurs de billets, poste, pharmacie, téléphonie et librairie :* dans le hall des arrivées, au niveau 0.

■ *Pôle médical d'urgence :* hall des arrivées. ☎ 05-90-21-71-41. Tlj 9h-23h.

Pour rejoindre Pointe-à-Pitre

■ *Taxis :* ☎ 05-90-20-74-74 *(radio-taxis)*. Les taxis sont chers, compter 50-60 € pour Sainte-Anne. Assurez-vous qu'ils ont un compteur, faute de quoi il peut s'agir d'un taxi « marron ».

■ *Bus :* le réseau de bus *Karu'lis* a mis en place 4 lignes desservant l'aéroport (AE 1, 2, 3 et 4). Consulter le site ● karulis.com ● pour découvrir l'ensemble du réseau et le *facebook Karulis 971* pour les fiches horaires. Compter 1,20 € le trajet. Le réseau *Karu'lis* dessert les 4 communes de l'agglomération centre : Les Abymes, Baie-Mahault, Le Gosier et Pointe-à-Pitre. ☎ 05-90-24-26-06. Si vous allez plus loin, la solution la moins coûteuse consiste à rejoindre la gare routière de Pointe-à-Pitre, d'où partent les bus (en sem 5h-18h env ; jusqu'à 14h sam) pour toutes les grandes destinations. Assez fastidieux toutefois avec des bagages. Notez toutefois que beaucoup d'hébergements, y compris lointains, proposent de venir vous chercher (même si nous ne le précisons pas toujours, renseignez-vous en réservant).

■ *Location de voitures :* le plus pratique, évidemment, pour visiter l'île. Ne vous étonnez pas de trouver partout les mêmes voitures de location, souvent dans un état prouvant qu'elles ont pas mal vécu. Les comptoirs des loueurs sont regroupés à la sortie de l'aérogare, sur la droite. Pour les coordonnées et explications sur la location de voiture, se reporter à la rubrique « Transports » dans le chapitre « Guadeloupe utile ».

Arriver – Quitter

En voiture

Le trafic est très dense à de nombreuses heures du jour et il est difficile de se garer dans le centre de Pointe-à-Pitre. Le mieux est de chercher une place du côté du quai Lefèbvre *(plan A-B2)*, où le stationnement est en outre gratuit.

En bus

Le réseau de bus *Karu'lis* dessert les 4 communes de l'agglomération : Les Abymes, Baie-Mahault, Le Gosier et Pointe-à-Pitre. ☎ 05-90-24-26-06. Consulter le site ● karulis.com ● Les bus ne circulent pas ou peu les mercredi et samedi après-midi ainsi que le dimanche (même si certaines compagnies prétendent le contraire sur leurs horaires officiels !). Les arrêts, en dehors de Pointe-à-Pitre, sont signalés au bord des routes et dans les villages par des panneaux totems visibles de loin. Quant aux billets, ils s'achètent directement auprès du chauffeur.

🚌 *Pour le sud de Grande-Terre* (plan C3, 1) : gare routière de la darse (Dubouchage), derrière le quai Gâtine.
➤ *Le Gosier :* ttes les 15 mn env. Syndicat mixte des transports du Petit-Cul-de-Sac-Marin (☎ 05-90-60-47-37).
La ligne 4 *(pl. de la Victoire/Fouillole/Bas-du-Fort)* relie aussi *Bas-du-Fort* à partir de la darse, devant le comité du tourisme.
➤ *Sainte-Anne et Saint-François :* ttes les 30-45 mn. Société *RMT* (📱 06-90-35-05-03).

🚌 *Pour le nord de Grande-Terre et pour Basse-Terre* (plan A1, 2) : gare routière de Bergevin, qui se trouve juste en face de la gare maritime, bd de l'Amitié-des-Peuples-de-la-Caraïbe (env 10-15 mn à pied de la pl. de la Victoire).
➤ *Petit-Canal, Port-Louis et Anse-Bertrand :* ttes les 20 mn env. Société *RMT* (☎ 05-90-85-82-30 ou 76 ; ● transport-guadeloupe.fr ●).
➤ *Morne-à-l'Eau, Le Moule et Saint-François :* ttes les 20-30 mn lun-sam (une vingtaine de bus continuent sur Saint-François) ; 8 bus slt dim (ts vont jusqu'à Saint-François). Société *RMT (coordonnées ci-avant)*.
➤ *Petit-Bourg, Trois-Rivières et Basse-Terre (ville) :* 4-8 bus express/j. ; omnibus ttes les 20-40 mn. Société *CAVT* (☎ 05-90-86-57-95).
➤ *Lamentin, Baie-Mahault, Sainte-Rose et Deshaies :* ttes les 20-40 mn. Société *Corniche d'Or*. Certains bus poursuivent jusqu'à Deshaies.

GRANDE-TERRE

GRANDE-TERRE

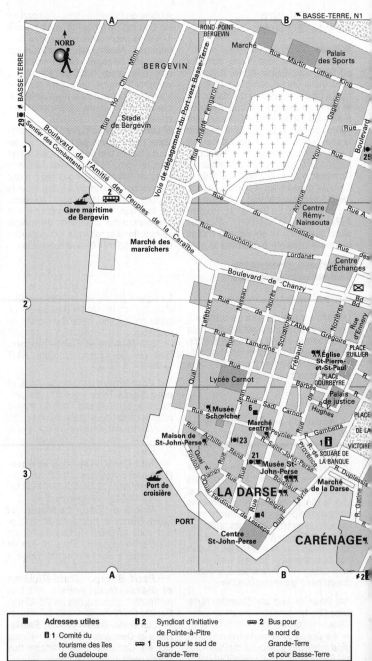

NORD

BERGEVIN

ROND-POINT BERGEVIN

Marché

Palais des Sports

29 BASSE-TERRE

Sentier des Combattants

Stade de Bergevin

Boulevard de l'Amitié des Peuples de la Caraïbe

Voie de dégagement du Port-vers Basse-Terre

Rue Amédé Fengarol

Rue Martin Luther King

Rue Gagarine

Rue Boulevard

25

Gare maritime de Bergevin

Marché des maraîchers

Rue

du

Cimetière

Avenue Tour

Centre Rémy-Nainsouta

Rue A.

Rue des

Rue Bouchony

Lordanet

Centre d'Échanges

Boulevard de Chanzy

Bd Bd

Quai

Rue Lefebvre

Rue Nassau

Rue de

Rue Jaurès

Rue Lamartine

Rue Schœlcher

Rue de l'Abbé Grégoire

Frébault

Nozières

Rue d'Emery

Rue

Lycée Carnot

Rue Jean

Rue Sadi Carnot

Peynier

PLACE RUILLIER

Église St-Pierre-et-St-Paul

PLACE GOURBEYRE

Barbès de Rue

Palais de justice

Hughes

R. Gambetta

PLACE DE LA VICTOIRE

Musée Schœlcher

6

Marché central

Maison de St-John-Perse

Rue Achille

Quai Foulon

23

R.Saint-John-Perse

Rue René

Rue Champy

1

SQUARE DE LA BANQUE

R. Duplessis

21

Musée St-John-Perse

Rue Provence

Rue Boisneuf

Marché de la Darse

Port de croisière

LA DARSE

R. Gâtine

PORT

Quai Ferdinand de Lesseps

4

Rue Delgrès

Rue Lavrie

Quai

CARÉNAGE

Centre St-John-Perse

26

Adresses utiles

1 Comité du tourisme des îles de Guadeloupe

2 Syndicat d'initiative de Pointe-à-Pitre

1 Bus pour le sud de Grande-Terre

2 Bus pour le nord de Grande-Terre et pour Basse-Terre

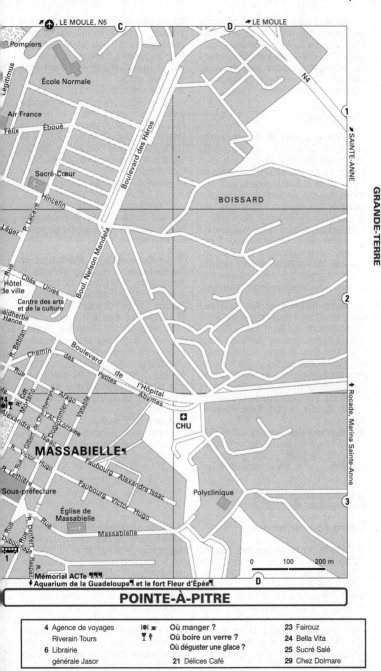

POINTE-À-PITRE

4	Agence de voyages	⚭ 🍴	Où manger ?	23	Fairouz
	Riverain Tours	🍷 🍦	Où boire un verre ?	24	Bella Vita
6	Librairie		Où déguster une glace ?	25	Sucré Salé
	générale Jasor	21	Délices Café	29	Chez Dolmare

GRANDE-TERRE

➢ **Pointe-Noire ou Vieux-Habitants par les Mamelles (route de la Traversée) :** ttes les 30-60 mn. Société *Corniche d'Or.* Pour Vieux-Habitants, changer de bus au carrefour de Mahault (au débouché de la route de la Traversée sur la côte Sous-le-Vent).

En bateau

⚓ **Gare maritime de Bergevin** *(plan A1-2) :* située à 15 mn de marche du centre de Pointe-à-Pitre, c'est d'ici que partent les bateaux pour les îles de l'archipel de la Guadeloupe et pour certaines îles des Antilles. 3 compagnies assurent les liaisons : *L'Express des Îles, Jeans for Freedom* et *Val Ferry.*
– **Attention,** si vous êtes en voiture, on vous conseille d'arriver tôt pour éviter les bouchons du parking. D'autre part, des cas de vandalisme sont régulièrement signalés sur des véhicules stationnés aux abords de la gare maritime.

➢ **Marie-Galante et les Saintes :** compter 45 mn-1h de traversée pour Grand-Bourg ou Saint-Louis (Marie-Galante), idem pour Terre-de-Haut (Saintes). Ces 2 îles sont également desservies depuis Saint-François et, pour les Saintes, depuis Trois-Rivières ou Basse-Terre. Pour les Saintes, la traversée est plus courte (25 mn) et moins agitée depuis Trois-Rivières (quoique...).
■ **L'Express des Îles :** ☎ 0825-359-000 *(0,15 €/mn), depuis les Antilles slt, sinon* ☎ 05-90-919-520. ● *express-des-iles.com* ● Pour Grand-Bourg (Marie-Galante), 3 liaisons/j. en sem et 2-3 dim. Celle de mi-journée (sf dim) passe par Saint-Louis (Marie-Galante). Pour les Saintes, 2 liaisons/sem le mat, mar et sam. Compter 43 € l'A/R dans les 2 cas, réduc.
■ **Val Ferry :** ☎ 05-90-57-45-74 ou 05-90-91-45-15. ● *valferry.fr* ● Propose 3 liaisons/j. (1 seule mar en fin de journée, hors vac scol) pour Grand-Bourg (Marie-Galante). Compter 42 € l'A/R. Cette compagnie dessert les Saintes slt depuis Trois-Rivières (2 liaisons/j.). Compter 23 € l'A/R.
■ **Jeans for Freedom :** ☎ 0825-010-125 *(0,15 €/mn).* ● *jeansforfreedom.com* ● Propose des liaisons avec Terre-de-Haut (Saintes) mar et sam. Compter env 29-35 € l'A/R ; réduc en réservant sur Internet.

➢ **La Dominique, la Martinique et Sainte-Lucie :** compter en principe 2h de traversée pour Roseau (Dominique), 4h pour Fort-de-France (Martinique) et 7h pour Castries (Sainte-Lucie).
■ **L'Express des Îles :** *voir coordonnées plus haut.* Pour ces 3 destinations, 2-5 liaisons/sem selon saison et presque tlj pdt vac scol (possibilité d'embarquer la voiture la plupart du temps). Env 120 € l'A/R quelle que soit la destination ; réduc diverses. Attention : chèques métropolitains refusés.
■ **Jeans for Freedom :** *voir coordonnées plus haut.* Liaisons avec la Martinique 2 fois/sem, mar et sam. À peine 80 € l'A/R.

Adresses utiles

Infos touristiques

🛈 **Comité du tourisme des îles de Guadeloupe** *(plan B3, 1) :* 5, sq. de la Banque, BP 555, 97166 Pointe-à-Pitre. ☎ 05-90-82-09-30. ● *info@lesilesdeguadeloupe.com* ● *lesilesdeguadeloupe.com* ● Face à la darse, mais accueil du public dans une petite cabane sur la pl. de la Victoire. Hébergements, restos, loisirs, visites... Une mine d'infos sur toute la Guadeloupe.

🛈 **Syndicat d'initiative de Pointe-à-Pitre** *(hors plan par B3, 2) :* 1, centre commercial, marina. ☎ 05-90-90-70-02. ● *syndicatinitiativedepap@wanadoo.fr* ● Lun-ven 8h30-13h, 14h-17h (16h mer).
■ **Service du patrimoine :** centre José-Marti. ☎ 05-90-21-68-90. ● *cultureetpatrimoine@ville-pointeapitre.fr* ● Visites guidées mer, ven et sam ap-m, mais slt sur résa. Tarif : 6 €/pers ; réduc. Visites thématiques animées par d'excellents guides-conférenciers.

■ *Agence de voyages Riverain Tours (plan B3, 4)* : 3, rue Frébault. ☎ 05-90-91-72-10. ● riveraintours@ rivtours.com ● rivtours.com ● Lun-ven 8h30-17h (fermé 12h30-14h30 hors saison), sam 8h30-12h30 (9h-12h hors saison). Agences à **Basse-Terre** (4, rue Christophe-Colomb ; ☎ 05-90-25-50-14), au **Moule** (42, rue Saint-Jean ; ☎ 05-90-23-15-74) et sur **Marie-Galante** (3, rue de l'Église, à Grand-Bourg ; ☎ 05-90-97-94-00). Une agence sérieuse et débrouillarde pour trouver des hôtels à bon prix dans toutes les Antilles. Représente aussi les principales compagnies aériennes et maritimes.

Communications, argent et transports

✉ *Poste principale (plan B2)* : rue René-Wachter. Lun-ven 6h45-17h, sam 7h-11h.
■ *Distributeurs de billets :* vous trouverez facilement des DAB auprès des nombreuses banques du centre-ville, de la poste principale *(plan B2)* et dans le centre commercial Saint-John-Perse.
🚕 *Taxis :* plus chers qu'en métropole. Un conseil : négociez les tarifs avant le départ, si possible. Il existe 2 sortes de taxis : ceux de « grande remise », qui sont chers et n'ont pas forcément de compteur, et les *CDL (☎ 05-90-20-74-74)* bleu et jaune, portant un numéro et qui marchent au compteur.

Santé

■ *SAMU :* ☎ 15 ou 05-90-91-39-39.
✚ *Centre hospitalier régional universitaire (plan C-D3)* : bd de l'Hôpital. ☎ 05-90-89-10-10 ou 79. À la sortie de Pointe-à-Pitre, direction Le Gosier.
■ *Association des médecins de garde (ADGUPS) :* 129, route de Chauvel, **Les Abymes.** ☎ 05-90-90-13-13 (médecin régulateur).

Loisirs

■ *Librairie générale Jasor (plan B3, 6)* : 44-46, rue Schœlcher. ☎ 05-90-82-17-70. Tlj sf dim 8h-17h (13h30 sam). La plus grande librairie de Guadeloupe, celle où l'on trouve tout sur les Caraïbes : guides de voyage, littérature et ouvrages universitaires. Également presse locale et métropolitaine.
■ *Le Presse-Papier (plan B3)* : pl. de la Victoire, juste à gauche de Délifrance. Tlj sf dim 5h30-15h (14h mer, 13h sam). Toute la presse métropolitaine et locale.

GRANDE-TERRE

Où dormir ?

À moins d'avoir un bateau à prendre tôt le matin, on ne séjourne pas à Pointe-à-Pitre. D'ailleurs, l'offre hôtelière est quasi nulle et pas donnée. Quelques adresses bon marché derrière la gare routière pour le sud de Grande-Terre *(plan B3)*, mais le quartier est peu sûr le soir. On conseille plutôt d'aller au Gosier (voir plus loin), distant de 7 km seulement, si vous devez dormir à proximité de PAP.

Où manger ? Où boire un verre ? Où déguster une glace ?

Rares sont les restos ouverts le soir et le dimanche ; mais on déconseille de traîner en ville après la sortie des bureaux (certains quartiers, comme Boissard et Mortenal, au nord-ouest de la ville, sont à éviter). Le soir, poussez jusqu'à la marina, c'est plus sûr.

Dans le centre

Bon marché

|●| 🍴 Sur la *place de la Victoire (plan B-C3)*, le soir, sur le côté du cinéma *Renaissance,* et dans la journée,

GRANDE-TERRE

sur la *darse,* on trouve des camionnettes vendant sandwichs à la morue, jambon-beurre (sic), *bokits,* acras, gâteaux au coco... Pour les gourmands, signalons le *Ciao Tropical Gelato,* place de la Victoire, qui vend *bokits,* salades et glaces pour pas trop cher. Ou *Délifrance,* rejeton d'une chaîne de cafétérias correctes, rendez-vous des collégiens et des employés du quartier le midi, bien sûr.

I●I Dans les *rues Frébault et Nozières* (plan B2-3), on trouve croissanteries, saladeries et fast-foods. Employés et secrétaires du quartier s'y donnent rendez-vous le midi. Simple et inégal.

I●I ☛ *Délices Café* (plan B3, *21*) : 25, rue Achille-René-Boisneuf. ☎ 05-90-48-93-40. Tlj sf dim 7h-16h (12h30 sam). Sandwich env 3,50 €, plats 8-10 €. Au cœur du quartier commerçant de PAP, cette cafétéria proprette et climatisée sert de bons cafés et des viennoiseries pour le petit déj ; d'honnêtes sandwichs, snacks et plats du jour pour le midi.

I●I ♟ *Bella Vita* (plan C3, *24*) : pl. de la Victoire. ☎ 05-90-89-00-54. Tlj sf dim 9h-23h (un des rares restos de PAP ouv si tard). Pizzas 10-16 €, plats 10-20 €. ☞ On ne vient pas pour le cadre (carrelage et néons tristounets), mais il y a quelques tables en terrasse qui permettent d'observer l'animation de la place principale de PAP. Dans l'assiette, d'honorables petits déj, sandwichs, pizzas et plats du jour créoles, ainsi que des salades de fruits frais. Bons jus naturels.

De prix moyens à chic

I●I *Chez Dolmare* (hors plan par A1, *29*) : quartier Lauricisque, port de pêche. ☎ 05-90-91-21-32. Emprunter le bd de l'Amitié-des-Peuples-des-Caraïbes (immeubles modernes) : c'est à gauche, dans le virage à droite assez marqué, légèrement en retrait de la rue. Ouv le midi tlj sf dim, plus le soir ven-sam. Résa fortement conseillée. Plats 11-25 €. Dans une baraque verte de pêcheur, en bord de rade, une cantine vivante et populaire, que tout le monde connaît à Pointe-à-Pitre. Vaste salle toute simple et portions maousses. Un

plat suffit. Évidemment, cuisine 100 % créole et poissons frais, lambis, chatrous, *ouassous,* langouste... prélevés directement dans les casiers au retour de pêche. Mention spéciale au court-bouillon de poisson. Un peu excentré mais authentique et pittoresque. Y aller tôt.

I●I *Fairouz* (plan B3, *23*) : 17, rue Jean-Jaurès. ☎ 05-90-91-39-69. Tlj sf dim et j. fériés. Plats du jour le midi à partir de 9 € ; menu 24 €. Café offert sur présentation de ce guide. Un classique qui tient la route depuis 20 ans. Le meilleur resto libanais d'une ville qui compte de nombreux commerçants originaires du pays du Cèdre. Petite salle climatisée avec des tables bien dressées et une jolie déco orientale. Prenez le menu *mezze* (en principe, servi pour 2). Bon et copieux.

I●I *Sucré Salé* (plan B1, *25*) : bd Légitimus, immeuble Bellina. ☎ 05-90-21-22-55. ● marius.phenon@gmail.com ● ♿. À 10 mn à pied du centre. Tlj sf dim 7h-15h. Congés : 3 sem en août. Plats du jour 9-20 €, autres plats 15-27 €. Apéritif maison offert sur présentation de ce guide. Ne vous fiez pas à la devanture un peu défraîchie : la salle à l'arrière, assez animée et décorée de photos et affiches de jazzmen, est climatisée et bien agréable. On y sert des tartes du jour pas chères (accompagnées de crudités), ou une cuisine plus inventive et sophistiquée à la carte. Patron charmant.

À la marina de Bas du Fort

C'est ici qu'on trouve des restos ouverts tard le soir (moins le dimanche...) et que l'on vient zouker. Pour y aller, prendre la rocade direction Le Gosier, puis la sortie « Marina ». Comme toute marina qui se respecte, elle attire les foules le week-end, avec une véritable fièvre le samedi soir. C'est aussi le lieu d'arrivée de la Route du rhum. Le revers de la médaille, c'est indéniablement le côté anarchique et peu esthétique des aménagements. Le kaléidoscope culinaire qui y est proposé met à portée de fourchette tables chic, bistrots de la mer, mais aussi petite restauration abordable, snacks, salades, pizzas, crêpes, etc. S'il y a toujours la très touristique *Route du Rhum,* le plus vieux bistrot de la marina, d'autres adresses font un carton, comme *Côté Jardin,* bistrot haut de gamme, ou *La Voile Blanche,* un peu cher, il faut le dire. En voici d'autres, qu'on aime bien.

De bon marché à prix moyens

I●I *Des Saveurs et des Mots :* sur le quai. ☎ 05-90-82-02-94. 🖥 06-90-23-56-86. • contact@des-saveurs-et-des-mots.fr • Mar-sam 11h30-15h, 18h-23h30 ; dim 17h30-23h. Crêpes et galettes 4,50-13 € ; formule déj env 12,50 € ; carte env 15 €. *Café offert sur présentation de ce guide.* Une toute petite salle joliment décorée et donnant sur la marina pour déguster de bien belles galettes traditionnelles, qui dansent moins le zouk que l'*hanter-dro,* puisque nos hôtes viennent tout droit de Bretagne. Jolies formules et accueil aimable.

I●I *Le Plaisancier :* sur le quai. ☎ 05-90-90-71-53. • plaisancier@orange.fr • ♿ Sur le quai même. Tlj sf dim. Plats 15-20 € ; menus 19,90-25 €. Sans casser la tirelire, on goûte ici une cuisine traditionnelle française à la carte et un menu créole, très correct. Belle assiette caraïbe, bon poisson grillé sinon... Terrasse animée tout indiqué pour rêver de s'embarquer et service diligent même au plus fort de la fièvre du samedi soir.

I●I *Bistrot Zen :* sur le quai. ☎ 05-90-21-23-59. ♿ Longer le Pirate Caribéen vers la marina, c'est à gauche sur le quai. Tlj midi et soir. Menus déj 21 €, épicurien 30 € ; plats 16-29 €. Cuisine à deux teintes, moitié locale et moitié continentale, de bonne facture. Assiette antillaise copieuse, plats élaborés avec finesse et mise en bouche pour patienter. Resto calme et cosy même si la musique (notamment du voisin) peut rendre certains moins zen. Déco un brin chic et accueil prévenant.

Ⓨ♪ 🎵 *Le Zoo Rock Café :* sur le parking de la marina. 🖥 06-90-32-50-96. • mjzoorock@orange.fr • Bar tlj 19h-4h (minuit dim) ; discothèque mer et ven-sam jusqu'à 6h env ; concerts jeu soir. 🛜 Bar à cocktails coloré et dynamique avec un jardin-resto, le tout pas mal fréquenté par les marins et les touristes en goguette. Faune plutôt sympa. Alcool à gogo... à éponger avec les délicieuses maxi-brochettes de la maison. Ça bouge pas mal le week-end. Soirées à thème et groupes live tous les jeudis à partir de 22h.

Chic

I●I *Coco Kafé :* pl. Créole. ☎ 05-90-93-63-02. Tlj sf dim soir (et dim midi en août). Plats 21-24 €. Nouvel emplacement, plus aéré, plus dépaysant, idéal pour faire une pause au calme après la visite du Mémorial ACTe ou de l'aquarium. Une jolie terrasse à la déco tropicale, les pieds dans l'eau, pour déguster des plats locaux revisités, joliment présentés et savoureux. Carte courte. Ambiance Saint-Tropez sous les tropiques. Service rapide, efficace. Jolie collection de punchs et large choix de jus de fruits.

À voir

Le vieux centre commerçant et le pittoresque quartier du port (plan B2-3) réservent encore quelques surprises aux randonneurs urbains. L'épine dorsale en est la **rue Frébault,** entièrement consacrée au négoce (bijoux, vêtements et deux-trois boutiques de madras), tenu en grande majorité par des Libanais et par quelques Chinois. Malheureusement, le quartier mériterait une sérieuse réhabilitation. **Rues Nozières** et **Schœlcher,** vous découvrirez également nombre de boutiques où les Pointois désappointés sont assurés de tout trouver, du poisson empaillé à la cuisinière électrique. Attention, les magasins ferment de bonne heure le soir, et sont complètement fermés le samedi après-midi et le dimanche. Le quartier est alors désert... donc prudence !

GRANDE-TERRE

GRANDE-TERRE

Le vieux centre offre quelques belles demeures de style colonial aux aimables balcons fleuris, de vieux immeubles créoles auxquels se mêlent des cases en bois pittoresques, des bâtiments administratifs dont certains ont été dessinés par Ali Tur (voir l'encadré). Un ensemble hétéroclite qui a son charme (mais dont la restauration se fait attendre, faute d'argent).

UN ALIBI BÉTON !

C'est à la demande du gouvernement qu'Ali Tur, architecte du ministère des Colonies, se chargea dans les années 1930 de la reconstruction de la ville et de l'île en général, dévastées par le terrible cyclone de 1928. Les idées hygiénistes dans le vent de l'époque le poussèrent à choisir un matériau jusqu'alors inconnu dans l'île : le ciment armé. Ce matériau chassa peu à peu les belles maisons en bois.

🦅🦅 **L'église Saint-Pierre-et-Saint-Paul** *(plan B2) : devant le palais de justice (pl. Gourbeyre).* Elle ne présente pas une décoration intérieure exceptionnelle, mais son architecture de métal est assez originale. Ce ne sont pas les ateliers Eiffel qui accouchèrent de la jolie structure métallique, mais la maison Joly, d'Argenteuil, conceptrice des anciennes Halles de Paris. Sur le parvis, festival d'oiseaux de paradis tous les matins chez les marchandes de fleurs.

🦅 **Le marché central** *(ou marché aux Épices ; plan B3) : à l'angle des rues Frébault et Peynier. Tlj sf sam ap-m, dim et j. fériés 6h-15h (mais mieux vaut venir avt 13h).* Sous une grande halle métallique ouverte aux alizés, le marché sous les tropiques tel qu'on se l'imagine : vivant et coloré. Belle fontaine. Inutile de faire le plein d'épices dès votre arrivée, la plupart ont déjà beaucoup voyagé avant d'arriver ici, et vous en trouverez d'autres en chemin. Très animé le samedi matin (pas une place de parking à moins d'un bon kilomètre).

🦅🦅 **Le quartier de la Darse** *(plan B3) :* plutôt charmante, la place de la Victoire, bordée de quelques belles maisons créoles, avec ses sabliers centenaires, ses palmiers, ses flamboyants, son square. Elle doit son nom à une victoire décisive remportée par Victor Hugues sur les Anglais en 1794. Devant la place s'étend la vieille darse aujourd'hui désertée. On n'y voit plus guère les goélettes tant chantées par Saint-John Perse... Le *marché de la Darse* déroule ses éventaires tout le long du quai de droite *(tlj sf dim et j. fériés jusqu'à 15h-16h).* Moins institutionnalisé que le précédent. Fruits, légumes, souvenirs... Les pêcheurs des Saintes viennent y vendre leur poisson. À gauche de la darse, un marché artisanal se tient en matinée.

🦅 **Le musée Schœlcher** *(plan B3) : 24, rue Peynier. ☎ 05-90-82-08-04. ● musee. schoelcher@cg971.fr ● Tlj sf w-e et j. fériés 9h-17h. Entrée : 2 € ; réduc ; gratuit moins de 7 ans. Le musée a fermé en 2017 pour travaux d'agrandissement.* Superbe maison de 1887 en pierre de taille (calcaire de Grande-Terre), construite dès l'origine pour accueillir la collection personnelle du grand abolitionniste, à savoir, notamment, des pièces de l'Antiquité au XIXᵉ s et des souvenirs de ses voyages. Documents intéressants comme celui présentant un « inventaire des esclaves et des animaux », désignés comme « biens meubles » d'après le fameux *Code noir.* Rappelons les déclarations du gouverneur de la Guadeloupe à la population, juste avant l'abolition de l'esclavage : « Mes amis, en France, tous les gens libres travaillent encore plus que vous qui êtes esclaves, et ils sont moins heureux, car là-bas la vie est plus difficile. » Sans commentaire. L'agrandissement du musée devrait donner aux visiteurs venus spécialement à Pointe-à-Pitre pour le Mémorial ACTe une autre belle raison de jouer les prolongations.

🦅🦅🦅 **Le musée municipal Saint-John-Perse** *(plan B3) : 9, rue de Nozières. ☎ 05-90-90-01-92. ● musee.st-john-perse@wanadoo.fr ● Tlj sf dim et j. fériés 9h-17h (12h30 sam). Entrée : 2,50 € ; réduc. Visite guidée sur demande avec un guide-conférencier du Service du patrimoine (payant).*

Ce musée occupe la *maison Souques-Pagès*, superbe demeure coloniale rectangulaire dotée de deux étages, de murs de brique et d'une galerie soutenue par de fines colonnes métalliques. Ce détail technique est nouveau pour l'époque, car les colonnes de vérandas au XIXe s étaient en bois plutôt qu'en métal. Admirer le balcon ouvragé et la frise en zinc, fine dentelle ornant l'édifice, appelée « fanfreluche » aux Antilles, et courant sur les maisons créoles.

À l'intérieur, beau parquet, belles boiseries et moulures. Au rez-dechaussée : reconstitution d'un intérieur créole tel qu'on pouvait en trouver chez les riches pro-

DEUX MAISONS SUR UN BATEAU

Deux maisons du type de celle qui abrite le musée Saint-John-Perse auraient été commandées vers 1870 en France, à l'atelier de Gustave Eiffel, par un riche propriétaire de Louisiane désireux de doter ses filles. Le navire qui les acheminait (en pièces détachées !) dut faire escale à Pointe-à-Pitre pour cause de graves avaries. Son capitaine vendit alors les maisons aux enchères pour payer les réparations... La première devint la plus belle demeure coloniale de Pointe-à-Pitre. Quant à la seconde, appelée « maison Zévallos », elle a échoué sur la commune du Moule !

priétaires à la fin du XIXe s. Alexis Léger, futur Saint-John Perse, qui passa son enfance en Guadeloupe, en garda une vive nostalgie. « Sinon l'enfance, qu'y avait-il alors qu'il n'y a plus ? » Un univers hors du temps évoqué dans son premier recueil de poésies, *Éloges*, reconstitué ici avec minutie : admirez les robes, costumes portés par des mannequins, gravures, photos et cartes postales anciennes (vendeur de bananes, le Père Joyeux, etc.), cocasses ou émouvantes. Au 1er étage, outre les expos temporaires, éloge cette fois de la créolité du poète (photos personnelles, manuscrits, correspondance...). Le 2e étage accueille des calligraphies inspirées de son œuvre et une petite bibliothèque.

🌿 *La maison de Saint-John Perse (plan B3) :* 54, rue Achille-René-Boisneuf, *face à la médiathèque.* Les inconditionnels de Saint-John Perse iront contempler avec émotion ce vieil immeuble créole tout délabré, dans lequel le célèbre écrivain passa une partie de son enfance. Il y vécut jusqu'à la fin de sa douzième année, partagé entre les habitations du Bois-Debout (Capesterre-Belle-Eau) et celles de *La Joséphine* (Matouba, Saint-Claude) où résidait sa famille. Il faut toutefois une bonne dose d'imagination, ou de bonne volonté, pour passer outre l'état de décrépitude avancée du bâtiment !

🌿 La rue Duplessis mène à *Massabielle (plan C3),* quartier populaire s'étageant sur la colline vers l'hôpital.

Carénage et Mémorial ACTe

La vie au quotidien de ce quartier éminemment populaire, composé d'une multitude de demeures en bois, vieilles échoppes dans un treillis de ruelles étroites, a été bouleversée par la création, sur l'emplacement même d'une ancienne usine, d'un des espaces muséographiques les plus réussis des Caraïbes. C'est le lieu à ne pas manquer lorsqu'on arrive à Pointe-à-Pitre en voiture ou même en bateau : accès possible par la mer pour les croisiéristes et les plaisanciers par un ponton aménagé. L'accostage est payant et sous réserve d'autorisation (● contact@ memorial-acte.fr ●).

🌿🌿🌿 *Le Mémorial ACTe (hors plan par C3) :* site de Darboussier. ☎ 05-90-25-16-00. ● memorial-acte.fr ● Tlj sf lun 9h-19h (17h dim). Fermé 1er janv et 25 déc. Entrée : 15 € ; réduc. Les sacs, tél et appareils photo sont obligatoirement déposés à la consigne à l'entrée (pièces de 1 €). Audioguide passionnant (et gratuit).

Compter 1h30-2h de visite. Cafétéria avec terrasse sur la mer. Recherche généalogique ouv mar-mer 9h30-18h, jeu et dim 14h-18h, ven-sam 9h30-19h.

Le *Centre caribéen d'expressions et de mémoire de la traite et de l'esclavage,* premier du genre au monde, a été érigé sur le site de l'ancienne usine Darboussier, la plus grande usine sucrière des Antilles, emplacement emblématique s'il en est. Temple dressé « pour dire à tous qu'il n'y a pas d'assignation, de fatalité ou de déterminisme qui ne se transcendent et qu'en aucun cas le passé ne saurait être une prison » (Victorin Lurel), il prend la forme d'un immense édifice bâti en bord de mer, tranchant avec l'environnement plutôt bas et ramassé. On voit de loin ces innombrables racines d'argent qui enserrent, tel un figuier maudit géant, une boîte noire renfermant désormais la mémoire collective. Pour cela, il aura fallu attendre... 167 ans après l'abolition de l'esclavage en 1848 (merci Victor Schœlcher).

Sans être un musée, il en a les caractéristiques, tout en allant plus loin encore dans les démarches. Devant l'entrée de l'exposition permanente, la colonne métallique, ou le « poteau-mitan » dans le patio central, évoque la naissance, l'origine et renvoie à des références communes dans l'imaginaire des Guadeloupéens : « *Fanm sé poto mitan pèp Gwadloup* » (« La femme est le poteau central du peuple guadeloupéen »).

L'intérieur aborde le sujet de l'esclavage d'une façon totalement passionnante et qui intéressera même les ados. L'exposition est structurée en une quarantaine d'îlots qui déclinent les temps forts de l'histoire, en variant les approches, les techniques afin de toujours surprendre le visiteur. Le travail sur la lumière, l'alternance des archives et des œuvres contemporaines, la présence de tables interactives permettent à chacun de trouver son rythme de visite.

Difficile de décrire un chemin que chacun va garder en mémoire, selon ses propres centres d'intérêt. On commence évidemment par Christophe Colomb qui n'a pas débarqué en Amérique mais à Saint-Domingue. Très vite, il réduisit les Indiens à l'état d'esclave. La situation va empirer avec les conquistadors. La controverse de Valladolid (1512) fut un débat théologique qui dura 10 ans pour conclure que les Indiens ont une âme (donc esclavage interdit)... mais pas les Noirs ! Puis on évoque les pirates, leurs ennemis les corsaires et aussi le commerce triangulaire, sans oublier l'abject Code noir voulu par Louis XIV. Ce Code noir interdisait les regroupements mais les esclaves se retrouvèrent par nations pour le carnaval, créant les premiers « convois ». Convois de la rose, des œillets, de l'espérance, qui nous font jeter un œil neuf sur ce qui est devenu une attraction hivernale. On continue par la culture et les religions propres aux esclaves. Sans oublier les courageuses révoltes et tentatives d'indépendance.

Un autre regard, clair, inquiétant, fort sur l'histoire des Antilles, c'est ce que nous offre chacune des six grandes sections de l'exposition. L'une d'elles mentionne le rôle de la franc-maçonnerie et de la Révolution française, en soulignant l'attitude odieuse de Napoléon (et le rôle joué par sa femme Joséphine, béké qui l'encornaillait à tout-va, comme on dit dans les îles) jusqu'à l'abolition de l'esclavage (1848). La libération conduisit à la création du Libéria et de la Sierra Leone par d'anciens esclaves. On termine par les passionnants Rastafari (pas seulement à l'origine du reggae mais surtout d'une religion). Visite indispensable.

Une passerelle de 275 m de long et culminant à plus de 11 m conduit au morne Mémoire, jardin panoramique doté d'une table d'orientation.

✗ La rue Raspail, quant à elle, borde le quartier du *Carénage,* celui des marins et des petits constructeurs de bateaux, en pleine mutation. Quelques bars pittoresques, mais ne s'y rendre qu'avec un ami antillais déjà bien intégré au milieu. Il vous parlera peut-être de *Chez Johanne,* endroit réputé pour sa soupe de cheval du vendredi soir, aux vertus aphrodisiaques (atmosphère très masculine !). Balade nocturne en solitaire tout à fait déconseillée dans le quartier, bien entendu !

Du côté de la marina

À 4 km de Pointe-à-Pitre. Prendre, sur la route du Gosier (N4), la sortie « Bas-du-Fort/Marina ». Repaire de globe-flotteurs, évidemment.

🏛 *Le fort Fleur d'Épée (hors plan par C3) :* ☎ *05-90-90-94-61. Signalé depuis la sortie « Bas-du-Fort ». Tlj 9h (10h lun)-17h ; appeler avt. GRATUIT.* Fort construit à la fin du XVIIIe s et portant le surnom d'un soldat sans doute particulièrement hardi. Il fit l'objet d'âpres enjeux entre Victor Hugues et les Anglais en 1794. Un peu déplumé, certes, il a cependant conservé une certaine prestance avec ses canons à l'entrée, son fossé, sa porte monumentale et ses remparts bien préservés. Ils enserrent une vaste esplanade où ne subsistent que la poudrière et un bâtiment réservé aux expositions temporaires. La balade serait incomplète sans un détour par les souterrains (fermés en cas de pluie) dont les murs sont incrustés de graffiti anciens (militaires, prisonniers de guerre) et contemporains (les futurs mariés y viennent toujours, le temps d'une photo !). Enfin, pause contemplative obligatoire pour profiter du beau panorama sur Grande-Baie.

🏛 👣 *L'aquarium de la Guadeloupe (hors plan par C3) : pl. Créole.* ☎ *05-90-90-92-38.* ● ● *aquariumdelaguadeloupe.com* ● ♿ *Indiqué sur la N4. Tlj 9h-18h30 (19h vac scol). Entrée : 11,50 € ; 8 € 4-12 ans ; réduc ; gratuit moins de 4 ans. Pass aquarium + parc des Mamelles + chutes du Carbet (Basse-Terre) 23,30 € ; réduc.* Un bel aquarium, certes, mais un peu petit et, donc, plutôt cher. Il se concentre sur les richesses des fonds caribéens, rassemblant toute une panoplie de poissons-papillons, anges, murènes vertes ou tachetées, tortues de mer, poissons-ballons, trompettes... En tout, près de 200 variétés de créatures marines, sans oublier une cinquantaine d'invertébrés, coraux inclus. Notez les étonnants poissons-pierres, les piranhas à ventre rouge, les tarpons et l'aspect étrangement métallique des petits carangues-lunes... Le bassin aux squales accueille des requins « dormeurs » et des requins « pointe noire », qui, eux, ne dorment jamais (enfin, c'est l'impression qu'ils donnent), car pour capter l'oxygène, ils doivent être constamment en mouvement ! Le site abrite également un centre de soins pour tortues marines et une *École de la mer* proposant des *écotours* (en mer) et autres activités pédagogiques. Et pour rester dans l'ambiance, restos (plutôt chic) pour manger du poisson frais autour de la place Créole.

LE GOSIER   (97190)   27 000 hab.

> ● Plan p. 84-85

Située à 7 km au sud-est de Pointe-à-Pitre, la station touristique tire son nom des « grands gosiers », pélicans bruns qui nichaient autrefois en nombre dans le village (il en reste quelques-uns). C'est l'un des trois centres balnéaires de Grande-Terre avec Sainte-Anne et Saint-François, où l'on aime traîner le vendredi soir, lors du marché « pays » qui anime, entre 17h et 20h, les deux rues principales.
Dominant la mer et un charmant îlet surmonté d'un phare, Le Gosier même est un bourg bétonné qui s'est étendu au fil de la croissance du tourisme. Le soir, c'est la foire aux enseignes lumineuses... Certes, la crise et les changements de comportements ont eu raison de certaines structures hôtelières auxquelles on doit le bétonnage de la côte, et qui, du coup, ont fermé ou se sont reconverties en locations de longue durée. Mais celles qui restent

ont entrepris une restructuration de longue haleine, à la *pointe de la Verdure* notamment (qui compte de moins en moins de verdure, à part les marais) : c'est le quartier des hôtels-clubs où vous atterrirez, si vous avez un avion à prendre, mais où vous ne séjournerez pas, l'ambiance n'étant pas des plus fun. Petits bouts de plages artificielles (publiques), un casino et quelques restos.

– Petites précisions sur les plages : les hôtels du Gosier, même ceux du bord de mer, ne bénéficient pas tous de la plage. Certains sont bâtis au sommet de minifalaises. En fait, il faut aller plus loin, vers l'est, pour trouver des endroits plus agréables. Le Gosier possède peu de plages, et celles-ci sont généralement petites et étroites. Elles s'égrènent à proximité de la route. Il y en a toutefois de très mignonnes à l'est de la ville, en direction de Sainte-Anne : la *plage de Saint-Félix,* agréable et sauvage, celle *des Salines,* derrière une petite zone de mangrove, et la *plage de Petit-Havre,* la plus belle.

Arriver – Quitter

En bus

🚌 Avec le *Syndicat mixte des transports du Petit-Cul-de-Sac-Marin* (☎ 05-90-60-47-37 ; ● syndicatmixtedestransports.fr ●). Les 2 arrêts principaux se trouvent devant le *Crédit agricole (bd Amédée-Clara)* pour Sainte-Anne et Saint-François, et devant le cimetière, face à la poste *(bd du Général-de-Gaulle),* pour Pointe-à-Pitre. Bus ttes les 15 mn env (sf sam ap-m et dim).

En voiture

La commune s'étalant presque de Pointe-à-Pitre à Sainte-Anne, notez bien le nom du hameau où se trouve l'adresse que vous cherchez. Tous sont signalés par des panneaux sur la N4 et indiqués sur les cartes routières.

Adresses utiles

🅸 *Office de tourisme (plan C2) :* rue Félix-Éboué. ☎ 05-90-84-80-80. ● otdugosier@gmail.com ● Nov-avr, tlj 9h-17h (12h w-e et j. fériés) ; mai-juin et sept-oct, tlj sf sam et dim 9h-13h ; juil-août, lun-ven 8h-16h, sam 9h-12h, fermé dim et j. fériés.

✉ *Poste (plan B2) :* bd du Général-de-Gaulle, face au cimetière. Tlj sf dim, mer ap-m et sam ap-m 7h30-12h15, 13h30-16h.

Où dormir au Gosier et dans les environs ?

De bon marché à prix moyens

🏠 *Les Résidences Créoles, chez Madelise (hors plan par D1) :* à *Mare-Gaillard* (sommet de Salines). ☎ 05-90-85-36-37. ● residencecreole@yahoo.fr ● residencecreole. com ● À 7 km vers Sainte-Anne ; juste avt le panneau « Mare-Gaillard », à droite, prendre (très prudemment) la contre-allée en tête d'épingle ; c'est en contrebas. Doubles à partir de 50 €/nuit ; studios (2-4 pers) 75-90 €. Repas sur résa (15 €). 🛜 Accueil très chaleureux de Madelise et d'Élia, deux sœurs d'une formidable gentillesse. Elles proposent un panel de studios et de chambres plus ou moins équipés dans un bâtiment annexe, avec vue sur la verdure, la piscine et enfin la mer en arrière-plan pour certains. Tout n'est pas du dernier cri, mais l'ensemble est bien tenu. Cuisine commune pour les chambres. Transfert gratuit depuis l'aéroport à partir de 3 nuits.

🏠 *Hôtel Les Bananiers (plan D2, 13) :* rue des Phares-et-Balises, à Périnet. ☎ 05-90-84-10-91. ● info@les-bananiers.com ● les-bananiers.com ●

Doubles et studios 70-90 €, avec petit déj. 📶 Agréable résidence hôtelière de seulement 4 chambres et 4 studios, distribués autour d'une petite piscine plantée dans un jardin qu'on ne devine pas de la rue. On est à 1 km de la plage.

🛏 *Gîtes Oasis-Colibri, chez M. et Mme Champare* (Gîtes de France ; plan D2, **14**) : 83, rue Césaire-Boisdur, à *L'Houëzel-Dampierre*. ☎ 05-90-84-17-75. Congés : sept. Compter 246 ou 285 €/sem pour 2. 📶 Dans un quartier résidentiel, à 2 km des plages. Cette maison familiale, gardée par une poignée de nains de jardin, propose 2 gîtes mitoyens pour 2 personnes, dont les portes d'entrée donnent dans une vaste pièce servant de salle commune. Ensemble ni très gai ni très cosy, déco bien datée et confort simple : petite salle de bains, AC et cuisinette individuelle extérieure. Modeste donc, mais accueil gentil du couple de retraités, propriétaire des lieux. Pour ceux qui cherchent une base tranquille et pas chère.

🛏 *Les Hibiscus, chez Renée* (hors plan par D1) : route de la plage, 3, lot. Manioc, à *Petit-Havre*. ☎ 05-90-85-82-28. ● reneehibiscus@hotmail.fr ● leshibiscus.fr ● Aller vers Sainte-Anne, prendre à droite juste après Mare-Gaillard et descendre vers Petit-Havre, puis 1ʳᵉ allée à gauche (ça monte raide sur 50 m) et 1ʳᵉ maison à droite. Selon saison, studios 2 pers (3 j. min) 70-90 €/nuit, bungalows 490-630 €/sem. 📶 Dans un jardin en pente avec entrée indépendante, 2 bungalows (2-3 personnes) climatisés, bien tenus et correctement équipés : moustiquaires, machine à laver, cuisine, terrasse et barbecue. Piscine pour les hôtes avec un bel arbre du voyageur et une vue sur Marie-Galante, les Saintes et la Dominique. Accueil sympa. Plage à 150 m.

Plus chic

🛏 *Les Relais de l'Îlet* (plan C2, **12**) : rue Alexandre-Lemercier, impasse (sans nom) sur la gauche en bas de la rue. ☎ 05-90-83-67-12. ● sylvia demo@hotmail.fr ● lesrelaisdelilet.com ● Selon saison, nuitée 110-150 € pour 2, 720-980 €/sem. 📶 Une pimpante petite résidence hôtelière habillée de jaune et de turquoise, idéalement placée au bord de l'eau. Les 2 appartements, spacieux (100 m² !), coquets, confortables et lumineux, disposent de 2 chambres climatisées chacun, d'une cuisine américaine et d'une terrasse ou d'une véranda. Vue sur l'îlet du Gosier de partout, y compris depuis la belle piscine à débordement. Accueil chaleureux.

GRANDE-TERRE

Où manger au Gosier et dans les environs ?

Si vous ne trouvez pas votre bonheur sur place, n'hésitez pas à revenir sur *Bas-du-Fort* et la marina de Pointe-à-Pitre où se trouvent de nombreux restaurants (voir « Où manger ? Où boire un verre ?... » à Pointe-à-Pitre).

aux Antilles !) le soir en passant par le déjeuner sur le pouce. Bon choix de sandwichs, paninis, *agoulous* (hamburgers), salades et plats du jour, fort honnêtes. Très bons *bokits* aux lambis. Jus frais.

Bon marché

🍴 *Au Petit Creux* (plan C2, **20**) : 77, bd du Général-de-Gaulle. ☎ 05-90-84-49-19. Lun-ven 8h-15h, 18h30-23h ; sam 18h30-minuit. Fermé dim. Snacks 2,30-6,70 €, plats 7,50-12 €. Un snack-resto avec une terrasse couverte sur la rue principale, du petit déj à un dîner rapide (enfin, façon de parler, vous êtes

De prix moyens à chic

🍴 *Le Ti Maki* (plan B2, **22**) : route des Hôtels, pointe de la Verdure. ☎ 05-90-10-95-05. ● letimaki97190@gmail.com ● Ouv le soir slt. Plats 15-22 €. Une cuisine aux accents des îles françaises et de l'océan Indien. Le basilic parfume certains plats, le rougail-saucisse et les samoussas rappellent les saveurs de

GRANDE-TERRE

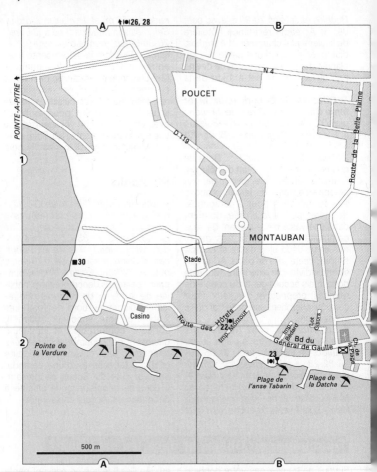

La Réunion et, pour la touche guade-loupéenne, un dos de daurade sauce citron-gingembre délicieux ou de plus classiques colombos font bien des heureux. En terrasse, le vroum-vroum des voitures est vite oublié en sirotant le *manguito* de la maison, un mojito revisité à la mangue. Accueil attentionné, mais mieux vaut réserver et arriver tôt : après 21h30 vous prenez des risques ! |●| 🍸 **Point Vert** *(plan B2, 23) :* à Montauban. ☎ 05-90-84-32-49. ● *resto.*

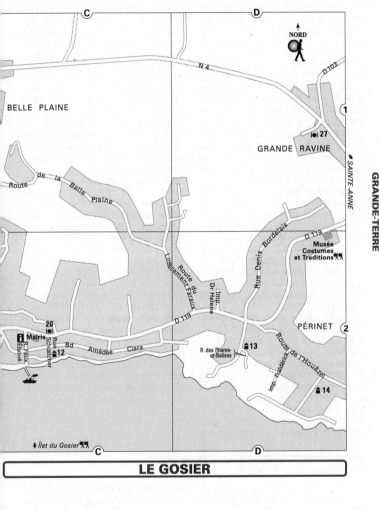

LE GOSIER

|◉| 🍷 Où manger ?		27 La Kaz a Loulouz
20 Au Petit Creux	28 Espérat
22 Le Ti Maki	
23 Point Vert	■ À faire
26 Chez Albéri	30 Les Îles du Ciel

pointvert@orange.fr ● ♿ Au-dessus de la plage de l'Anse Tabarin, en contre-bas de l'espace vert. Fermé sam midi et dim-lun. Formule déj (apéro compris) 20 € ; menu 24 € le soir ; plats 18-28 €. Digestif maison offert sur présentation de ce guide. Une adresse dans un décor gentiment hétéroclite, une belle terrasse qui surplombe le rivage et quelques rochers fréquentés par des pélicans. Ici, il ne faut pas être trop pressé, mais la maison propose une

GRANDE-TERRE

« cuisine piquante », pas forcément relevée d'ailleurs, mais parfumée. On peut aussi se contenter d'y boire un verre. Musique traditionnelle le samedi soir.

|●| La Tradition *(hors plan par D1) : sur la N4, 779, route de Mare-Gaillard, entre Le Gosier et Sainte-Anne.* ☎ 06-90-25-48-40. *Tlj 11h30-23h30. Plats 7-20 €.* Au bord de la route, certes, mais la bonne cuisine locale de Marie – qui en plus d'être un vrai cordon-bleu se révèle fort accueillante, chaleureuse et aux petits soins pour ses hôtes – vous fera oublier rapidement ce petit désagrément.

|●| La Kaz a Loulouz *(plan D1, 27) : à Grande-Ravine, en retrait de la N4, direction Sainte-Anne, presque en face du départ de la D103.* ☎ 05-90-84-64-55. *Tlj midi et soir, sf dim. Plats 15-20 €.* Au menu, côte de bœuf, court-bouillon, langouste... mais la spécialité, c'est le lambi, servi (très) copieusement en steak ou en fricassée, avec gratin, racines, frites, ça dépend du moment !

|●| Chez Albéri *(hors plan par A1, 26) : à Besson.* ☎ 05-90-82-73-96. *À la sortie du Gosier direction PAP, passer le pont au-dessus de la voie rapide et tourner tt de suite à droite au panneau « Besson » ; continuer sur 3 km, jusqu'au stop, le resto est à gauche juste après. Tlj sf dim-lun. Résa conseillée. Menus env 13-20 € ; plat env 13 €.* Une adresse populaire là encore et typiquement

créole, perdue dans l'un des petits villages de campagne dont le secteur regorge. Ici, on est accueilli sur une grande terrasse installée devant l'épicerie-boucherie du patron. Créoles et métros jouent des coudes pour s'attabler et déguster l'un des copieux plats de viande de la maison. Steaks, entrecôtes et tartares disputent la vedette à la soupe de bœuf ou, quand il y en a, celle à base de tripes et *ti-figues* (des bananes vertes). Autrement dit, ami végétarien, passe ton chemin ! Bon rapport qualité-prix-ambiance.

|●| Espérat *(hors plan par A1, 28) : route de Terrasson, à Besson.* ☎ 05-90-82-77-13. *À la sortie du Gosier direction PAP, passer le pont au-dessus de la voie rapide et tourner tt de suite à droite au panneau « Besson » ; continuer sur 3 km, jusqu'au stop ; tourner à gauche sur la D103 ; 3 km plus loin, prendre la route de Terrasson à droite ; le resto est env 400 m plus loin, sur la droite (ouf !). Tlj sf dim-lun 9h-16h. Plats 14-46 €.* Déco vieille école dans les agréables salles, proprettes et climatisées, de cette maison particulière, où l'on retrouve nombre de fonctionnaires antillais, fidèles habitués de l'endroit. Authentique cuisine créole avec des spécialités de fruits de mer, soignées et copieuses. Poisson, *ouassous,* langouste... Une institution locale des notables pointois.

Où boire un verre ? Où sortir ?

🍸 ♪ Pour boire un verre en soirée, on peut s'asseoir à la terrasse du resto **Point Vert** (voir « Où manger ? ») directement sur la mer, simple mais authentique. Sinon, pour les romantiques en fonds, il y a le piano-bar *(ven-sam 19h-21h)* de l'**Auberge de la Vieille Tour** (sur la route principale), même si l'atmosphère colonialo-nostalgique est

amoindrie par la déco un rien *cheap* et le toit en tôle blanche obstruant un peu la vue sur mer. Enfin, les noctambules, eux, se dirigeront plutôt vers **La Vague Rouge**, un *lounge* tendance situé sur la rue principale en direction de PAP. Et n'oubliez pas que la marina n'est qu'à quelques tours de roues de voiture...

À voir. À faire

⌓ **Les plages du Gosier et des environs :** il y a les deux petites plages du centre-ville – celle de l'**Anse Tabarin** et celle de la **Datcha** (plan B2)

– auxquelles on accède par le boulevard du Général-de-Gaulle. Profitez donc, comme tout le monde, de l'éclairage public pour vous baigner le soir sur la plage de la Datcha, c'est très agréable et sans danger ! Et vous pouvez profiter de la vue sur l'îlet du Gosier en allant grignoter au restaurant *Entre Ciel et Mer* sur la droite de la plage. Commandez un cocktail, un blaff et laissez-vous vivre.

Également les petites plages des hôtels de la **pointe de la Verdure** *(plan A2)*, artificielles et plus ou moins privées, plus ou moins agréables. Vous pouvez aller vous installer sans problème sur la plupart d'entre elles, mais si vous désirez un transat, il vous faudra le louer.

À quelques kilomètres à l'est de la commune s'égrènent les plages de **Saint-Félix** (suivre les panneaux « Village Caraïbes » puis, à droite, « Chez Polo »), où vous pourrez casser une graine sur place, celles des **Salines** (pour surfeurs et bodyboarders) et de **Petit-Havre**. Celle de Petit-Havre se répartit en deux parties distinctes, toutes deux très populaires et donc pas mal fréquentées. Pour y aller, une fois en bas de la route, entrez dans la *Résidence du Petit-Havre*, c'est au bout. Toutes trois sont plus sauvages que les précédentes, en particulier la dernière, ce qui ne signifie pas qu'il n'y ait personne...

🏃🏃 **L'îlet du Gosier :** excursion bien agréable à faire sur cet îlet de carte postale, face au Gosier. Eaux turquoise et belles plages de sable. On y accède par le petit embarcadère de la plage de la Datcha *(plan C2)* où des navettes vous font traverser. Compter 5 € par adulte A/R. Sur place, un sentier découverte marin a été mis en place. Idéal pour un pique-nique en famille.

🏃🏃 🏃 **Le musée Costumes et Traditions** *(plan D1-2)* : à Périnet. ☎ 05-90-83-21-70. 📱 06-90-50-98-16. ● musee.costumes.traditions@gmail.com ● Mardim 9h-17h. Entrée : env 10 € ; 6 € enfants ; réduc famille. Tous les costumes ont été confectionnés par Camelia Bausivoir pendant plus de 30 ans ! Et elle (ou Claude, son mari) se fera un plaisir de vous guider à travers l'expo. Passé le hall présentant une petite évocation des costumes dans l'Antiquité (égyptienne, grecque, romaine, mais aussi maya et inca), on suit le fil de l'histoire des costumes antillais. Les amérindiens d'abord, puis les parures en vogue sous le Premier Empire, les turbans indiens en tissu de Madras (arrivés en Guadeloupe au XVIIIe s), et autres broderies « maman poule », tenue de la Mabo, coiffe « casserole », costume martiniquais et jusqu'aux tenues de rasta, de Saint-Barth, de Cayenne, salles de classe du début XXe s... L'ensemble est aussi attendrissant qu'intéressant. Ne pas manquer la reconstitution d'une case typique des Antilles, datant d'une époque où il fallait penser à se protéger des mauvais esprits plus que des bruits des voisins avec la cuisine dans une petite case indépendante, pour éviter les risques d'incendie. Collation en sortant.

– **Les Îles du Ciel** *(plan A2, 30)* : la base se trouve sur la plage de l'hôtel Canella Beach, *500 m après le casino de la pointe de la Verdure.* ☎ 05-90-03-09-69. ● info@ulm-guadeloupe.com ● ulm-guadeloupe.com ● À partir de 49 € (baptême de l'air). Raoul et son équipe proposent différentes formules pour découvrir les paysages et les écosystèmes du littoral vus du ciel, à bord de petits hydravions ULM biplaces tout jaunes qui rappellent les hydravions de Tintin ! Possibilité aussi de s'initier ou de se perfectionner au pilotage avec un instructeur. Également une base à Sainte-Rose.

Plongée sous-marine

La plongée au large du Gosier n'a rien d'extraordinaire, mais elle conviendra à ceux qui désirent s'initier à ces activités bulleuses.

Club de plongée

■ *Centre nautique Bleu Outre-mer :* bureau principal sur la plage de l'hôtel Fleur d'Épée *(à Bas-du-Fort)* et annexe à La Créole Beach Hotel de la pointe de la Verdure *(au Gosier).* ☎ 05-90-90-85-11. 📠 06-90-41-86-18. ● cnbo971@gmail.com ● plongee-bleu-outremer.com ● *Baptême 55 € ; plongée d'exploration 49 € ; forfaits dégressifs à partir de la 3e plongée. Initiation en piscine gratuite.* Centre (FFESSM, ANMP et PADI) qui propose baptêmes, formations et explorations sous-marines, sur les spots du Petit et du Grand Cul-de-Sac Marin. Jusqu'à 18 personnes sur le bateau. Plongée de nuit aussi, et sorties à la journée au large de Port-Louis, Petite-Terre, Sainte-Rose et les Saintes. *Snorkelling* sur l'îlet Caret, avec visite de la mangrove et repas sur l'îlet la Biche.

Nos meilleurs spots

● Carte Grande-Terre *p. 68-69*

🐟 Parfaitement abrité, le fameux *îlet du Gosier (carte Grande-Terre, 33)* attire d'innombrables petits poissons colorés et demeure le site de prédilection des baptêmes (10 mn de bateau).

🐟 *L'Épi (carte Grande-Terre, 34) :* à peine 10 mn de bateau. Beau tombant coralligène, où se fixe beaucoup de vie sous-marine, attirant des prédateurs comme les thazars et les barracudas. On descend de 8 à 18 m, donc pas de difficulté majeure, pour débutants et confirmés.

🐟 *Le Cirque (carte Grande-Terre, 35) :* compte parmi les plongées phares, fastoches (- 25 m maximum ; pour plongeurs Niveau 1 et confirmés) et plutôt poissonneuses du Petit Cul-de-Sac Marin...

DANS LES ENVIRONS DU GOSIER

🏃 *Les Grands-Fonds :* petit coin de Guadeloupe resté dans son jus, à l'intérieur des terres, entre Les Abymes, Le Moule et Sainte-Anne. La route serpente dans un paysage entrecoupé d'une multitude de mornes et de petites vallées verdoyantes, souvent plantées de bananiers et de manguiers. Prenez votre temps, regardez, adoptez le rythme du pays, perdez-vous, cela n'a pas d'importance. Vous retomberez toujours sur la route Boisvin-Bouliqui-Deshauteurs et la D101 (Chazeau-Boricaud-Jabrun-Gascon), qui ne manquent pas de cachet.
Cet endroit, à l'écart du flux touristique, fut peuplé au XVIIIe s par les Blancs-Matignon (voir la rubrique « Population » dans « Hommes, culture, environnement » en fin de guide). Leurs descendants, encore présents et toujours cultivateurs, ont su préserver leurs traditions qui s'expriment à la moindre occasion : *gwo-ka,* concours de bœufs tirants... En outre, l'association locale des personnes âgées demeure l'une des plus actives de Guadeloupe !

🏃 Entre Les Abymes et Sainte-Anne, par la D105, belle promenade jusqu'au village de *Deshauteurs,* point culminant de la région (à 136 m d'altitude). Région des Grands-Fonds verdoyante et fraîche à souhait, livrant à chaque virage de pittoresques points de vue sur les vallées intérieures et les mares.

🏃 *La Kassaverie :* à *Deshauteurs,* sur la route de Sainte-Anne (D105). *Ouv jeu-sam (l'ap-m slt).* Ici se perpétue le patrimoine culinaire caraïbe puisque la fabrication des *kassav* à base de manioc, genre de grosses crêpes, remonte aux Arawaks. Expo-vente.

SAINTE-ANNE (97180) 25 200 hab.

• Plan p. 90-91

À 21 km à l'est de Pointe-à-Pitre, Sainte-Anne est une commune à vocation touristique très affirmée. Pour preuve, le *Club Med* et *Pierre & Vacances* se sont établis à proximité. Ses plages, qui comptent parmi les plus belles de la Guadeloupe, y sont évidemment pour quelque chose... Imaginez un lagon turquoise fermé par une barrière de corail protectrice et bordé de sable clair et de coco-

LE MIROIR AUX ALOUETTES

Mais pourquoi les cocotiers se penchent-ils ainsi vers la mer ? Tous les végétaux recherchent la lumière pour favoriser leur croissance (photosynthèse). Le soleil se reflétant dans l'eau, les plantes et les arbres ont donc tendance à s'incliner vers les flots. Un penchant encore accentué par le sable humide, et donc meuble.

tiers. Joli tableau de rêve, non ? Certes, vous ne serez pas seul à en profiter, et le bourg souffre même d'embarras de circulation. Un bourg à contourner donc lorsque c'est possible, notamment pour aller de l'aéroport à Saint-François. Dans ce cas, mieux vaut passer par Le Moule. Mais la beauté du littoral vous fera vite oublier ces quelques inconvénients... d'autant que Sainte-Anne propose des gîtes accueillants, quelques restos sympas et des marchés hauts en couleur, en particulier celui, nocturne, du jeudi, à ne pas manquer. Allez aussi faire un tour dans l'arrière-pays à la découverte des Grands-Fonds.

Arriver – Quitter

En bus

🚌 L'arrêt se trouve au niveau du village artisanal (plan A2) pour qui vient de Saint-François. Arrêt sur le boulevard et au centre-ville pour qui arrive de Pointe-à-Pitre.

➢ *Le Gosier, Pointe-à-Pitre et Saint-François :* env ttes les 30-45 mn, tlj sf dim 5h30-18h (12h sam). Société RMT (📱 06-90-35-05-03).

Adresses utiles

🗐 *Service municipal de tourisme* (plan B2) : Les 3-Ponts-Galbas, à côté du village artisanal. 📞 05-90-21-23-83. • *tourisme@ville-sainteanne.fr* • *ville-sainteanne.fr* • Lun-mar et jeu 7h30-12h30, 14h-17h ; mer et ven 7h30-13h.
✉ *Poste* (plan B2) : pl. Schœlcher. Tlj sf dim 7h30-12h30 (12h15 mer et sam), 13h45-16h. Distributeurs également.
■ @ *Librairie Épithète* (plan B2, 3) : pl. Schœlcher. 📞 05-90-88-37-29. Lun-sam 8h-12h30, 15h-18h30 ; dim (en saison slt) 9h-12h. Bon choix de littérature créole, cartes et journaux de métropole. Vend aussi des timbres. Annexe sur le bd Hégésippe-Ibéné, avec une borne internet.
■ *Laverie* (plan C2, 1) : 21, rue Dandin. Tlj sf dim 8h-16h.

Où dormir à Sainte-Anne et dans les environs ?

Peu d'adresses sur la plage même. Les gîtes de charme se cachent sur les hauteurs. Choisir une location, à Sainte-Anne, peut vous arracher quelques soupirs, à votre arrivée, le temps de la trouver. En gros, vous dormirez

GRANDE-TERRE

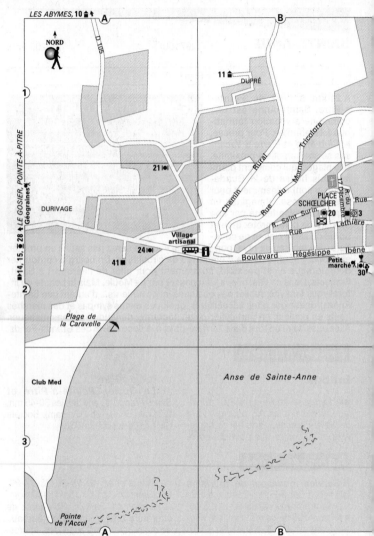

SAINTE-ANNE

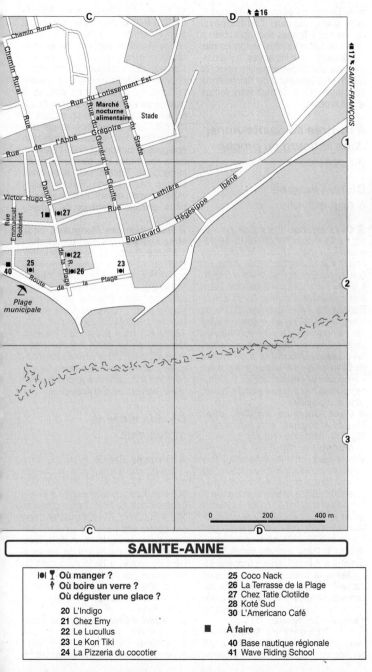

SAINTE-ANNE

GRANDE-TERRE

|◉| 🍷 **Où manger ?**
  ⚲ **Où boire un verre ?**
  Où déguster une glace ?

  20 L'Indigo
  21 Chez Emy
  22 Le Lucullus
  23 Le Kon Tiki
  24 La Pizzeria du cocotier

25 Coco Nack
26 La Terrasse de la Plage
27 Chez Tatie Clotilde
28 Koté Sud
30 L'Americano Café

■ **À faire**

40 Base nautique régionale
41 Wave Riding School

GRANDE-TERRE

côté Gosier ou côté Saint-François, côté plage ou dans l'arrière-pays. Toutes nos adresses sont donc bien à Sainte-Anne, mais vous ne risquez pas d'être les uns sur les autres, il y a parfois des kilomètres entre les deux, et comme les bouchons de Sainte-Anne sont légendaires, prenez votre temps et vos repères.

À l'entrée de Sainte-Anne, dans le bourg ou proche du centre

De bon marché à prix moyens

🛏 **Casa Boubou** (hors plan par A2, **15**) : à Durivage. ☎ 05-90-85-10-13. ● claire@casaboubou.fr ● casaboubou.fr ● À 1,5 km de Sainte-Anne. En venant du Gosier, fléché en montant, à droite ; puis chemin à gauche. Résa très conseillée. Doubles 35-75 €/nuit. Bungalows 245-595 €/sem. 🛜 Perdu dans la nature, un ensemble pimpant de bungalows (2-6 personnes) de style créole, en bois peint de toutes les couleurs. L'accueil et la gentillesse de Claire et Jean-François font que les « antillophiles » reviennent ici. Pour qui ne voudrait pas pousser jusqu'à la mer, jacuzzi et piscine.

🛏 **Gîtes Couleurs Antilles, chez Mireille et Raphaël** (hors plan par D1, **16**) : 4, impasse Roland-Césaire, à **Montmain**. ☎ 05-90-47-29-04. ● couleurs-antilles@hotmail.fr ● couleurs-antilles.fr ● À env 1,5 km du bourg. Direction Saint-François ; puis à gauche 100 m après la gendarmerie (vers Fourché), et 2e route à gauche après le transformateur ; maison couleur saumon très reconnaissable. Compter 320-410 €/sem pour 2 selon saison. 🛜 Dans une villa tranquille où vivent les sympathiques propriétaires, 4 gîtes à la déco plaisante pouvant accueillir de 2 à 6 personnes. Aménagements nickel. Petite piscine, et plage à environ 1,5 km. Une bonne étape, tranquille et conviviale.

🛏 **Les Orchidées de Sainte-Anne** (hors plan par A1, **10**) : 5166, route de Fouché, sur la D105, à **Eucher**.

☎ 05-90-88-05-01. 📱 06-90-91-01-91. ● lesorchideesdesainteanne. com ● Prendre la D105 au niveau du village artisanal vers Fouché et Deshauteurs, sur 5,5 km ; c'est sur la droite. Congés : déc. Compter 321-535 €/sem pour 2. 🛜 Réduc de 5 % sur présentation de ce guide. Sur les collines, à l'arrière de Sainte-Anne, 5 gîtes de 2 à 6 personnes, tenus par un couple de métros, dans un environnement très calme. Déco simple, cuisines très bien équipées et grande douche à l'italienne dans les salles de bains. Propreté impeccable. Table d'hôtes le vendredi soir en haute saison. Piscine. Lave-linge commun payant. Prêt de vélos, lit bébé, glacière et location de voitures sur place.

🛏 **Habitation Les Manguiers, chez Mme Aballea** (hors plan par A1, **10**) : à **Morne-Burat**. ☎ 05-90-88-33-56. 📱 06-90-43-44-44. ● lesmanguiers@ outlook.fr ● lesmanguiers.com ● Prendre la D105 au niveau du village artisanal, vers Fouché et Grands-Fonds, sur 1,5 km, et c'est sur la gauche (panneau). Pour 2-4 pers 330-420 €/sem selon saison. 🛜 2 maisons bleues dans un jardin tropical calme et touffu de 4 500 m², planté de manguiers. Gîtes bien tenus, avec tout le confort : AC, cuisine équipée sur terrasse, barbecue... Bel accueil.

De prix moyens à plus chic

🛏 **Ti'Village Créole** (plan B1, **11**) : à **Dupré**, sur les hauteurs du bourg. ☎ 05-90-85-45-68. 📱 06-90-80-06-50. ● tivillagecreole@orange.fr ● tivillagecreole.fr ● ♿ Pour 2 pers compter 336-476 €/sem. 🛜 Fabienne et Jean ont donné une nouvelle vie au Ti'Village. Leurs bungalows en bois, bien équipés et climatisés, sont posés à flanc de colline, à 10-15 mn à pied de la plage et des commerces. Farniente sur la terrasse ou plouf dans la piscine, un vrai dilemme. La belle vie, tout simplement.

🛏 **L'Éden d'Éole Marineland** (hors plan par D1, **17**) : impasse n° 1, à **Castaing**. ☎ 05-90-88-10-61. ● awmarineland@awmarineland.com ●

awmarineland.com ● *Juste après le panneau de sortie de Sainte-Anne, en direction de Saint-François, prendre l'impasse à droite. C'est au bout. Congés : sept. Compter 70-120 €/nuit pour 2 selon saison (forfait ménage en sus quelle que soit la durée du séjour !). CB refusées.* 📶 Les pieds dans l'eau, 5 hébergements tout blancs, avec une dominante de bois, situés dans un même édifice tout en longueur, perpendiculaire au lagon, au bord duquel un ponton et une petite échelle vous attendent pour la mise à l'eau. Chacun a sa petite terrasse privée, cuisine, hamac... Outre le calme, cette adresse tenue avec soin est intéressante pour sa situation et sa proximité avec l'animation de Sainte-Anne. Atmosphère cool et familiale insufflée par Sylvie, Jacques et leurs animaux.

🛏 ***Villa Cocon Caraïbe*** *(hors plan par A2, 14) : route du Rotabas, à **Durivage.*** 📱 *06-90-71-91-63.* ● *coconcaraibe@orange.fr ● coconcaraibe.com ● Avt le bourg en venant du Gosier, à droite après la station Esso, juste derrière le resto Koté Sud. Téléphoner avt d'arriver. Compter 420-700 €/sem pour le T2, 560-840 €/sem pour le T3 (min 3 nuits).* 📶 2 petits appartements sympathiques dans une maison récente, juste derrière le restaurant, et dans le même esprit. Éric et Hervé ont construit une villa dont les matériaux allient sobriété et qualité, chaque chambre possédant sa salle de bains moderne et tout le confort. Bien situé à 300 m de la plage du *Club Med* et à 15 mn à pied du centre du bourg. Cocooning et relaxation garantis sur un *deck* spacieux balayé par les alizés.

🛏 ***Ti Kaz Malanga*** *(hors plan par A1, 10) : à **Burat.*** ☎ *05-90-89-94-58.* ● *tikazmalanga.com ● Prendre la D105 derrière le village artisanal vers Fouché et Grands-Fonds, sur env 1,5 km, puis entrée du chemin à droite juste devant le panneau. Résa conseillée bien à l'avance. Compter 450-490 €/sem pour Ti Kio (2 pers) et 830-930 €/sem pour la villa Zanoli.* 📶 Dans un jardin tropical de 3 000 m², une villa et un bungalow de style créole en bois naturel. L'ambiance y est chaleureuse, le confort et le calme restent les maîtres mots. La villa dispose de sa piscine privative et *Ti Kio* de sa douche extérieure. Chambres climatisées, cuisines extérieures bien équipées, pas de vis-à-vis, hamac et transat à votre disposition. Un beau lieu de vacances et surtout un art de vivre joliment préservé.

Hors norme

🛏 *Hôtel La Toubana (hors plan par A2, 15) : à **Durivage.*** ☎ *05-90-88-25-57.* ● *toubana@toubana.com ● toubana.com ● Avt Sainte-Anne, fléché sur la droite en venant de Pointe-à-Pitre. Doubles 260-380 €/nuit, petit déj inclus.* 📶 Surplombant la plage de la Caravelle, du haut de sa falaise, avec une vue époustouflante sur la mer, cet hôtel au chic vieillissant propose une bonne trentaine de bungalows plantés dans un jardin tropical. À l'intérieur, déco néocoloniale *deck* et transats. Piscine à débordement. Restaurant sur place mais personne ne vous oblige à y aller.

Du côté de Saint-François, à la sortie de Sainte-Anne

De bon marché à prix moyens

🛏 ***Domaine Gwada Rêves*** *(hors plan par D1) : à **Bérard-Belcourt.*** ☎ *05-90-44-23-38.* 📱 *06-90-27-10-12.* ● *gwadareves@gmail.com ● gwada-reves.com ● Prendre la direction de Saint-François puis la D115 vers Le Moule, c'est la 1re allée sur la droite (attention, aucun panneau) après avoir dépassé la bifurcation pour Saint-Charles. Compter 266-420 €/sem pour 2 selon saison.* 📶 Dans un vaste jardin avec piscine noyée dans la végétation et éclairée la nuit, 7 bungalows indépendants, tous différents et aménagés avec goût, pouvant accueillir de 2 à 6 personnes (certains avec 2 chambres). Chacun de couleur différente, et tous disposent de bons matelas posés sur des supports japonais, clim, peignoirs et cuisine extérieure. Le tout dans un calme olympien.

🛏 *Gîtes Vanille Café (hors plan par D1) : à **Chateaubrun.*** ☎ *05-90-88-89-91.* 📱 *06-90-92-89-91.* ● *gîtes.*

vanillecafe@live.fr ● gites-vanillecafe. com ● *Prendre la direction de Saint-François, puis la D115 direction Le Moule ; tourner à gauche juste après la bifurcation pour Saint-Charles ; c'est au bout du chemin. Compter 235-490 €/sem pour 2 selon saison.* 📶 Un joli coin de campagne accueillant 4 gîtes étagés dans la pente verdoyante d'un petit parc avec des arbres et quelques bœufs paissant tranquillement à proximité. Terrasse, cuisine équipée, déco aux couleurs gaies. Parfait pour se mettre au vert, et les plages ne sont qu'à 3 ou 4 km.

🏠 *Gîte Zandoli Koko (hors plan par D1) :* 160, rue Anse Gros-Sable, **Le Helleux.** ☎ 05-90-48-44-35. 📱 06-90-54-34-07. ● zandolikoko@orange.fr ● zandolikoko.com ● *Sur la route de Saint-François, repérer le moulin et prendre aussitôt à droite sur 1 km, puis 3e chemin à droite (fléché « plage, spot de surf »). Selon saison, 217-539 €/sem pour 2 en studio ou T2 ; gratuit moins de 12 ans.* 📶 Une poignée de maisonnettes sympathiques peintes en rose, vert pomme, turquoise, avec mobilier en bambou, bonne literie, terrasse privative (et sans vis-à-vis)... Vraiment un bel endroit, niché, qui plus est, au beau milieu d'arbres fruitiers. De plus, la plage est à 500 m et Denis, s'il n'est pas en train de peindre, vous prêtera volontiers masque, tuba et même des planches ! Accueil dynamique de Sylvie.

🏠 *Bungalows Ti-Soleil (hors plan par D1) :* 706, rue du Moulin, **Le Helleux.** ☎ 05-90-28-05-71. 📱 06-90-57-62-17. ● contact@ti-soleil.com ● ti-soleil.com ● *Sur la route de Saint-François, prendre à droite en arrivant au moulin (visible de loin et éclairé la nuit, il abrite un hôtel chic) ; suivre cette rue sur 900 m, c'est à gauche. Studios 2-4 pers 245-490 €/sem.* 📶 Une grosse maison composée de 5 logements distribués tout autour, chacun avec sa petite terrasse, AC, cuisine équipée, moustiquaires, etc. Calme, propre et fonctionnel, à environ 300 m de la plage de Gros-Sable. Accueil charmant.

🏠 *Kokoplaj (hors plan par D1) :* 14, résidence **Le Helleux.** ☎ 05-90-20-39-21. 📱 06-90-85-92-64. ● nicoletpascal@yahoo.fr ● locations-guadeloupe.

org ● *Sur la route de Saint-François, prendre à droite (toujours le moulin qui sert de repère) sur 1 km, puis prendre la rue qui descend vers la plage ; c'est à gauche 400 m plus bas. Studios 250-450 €/sem ; T2 et T3 405-875 €/sem. CB refusées.* 📶 7 studios mitoyens en enfilade, colorés et climatisés, avec lits à baldaquin en bambou, terrasse avec cuisine extérieure et douche-lavabo bateau (au vrai sens du terme). 2 gîtes avec jacuzzi privatif et 2 T3 avec 2 chambres (en duplex). Piscine sécurisée.

De prix moyens à plus chic

🏠 *Gîtes de Courcelles (hors plan par D1) :* 201, impasse des Lataniers, à **Courcelles.** ☎ 05-90-88-26-26. ● contact@gitesdecourcelles.com ● gitesdecourcelles.com ● ♿ *À 7 km, vers Saint-François, prendre à gauche, juste après un petit pont, puis 600 m plus loin la 1re petite route à droite. Compter 60 €/nuit pour 2.* Une petite adresse isolée sur les hauteurs, dans un cadre verdoyant et très calme, et, surtout, avec une vue imprenable, entre 2 cocotiers, sur Marie-Galante ! Côté logement, 4 bungalows convenables en bois du Canada. Prévus pour 2 à 4 personnes, ils disposent d'une kitchenette sur la terrasse. Accueil souriant et pas compliqué. Transfert aéroport et location de véhicules possibles.

🏠 *Résidence Balaga Vacances (hors plan par D1) :* à **Bérard.** 📱 06-90-53-91-41. ● nadia-gassien@wanadoo.fr ● balaga-vacances.com ● ♿ *(1 bungalow). À 6 km de Sainte-Anne par la route de Saint-François, prendre à gauche la D115 vers Le Moule, puis continuer sur 2 km ; c'est sur la gauche. Compter 420-610 €/sem pour 2 selon confort et saison (min 3 nuits).* Le concept, c'est la résidence de vacances en pleine campagne avec des gîtes dans 3 bâtiments, assez vastes, tout blancs, nets et bien équipés. Jolie piscine au milieu de l'ensemble. Certes, on est en bord de route, mais elle n'est pas très passante et l'accueil de l'enthousiaste Nadia fait toute la différence.

⚓ *Gîtes La Palmeraie, chez Mme Viator* (Gîtes de France) : à *Cambourg-Saint-Protais* (env 10 km de Sainte-Anne). ☎ 05-90-24-09-11. De Sainte-Anne, prendre vers Saint-François puis à gauche vers Douville et, plus loin, encore à gauche la D111 ; c'est au bout de celle-ci (sur la gauche), juste avt le carrefour avec la D124 vers Château-Gaillard et Le Moule. Congés : sept. Pour 2-4 pers, compter 482-510 €/sem selon saison. Accueil aéroport. Perchées au sommet d'une colline enrobée de végétation tropicale, 2 sympathiques cases créoles en bois. Chacune dispose de 2 chambres indépendantes, avec séjour, cuisine et terrasse... Accueil authentique et très prévenant des gentils proprios, qui se feront un plaisir de vous faire visiter le jardin. Vue sur l'île de la Désirade à l'horizon.

Où manger ? Où boire un verre ? Où déguster une glace ?

Bon marché

|●| Si vous avez un petit creux, rien de vous empêche de faire halte en journée aux *Délices Saintannais* (14, bd Hégésippe-Ibéné ; tlj sf lun 8h30-15h) pour un *bokit* (sandwich local), servi avec le sourire par la pétillante Fauvette. En soirée, nombreux vendeurs tout au long de la promenade. À ne pas manquer surtout, le jeudi soir (17h-21h), le *marché nocturne alimentaire* (plan C1), où l'on vend des petits plats, avec « ambiance musicale », à l'*Espace Valette*, à côté du stade municipal.

|●| *L'Indigo* (plan B2, **20**) : 8, pl. Schœlcher (pl. de l'Église). ☎ 05-90-88-05-48. 🛜 Sandwichs, salades, crêpes (sucrées et salées) ou petits plats pas compliqués genre steak-frites. Accueil gentil comme tout. Pour manger à prix plancher.

|●| *Chez Tatie Clotilde* (plan C2, **27**) : 32, rue Dandin. ☎ 05-90-88-26-59. Tlj sf dim, le midi slt (9h-16h). Plat du jour env 10 € (sur place ou à emporter). Avec ses quelques tables aux toiles cirées aux motifs de madras, Clotilde propose quotidiennement 2 plats du jour simples mais fort bons et super copieux. Accueil gentil comme tout. Une excellente adresse !

|●| *La Terrasse de la Plage* (plan C2, **26**) : 11, route de la Plage. ☎ 05-90-03-50-08. Tlj le midi. Formules 13,90-15,90 € ; carte 30 €. Digestif maison offert aux porteurs de ce guide. Déco attractive et petite terrasse-jardin en teck, à l'ombre. Carte à l'ardoise et produits frais. Bonne humeur et bonne ambiance, à deux pas de la plage.

Prix moyens

|●| *Chez Emy* (plan A2, **21**) : route de Burat. 🖷 06-90-46-43-01. À 300 m en retrait du village artisanal. Tlj sf dim soir et lun. Plat du jour 12 € ; menus 16 € (un peu plus si lambis ou ouassous), 25 € avec langouste. CB refusées. Un ancien *lolo* transformé en resto. Service mené tambour battant par Emy, à la repartie facile. Difficile de se plaindre de l'attente quand elle apporte la bouteille et tout le nécessaire pour le ti-punch, les acras de bienvenue. Elle prépare chaque jour un plat de viande et de poisson, en fonction du marché et de ses envies. Alors on patiente sur la modeste terrasse équipée de fauteuils en plastique cuits par le soleil, l'œil happé par la télé toujours allumée. Une de ces p'tites adresses tout en simplicité et sincérité, comme on les aime !

|●| *Le Kon Tiki* (plan C2, **23**) : à l'extrémité est de la plage. ☎ 05-90-23-55-42. ● kontikiguadeloupe@hotmail.fr ● ♿ Tlj 9h-19h. Repas env 20 €. Tables sous des paillotes, agrémentées de rafraîchissants brumisateurs (plus quelques-unes sur le sable, sous les cocotiers). Pour ceux qui sont pressés de retourner griller sur la plage, choix de sandwichs, salades et omelettes à avaler vite fait. Les plats cuisinés sont corrects, sans plus. Également un vivier de langoustes et, plutôt rare, de *ouassous*. Service souriant qui se démène tout ce qu'il peut...

GRANDE-TERRE

GRANDE-TERRE

|●| *La Pizzeria du cocotier* (plan A2, **24**) : les Galbas, à l'entrée du bourg (venant du Gosier) sur la droite. ☎ 05-90-91-39-27. Tlj à partir de 18h. Formule 15 € ; salades 11,50-14,50 €, pizzas 7,50-13,50 €. Un mouchoir de poche à la déco marine et 2 petites terrasses pour déguster de succulentes pizzas bien fines, bien garnies et de taille fort honorable, en regardant passer les voitures sur la route (le soir, on évite les bouchons !). Bel accueil.

|●| *Le Lucullus* (plan C2, **22**) : route de la Plage. ☎ 05-90-85-44-29. ● lucullus.sindji@outlook.fr ● Tlj midi et soir. Résa conseillée le soir. Menu 24 € ; plats 13-25 €. Digestif maison offert sur présentation de ce guide. Ambiance détendue et bonne cuisine créole au métro, traditionnelle et inventive tout à la fois (goûtez les tagliatelles à la chair de langouste). Toujours du monde, sur la terrasse couverte tout en longueur, bordée de verdure, avec une petite déco assez coquette. Service efficace. Pour les enfants, les plats à la carte sont à moitié prix (+ 1 €) pour moitié moins de quantité, précisons-le quand même.

|●| *Coco Nack* (plan C2, **25**) : 13, route de la Plage. ☎ 05-90-88-01-40. Tlj le midi slt. Congés : w-e de Pâques, juil et 24-25 déc. Formules 13,50-15,50 € ; menu langouste 28 € ; plats 10-17 €. Café ou digestif offert sur présentation de ce guide. Fait partie de ces restos de plage qui, par manque de place, ont planté leurs tables directement sur la plage, à l'ombre des raisiniers. Cuisine simple, proposant salades, grillades et quelques plats créoles typiques. Service parfois lent en revanche

|●| 🍸 🍴 *L'Americano Café* (plan B2, **30**) : bd Hégésippe-Ibéné, à côté du marché. ☎ 05-90-88-38-99. Tlj 9h-minuit. Pizzas 10-14 €, plats 15-20 €. 🛜 Le soir, on y vient plus pour boire un verre et profiter d'une animation qui a sa réputation par ici que pour faire un repas. Bonne ambiance, surtout en fin de semaine et en saison, autour du bar et dans la vaste salle ouverte de toutes parts, juste à quelques pas de la plage.

Plus chic

|●| *Koté Sud* (hors plan par A2, **28**) : route du Rotabas, à **Durivage**. ☎ 05-90-88-17-31. ● kotesud@wanadoo.fr ● Avt le bourg en venant du Gosier, sur la petite route en droite, après la station Esso. Tlj sf dim le soir slt, à partir de 19h. Plats 18-25 € ; menu 32 €. Digestif maison offert sur présentation de ce guide. Excellente cuisine terre-mer qui se démarque par l'originalité de sa carte : feuilleté de chatrou, ravioles de lambis, thon mi-cuit au foie gras... cela dit pour vous faire saliver. Service agréable dans le cadre soigné d'une terrasse élégante. Ambiance décontractée.

À voir. À faire

⌇ *Les plages :* elles comptent, on l'a dit, parmi les plus belles de la Guadeloupe... À commencer par la *plage du Bourg* (plan C2), populaire et familiale, une des plus longues de la côte, protégée par la barrière de corail. Beaucoup d'ombre pour s'abriter du soleil, et des projecteurs pour en profiter après le crépuscule. En fin de semaine, les familles déboulent avec les marmots, la musique et le rhum. Quelques joueurs de foot, des vendeuses de sorbet coco et pas mal d'ambiance. Également publique, la *plage du Club Med* (appelée aussi *Anse Eblain* ou *La Caravelle ;* plan A2). On y accède en longeant le bord de mer vers l'ouest en compagnie des pélicans ou à partir de la station *Esso*, à l'entrée de Sainte-Anne en venant du Gosier. Dans ce cas, prendre le chemin presque en face, aller jusqu'au bout et passer, sur la droite, le tourniquet (anti-deux-roues) pour accéder au parc du *Club Med* et à la plage. Ouverte à tous, elle est bien abritée du vent. C'est la plage en demi-cercle, aux eaux transparentes comme on l'imagine. Location de transats, de planches, de funboards et vente de snacks et boissons.

En allant vers Saint-François, la *plage de l'Anse du Belley* (hors plan par D1 ; *après la gendarmerie, au niveau du panneau « Tartare »*) plaira aux amateurs de kitesurf et de *flysurf,* voire de ski nautique.

Juste après, celle de **Bois-Jolan** s'étire, belle, ombragée et peu profonde, le long d'une rangée de cocotiers. Un rêve pour les enfants barboteurs. Un peu plus loin, celle de **Gros-Sable,** à mi-chemin entre Sainte-Anne et Saint-François, est plus sauvage, avec de gros rouleaux, et plutôt réservée aux amateurs de surf et funboard.

🍴 **Géograines** *(hors plan par A2) : à la sortie ouest de Sainte-Anne, sur la droite.* ☎ *05-90-88-38-74. Mar-sam 9h-12h, 14h-18h.* Dans une modeste case de bois légèrement en surplomb de la route, Fredo confectionne de superbes objets d'artisanat à partir de bois locaux et de près de 280 graines (sur les 3 700 recensées en Guadeloupe).

🕸 **Le marché artisanal :** à l'entrée ouest du bourg, une poignée de boutiques serrées les unes contre les autres proposent ce qu'il faut pour ramener quelque chose d'exotique au pays. Ne pas confondre avec le village dit artisanal, près de l'office de tourisme.

Activités sportives

■ **Base nautique régionale** *(plan C2, 40) : à l'entrée de la plage municipale (2, rue de la Plage).* ☎ *05-90-88-12-32.* ♿ De l'initiation aux stages, et même préparation à la compétition. Optmist, laser, voile traditionnelle, planche à voile, kayak, *stand up paddle,* kitesurf, natation... Également location de matériel. Pour tout public, notamment les personnes en situation de handicap.
■ **Wave Riding School** *(plan A2, 41) : sur la plage de la Caravelle.* 📱 *06-90-15-28-29. Mer-dim 9h-12h, 14h-17h.* Location et cours de planches à voile, surf et kitesurf.

Escapades

■ **La Paillote Boat** *(plan A2) : dans le village artisanal.* 📱 *06-90-51-44-88. Compter 75-90 €/pers (visite et repas compris) en bateau rapide de 12 places.* Cette agence propose des excursions pour Marie-Galante, Petite-Terre (de Saint-François) et les îlets Caret ou Fajou (aussi du Gosier et de Saint-François).

Manifestations

– **Marché nocturne** *(plan C1) : jeu à partir de 17h-18h, près du stade.* Un grand moment de convivialité à partager, au milieu des habitués et sur fond musical. Un marché victime de son succès : embouteillages monstres dans toute la ville.
– **Festival de gwo-ka :** *2e sem de juil. Infos au* ☎ *05-90-21-23-83.* Chaque année, ce festival, réputé dans toute la Guadeloupe, réunit de nombreux artistes percussionnistes qui laissent libre cours à leur créativité en frappant ce gros tam-tam typiquement créole, appelé *gwo-ka.* L'effet est vraiment de taille ! À voir et à entendre en face du village artisanal.

SAINT-FRANÇOIS (97118) 15 000 hab.

● Plan p. 100-101

Saint-François, l'un des pôles touristiques les plus connus de l'île, affiche un double visage. D'abord celui d'un vieux village de pêcheurs assez étendu, un écheveau de maisons basses, de cases rustiques en bois et tôle, resserré

GRANDE-TERRE

autour d'une charmante place centrale avec sa vieille église, sa mairie, son marché couvert et, un peu plus loin, le port de pêche lui-même. Quinze mille tonnes de poisson sortent des flots, ici, chaque année... Mais Saint-François a su conserver aussi sa vocation agricole. Bref, cette partie de la commune a encore aujourd'hui un certain charme.

L'autre visage se dévoile autour de la marina, bordée de restos branchés... Avec sa myriade de prestataires touristiques, son golf, son aérodrome, son casino et, tout de même, sa belle plage des Raisins-Clairs, Saint-François séduira les vacanciers à la recherche d'infrastructures.

Ce n'est pas à Saint-François même que vous allez loger, à moins d'être en transit et de prendre un bateau aux aurores le lendemain matin, mais dans ses environs, où se situent la plupart des gîtes et autres petites structures hôtelières, depuis l'Anse à la Barque, que la commune partage avec Sainte-Anne, jusqu'à l'Anse à la Gourde ou l'Anse Tarare, en direction de la célèbre pointe des Châteaux...

LA COMMUNAUTÉ INDIENNE

Le *cimetière hindou,* à la blancheur éblouissante, à environ 250 m de la plage des Raisins-Clairs, ainsi que la statue de Gandhi au rond-point du collège rappellent que la plus importante communauté indienne (de l'Inde) de Guadeloupe est installée à Saint-François. Ces familles descendent des travailleurs sous contrat débarqués sur l'île en 1854 au lendemain de l'abolition de l'esclavage (1848) pour remplacer la main-d'œuvre africaine dans les plantations de canne à sucre. La campagne environnante est intéressante à découvrir car elle a conservé des vestiges de cette époque, et notamment les ruines de nombreux moulins à vent (on y broyait les cannes) situés souvent sur les hauteurs, au cœur des champs de canne. Nombre de gîtes et de restos sont d'ailleurs tenus par des membres actifs de cette communauté.

Arriver – Quitter

En bus

🚌 *L'arrêt des bus (plan B2)* pour *Sainte-Anne et Pointe-à-Pitre se situe au port de pêche. Celui pour Le Moule et Morne-à-l'Eau se trouve à l'angle de la rue Léon-Blum et de la rue de la Fraternité (plan B1). Bus ttes les 30-45 mn env, tlj sf dim 5h30-18h (12h sam). Société RMT (☏ 06-90-35-05-03).*

En bateau

⛴ Les départs se font, sans surprise, du port des voyageurs *(plan B2)*. Nous vous donnons les horaires à titre indicatif, mais mieux vaut les vérifier auprès des compagnies.

➢ *La Désirade :* compter 30-45 mn de navigation (ça secoue pas mal !). 2 compagnies maritimes assurent la liaison régulière (2 fois/j.). La plupart des bateaux rentrent dormir au calme à la Désirade. En réservant à l'avance ou par Internet, on peut espérer une ristourne.

■ *Archipel 1 :* ☏ *05-90-53-84-14.* 📱 *06-90-30-86-07.* A/R env 30 €. Depuis Saint-François à 16h45 et depuis la Désirade à 6h15. Liaisons supplémentaires le w-e et tlj pdt vac scol : à 8h de Saint-François et à 15h45 de la Désirade.

➢ *Marie-Galante et les Saintes :* traversée de 45 mn pour Marie-Galante et autant, ensuite, pour les Saintes. Attention, ça peut secouer pas mal ! Les âmes sensibles (et motorisées) peuvent préférer gagner Trois-Rivières sur Basse-Terre, où les liaisons avec les Saintes sont plus rapides et plus calmes.

■ *Comatrile (plan B2, 7) :* ☏ *05-90-22-26-31.* 📱 *06-90-50-05-10.* Depuis Saint-François, départ tlj en saison à 7h15, retour depuis Saint-Louis

(Marie-Galante) à 16h15. A/R 39 € (dans la journée), plus cher si retour un autre j. Hors saison, se renseigner. Pour les Saintes, liaisons via Saint-Louis (Marie-Galante par le bateau de 7h05), retour vers 15h30. A/R 39 € (dans la journée) ou 60 € (si retour un autre j.).

Adresses utiles

🛈 **Office de tourisme** (plan C1) : av. de l'Europe. ☎ 05-90-68-66-81. ● infotoutsourire@orange.fr ● destination-stfrancois.com ● Nov-avr, lun-ven 8h-17h, w-e 9h-15h ; mai-oct, lun-ven 8h-12h, 14h-16h (ouv sam 8h-12h juil-août). 📶 Plan et guide de la ville, doc sur les activités de Saint-François et infos générales sur toute la Guadeloupe. Intéressant audioguide (5 €) et appli gratuite pour smartphone pour suivre le sentier d'interprétation de la **Pointe à Cabrits.** Accueil dynamique et souriant de toute l'équipe.

✉ **Poste** (plan C2) : rue Sainte-Aude-Ferly. Tlj sf mer ap-m, sam ap-m et dim 8h-12h30, 14h-16h30.

■ **Presse : Top News** (plan C2, **1**), allée du Président-Kennedy. Tlj sf dim ap-m 6h-19h30. Également chez **Mikado** aux Comptoirs de Saint-François (port des voyageurs). Mêmes horaires.

■ **Rêverie Caraïbe** (plan C2, **6**) : BP 74, la marina. ☎ 05-90-85-06-89. 📱 06-90-35-30-86. ● nicole. reveriecaraibe@gmail.com ● reverie-caraibe.com ● Tlj sf dim 8h-12h, 16h-18h. Nicole centralise toutes les infos et vend les billets pour la plupart des excursions et activités à Saint-François, sur les îles et même les traversées en bateau depuis Trois-Rivières. Sorties en mer, canoë-kayak, catamaran, location de bateaux, plongée, équitation, etc.

■ **Location de voitures :** vous trouverez des loueurs sur la marina ou av. de l'Europe (plan D2, **8**), tels que **Hertz** (☎ 05-90-88-69-78 ou 05-90-89-28-05) et **Europcar** (☎ 05-90-88-69-77). Moins chère toutefois, l'agence **Gwada Loisirs** (plan C2, **3** ; 📱 06-90-74-75-80 ; ● gwada-loisirs.com ● ; résa très conseillée en saison), qui peut venir à l'aéroport. Loue également des VTT. Bons services et tarifs avantageux aussi avec **Gwada Walk Tour** (📱 06-90-35-54-31 ; ● alco88@wanadoo.fr ●), qui peut vous livrer/reprendre le véhicule à l'aéroport ou à la gare maritime de Pointe-à-Pitre.

GRANDE-TERRE

Où dormir à Saint-François et dans les environs ?

Le centre-ville offrant trop peu d'hébergements à notre goût, vous aurez donc la chance d'aller conquérir un bout de campagne environnante, ce qui nécessite d'être véhiculé.

À proximité du centre

Très chic

🏨 **Hôtel La Métisse** (hors plan par C1, **17**) : 66, résidence Les Hauts-de-Saint-François. ☎ 05-90-88-70-00. ● la. metisse@orange.fr ● hotel-lametisse. com ● Longer le golf vers la pointe des Châteaux et tourner à gauche dans le virage (direction Sainte-Marthe) à la sortie du bourg, puis encore à gauche en entrant dans la résidence des Hauts-de-Saint-François, puis suivre le fléchage. Congés : juil. Compter 110-180 €/nuit pour 2 selon saison ; petit déj 12-16 €. 📶 Une petite résidence de charme, proposant 7 chambres climatisées, avec terrasse privée, distribuées autour d'une piscine et donnant sur un paisible parc. Zénitude assurée. Transfert aéroport possible (payant).

🏨 **Bwa Chik** (plan C1, **16**) : av. de l'Europe. ☎ 05-90-88-60-60. ● reservation@bwachik.com ● deshotelset-desiles.com ● Doubles 181-200 €, petit déj inclus. 🖥 📶 En plein centre, un hôtel d'une bonne cinquantaine de chambres, dont une bonne dizaine

GRANDE-TERRE

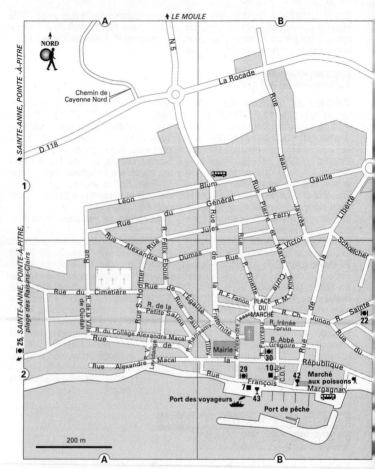

■ **Adresses utiles**

- 🛥 Embarcadère pour les îles
- 🛈 Office de tourisme
- **1** Top News
- **3** Gwada Loisirs
- **4** Escales Plongée et Loisirs
- **6** Rêverie Caraïbe
- **7** Comatrile
- **8** Hertz, Europcar, Awak et Noa Plongée

9 Paradoxe Croisières et Plongée Caribéenne
10 Carib Holidays

🛏 **Où dormir ?**

- **16** Bwa Chick
- **17** Hôtel La Métisse

🍽 **Où manger ?**

- **21** Lolo au Chaudron
- **22** Le Raou

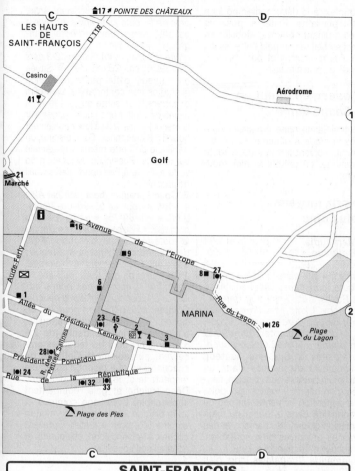

SAINT-FRANÇOIS

en duplex, à la déco contemporaine plutôt plaisante. Éviter si possible celles donnant côté rue. Mobilier en planches peintes ou bois flotté, salles de bains modernes et petit balcon. Grande piscine circulaire.

À l'ouest, en direction de Sainte-Anne

Direction Sainte-Anne, prendre la route après le stade à gauche, les hébergements suivent le tracé de la route touristique, un œil sur la mer toute proche...

De prix moyens à plus chic

🏠 *Maracudja* (hors plan par A2) : à *Bellevue*. ☎ 05-90-93-61-60. 🖳 06-90-49-20-38. ● maracudja.sci@ orange.fr ● gite-maracudja.fr ● Depuis la route touristique, direction l'Anse des Rochers et l'Anse à la Barque ; après env 1 km, 1re à droite après l'arrêt de bus Sèze ; c'est le 1er portail à droite. Compter 390-490 €/ sem pour 2, 560-660 €/sem pour 4. CB refusées. 🛜 Sur une hauteur, 6 bungalows disséminés dans un beau jardin paisible où la piscine, flanquée d'un bar, et le bassin aux poissons invitent au farniente. Un peu de personnalité dans la déco, du linge de maison coloré, des hamacs et des terrasses privatives bien agréables. Bel accueil d'Emmanuel et Lina.

🏠 *Alamanda Bungalows* (hors plan par A2) : section Sèze, à *Bellevue*. ☎ 05-90-28-80-38. 🖳 06-90-68-20-98. ● beneychristelle@gmail.com ● 300 m après Maracudja, sur la gauche. Compter 480-500 €/sem pour 2 selon saison. CB refusées. 🛜 Dans un vaste jardin, 4 bungalows alignés, face à une belle piscine bordée d'un deck. Intérieur nickel, classiquement meublé, avec douche à l'italienne, cuisine et lave-linge sur la terrasse. Également une chambre d'appoint.

🏠 *Résidence du Lagon* (hors plan par A2) : 29, Anse des Rochers, à Bellevue. ☎ 01-43-75-28-60 (métropole). 7-80-47-92. ● roger.dutoit@sfr. adeloupetravel.com ● Suivre la route touristique direction Sainte-Anne, prendre la route juste après le stade à gauche, passer devant l'hôtel Manganao puis 1re allée à gauche et 1re à droite (c'est au fond). Studios 2-3 pers 335-395 €/sem. CB refusées. 🛜 Située en hauteur, cette petite résidence (4 studios très confortables avec clim et terrasse) présente surtout le gros avantage d'offrir une vue dégagée sur la mer et les îles. Villa à louer également pour 6 à 8 personnes. De la piscine, on bénéficie de cette même vue géniale sur le large. Possibilité de location de voiture, livrée à l'aéroport. Bel accueil de Joachim.

🏠 *Coco Paradise* (hors plan par A2) : à *Bellevue*. ☎ 05-90-68-70-35. 🖳 06-90-49-60-75. ● contact@coco paradise.fr ● cocoparadise.fr ● Depuis la route touristique, direction l'Anse des Rochers et l'Anse à la Barque ; après env 1 km, prendre la 1re à droite, après l'arrêt de bus Sèze, puis la 1re à gauche à la hauteur des boîtes aux lettres et c'est plus loin sur la gauche. Compter 400-560 €/sem pour 2 selon saison. 🛜 Dans un jardin tranquille, 5 bungalows indépendants (de 2 à 5 personnes) dont les terrasses préservent agréablement l'intimité de chacun. Bien que récent, l'ensemble respecte le style créole traditionnel. Déco fraîche et gaie, équipement impeccable. Lave-linge commun et jolie piscine avec un coin mignon comme tout pour lézarder. Excellent accueil, à la fois discret, chaleureux et généreux en conseils.

Très chic

🏠 *Hôtel Amaudo* (hors plan par A2) : *Anse à la Barque*. ☎ 05-90-88-87-00. ● hotel@amaudo.fr ● amaudo. fr ● Suivre la route touristique sur 3 km (panneaux). Doubles 120-190 €. 🛜 Dominant la mer, une charmante maison de style colonial, reposante, accueillante, confortable. Chambres spacieuses et coquettes, clim, propreté irréprochable. De plus, toutes donnent sur les flots en contrebas, avec une plus jolie vue pour celles à l'étage. Piscine à débordement. Accueil très pro.

Au nord, en direction du Moule

On tourne un peu le dos à la côte pour ces hébergements qui jouent plutôt sur le charme d'un coin de campagne.

De prix moyens à très chic

⌂ *Top Vacances* (hors plan par A1) : section Bien-Désirée, à **Bragelogne.** ☎ 05-90-88-44-20. ● jean.navin@wanadoo.fr ● topvacances-gua-deloupe.com ● Prendre la route de Sainte-Anne (N4), à droite à la station Shell (D 102), puis 1,5 km plus loin à droite dans la direction de Bien-Désirée Pombiray ; c'est 1,3 km plus loin sur la gauche (panneau). Bungalows 300-380 €/sem pour 2 selon saison ; villas jusqu'à 8 pers également. ☎ Dans un joli jardin fleuri et en pleine campagne, une poignée de bungalows posés à côté de la maison des propriétaires. Également 2 grandes villas dans le même esprit, avec piscine, sur un terrain voisin. Accueil convivial. Une adresse toute douce !

⌂ *Le Colibri* (hors plan par A1) : chez Pascale et Laurent Malglaive, à **Bragelogne.** ☎ 05-90-91-71-55. ▯ 06-90-46-87-46. ● l.malglaive@wanadoo.fr ● gitecolibri.com ● À env 2 km du centre, sur la route du Moule (N5), prendre à gauche ; c'est 1,7 km plus loin (après une succession de virages). Compter 270-420 €/sem pour 2 selon saison. ☎ Un repas offert à partir de 7 nuits. Ancien écoguide, Laurent propose 2 bungalows modernes tout en bois et pleins de charme, avec mezzanine, pour 2 à 4 personnes. Chacun a sa terrasse (avec hamac), donnant sur un petit jardin intime. Un excellent choix pour les amateurs de calme et de nature.

⌂ ▮●▮ *Gîtes La Maison Calebasse* (hors plan par A1) : lieu-dit Saint-Jacques, à **Sainte-Madeleine.** ▯ 06-90-34-07-77. ● lamaisonca lebasse@gmail.com ● lamaisonca-lebasse.com ● Prendre la N4 vers Sainte-Anne ; après la station Vito (à gauche), tourner à droite au niveau de l'arrêt de bus Roches (D116) ; tourner à gauche 3 km plus loin (chemin

qui monte) ; la maison est à 150 m, sur la droite. Compter 630-1 120 €/sem (90-160 €/nuit) pour 2 selon saison ; cottages 125-189 €/nuit. Plateau repas 35 €. ☎ Dans un jardin soigné, 3 maisons récentes qui respectent le style créole, abritant 3 cottages avec spa privatif spacieux et 3 gîtes qui ne le sont pas moins. Déco contemporaine et confort parfait. De partout, superbe vue sur la campagne et les champs de canne. Jolie piscine. Accueil charmant de Brigitte et Thierry.

À l'est, en direction de la pointe des Châteaux

Pas trop loin du centre, à deux pas des plages et quelques kilomètres à peine de la pointe des Châteaux...

Plus chic

▵●▮ *Le Neem* (hors plan par C1) : route de la pointe des Châteaux, à **La Coulée.** ☎ 05-90-88-69-37. ▯ 06-90-99-69-37. ● reservation@leneem.com ● Prendre le 3ᵉ chemin sur la gauche après le resto Le Colombo (c'est fléché). Compter 695-800 €/sem pour 2 selon saison. ☎ Une adresse au charme créole et bien située, proche de Saint-François, de la mer et suffisamment à l'écart de la route pour être au calme. Répartis dans une grande maison en bois et 3 bungalows colorés côte à côte, les logements sont confortables et équipés de kitchenettes. Petite piscine, jacuzzi et un agréable carbet pour siroter un rhum au milieu des bougainvilliers. Mais ne cherchez pas le Neem (arbre de vie en Inde), même si vous êtes ici chez une des grandes familles indo-guadeloupéennes. Restauration possible sur commande et accueil aux petits soins d'Anicette.

▵ *Les Pommes Kannelles* (hors plan par C1) : 2, résidence Le Balaou. ☎ 05-90-83-47-87. ▯ 06-90-63-87-82. ● lespommeskannelles@laposte.net ● lespommeskannelles.com ● Prendre la route de la pointe des Châteaux puis, 500 m après l'Iguane Café, l'allée sur la gauche (au panneau « Balaou »). Bungalows 2-4 pers 476-828 €/sem selon

GRANDE-TERRE

saison. 🛜 Lionel et Francis, hôtes accueillants et serviables, proposent ici 4 bungalows agréables et confortables (AC, petite cuisine, terrasse en teck avec des transats). L'endroit est à la fois paisible et situé tout près d'une plage tranquille, si on se lasse de l'agréable piscine posée dans le jardin. Le soir, avec l'éclairage, le jardin donne encore plus envie de s'attarder.

Où manger ?

Bon marché

|●| Quelques adresses locales sur la rue du Général-de-Gaulle, autour de la place du Marché et du côté du port, si vous n'avez rien contre les nappes en plastique et une déco qui ne cherche pas à faire dans le design... ou alors involontairement. Il y a des adresses, rue de la République, qui défient le temps et se moquent des critiques, comme *Les Pieds dans l'eau* ou *Chez Pierrot*, en face, le plus vieux resto de la ville encore en activité (activité parfois toute relative). La qualité par ici varie souvent selon les saisons, l'affluence et l'humeur du moment. Possibilité aussi d'acheter des plats cuisinés au *marché aux poissons* (plan B2 ; tlj 9h-12h).

🍴 *Lolo au Chaudron* (plan C1, 21) : au rond-point avt la marina. Tlj sf lun, le soir slt (18h30-22h). Bokits 2-3 €. Une cabane verte facilement reconnaissable, plantée au rond-point et agrémentée de quelques tables dehors. C'est tout ce qu'il faut pour préparer de bon *bokits* (galette frite et fourrée à la viande, poisson, poulet au jambon). Reconstituant et bien bon, à grignoter sur le pouce.

De bon marché à prix moyens

|●| *Jack's* (plan B2, 30) : rue Favreau (pl. de l'Église). 📱 06-90-63-26-76. Tlj sf dim soir. Plats 14-20 €. CB refusées. Une gargote si petite que ses tables sont allées prendre le large sur le trottoir d'en face, à l'ombre d'une bâche. Plats créoles simples mais bons, servis avec une nonchalance réjouissante... si on n'est pas trop pressé ! Pour patienter, vous grignoterez les acras offerts par le patron en observant l'animation locale.
|●| *Zig-Zag* (plan B2, 29) : rue François-Margagnan. ☎ 05-90-88-42-73. Après la gare maritime sur la droite en venant du port de pêche. Tlj, sf dim-lun en basse saison, midi et soir. Menu déj 14 € ; carte 12-20 €. Petite case jaune pâle et vert toute simple. Bonne petite cuisine créole.
|●| *Le Raou* (plan B2, 22) : rue Sainte-Aude-Ferly. ☎ 05-90-88-43-88. Ts les midis, fermé dim-lun. À l'ardoise, plats 14-20 €. CB refusées. En plein centre-ville, un petit resto populaire dont le nom désigne le poisson-perroquet. Venez tôt, car le rapport qualité-prix et la simplicité chaleureuse du lieu (salles ouvertes côté rue) attirent locaux et métros qui se régalent de colombo, chatrous, court-bouillon de poisson, lambis, etc. Sur commande, fricassée de langouste, *ouassous* et racines pays.

De prix moyens à chic

|●| *L'Azur resto* (plan C2, 24) : rue de la République. ☎ 05-90-85-55-19. ♿ Tlj sf dim soir et lun. Menus 18-40 € (avec langouste) ; plats env 15-30 €. Éloge, le patron plein d'humour, propose une cuisine créole un brin raffinée. Petite terrasse très agréable, où locaux et touristes profitent de l'aubaine, et une salle assez chaleureuse à l'arrière.
|●| *Le Zagaya* (plan C2, 32) : 21, rue de la République. ☎ 05-90-88-67-21. 📱 06-90-49-54-12. Tlj sf dim, plus le midi lun et mer. Plats 16-25 €. Difficile de ne pas en pincer pour cette adresse qui a plus d'un atout dans sa manche : accueil souriant, service diligent, vue sur la grande bleue, et surtout carte où les grands classiques caribéens se mâtinent de touches de lyrisme. Poisson ou viande ? Tous brillent, du loup caraïbe au maracuja jusqu'au pot-au-feu de groins et queues de cochon. La note sucrée vaut également le voyage. La classe !

I●I Quai 17 (plan C2, **23**) : sur la marina. ☎ 05-90-88-52-36. Tlj, sf mer hors saison, midi et soir. Résa conseillée le soir. Pizzas et salades 10-15 €, plats 19-25 €. Habitués et vacanciers passent, saluent le pizzaïolo qui enfourne ses œuvres superbes à tour de bras, boivent un verre au comptoir, où le barman sert ses planteurs avec le sourire. Après, on s'attable, face aux bateaux. Tartares, poissons grillés, ribs et brochettes. Le patron a ouvert également une crêperie à 50 m, **Le P'tit Îlet.**

I●I Le Restaurant du lagon (plan D2, **26**) : sur la plage du Lagon. ☎ 05-90-23-47-52. Tlj 9h-17h. Plats 12-22 €. Dans l'assiette, de bonnes salades, un tartare de poisson, un poulet coco ou des demi-langoustes. Service rapide, sauf le week-end où on patientera en piquant une tête dans le lagon en question, si les algues ne se sont pas invitées avant que n'arrive la commande.

I●I Le Resto des artistes (plan D2, **27**) : 9, av. de l'Europe, sur la marina. ☎ 05-90-88-75-44. Tlj sf lun. Pizzas et pâtes 10-15 €, plats 17-24 €. On vous l'indique un peu pour compléter la liste des restos qui ont élu domicile sur la marina. Celui-ci, une terrasse d'angle souvent bondée, réserve une cuisine à dominante italienne, sur laquelle se greffent quelques plats genre marmite du pêcheur. Les spaghettis aux fruits de mer valent leur pesant d'euros.

I●I Les Frères de la Côte (hors plan par A2, **25**) : domaine de Tuscany n° 44, sur la route touristique. ☎ 05-90-88-59-43. ♿ Tlj sf sam midi et mer. Formule déj 14-16 € ; menu caraïbe 32 €. Digestif maison offert sur présentation de ce guide. Ces drôles de flibustiers ont quitté le port pour installer leur taverne de l'Océan dans un quartier résidentiel, après la plage des Raisins-Clairs. Si les abords n'ont rien d'exaltant, la salle à la déco marine est plutôt agréable et la cuisine des îles toujours aussi goûteuse. Le poisson est cuisiné sous toutes ses formes : en rillettes, carpaccio, en sauce ou accompagné d'un délicieux assortiment de légumes. Le menu langouste est tout à fait honnête, mais à ce prix-là, ne vous attendez pas à ce que la bête soit entière !

I●I Le Poivrier (plan C2, **33**) : 30, rue de la République. ☎ 05-90-24-79-29. ● ngadreau97@gmail.com ● Tlj sf mar-mer. Résa conseillée le soir. Plats 17-28 € ; carte env 45 €. Pas vraiment de la cuisine créole, l'assiette s'oriente plus vers une thématique gastro. Les plats sont préparés avec finesse et inventivité. C'est bon et un tantinet raffiné. Les présentations et l'accueil ne sont pas en reste. Très apprécié des locaux. Agréable terrasse-véranda sur la mer.

I●I Le Mabouya dans la Bouteille (plan C2, **28**) : rue Joseph-Turpin. ☎ 05-90-21-31-14. ● nicolas@lemabouya.fr ● À deux pas de la marina. Tlj le soir slt. Plats 23-27 €. On aime bien ce lieu à l'atmosphère doucement tamisée, dans une belle salle garnie de tables en bois joliment dressées. La cuisine a peu de chances de vous décevoir (tataki de thon, duo ouassous et poulet), et l'accueil vous laissera un excellent souvenir. Bonne musique jazzy. Cave à vins d'une richesse rare pour la Guadeloupe (Nicolas est œnologue, comme le rappelle la collection de tire-bouchons au plafond !).

Où déguster des jus de fruits locaux ?
Où manger une bonne glace ? Où boire un verre ?

🍸 Koko et Zabriko (plan C1, **41**) : 36, centre commercial Les Arcades. 📱 06-90-98-30-91. Tlj sf w-e 8h30-16h30. Congés : de mi-juil à mi-août. Compter 10-20 €. Malgré une situation et un cadre peu reluisants, on vient ici savourer de bons jus de fruits frais et d'excellents smoothies, très sains et présentés de façon amusante. On peut aussi manger sur le pouce des salades d'une grande fraîcheur et des sandwichs.

🍸 So' glaces et jus de fruits (plan B2, **43**) : port des voyageurs. 📱 06-90-98-40-50-36. Tlj 9h30-11h30, 16h-21h. Compter 3-6 €. Quand So est là, près de l'embarcadère, on ne voit et n'entend qu'elle. Tout en épluchant ses fruits, en préparant ses barquettes ou ses jus à la demande, en jouant sur les couleurs, elle fait de sa vie une poésie : « Des fruits locaux, pour avoir le tempo, c'est mieux que *Mc Do*... Même *So* est locale ! » Avec ou sans gingembre, elle vous file la pêche. Ou plutôt un jus goyave-ananas d'enfer.

Y **Beat Brass Café** *(plan B2, 42)* : *rue de la Liberté.* ☎ 05-90-85-05-05. ♨ *Tlj sf lun 7h-21h (1h w-e).* 🛜 *Punch « macéré » offert sur présentation de ce guide.* Position stratégique sur le port pour ce bar, brasserie et café de nuit (le week-end) tout en couleurs. Bien pour boire l'apéro en observant l'animation de la place principale ou pour brasser un peu d'air à l'occasion des occasionnelles soirées DJ.

Y **L'@robas Café** *(plan C2, 2)* : *12, galerie du Port, sur la marina.* ☎ 05-90-88-73-77. *Tlj sf dim midi et lun 8h-1h.* 🖥 🛜 Un des cafés branchés de la marina, dans tous les sens du terme puisqu'il y a le wifi, des bornes internet et une musique tendance *lounge*. Terrasse ouverte sur les bateaux qui opinent du mât. C'est également un bar sportif (le patron est fan de rugby). Service en haut débit lui aussi.

Y **Il Gelato** *(plan C2, 45)* : *4, galerie du Port ; sur la marina, à côté du resto Quai 17. Tlj 14h-22h30.* Un comptoir avec quelques tables devant, pour déguster une succulente glace maison (essayez la chocolat aux piments, la mangue-gingembre ou la cacahuète, géniales !).

À voir. À faire

🏃 Ne manquez pas d'aller baguenauder sur les **marchés** de Saint-François *(plan C1 et B2)*, où les doudous vous interpellent avec leur faconde habituelle. On en trouve un place du... Marché *(la rotonde ; plan B2 ; tlj sf lun 7h-14h)* et un autre rue de la Liberté *(tlj sf dim ap-m)*. Sans oublier, toujours à la rotonde, le **marché nocturne** du mardi soir *(17h-20h)* très populaire, avec son artisanat et ses petits plats locaux. Prenez le temps de fouiner, il y a des producteurs locaux épatants comme Romain Contré, qui présente une sélection de thé bio qui a le vrai goût des îles *(A Tea Pik)*.

🏃 Ne pas manquer non plus, si vous êtes sur la côte à ce moment-là, le **carnaval** et sa grande parade nocturne dans Saint-François le soir du Lundi gras, ainsi que les animations qui le précèdent les dimanches à partir de début janvier. Plus d'infos à l'office de tourisme, qui vous incitera peut-être aussi à pousser jusqu'au cimetière ou à découvrir les fresques de l'église.

🏖 **La plage du Lagon** *(plan D2)* : juste au bout de la marina. Plage malheureusement assez petite... Avec les algues, le turquoise de la mer a cessé d'être le plus beau de l'île. N'espérez quand même pas profiter seul de la plage, surtout le week-end !

🏖 **La plage des Raisins-Clairs** *(hors plan par A2)* : à la sortie de Saint-François en allant vers Sainte-Anne. C'est un peu LA plage de Saint-François, joyeuse, familiale et tranquille. Elle tire son nom, comme on s'en doute, des raisiniers que l'on trouve encore sur son rivage. On peut y pique-niquer ou déjeuner au resto de la famille Jean-Noël, une famille de pêcheurs. Plusieurs *food trucks* à essayer, sinon, au fil des jours.

🏃🏃 **Kreol West Indies** : *route de la pointe des Châteaux.* ☎ 05-90-24-41-92. ● kreolwestindies.com ● *Sur la gauche, juste après la route qui mène à l'Anse à la Gourde. Tlj 9h-18h30. Entrée : 2 €.* Après Marie-Galante (voir plus loin le chapitre consacré à cette île), Vincent Nicaudie a investi cette villa au cœur d'un jardin tropical pour y installer une nouvelle exposition : « 4 000 ans d'histoire ». Sur plus de 400 m², le lieu dévoile une collection d'objets du patrimoine mobilier antillais, des Arawaks aux années 1940, avec des petites fiches explicatives. Une installation d'œuvres d'art d'artistes contemporains, guadeloupéens et haïtiens termine la visite, ainsi que quelques œuvres grand format dans le parc. La boutique

« écocitoyenne » complète l'espace. Produits du terroir, produits plage, sacs en matériaux recyclé. Expos, cocktails, rencontres littéraires...

– **Donuts BBQ parties :** *au départ de la marina.* 📱 06-90-62-05-55. • *donuts bbqboat@gmail.com* • *Compter 250 € la journée. Repas 15 € sur commande.* Une façon originale de prendre le large en famille. Louez un Donuts, bateau sans permis avec au centre un barbecue et partez à huit (10 personnes maxi) vous baigner dans le lagon.

Activités sportives

– **Surf et kitesurf :** *école* **Guadeloupe Surf Action.** 📱 06-90-31-88-28. • *surf antilles@hotmail.com* • *surfantilles.com* • Benoît Onézime est posté à la base nautique et propose des séances de formation au surf, du *stand up paddle* en randonnée-lagon ainsi que la visite de la mangrove. *Pour le kitesurf, adressez-vous à* **Action Kite Caraïbes,** 📱 06-90-86-81-35. • *surfm@wanadoo.fr* • *guadeloupe-kitesurf.com* • École de kitesurf en pleine eau à partir d'un bateau pour plus de sécurité avec moniteur diplômé d'État. Stages collectifs tous les matins ou cours particuliers l'après-midi sur réservation.

– **Parachutisme :** *avec* **Caraïbe Parachutisme** *(plan D1), aérodrome de Saint-François.* 📱 06-90-86-73-36 ou 66-22. • *info@caraibeparachutisme.com* • *caraibe-parachutisme.com* • Propose des baptêmes de chute libre au-dessus du lagon de Saint-François *(299 €/pers).* Une vue imprenable ! « 100 % glisse, 100 % bonheur »...

– **Randonnées à cheval** *(hors plan par A1) : au haras de Saint-François, chemin de la Princesse.* 📱 06-90-58-99-92. • *leharasdesaintfrancois@gmail.com* • *À droite sur la route du Moule. Résa indispensable.* Un moyen tranquille et sympa pour découvrir la campagne environnante de Saint-François, en passant par la baie Olive, l'Anse à l'Eau... La sortie la plus appréciée ? La « Baignade à cheval » ! Également des cours, bien sûr.

Escapades dans les îles voisines

Large choix d'escapades en mer au départ de Saint-François, mais choisissez bien vos sorties, le type d'excursions variant d'une compagnie à l'autre. Pour un aperçu de l'offre, n'hésitez pas à passer voir Nicole de *Rêverie Caraïbe* (voir plus haut dans « Adresses utiles ») : elle centralise la plupart des prestations.

➤ **Pour les îles de la Petite-Terre :** il faut moins de 1h de navigation pour atteindre la réserve naturelle des îles de la Petite-Terre, îlots sauvages inhabités depuis 1974. Les derniers habitants furent le gardien du phare et sa famille... même si l'on raconte aussi que ce fut un naufragé et son fils. Quoi qu'il en soit, ce sont aujourd'hui les îles des oiseaux et, surtout, des iguanes (notamment de l'espèce *delicatissima*). Elles sont bordées d'un lagon toujours limpide rempli de coraux et de petits poissons multicolores qui raviront les plongeurs. Plusieurs compagnies se proposent de vous y emmener (en catamaran à voile) pour la journée (au programme : visite de l'île, plongée avec masque et tuba et déjeuner sur la plage) : **Paradoxe Croisières** *(plan C2, 9 ;* ☎ 05-90-88-41-73 ; • *paradoxe-croisieres.com* •*),* situé à la marina et qui organise aussi des excursions à Marie-Galante de Noël à Pâques ; ou encore **Awak** *(plan D2, 8 ; av. de l'Europe ;* ☎ 05-90-88-53-53 ; • *awak.boutique@orange.fr* • ; *env 70-80 €/ pers) ;* et **Gwada Walk Tour** (📱 06-90-35-54-31 ; • *alco88@wanadoo.fr* • ; *75-90 €/ pers, repas inclus).* Très sympa aussi, la sortie avec Nicard, un pêcheur basé sur le port de pêche de Saint-François. On embarque sourire aux lèvres sur sa saintoise *Poul'do (75-85 €/pers ; 10 pers max).*

➤ **Dans les Caraïbes :** avec l'agence de voyages **Carib Holidays** *(plan B2, 10),* dans le centre commercial *Les Comptoirs de Saint-François,* face au port

GRANDE-TERRE

(☎ 05-90-85-08-50 ; ● caribholidays.fr ● ; lun-ven 8h-19h, sam 8h30-12h30 et 15h-18h). Organise des petits séjours (de 2 ou 3 jours) dans les îles des Caraïbes : Martinique, Dominique, Saint-Barthélemy, Saint-Martin, Sainte-Lucie, Porto Rico...

➤ *Pour Marie-Galante : Paradoxe Croisières (voir coordonnées plus haut) propose une excursion de 1 jour (compter 90 €).*

Plongée sous-marine

À l'extrémité est de la Guadeloupe, les fonds de Saint-François sont dopés par les vigueurs de l'océan Atlantique. Les conditions de plongée – pas toujours faciles – nécessitent même un petit apprentissage. C'est donc tout naturellement que les débutants feront leurs premières bulles avec les mignons bébés poissons du lagon turquoise, avant de découvrir, plus au large, quelques superbes sites sauvages et richement dotés.

Clubs de plongée

■ *Escales Plongée et Loisirs (plan C2, 4) : 21, galerie du Port (sur la marina).* 🖩 *06-90-55-43-17 ou 06-90-56-51-79.* ● *info@escalesplongee. com* ● *3 départs/j. (sf dim). Baptême 50 €, exploration 42 €.* Propose baptêmes enfants et adultes, explorations sur 15 sites différents et plongées spéciales sur des sites éloignés. Également des formations ANMP et FFESSM (jusqu'au Niveau 3). Magasin de plongée et chasse sous-marine.

■ *Plongée Caribéenne (plan C2, 9) : av. de l'Europe, à l'entrée de la marina.* 🖩 *06-90-48-79-60 ou 06-90-18-45-46.* ● *jml@plongeeguadeloupe.com* ● *plongeeguadeloupe.com* ● *3 départs/j. (sf mar). Baptême 50 €, exploration 42 €.* Centre (ANMP, FFESSM, PADI) convivial pour plonger en petit comité

avec Jean-Michel, qui saura vous faire partager sa passion. Formation de Niveau 1 jusqu'au monitorat. Également des stages pédagogiques.

■ *Noa Plongée (plan D2, 8) : route du Lagon, 6, av. de l'Europe.* ☎ *05-90-89-57-78.* 🖩 *06-90-58-06-51.* ● *noa plongee@gmail.com* ● *noaplongee.fr* ● *3 départs/j. Baptême (à partir de 8 ans) 50 €, plongée de nuit 50 €.* Centre (FFESSM, ANMP et PADI) proposant tous les après-midi des baptêmes dans le lagon de Saint-François, des sorties bi-plongée tous les matins sur Petite-Terre, la Désirade, Roche Merveilleuse, pointe des Châteaux et banc des Vaisseaux *(90 €),* matériel inclus. Également des formations (Niveaux 1 à 3, préparation au Niveau 4 et monitorat fédéral) et des randonnées palmées.

Nos meilleurs spots

● Carte Grande-Terre p. 68-69

🐚 *Le Lagon (carte Grande-Terre, 29) : au sud de Saint-François (5 mn de trajet).* Idéal pour les baptêmes. Plongée plaisir dans cette véritable nurserie de bébés poissons-perroquets, chirurgiens, papillons, trompettes, demoiselles, sergents-majors, etc., qui batifolent joyeusement sur la barrière de corail (- 2 à - 5 m).

🐚 *L'Aquarium (carte Grande-Terre, 28) : à l'est de la ville, vers la pointe des Châteaux (20 mn en bateau).* Pour plongeurs Niveau 1 et confirmés. Chouettes nuages de demoiselles, bancs de poissons-chirurgiens et de balistes sur ce petit tombant corallien (- 13 à - 16 m). Également de gracieuses murènes noires, quelques serpentines et, parfois, une tortue curieuse.

🐚 *La pointe des Châteaux (carte Grande-Terre, 32) : à l'est de Saint-François (40 mn de bateau).* Pour plongeurs Niveau 1 aguerris, au minimum. Dans ce dédale dantesque d'arches et de petites vallées (10 à 19 m de fond), vous serez cerné tous azimuts par des bancs de poissons qui se bousculent et autres langoustes ou murènes. Une plongée spectaculaire, mais pas toujours réalisable à cause de la houle d'est.

➤ *Le banc des Vaisseaux (carte Grande-Terre, 31) : en pleine mer au sud de Saint-François, à mi-chemin de Marie-Galante (40 mn de trajet).* Pour plongeurs Niveau 1 aguerris, au minimum. Plongée « hors piste » sur ce haut-fond corallien isolé et très sauvage. Bancs de balistes, agoutis, barracudas, tortues, et même requins-dormeurs débonnaires (- 20 m maximum). Une plongée de rêve. Attention, courant fréquent.

➤ *La baie des Anges (carte Grande-Terre, 30) : au sud de Saint-François (15 mn de bateau).* Profondeur 25 m. Au-dessus d'une mer de sable, on a rendez-vous avec quelques raies-pastenagues gracieuses et peu farouches, et des colonies de poissons-anges de toutes les variétés.

LA POINTE DES CHÂTEAUX

Offerte aux vents et battue inlassablement par la mer, cette avancée rocheuse occupe la pointe extrême-orientale de la Guadeloupe, à 11 km à l'est de Saint-François. Une fois passée La Coulée, quittez vite la route qui file, monotone, pour découvrir l'Anse à la Gourde et l'Anse Tarare. Tout au bout, un imposant éperon rocheux est dominé par une haute croix, avec à l'horizon l'île de la Désirade et ses consœurs. Un paysage découpé évoquant pour certains... les côtes

DES OISEAUX À LA POINTE

Avec de la chance, vous observerez à la pointe des Châteaux d'élégants et rares pailles-en-queue à bec rouge (Phaeton aethereus). Ces oiseaux blancs striés de noir sont surtout reconnaissables à leur queue en fourche, formée par deux plumes effilées en pointe. Ils passent le plus clair de leur temps en pleine mer, mais ils reviennent nicher dans les falaises à certaines périodes de l'année. L'espèce est en voie d'extinction au niveau mondial.

bretonnes. En tout cas, l'endroit ne manque pas de charme. Beaucoup de monde pour assister au coucher du soleil mais, si vous voulez passer pour un connaisseur, c'est avant le lever du soleil qu'il vous faut arriver. Et vous ne serez pas seul(s) !

– *Conseils de prudence :* l'accès à la falaise est dangereux par mauvais temps ou par grand vent, surtout pour les enfants. Tenez bien compte des panneaux de mise en garde. BAIGNADE INTERDITE, CAR TRÈS DANGEREUSE. Enfin, prenez vos précautions à Saint-François : sur la pointe, il n'y a ni distributeur de billets ni station-service (22 km aller-retour).

Où dormir ? Où manger sur la route de la pointe ?

De prix moyens à plus chic

🏠 **Gîte Cannelle Antilles :** ☎ 06-90-33-03-03. ● *yves-caudoux@orange.fr* ● *cannelle-antilles.fr* ● *200 m après la route d'accès à la plage Tarare, tourner* à gauche ; c'est au-delà de l'Hostellerie des Châteaux. *Studios 2-4 pers 238-392 €/sem (60-85 €/nuit) selon saison. CB refusées.* 🛜 *(payant).* Dans un jardin, un ensemble très simple composé d'un studio pour 2 personnes et de 3 autres, avec mezzanine, pour 4 personnes. Tous sont climatisés et

GRANDE-TERRE

équipés d'une kitchenette et d'une petite terrasse avec barbecue. Piscine. Jeu de boules à disposition. Gentil accueil de Marie-Paule.

|●| *La Kaz Kréol' à Kri-Kri* : 3, chemin de l'Anse-à-la-Gourde. ☎ 05-90-85-52-38. *Juste à l'entrée, à gauche de la route qui mène à l'anse. Tlj sf mer, le midi slt (le soir sur commande). Résa conseillée, par prudence, surtout le w-e. Plats 14-20 €. CB refusées.* Une case avec tables en terrasse tenue avec beaucoup de cœur par Chantal et Jean-Luc. On s'installe sous la paillote tranquille pour déguster, suivant le marché du moment, colombo, court-bouillon ou, pour les budgets serrés, du poulet grillé. Ou encore, sur commande, *matété, calalou,* poisson-coffre farci et cochon roussi. Le tout servi avec des légumes du pays. Acras à emporter.

|●| *La Rhumerie du Pirate* : *sur la route vers la pointe.* ☎ 05-90-83-25-94. *Ouv le midi tlj, plus le soir ven-sam.* Congés : sept. Menus env 23-28 € (35-45 € avec langouste) ; plats 12-25 €. On vient ici surtout pour la très agréable terrasse en bois surplombant la mer, abritée par des auvents bleu et blanc. Dans l'assiette, les classiques du coin, sans surprise. Beaucoup de monde en saison, il peut être sage de réserver.

|●| *Chez Man Michel* : *plage de Tarare, 2 km avt la pointe.* ☎ 05-90-88-72-79. 📱 06-90-55-75-07. ♿ *Signalé à gauche sur la route principale (route de l'Anse Tarare). Ouv le midi tlj, plus le soir ven-sam et j. fériés. Résa conseillée le w-e. Menu 25 €. Apéritif maison offert sur présentation de ce guide.* Cette grande bâtisse ouverte abrite un resto proposant une cuisine créole simple et familiale au gré de plats, de la fricassée de lambis aux fameux *ouassous,* tous servis avec salade, acras, riz antillais et quelques petits à-côtés. Soirée antillaise le vendredi.

Achats

⊛ *La Maison de la noix de coco* : résidence Karukera. ☎ 05-90-85-00-92. *Le long de la route, à gauche après l'accès à l'Anse à la Gourde. Tlj 9h-18h30.* Une boutique où l'on trouve toutes sortes d'objets réalisés par une trentaine d'artisans locaux à partir de noix de coco et de calebasses. Cela va des petits objets à 3 € environ aux pièces uniques qui valent jusqu'à 1 000 €. Beaucoup d'art local et un peu de la Caraïbe. Dégustation gratuite de lait de coco. Dans le village artisanal lui-même, 6 boutiques dont 2 au moins méritent une petite visite : l'*Épicerie des Antilles* et *Graines de folie.*

À voir. À faire

Dans l'ordre, de Saint-François vers la pointe, on peut dire qu'il y en a pour tous les goûts. Pour les plus courageux, rando de 10 km sur le sentier du littoral, avec arrêts « point de vue » super. À vous de trouver votre bonheur.

⌒ ***L'Anse du Mancenillier* :** *sur la droite de la route entre Saint-François et la pointe des Châteaux, au quartier de La Coulée.* Il y a plein d'accès faciles entre les buissons. Pas beaucoup de manceniliers au bout du compte. Beaucoup de locaux le week-end, barbecue, musique, ambiance garantie... Un peu plus loin, la ***plage de la Douche,*** une petite crique où un phénomène naturel fait s'engouffrer l'eau dans les cavités, pour rejaillir à une hauteur parfois assez élevée et arroser ceux qui se trouvent dans le bassin... les enfants adorent ! Pour repérer l'accès, pas de pancarte mais une croix jaune sur la pierre au début du chemin qui y mène. De Saint-François, compter 1,9 km depuis la pancarte « Anse Loquet ».

⌒ ***L'Anse à la Gourde* :** *en venant de Saint-François, tourner à gauche à la pancarte.* Une grande plage de sable blanc aux eaux turquoise, protégée par la barrière de corail. Sauvage et superbe. Mais les rochers et les courants rendent la baignade difficile. À éviter avec des petits. Et gare aux oursins, comme toujours (passez acheter des Mika, les fameuses chaussures en plastique, dans un des bazars près de la rotonde de Saint-François) ! La plage attire une multitude de Pointois en fin de semaine.

🎭 *La Pointe à Cabrits :* un **sentier d'interprétation** de 1 km longeant la mer depuis l'anse donne l'occasion de se souvenir que ce lieu, compris entre la plage et la pointe, est aussi le plus important site archéologique de la petite Caraïbe aux yeux des spécialistes de la civilisation amérindienne (300-1400 de notre ère). Une découverte originale et ludique en suivant les stations de l'audioguide *(disponible à l'office de tourisme de Saint-François ; 5 €),* via l'application gratuite pour smartphone, qui détaillent l'histoire amérindienne et l'évolution du site au fil des siècles ou encore en visite guidée.

◿ *L'Anse Tarare : en venant de Saint-François, sur la gauche, par une route assez caillouteuse, on stationne au parking (resto* Chez Man Michel*).* Un petit chemin conduit à cette adorable crique bien protégée, entourée de collinettes. Le lieu attire les naturistes de tout poil... Que ce soit clair, ceux que vous rencontrerez sortant d'un buisson ne sont pas partis ramasser des coquillages. Alors évitez d'amener ici belle-maman et les enfants.

◿ Quand on est à la pointe des Châteaux, sur la gauche, très belle et vaste *plage des Grandes-Salines,* de sable blanc avec vue sur la Pointe des Châteaux. Attention, elle est dangereuse par endroits : ne pas y aller en solo. En revanche, lagon tout indiqué pour les enfants et le *snorkelling.*

🎭 *Balade jusqu'à la croix et panorama sur les îles : tt au bout de la route asphaltée, après le parking, prendre le sentier qui part à droite vers la grande croix fichée sur son éperon rocheux.* En 10-15 mn de marche sous le cagnard, on atteint ce magnifique point de vue venteux sur la Désirade, pile-poil dans l'axe de la pointe, mais aussi sur Petite-Terre, Marie-Galante et les Saintes, plus lointaines mais que l'on repère grâce aux judicieuses tables d'orientation. Sur le parking, nombreux vendeurs de souvenirs, glaces, *bokits* à grignoter, etc. Vous êtes sur le site le plus visité de la Guadeloupe, du lever du soleil à son coucher !

LE NORD DE GRANDE-TERRE

Envie de vous changer les idées, de vous vider l'esprit, de fuir les foules ? Il suffit de passer un pont, à l'entrée du Moule, et c'est un autre monde qui vous attend.

LE MOULE   (97160)   22 000 hab.

Assez préservé des foules, ce port du nord-est de Grande-Terre respire l'authenticité guadeloupéenne. On trouve, vers la place centrale, quelques maisons créoles typiques en bois, certes un peu décaties. Mais, pour parler vrai, les points d'intérêt sont plutôt relégués à l'extérieur que dans Le Moule : le musée d'Archéologie amérindienne, la distillerie Damoiseau, la sucrerie Gardel, la maison Zévallos...

GRANDE-TERRE

UN PEU D'HISTOIRE

Le Moule a été fondé vers 1680 à l'endroit d'un antique village amérindien (le site de Ouatibi-Tibi, signalé à l'entrée est de la ville et transformé en... parcours de santé), dont certains vestiges figurent aujourd'hui au *musée d'Archéologie amérindienne Edgar-Clerc*. La ville affirme sa vocation maritime au travers d'un nom évoquant un « môle » (digue) et, encore plus, d'un emblème représentant une caravelle voguant sur les flots... Au XIXe s, c'était le principal port sucrier de l'île. L'économie de la région reposait alors sur l'industrie de la canne, dont la *distillerie Damoiseau* demeure aujourd'hui l'un des derniers fleurons encore en activité.

Arriver – Quitter

En bus

🚌 Pour *Morne-à-l'Eau* et *Pointe-à-Pitre*, arrêt rue Saint-Jean (pl. Cadenet). Les bus à destination de *Saint-François* s'arrêtent bd Rougé, à côté de la pharmacie et juste avant la rue Sainte-Anne. Les bus pour les *Grands-Fonds*, *Bellevue* et *Cocoyer* s'arrêtent à la rue Duchassaing, pl. du Cimetière.

➤ *Saint-François et Pointe-à-Pitre :* normalement ttes les 20-30 mn (parfois un peu plus pour Saint-François) tlj sf dim 5h-18h (12h sam). Société *RMT* (☎ 05-90-85-82-30 ; ● transport-guadeloupe.fr ●).

Adresses utiles

🛈 *Office de tourisme :* bd Maritime (à env 1 km du centre, sur la route de Pointe-à-Pitre), au niveau du spot de surf de Damencourt. ☎ 05-90-23-89-03. ● info@ot-lemoule.fr ● ot-lemoule. fr ● Tlj sf dim 9h-17h (13h sam). Brochures touristiques bien faites, liste des hébergements, plan de ville gratuit et doc générale sur toute la Guadeloupe. Accueil compétent et sympa.

✉ *Poste :* rue Saint-Jean (rue principale). Tlj sf dim 7h30-12h30 (12h mer et sam), 14h-16h30.

Où dormir au Moule et dans les environs ?

Prix moyens

🏠 *Le Moulin de la Baie, chez Annick Abaidia :* à Damencourt. ☎ 05-90-91-73-58. 📱 06-90-32-65-55. ● lemoulin-delabaie.com ● Sur la route de Pointe-à-Pitre, passer la plage de la Baie ; tourner à gauche au supermarché, puis tt de suite à gauche ; c'est fléché 200 m plus loin à droite. Bungalows 455 €/ sem pour 2, en saison. 📶 Dans cet îlot de tranquillité, quelques bungalows en bois peint se blottissent au pied d'un vieux moulin, avec de larges terrasses individuelles donnant sur un jardin tropical soigné de 6 000 m². Équipement complet. Également une piscine et un grand salon commun tout ouvert, avec cuisine équipée, douche, barbecue et grande table conviviale. La plage, pas si loin, vous tend pour ainsi dire son sable.

🏠 *La Kaz à Liline :* route de Caillebot, La Baie. ☎ 05-90-22-77-14. ● reservation@kazaliline.fr ● kazaliline. fr ● ♿ (1 gîte). Sur la route de Pointe-à-Pitre, passer la plage de la Baie ; tourner à gauche au supermarché Carrefour, c'est 500 m plus loin à gauche. Bungalows 2-4 pers 490-560 €/sem. Repas possible sur résa. 📶 Jean-Yves et sa compagne Liline ont quitté un passé de baroudeurs pour planter leur maison et 3 bungalows aux couleurs pétantes dans ce coin de campagne. La mer reste à portée du regard, et une piscine ovale permet de se rafraîchir entre deux sessions de cuisson solaire. L'un des gîtes est aménagé pour les personnes à mobilité réduite, et tous les 3 bénéficient un niveau de confort très honorable, et d'une déco gentiment colorée !

🛏 **Gîtes chez Pierre Berlet** (label Bienvenue à la ferme) : lieu-dit **La Mineure,** dans les Grands-Fonds. ☎ 05-90-24-00-11. ● berlet.pierre@wanadoo.fr ● gitesdelaferme.com ● À env 10 km par la D112 direction Château-Gaillard, puis la D101 jusqu'à La Mineure ; panneau sur la droite. Env 381 €/sem (73 €/nuit) pour 2 ; bungalow 450 €/sem (100 €/nuit) pour 4 ; min 4 nuits. 📶 Vaches et cabris gambadent sur 9 ha. Pierre accueille avec simplicité et générosité. Vous pourrez participer à la vie de la ferme, déguster les produits et les fruits du jardin. Les gîtes, confortablement aménagés, propres et calmes, peuvent recevoir de 2 à 4 personnes. Petite terrasse privée, barbecue et piscine dominant les champs. Accueil possible à l'aéroport. Un bon rapport qualité-prix-gentillesse.

🛏 **Les Papayers** (label Bienvenue à la ferme) : à **Dubédou.** ☎ 05-90-88-58-04. ● stpapayers@gmail.com ● lespapayers.com ● À env 7 km. Du Moule, direction Saint-François, prendre la route qui part en oblique sur la gauche 100 m après la maison coloniale Zévallos, et suivre les panneaux sur 1,5 km. Compter 350-500 €/sem pour 2. 📶 Dans cette petite ferme où l'aimable famille Anoumantou élève vaches, cabris, poules et lapins, 5 gîtes avec chambres climatisées, séjour avec canapé clic-clac et terrasse. Piscinette en forme de haricot. Très, très simple mais tranquille.

🛏 **Cases et Jardin :** 1499, route de la Porte-d'Enfer. ☎ 05-90-23-75-16. ● casesetjardin@wanadoo.fr ● casesetjardin.com ● À env 7 km du Moule. Prendre la direction de Saint-François puis à gauche après la maison Zévallos, et continuer env 1,5 km, c'est sur la gauche (mur rouge, pas de pancarte), avt le parking de la Porte d'Enfer (voir plus loin). Compter 350-490 €/sem pour 2 selon saison. Tenue par Patricia et Pascal, cette adresse propose, dans un beau parc exotique, 3 cases impeccables, bien distantes les unes des autres. Tout le confort y est, avec en prime une excellente literie et une terrasse avec hamacs pour se couler douce, loin de l'agitation du monde ! Barbecue à dispo. Un lieu plein d'atouts et de charme, situé à 6 mn à pied de la Porte d'Enfer. Idéal pour les amateurs de calme, silence et solitude.

De plus chic à très chic

🛏 **Fleurs de Canne :** route de Letaye, **Le Moule.** 📱 06-90-62-09-11. ● contacts@fleursdecanne.info ● fleursdecanne.info ● Entre Le Moule et Saint-François, en venant du Moule, prendre Letaye à droite, juste après Gardel, puis, à env 600 m, par le chemin de terre à gauche (indiqué), c'est tt au bout à gauche. Compter 560-690 €/sem (90-110 €/nuit) pour 2. 📶 La belle palissade rouge abrite 4 charmants petits bungalows, construits selon l'architecture traditionnelle, tout en bois, dans le jardin mitoyen de la maison des propriétaires. Chacun possède une cuisine super équipée, ouverte sur une terrasse et un jardinet clos avec sa minipiscine balnéo privée. Une grande chambre avec salle de bains et douche à l'italienne, joliment décorée.

🛏 **Shambala :** route de la Clinique, **Le Moule.** 📱 06-90-55-79-57. ● shambalalodge.fr ● Entre Le Moule et Saint-François, en venant du Moule, prendre à gauche direction Portland, puis toujours tt droit, passer 2 dos-d'âne, ensuite c'est indiqué sur la gauche. Compter 120-160 €/nuit pour 2, min 2 nuits. 📶 5 bungalows tout en bois dont l'architecture s'inspire à la fois des îles et de l'Asie. Tous identiques, ils sont composés d'une grande chambre avec salle de bains et douche à l'italienne à ciel ouvert, entourée d'une grande terrasse. Coin salon et cuisine équipée, ouverte sur un jardin privatif. Belle piscine avec plage en teck et vue sur la grande bleue au loin... Une grande et belle case sert d'espace commun, avec son bar, ses journaux et ses fauteuils confortables. Possibilité de soins, massages, yoga, méditation... Un endroit idéal pour se ressourcer.

GRANDE-TERRE

Où manger ? Où boire un verre ? Où écouter de la musique ?

Prix moyens

|●| *La Case à Saveurs :* tt au bout de la rue Saint-Jean venant du centre-ville, sur la gauche. ☎ 06-90-31-41-51. Ouv le midi tlj, plus le soir ven-sam. Formules à partir de 11 € ; dim midi, formule buffet tt compris 25 €. Une case bien aérée qui dispense des assiettes généreuses dont on choisit le contenu sur l'ardoise : ragoût de bœuf, porc grillé, *ouassous* et autres plats caribéens, pas mauvais du tout. Mais faut vraiment pas être pressé, on vous prévient !

|●| *Le Spot :* bd Maritime, à gauche de l'office de tourisme. ☎ 05-90-85-66-02. ⚒ Tlj sf dim soir et lun 10h-22h (resto). Pizza env 12 €, plats 15-24 €. Digestif maison offert aux porteurs de ce guide. Amateurs de surf et de mer déchaînée, bienvenue dans ce *Spot,* rendez-vous des bandes de copains du secteur (on aurait d'ailleurs pu l'appeler *Le Melting-Spot*). Dans cette grande salle moderne et ouverte sur le large, il arrive que l'on ferme les volets tant les embruns frappent aux carreaux ! Bonnes salades, mais aussi pizzas bien servies et quelques plats de poisson.

♈ ♪ *Le Mandiana-Schiva :* route de Pointe-à-Pitre (juste avt Aka Doudou). ☎ 05-90-23-53-59. Ouv ven-dim à partir de 22h30. Entrée : env 20 € (1re conso comprise) ; gratuit pour les filles ven 22h30-23h et pour ceux qui dînent sur place le w-e. Dans plusieurs salles à la déco un peu kitsch, une boîte-salle de spectacle où se produisent quelques-uns des meilleurs chanteurs de zouk des Antilles. Chaude ambiance.

À voir. À faire au Moule et dans les environs

🌿 *Le centre-ville :* lors d'un petit tour en ville, jetez un œil à la grande place principale et à l'*église Saint-Jean-Baptiste,* beau monument historique du XIXe s en pierre de calcaire et doté de quelques fresques contemporaines, vitraux et boiseries. *Marché aux puces* (2e dim du mois) sur la place de la Liberté, et très typique *marché des producteurs agricoles* (mer 15h-22h) sur l'avenue du Général-de-Gaulle.

🌿🌿 *La maison Zévallos :* à env 6 km au sud-est du Moule en allant vers Saint-François, côté gauche de la N5. ☎ 05-90-82-01-58. Visite possible du rdc, mar, mer et ven 15h-18h (jeu sur rdv). Fermé en sept. Téléphoner avt, les visites étant réalisées par des bénévoles, les j. et heures d'ouverture peuvent être aléatoires. Entrée : 5 € ; réduc. Voici une habitation d'époque coloniale qui mérite vraiment un coup d'œil au passage et, pourquoi pas, une visite. Sa sœur jumelle est l'actuel musée Saint-John-Perse à Pointe-à-Pitre (lire l'histoire singulière de leur origine présumée dans la rubrique « À voir » à Pointe-à-Pitre). De forme rectangulaire, elle compte deux étages, des murs de brique et une véranda soutenue par de fines colonnes métalliques. La visite donne accès aux deux salons du rez-de-chaussée, à la galerie, aux vestiges de l'ancienne sucrerie et aux jardins.

🌿🌿 *La sucrerie Gardel :* à 4-5 km au sud du Moule par la N5 vers Saint-François, puis la D117 à droite. ☎ 05-90-23-37-75. ● contact@gardel.fr ● gardel.fr ● Visites guidées pdt la récolte de la canne à sucre : en principe de mi-fév à juil, lun-ven à 9h, 11h et 16h, sam à 9h et 11h. Durée : 1h. Compter 8 €. Enfants de moins de 10 ans non admis. Chaussures fermées obligatoires. Fondée en 1870, voici la dernière sucrerie de l'île encore en activité. Visite complète des installations, nourrie d'explications intéressantes sur les différentes étapes de transformation de la canne à sucre en sucre roux de canne jusqu'à l'emballage. On y apprend notamment que la combustion de la « bagasse » (résidus de canne) permet à EDF de produire une partie de l'électricité locale. Et, bien sûr, en retour, la centrale « bagasse-charbon » fournit la vapeur et l'électricité pour faire tourner les moteurs de l'usine... Dégustation du sucre tout frais, encore tiède, et achat possible à « la maison du sucre », attenante à l'usine.

🍴 *La distillerie Damoiseau :* à *Bellevue* (3 km à l'ouest du Moule). ☎ 05-90-23-55-55. • *damoiseau.fr* • *Suivre la D101 direction Grands-Fonds-du-Moule. Visite libre tlj sf dim et j. fériés 7h-14h30. Boutique* La Cabane à Rhum *tlj sf dim et j. fériés 8h-17h30. Snack sur place (sandwichs et produits locaux) 9h-16h.* Au milieu des champs de canne, cette distillerie de la fin du XIXᵉ s produit le rhum le plus consommé de Guadeloupe (14 000 hl d'alcool pur par an). Visite libre des installations (attention, le broyage de la canne n'a lieu que de février à juillet), jalonnée d'intéressants panneaux explicatifs rappelant succinctement les origines et la technique de fabrication du rhum. On peut déguster et acheter à la boutique. Rhum blanc, rhum ambré, rhum vieux (élevé entre 3 et 15 ans dans des fûts de chêne ayant contenu cognac ou armagnac)... Profitez-en pour parfaire vos connaissances. Si vous avez plusieurs centaines d'euros à placer, il y a même un millésime de 1953 (son prix laisse rêveur !).

🍴🍴 *Le musée départemental d'Archéologie amérindienne Edgar-Clerc :* parc de la Rosette. ☎ 05-90-23-57-57 ou 43. *Env 2,5 km après Le Moule en allant vers Pointe-à-Pitre, tourner à droite sur la route de Gros-Cap (D123). Lun-ven 9h-17h. GRATUIT. Visite guidée sur résa pour le jardin.* Au fond d'un parc de palmiers royaux, ce musée archéologique est dédié à Edgar Clerc, martiniquais d'origine, qui

UNE CHAÎNE INTERROMPUE

Les esclaves étant dépourvus de droits civiques, ce n'est qu'à l'abolition de l'esclavage que l'état civil s'est préoccupé de trouver un nom à chacun de ces affranchis. Peu ont gardé le nom africain de leurs ancêtres, et quasiment tous les arbres généalogiques guadeloupéens ont des racines limitées à 1848 !

a dirigé de 1949 à 1972 des fouilles au Moule même et a fait don de sa collection. L'important fonds permet une exposition permanente qui se renouvelle régulièrement. En vrac, on commence par quelques beaux objets provenant des premiers habitants des Antilles, statuettes, figurines, objets en conque de lambi, céramique, sépulture humaine (les populations antillaises enterraient leurs défunts dans des hamacs). Également une petite partie ethnographique, avec des instruments agricoles, de chasse et de pêche, de la vannerie, des tombes et une belle reconstitution à l'échelle réduite d'un village de Caraïbes. Expositions temporaires, avec un peu de chance. En sortant, allez faire deux-trois pas dans le jardin amérindien...

🍴🍴 *La Porte d'Enfer :* à env 6 km vers l'est par la N5 vers Saint-François, puis en prenant à gauche la route de Portland, ou en poursuivant sur la N5 et en prenant à gauche juste après la maison coloniale Zévallos ; accès facile jusqu'à un petit parking, puis suivre un étroit sentier envahi par la végétation. De hautes falaises en fer à cheval enserrent cette anse très encaissée, fermée par des récifs de corail sur lesquels se fracassent les vagues. Sauvage et magnifique.

⌅ La plage la plus fréquentée du Moule est celle de l'*Autre-Bord,* à l'est du centre-ville, de l'autre côté (d'où son nom) de la rivière d'Audoin *(prendre à gauche la route de la plage).* Agréable, avec quelques petits bars-restos qui restent ouverts en soirée. On y trouve aussi la base de canoë-kayak. Et surtout un *lolo* d'anthologie...

🍴 *Chez Éric :* env 12,50 € le repas env, avec une boisson. Un *lolo* comme on n'en fait plus, avec 4 tables en plastique recouvertes d'une nappe colorée et usée par le soleil. Il est le seul, sur la plage, les autres restos alignés le long de la rue, un peu plus loin, sont pour les touristes. Ne cherchez pas le nom, le

GRANDE-TERRE

téléphone, la carte non plus. Le cuistot vous demande si vous préférez le poisson, le chatrou ou le lambi. Après, vous vous posez et attendez. Autour de vous, des mines gourmandes. Du goût dans l'assiette, et un fruit offert pour le même prix.

L'Anse à l'Eau : *entre Le Moule et Saint-François, à env 9 km. Depuis Le Moule, prendre la route qui part en oblique sur la gauche après la maison Zévallos (c'est très mal indiqué) ; après avoir passé le moulin, continuer sur le chemin (env 1 km) et prendre à droite à l'intersection.* Une crique presque uniquement pour vous, fermée par une barrière de corail avec la Désirade en arrière-plan. Pas mal du tout avec ses eaux claires, mais la piste d'accès n'est guère carrossable : dur, dur pour les deux-roues ; pour les voitures, ça passe juste.

Activités sportives

– *Surf : Arawak Surf Club*, *à Boisvin* (route de Morne-à-l'Eau), BP 79. ☎ 05-90-23-60-68. 📱 06-90-35-97-50. ● adam971@orange.fr ● Affilié à la Fédération française de surf, ce centre organise des cours et stages de surf, encadrés par des moniteurs diplômés d'État. L'école se déplace d'un spot à l'autre suivant les conditions météo.

– *Canoë-kayak et paddle : Club Molem-Gliss,* base de canoë-kayak du Moule, à *l'Autre-Bord.* ☎ 05-90-23-02-72. Affilié à la Fédération française de canoë-kayak. Balade découverte en pirogue (aussi en handi-kayak) de la mangrove et de son écosystème sur la rivière d'Audoin, au Grand Cul-de-Sac Marin, initiation en mer au kayak-surf, etc., le tout avec une équipe de moniteurs chevronnés. Location de *paddle* également.

– *Parc de loisirs de l'Autre-Bord :* plage de l'*Autre-Bord.* ☎ 05-90-22-44-40. Tennis, beach-volley et piscine. Organise aussi des randos à VTT ou à pied.

LA ROUTE DE LA CÔTE

Sur cette péninsule, le relief s'affadit, la végétation change, les habitations se clairsèment. Aux mangroves succèdent les champs de canne à sucre et une sorte de brousse tropicale formée d'arbustes. C'est ici que se réfugièrent les derniers Caraïbes, avant de disparaître définitivement durant la seconde moitié du XIXe s. De-ci, de-là, quelques très belles plages et une poignée de sites dignes d'intérêt, comme la *pointe de la Grande-Vigie...*

🎣 *Le cimetière d'esclaves de l'Anse Sainte-Marguerite :* à 6 km du Moule par la N5, puis la D123 (panneaux). Mieux vaut avoir un 4x4 pour aller jusqu'au bout ou une voiture un peu surélevée. En léger retrait de la rive, ce cimetière s'étend à flanc de la colline. On trouve ici des sépultures datant des XVIIIe-XIXe s, sans pierres tombales vu le peu de cas que l'on faisait alors des esclaves et de leurs dépouilles. À noter toutefois qu'il n'y avait pas de fosse commune, chacun étant inhumé individuellement dans un cercueil. Ce lieu de mémoire, matérialisé par d'immenses pylônes en bois dressés, voit fleurir des témoignages des populations locales qui l'avaient oublié depuis belle lurette, mais qui viennent retrouver ici un lien avec le passé de leurs ancêtres.

*À une bonne dizaine de kilomètres au nord du Moule, si l'envie de faire trempette vous prend, petite halte très agréable à l'*Anse Maurice.* Belle plage protégée par une barrière de corail. Le coin est idéal pour plonger avec palmes, masque et tuba quand la mer est calme, en slalomant entre des rochers qui, parfois, gênent la baignade. Tables de pique-nique dispersées sous les frondaisons.

|●| *Chez Pinpin :* Anse Maurice, *Petit-Canal.* ☎ 05-90-22-52-97. Tlj, le midi slt. Plats du jour 8-18 €. Digestif maison offert aux porteurs de ce guide. Un resto bien comme il faut. Vaste et agréable terrasse bleu et blanc un peu en retrait de la plage, avec des plats affichés à l'ardoise, du style court-bouillon de poisson, fricassée de *ouassons*, colombo de cabri et excellentes assiettes d'acras.

➤ Belle *balade* à faire : la route est belle en empruntant la N8 au nord de Bazin, puis la D122 vers la Porte d'Enfer et jusqu'à la pointe de la Grande-Vigie.

LA PORTE D'ENFER ET LE TROU DE MME COCO

🐾🐾 *Dans le nord de Grande-Terre, à 25 km du Moule.* Ça ressemble plus à un coin de paradis qu'à la porte des enfers ! Ne pas confondre avec celle qui se trouve à l'est du Moule (lire dans les pages précédentes « À voir. À faire au Moule et dans les environs »). Cette longue calanque s'enfonce profondément dans les terres. Très abritée, l'eau est calme et transparente comme un lagon, sauf lorsque les perfides sargasses viennent les troubler, alors que côté océan les flots rugissent de toute leur puissance.

– Une balade pépère quoique très fréquentée le dimanche (éviter les tongs tout de même !) emprunte le sentier qui traverse le petit cours d'eau, avant de suivre le rivage en direction de l'embouchure. Un chemin à gauche (non fléché) mène au *Trou de Mme Coco* (à 15 mn à pied), une impressionnante crevasse aux parois tourmentées.

AVALER DES COULEUVRES !

Le Trou de Mme Coco est un gouffre sujet à toutes sortes de légendes et même, paraît-il, à des cérémonies de sorciers locaux : ces fameux « quimboiseurs » tirent leur nom de l'expression créolisée « Tiens, bois ! », en référence aux multiples potions qu'ils font avaler à leurs clients !

– Après une pensée émue pour Coco (la pauvrette se serait jetée ici suite à un chagrin d'amour), empruntez un chemin de randonnée balisé bleu et jaune (superbe vue sur les falaises tout au long). Il mène au *Trou du Souffleur,* un gouffre en pleine terre de 10 m de diamètre et 40 m de profondeur, au fond duquel on voit la mer se déchaîner. Prévoir 2h aller-retour.
– Pour parcourir tout le *sentier de la Grande-Falaise,* compter environ 3h de marche, voire 5h si vous poussez jusqu'à la *pointe Petit-Nègre,* avec un retour par les terres via l'*ancienne sucrerie Mahaudière* (le marquage du chemin se perd un peu par ici... et vous avec, faites gaffe, la nuit tombe vite !). Entre la *Porte d'Enfer* et la *pointe de la Grande-Vigie,* plusieurs points de vue admirables.
– *Revue de détail du bon randonneur tropical :* chapeau de rigueur (peu d'ombre), bonnes chaussures (les rochers sont parfois coupants), réserve d'eau (pour les petites soifs). Pour s'affranchir des griffures d'arbustes épineux, mieux vaut porter un pantalon en toile ou des jeans usagés.

|●| *Chez Coco :* sur la D122, Porte d'Enfer, *Anse-Bertrand.* 🏠 06-90-75-34-84. Tlj, le midi slt. Plats 12-17 €. Ce petit resto en bois est en bord de route, oui, mais sa terrasse regarde la mangrove et la Porte d'Enfer, au loin. Roméo, au sourire enjôleur, propose un tout petit choix de plats du jour, toujours 100 % local. Bons jus de fruits tout aussi locaux.

LA POINTE DE LA GRANDE-VIGIE

🐾🐾 *À 6 km au nord de la Porte d'Enfer, à l'extrémité nord de Grande-Terre.* Un petit sentier mène à la pointe en 5 mn à peine, au travers d'une végétation typique du climat sec du nord de Grande-Terre : des gommiers rouges aux larges feuilles, frangipaniers et *opuntias* (sortes de figuiers de barbarie). Depuis la pointe, spectacle

GRANDE-TERRE

impressionnant que ces falaises abruptes, hautes de 80 m, fouettées par une mer houleuse. En contrebas, on peut admirer le *rocher de la Tortue* (vous ne trouvez pas qu'il ressemble plutôt à un iguane ?). Et, par beau temps, le regard porte jusqu'à la Désirade (à 50 km), Antigua (à 80 km) et Montserrat (à 70 km).

Quelques oiseaux croisent au-dessus des têtes : frégates, pailles-en-queue, ortolans, plus rarement le fou brun.

– *Conseil :* se munir de bonnes chaussures, car le chemin est rocailleux.

L'ÎLE INFERNALE

L'île britannique de Montserrat, en éruption constante depuis 1995, se signale par un nuage de fumée permanent à l'horizon. Après que sa capitale Plymouth ainsi que l'aéroport ont été complètement détruits par un séisme en 1997, les deux tiers des 12 000 habitants (à l'accent irlandais !) ont dû fuir définitivement l'île. En 2010, une énième explosion de sa Soufrière a recouvert la Guadeloupe d'une mince couche de cendres !

ANSE-BERTRAND   (97121)   env 5 100 hab.

Un bel endroit dans l'une des régions les plus sauvages et les moins touristiques de l'île. La commune compte quelques jolies petites anses pour se baigner et une superbe plage, la *plage de la Chapelle,* située à la sortie du bourg en direction de Port-Louis. Le village lui-même se révèle authentique, en particulier le port avec ses successions de vagues sauvages venant s'y fracasser. Ici, la star, c'est Lilian Thuram, le footballeur de classe internationale dont la famille habite à Anse-Bertrand.

– *Conseils de prudence :* à 1,5 km en direction de la pointe de la Grande-Vigie, la belle *Anse Laborde,* 150 m de sable blond dans un décor superbe. Mais ATTENTION : LA BAIGNADE Y EST INTERDITE (un panneau l'indique) en raison de nombreux courants sous-marins très vicieux.

Adresse et info utiles

🄷 *Office de tourisme :* sq. Robert-et-Maxime-Carlosse. ☎ 05-90-85-73-11. ● ot-ansebertrand.fr ● Tlj sf sam ap-m et dim.

➢ *Bus :* pour *Pointe-à-Pitre* ttes les 30 mn le mat et en soirée, ttes les 50 mn en journée, tlj sf dim 5h-19h (12h sam). Pour *Le Moule,* changement à Morne-à-l'Eau, et pour *Petit-Canal,* changement à Balin. Société RMT (☎ 05-90-85-82-30 ; ● transport-guadeloupe.fr ●).

Où dormir ?

Prix moyens

🏠 *Gîtes CVR de Mme Clamy Rosette* (Gîtes de France) *:* 2, rue Stéphane-Francisquin, section Chapelle. ☎ 05-90-22-15-43. 🖥 06-90-56-41-27. ● gitesruraux.cvr@wanadoo.fr ● ♿ De la mairie, direction Morne-à-l'Eau, c'est la 1re rue à gauche, juste en face de la bibliothèque. Congés : d'oct à mi-nov. Gîtes 2-4 pers 300-400 €/sem selon saison et nombre de pers. 📶 Rosette – chevalier de l'ordre national du Mérite, s'il vous plaît – prend grand soin de ses 5 gîtes (3 épis) aménagés dans plusieurs maisonnettes avec terrasses. Ils sont plutôt spacieux, meublés basiquement mais correctement équipés.

Simple, mais la plage de la Chapelle est à 250 m, et Rosette est charmante !

🏠 **Les Algues de la Chapelle :** 23, allée des Coreaux, plage de la Chapelle, au sud-ouest immédiat du bourg. ☎ 05-90-20-27-50. ● sci.les.marines@wanadoo.fr ● lesalguesdelachapelle.com ● Compter 350-560 €/sem pour 2-6 pers. Tout proches de la plage de la Chapelle, 3 bungalows en bois alignés comme à la parade, devancés par leur petite terrasse. Dommage que la vue sur la mer soit en partie gâchée par les équipements sportifs et le parking du centre de vacances EDF voisin... Également 2 appartements dans une maison sans charme particulier. Partout, aménagements simples et fonctionnels. Petite piscine. Location de voitures.

Où manger ? Où boire un verre ?

Quelques abris le long de la jetée permettent de casser la croûte pour pas trop cher en regardant la mer.

Prix moyens

|●| **Restaurant Le Ti Madras :** plage de la Chapelle, juste avt le resto Zion Train. ☎ 05-90-48-55-73. 📱 06-90-93-65-01. Tlj sf mar, le midi slt. Formules 10-22 € ; plats 6-20 €. Face à la mer sur une terrasse agréable. Bonne cuisine simple et service adorable. Que demander de plus ?

|●| 🍸 **L'Anthonïs :** pl. du Marché. ☎ 05-90-22-04-02. Dans le centre du bourg. Tlj sf mer hors saison (le soir sur résa). Congés : sept. Menus et formules env 16-42 €. Digestif maison offert sur présentation de ce guide. Ce que l'on aime le plus ici, c'est la situation en surplomb de la mer qu'on ne se lasse pas de voir se fracasser sur le port, notamment au coucher du soleil. De mi-janvier à avril, avec un peu de chance tout de même, on peut apercevoir des baleines remontant vers le nord. Cuisine sans fantaisie mais on peut aussi se contenter de boire un verre...

|●| **Zion Train :** plage de la Chapelle. ☎ 05-90-20-62-04. 📱 06-90-64-28-32. ♿ Tlj sf mer, le midi slt. Sandwichs et crêpes 3-4 €, menus (avec planteur) env 22-38 €. D'une part, on trouve une cahute colorée en bord de plage avec sandwichs et crêpes bon marché – avec un palmier en guise de parasol et un verre de jus local à la main, on a vraiment l'impression de poser pour une brochure touristique ! De l'autre, un resto en surplomb de la plage, avec vue sur Monserrat et Antigua, qui propose des petits plats d'un honnête rapport qualité-prix. Jocelyne, la patronne, tutoie tous ses clients.

|●| **La Case à Fernand :** 107, rue Schœlcher. ☎ 05-90-22-24-29. ● casafernand97@gmail.com ● Dans le bourg, en face du resto L'Anthonïs. Tlj sf lun. Formule 16 € ; menus poissons 23-35 € ; plats 15-20 €. Café ou digestif offert aux porteurs de ce guide. Des couleurs douces habillent l'intérieur de cette maison ; quelques tables en terrasse avec vue sur mer. On sert ici une cuisine traditionnelle, et les poissons sont généralement accompagnés de légumes locaux de saison.

GRANDE-TERRE

PORT-LOUIS (97117) 5 700 hab.

Village de pêcheurs et petit centre agricole sur la côte nord-ouest de Grande-Terre. Le centre-ville a gardé son charme caraïbe un peu rétro. La rue principale longeant le port, bordée de poétiques réverbères à l'ancienne, aligne des maisons basses traditionnelles aux couleurs pastel. Le nouveau sens de circulation, faute de panneaux bien visibles, égare le visiteur qui a du temps pour découvrir cette bourgade ayant souffert d'une désertification inquiétante. Toutes les maisons anciennes n'ont pas eu la chance, comme l'office

GRANDE-TERRE

de tourisme ou la mairie, d'être rénovées. Beaucoup de cases sont fermées ou menacent ruine, même si les artistes locaux leur ont donné une nouvelle raison de se voir photographiées par les visiteurs.

Tous les jours, vers 17h, sauf le dimanche, les pêcheurs rentrent au port, provoquant l'émoi des goélands et un rassemblement de villageois. Au café *La*

FIER COMME UN HABITANT DE PORT-LOUIS

Port-Louis fut l'un des fiefs indépendantistes de l'île. Ses habitants ont toujours été anticolonialistes et solidaires, et sont encore fiers d'avoir attaqué, en 1943, la gendarmerie aux ordres de Vichy !

Corrida du Sud, vous les verrez se requinquer après leur dure journée en mer. La balade le long du bord de mer se révèle bien agréable et se prolonge par la superbe *plage du Souffleur,* l'une des plus belles de Guadeloupe.

Adresses utiles

🏢 *Office de tourisme :* en face de la mairie, dans une belle maison en bois rénovée. ☎ 05-90-22-33-87. Tlj sf mer et dim.
✉ *Poste :* rue Gambetta. Tlj sf mer ap-m, sam ap-m et dim.

🚌 *Arrêt des bus :* devant la poste. Pour *Petit-Canal, Morne-à-l'Eau* et *Pointe-à-Pitre,* 4h30-16h, et pour *Anse-Bertrand,* avec changement à Balin. Société *RMT* (☎ 05-90-85-82-30 ; ● transport-guadeloupe.fr ●).

Où dormir ? Où manger ?

Attention, conséquence de la crise qui a frappé ici plus qu'ailleurs, certains restaurants font du racolage directement sur la plage, se vantant d'être toujours cités dans notre guide, alors que ce n'est pas le cas ! Ne vous laissez pas avoir par des *flyers* photocopiés utilisant le logo du *Routard* pour leur promo.

Prix moyens

🏠 *Studios Kaladja : quartier Pelletan-Plaisance.* ☎ 05-90-22-38-98. 📱 06-90-99-17-09. ● kaladja@wanadoo. fr ● gitekaladja.com ● ♿ De Port-Louis, prendre la N6 vers Petit-Canal, puis la D128 à gauche avant l'usine sucrière de Beauport ; continuer jusqu'à Pelletan, traverser la N8 et prendre la rue en face, puis à gauche à la fourche. Si vous venez de Morne-à-l'Eau, c'est fléché sur la N8. Studios et F2 (2-4 pers) 300-600 €/sem pour 2 ; petit déj 9 €. Dîner sur résa. 📶 Accueil chaleureux et sans ambages de Marie-Claire. Si elle en a le temps, elle pourra vous emmener à des soirées musicales traditionnelles. Ses 4 studios et son F3, assez simples, sont

disposés autour d'une agréable piscine. Salle de bains, lit double, cuisinette et terrasse commune donnant sur un joli jardin tranquille. Une bonne base aussi pour visiter les champs de canne aux alentours.

🏠 *Caraïbe Creol'Keys :* rue Jean-Marie-Tjibaou, entre les n°s 6 et 8, quartier Rodrigue. 📱 06-90-36-08-28. ● caraibecreolekeys@gmail.com ● ♿. À 10 mn à pied de la plage. Nuitée 55 €. Compter 300-250 €/sem selon saison. 2 studios meublés colorés, pratiques et confortables, avec une terrasse privée en *deck* côté jardin. Idéal pour un couple désirant visiter le nord de Grande-Terre. Si vous êtes perdu à l'entrée du bourg, à cause du sens de circulation, appelez Carole Saint-Laurent, elle se fera un plaisir de vous guider.

🍴 *La Corrida du Sud :* rue Zéphir, sur le port de pêche. ☎ 05-90-22-92-33. ● corrida-du-sud@orange.fr ● Tourner à gauche après l'office de tourisme, c'est 500 m plus loin. Tlj sf dim, le midi slt. Formule 8,50 € ; menus 13-15 €. Cette ancienne baraque de pêcheurs est le rendez-vous attitré des taquineurs de poissons et des plongeurs côté bar, et des touristes côté resto, tout contents d'avoir trouvé la bonne affaire. Menu tout simple concocté par la gentille patronne pour se caler le midi et très correct pour le prix vraiment démocratique. La tarte au thon, un régal !

|●| *Théo Lolo :* rue Achille-René-Boisneuf. ☎ 05-90-23-47-26. *Tourner à droite après l'office de tourisme (direction plage du Souffleur), c'est à 200 m. Tlj sf mer, le midi slt. Menus 15-18 € ; carte env 22 €.* Cette petite

terrasse, séparée de la rue par une rambarde multicolore, et cette minisalle, simple mais pimpante, abritent une adresse qui a le mérite de tenir la route, alors même que le sens de circulation a changé les habitudes de la clientèle. Madame (Valérie) est au service, et monsieur (Olivier) aux fourneaux. Et ils s'emploient à décroûter les bons vieux poncifs de la cuisine locale : l'émincé de volaille s'enivre de rhum vieux, les *ouassous* s'offrent un bain de lait de coco, la patate douce se fait gâteau...

À voir. À faire à Port-Louis et dans les environs

GRANDE-TERRE

⊿ *La plage du Souffleur :* beaucoup de baigneurs en fin de semaine, mais délicieuse atmosphère familiale avec une eau très calme. Des camions proposent *bokits,* crêpes, sorbets coco, etc. Deux inconvénients : les redoutables yens-yens qui peuvent sévir en fin d'après-midi et le courant à certaines périodes. Derrière la plage, beaucoup d'espace, des douches qui marchent à peine, un parking *(payant jusqu'en début d'ap-m)* et deux ou trois petits camions à sandwichs bien pratiques.

– Au-delà de la plage, insolite **cimetière marin** aux tombes de sable ornées de coquilles de lambis, ou délimitées par des bordures de zinc qui les font curieusement ressembler à des baignoires ! La plage continue après, plus sauvage.

⊿ *L'Anse Lavolvaine :* à 2 km de la plage du Souffleur, vers le nord. Au bout du parking (payant !), dépasser le cimetière et le pont (piste) et aller jusqu'au bout. Une autre très jolie plage. Des carbets (pour les pique-niques) sont disséminés le long de la plage, parmi les arbres. Eaux claires et calmes, peu fréquentées, et l'on peut observer les poissons dans les coraux à moins de 100 m de la plage. De l'autre côté, c'est la mangrove. En revanche, bonjour les yens-yens en fin d'après-midi : ils fondent sur vous sans crier gare.

🎋 🚶 *Le Pays de la canne (usine sucrière de Beauport) :* un peu avt Port-Louis en venant du sud par la N6, sur la droite (face au lycée). ☎ 05-90-22-44-70. ● beauportlepaysdelacanne.com ● *Tlj sf certains j. fériés 9h-17h (dernière entrée à 16h mais préférable avt 15h30). Entrée : 10,50 € ; 7,50 € enfants (4-12 ans) ; gratuit moins de 4 ans. Compter env 1h30 de visite.*

Beauport est le nom du second propriétaire de cette habitation sucrière, devenue la mémoire cannière du pays. Fondée en 1863, l'usine de Beauport fut le cœur économique du nord de Grande-Terre jusqu'à sa fermeture en 1990. Elle produisait alors le tiers du sucre guadeloupéen. Visite découverte sur le thème de la canne à sucre, patrimoine historique, scientifique et culturel, profondément ancré dans l'identité des habitants de la région. Une visite qui plaira surtout aux passionnés de l'histoire du sucre, car le lieu est insuffisamment mis en valeur pour être réellement attractif pour tous, dommage !

On se promène librement sur le site, avec des arrêts dans différentes maisons où l'on évoque l'histoire de l'usine et de ses ouvriers depuis le XIXe s. Le plus intéressant est sans doute l'audio-visio-canne, pour son expo bien faite sur les étapes de la transformation de la canne, ses produits dérivés, les propriétés du sucre, etc. On apprend aussi, en visionnant un film, que le *Saccharum officinarum* (la canne à sucre, quoi !), originaire du Sud-Est asiatique, fut introduit en Europe vers l'an 1000 par la Crète. Et d'une façon générale, toute l'épopée de la production du sucre à travers les âges : de l'esclavage à l'importance de l'industrie sucrière dans l'économie mondiale, en passant par le rôle joué par la Première Guerre mondiale dans la relance de la production de canne (concurrencée par la betterave). Sur le parcours, un vieux moulin et les anciennes installations... Plus loin, dans un petit morceau de champ, une trentaine de variétés de cannes, toutes différentes, avec un petit topo sur leur histoire.

Plongée sous-marine

Peu fréquenté par les hommes-grenouilles, Port-Louis offre pourtant de bien belles plongées, dans un dédale de grottes et d'arches joliment cambrées. Débutants et confirmés apprécieront la richesse de certains sites vraiment sauvages, où s'ébattent faune et flore classiques des Caraïbes, mais aussi parfois quelques dauphins ! Vous chausserez dare-dare les palmes quand vous saurez que la visibilité est excellente grâce à un petit courant qui ne compromet pas la plongée pour autant.

Clubs de plongée

■ **Eden Plongée** (label Esprit Parc national de Guadeloupe) : 25, bd Achille-René-Boisneuf. ☏ 06-90-68-12-27. • christophe.eric@edenplongee.fr • edenplongee.fr • Baptême env 50 €, plongée d'exploration env 40 € ; forfaits dégressifs 3, 6 et 10 plongées. Petit centre agréé FFESSM, CMAS et PADI. Organise 2 sorties par jour pour explorer les différents sites et grottes sous-marines du secteur. Également plongée au Nitrox, stages de biologie marine et photo sous-marine. Participe à des actions en faveur de l'environnement.
■ **Gwadive** : 5, rue Schœlcher. ☏ 06-90-50-95-91. • olivierthomet@live.fr • gwadiveplongee.com •

♿ Derrière l'église. Tlj. Congés : sept. Baptême 48 €, plongée d'exploration 40 € ; forfaits à partir de 3 plongées. Accueil chaleureux d'Olivier Thomet, moniteur d'État, responsable de ce petit centre (FFESSM, ANMP, PADI). Exploration des meilleurs spots du coin (de Grand Cul-de-Sac Marin jusqu'à la pointe de la Grande-Vigie). 2 départs par jour, avec parfois 2 plongées par sortie. Plongée de nuit, initiation enfants à partir de 8 ans et journée PMT (palmes, masque et tuba) à la pointe de la Grande-Vigie... Et pour compléter le tableau, cet accueillant club propose à ses plongeurs en herbe un gîte pour 4 personnes (le Ti Say Say).

Nos meilleurs spots

• Carte Grande-Terre p. 68-69

🐚 **L'Aquarium** (carte Grande-Terre, 22) : devant la plage du Souffleur. Idéal pour les baptêmes. Poissons-anges, perroquets, papillons, diodons, demoiselles... seront vos fidèles compagnons de plongée sur ce petit récif isolé (- 4 à - 6 m) dans un océan de sable clair.

🐚 **Le Tombant de la pointe d'Antigues** (carte Grande-Terre, 23) : à quelques encablures au nord de Port-Louis (5 mn de trajet). Pour plongeurs Niveau 1 et confirmés. Ce petit tombant corallien (- 12 à - 22 m) compte de belles éponges colorées que survolent les classiques et nombreux poissons des Antilles et des raies-aigles. À proximité, l'épave de l'avion Cessna posée dans un jardin de corail...

🐚 **Pointe Plate et la grotte aux Barracudas** (carte Grande-Terre, 24) : un peu plus au nord de Port-Louis (15 mn de trajet). Pour plongeurs Niveau 1 minimum. Sur ce plateau corallien, amusante balade sous une arche monumentale, donnant accès à un cratère où batifolent des barracudas. Dans la continuité du tombant (- 12 à - 20 m), une grotte peuplée de langoustes. Ensuite, seuls les confirmés entrent dans une seconde grotte, où la sortie prend l'allure d'une lucarne bleue.

🐚 **Les Arches** (carte Grande-Terre, 25) : toujours plus au nord, vers Anse-Bertrand (20 mn de trajet). Pour plongeurs Niveau 1 et confirmés. Descente dans un cirque et passage sous une arche pour accéder à ce tombant (- 12 à - 20 m) richement doté de coraux variés, éponges et gorgones. On y croise pas mal de barracudas et thazars.

↘ *La pointe de la Grande-Vigie et la grotte Amédien* (carte Grande-Terre, **26 et 27**) : *à l'extrême nord de Grande-Terre (40 mn de trajet).* Niveau 1 minimum et confirmés. À la *pointe de la Grande-Vigie,* dans un décor de carte postale, plongée extra dans les éboulis des falaises blanches (0 à - 30 m), baignées d'eaux turquoise et très claires. Une plongée suprême, très sauvage (attention au courant). Ensuite, par seulement 8 m de fond, exploration sans souci de la *grotte Amédien,* un impressionnant dédale de tunnels et de cavités. On peut même quitter ses palmes et visiter une caverne à pied sec.

PETIT-CANAL
(97131)   8 080 hab.

Si le bourg a peu d'attraits touristiques, il demeure pourtant un haut lieu historique de la Guadeloupe. En effet, c'est par ce « canal » que l'on débarquait les esclaves. Une bonne partie d'entre eux était immédiatement dirigée vers les exploitations sucrières dont Petit-Canal

> ## PROTECTION DIVINE
> *Autrefois, les marins se faisaient tatouer une croix sur tout le dos afin de se protéger des punitions par flagellation. En effet, c'était un péché que de frapper un symbole chrétien.*

était l'un des principaux centres au début du XIXe s. Différents hommages à ce passé douloureux sont présents dans le village.

Où dormir ? Où manger dans les environs ?

Prix moyens

⌂ *La Case à Canne :* rue Les-Mangles-Gelas, **Les Mangles.** ☎ 05-90-22-96-15. 📱 06-90-35-77-38. ● arnaud. richard29@orange.fr ● case-a-canne. net ● De Petit-Canal, prendre la N6 jusqu'à Bazin ; au rond-point de la station Total, *direction Anse-Bertrand* ; à l'autre station Total *des Mangles, 1re à droite, passer la pharmacie et les dos-d'âne, c'est 200 m plus loin, sur la gauche.* Compter 400 €/sem pour 2. CB refusées. 📶 Depuis la route, impossible d'imaginer que cette case créole cache

2 bungalows bien tranquilles, posés face à une pelouse tout en longueur. Aménagement simple, cuisine, clim, TV et terrasse. Accueil familial chaleureux. Équipement bébé à la demande. Location de voitures possible. Piscine.
●I *Chez Pinpin :* Anse Maurice, *Petit-Canal.* ☎ 05-90-22-52-97. *Tlj, le midi slt. Plats du jour 8-18 €. Digestif maison offert sur présentation de ce guide.* Ceux qui ont emprunté la route de la côte entre Le Moule et Anse-Bertrand ont déjà pu découvrir ce resto traditionnel qui nourrit habitués et voyageurs depuis une trentaine d'années (voir plus haut).

À voir. À faire

🐾🐾 À côté de l'église, on peut voir l'émouvant *escalier édifié par les esclaves* eux-mêmes, aux marches irrégulières. Chaque palier porte le nom des différentes ethnies africaines qui les ont gravies : Congos, Yorubas, Ibos, Ouolofs, Peuls, Bamilékés. En haut de l'escalier, une stèle commémore cet épisode historique douloureux avec ce simple mot : « liberté ». En bas de l'escalier, au carrefour, un tam-tam posé sur un socle de marbre est érigé à la mémoire de l'esclave inconnu. En retrait, dévoré par le « figuier maudit », l'ancien entrepôt où les esclaves étaient parqués en attendant d'être vendus.

🎭 **Le musée de la Vie d'antan :** *à l'entrée sud du village, près de l'église.* ☎ *05-90-83-33-60.* ● *museedelaviedantan971@gmail.com* ● *Tlj sf dim 9h-12h, 14h30-17h. Entrée : 4 € ; réduc.* Ce musée a pour vocation de faire connaître, au travers d'expos temporaires, la vie quotidienne d'autrefois et le patrimoine culturel de la Guadeloupe. Coup de chapeau à la petite équipe locale qui se donne à fond et fouille dans les greniers des grands-mères de la région. Rien d'exceptionnel, mais beaucoup de cœur à l'ouvrage. Le thème de l'expo change chaque année, des outils traditionnels aux fêtes, en passant par les transports, l'eau (comment elle était acheminée, utilisée, conservée), l'enfance, etc.

– **Découverte de la mangrove :** *contacter Max Sinnan.* ☎ *05-90-22-76-94.* 🗐 *06-90-54-12-20.* ● *maryse.sinnan@wanadoo.fr* ● *Compter 75 €/pers la journée, repas compris (barbecue sur la plage) ; 30 € la ½ journée ; 25 € la balade de 2h.* Max, marin-pêcheur de son état, propose des balades sur la mangrove à bord d'une « saintoise » (6 à 12 personnes), au départ du port. En fonction de la formule choisie, virée vers Morne-à-l'Eau, l'île des oiseaux ou la barrière de corail.

– **Akwapulsion :** 🗐 *06-90-71-54-08.* Autre belle découverte de la mangrove au départ du port avec Éric, un pro de la navigation, qui vous embarque sur son trimaran en toute sécurité le temps d'une journée placée sous le signe de la bonne humeur, de la générosité et de la découverte.

MORNE-À-L'EAU   (97111)   17 200 hab.

Bourgade pas si morne, avec son étonnant cimetière classé qui s'étage en bord de N6, sur une colline, et donne l'impression d'un immense jeu de dames avec ses tombes et mausolées à carreaux noirs et blancs. Incroyable avec les reflets du soleil. La Toussaint en rajoute un peu, avec des myriades de petites lumières installées sur les tombes. À remarquer aussi, l'église et la poste construites en 1934 par l'architecte Ali Tur, qui a lancé la mode du béton armé. Et pour la petite histoire, c'est ici que fut planté le premier arbre à pain en Guadeloupe, à la fin du XVIIIᵉ s. Une idée du capitaine du *Bounty*... pour nourrir les esclaves ! Ces mêmes esclaves bâtirent de 1826 à 1829, accompagnés de quelques « hommes libres », le canal des Rotours qui relie Morne-à-l'Eau à la mer.

À voir. À faire à Morne-à-l'Eau et dans les environs

🎭 **Vieux-Bourg :** à 8 km à l'ouest de Morne-à-l'Eau, ce village de pêcheurs est aussi paisible qu'authentique. Promenade charmante par la très jolie route à l'ouest du bourg, au gré d'un paysage très serein, vers la *plage de Babin*. N'allez pas imaginer une plage de sable, car l'herbe vient ici tremper ses racines dans les eaux de mer chaudes. Un lieu de villégiature pour les familles de

LES BONS BAINS DE BOUE DE BABIN

Les familles mornaliennes se badigeonnent le corps de cette boue grisâtre, à l'odeur soufrée, que l'on trouve sur la plage de Babin. On laisse reposer, en évitant de se grattouiller, puis on va se rincer. C'est gratuit et ça soulage des rhumatismes tout en redonnant une peau de bébé...

Vieux-Bourg et de Morne-à-l'Eau qui viennent y prendre des bains de boue (ils seraient excellents pour les rhumatismes et pour adoucir la peau).

⚞⚟ *La découverte de la mangrove* : Morne-à-l'Eau revendique le titre de « capitale du crabe », tant il est présent dans son environnement. Ainsi, chaque année en avril, le *festival du Crabe* sensibilise le public à la protection de la mangrove, écosystème exceptionnel que l'on peut visiter toute l'année, en petit comité. Pour ces balades, prévoir crème solaire écran total (le soleil cogne dur sur l'eau), vêtements de rechange, lotion antimoustique pour la fin de journée et un sac étanche pour protéger l'appareil photo.

– **Bel'Mangrov** *(VTT des mers ; labels Parc national de la Guadeloupe et Association Guadeloupe Écotourisme)* : *port de Vieux-Bourg.* ☎ *06-90-36-60-30.* ● *contact@ belmangrov.com* ● *belmangrov.com* ● *Rdv à 8h45 précises, retour au coucher du soleil. Résa impérative quelques j. avt. Compter 69 €/pers, repas inclus ; réduc enfants.* Excursions en petit comité (14 personnes maximum) à la journée en VTT des mers (marque déposée !), à ne manquer sous aucun prétexte ! Avec guides et ornithologues, visite de la mangrove traversée d'un lagon, escale aux îlets aux Oiseaux (aigrettes, frégates, pélicans...), baignade sur une superbe plage déserte, traversée de « l'étang Bois-Sec » aux berges mouvantes de milliers de crabes, avec une halte-repas comme il faut (ti-punch, grillade, salade de riz composée, ananas, café, vin rosé). Comme le dit la pub, c'est « Hélice au pays des merveilles » ! Une machine géniale mise au point par François Pessin, ancien ingénieur en aéronautique, incroyable Géo Trouvetou. Ce VTT des mers file deux ou trois fois plus vite qu'une embarcation à pédales classique, mettant les 15 km de balade à la portée de tout le monde. Mais attention quand même, il faut pédaler sur tout le trajet, alors hardi le mollet !

– **La Saintoise** : *contacter* **Serge Lecomte**. ☎ *05-90-24-69-25.* ● *serge. lecomte4@wanadoo.fr* ● *mangrove.monsite-orange.fr* ● *Tlj sf dim et en sept. Résa obligatoire. Compter 55 €/pers la journée, env 35 €/pers la ½ journée et env 18 €/ pers la balade (1h30).* Le sympathique Serge propose une balade sur sa « saintoise » armée pour la pêche (10 personnes maximum) à la découverte de la mangrove avec quatre sortes de palétuviers, crabes et barracudas (mais on ne va pas tout vous dévoiler !). Il organise aussi une demi-journée, de 9h30 à 14h, avec, en plus de la mangrove, la découverte de la barrière de corail (avec palmes, masque et tuba sur demande) et un arrêt détente sur une plage tranquille avec pique-nique possible. Si vous faites la totale, la journée entière, vous aurez en plus droit au repas du pêcheur (poisson grillé), à déguster sur une plage déserte.

– **Le Bateau Tioto** : *contacter* **Lucien**. ☎ *05-90-24-95-29.* ☎ *06-90-50-27-76.* À peu près les mêmes prestations que le précédent, repas en prime, avec cet aimable marin-pêcheur du coin.

– **Ti-Yot** : *contacter* **Janick**. ☎ *06-90-58-22-11.* ● *contact@ti-yot.com* ● *ti-yot. com* ● *Env 74 €/pers la journée, repas compris ; réduc enfants. CB refusées.* La rigolote Janick propose une journée entière à la découverte de la mangrove et du Grand Cul-de-Sac Marin à bord d'un bateau électrique de 10 m (huit personnes maximum) : le *Ti-Yot !* (« petit yacht »). Au programme : navigation pépère, plongée de surface, apéro *(open bar !)*, barbecue de poisson frais sur la plage...

– **Yalodé Kayak Canyon** : *à la base nautique municipale, chemin du Morne-Patrice, à Morne-à-l'Eau.* ☎ *06-90-56-58-10.* ● *yalodekayak@gmail.com* ● *kayak-guadeloupe.fr* ● *Compter 35 €/pers la balade de 3-4h en kayak de mer ; réduc.* Passionné de nature et de légendes, Pascal Proust est guide breveté et expérimenté. En petit groupe convivial, il propose de découvrir le lagon du Grand Cul-de-Sac Marin en kayak de mer. Avec beaucoup d'humour, il donne des explications ludiques, une expérience adaptée aussi aux enfants. Pour la partie canyon, demandez-lui ses bons plans en Basse-Terre, au départ de Pointe-Noire.

GRANDE-TERRE

– **Get up Stand up :** contacter Matthieu. ☎ 06-90-97-62-37. ● getup.standup.gua deloupe@gmail.com ● sup-guadeloupe.com ● Randos de 2h30-3h30 au départ de Vieux-Bourg (35 €), Petit-Canal et Sainte-Rose (45 €). Initiation sur la plage d'Anse Babin. Une façon originale d'allier l'écorandonnée et le plaisir des sports de glisse. Le stand up paddle, sport accessible à tous, offre une vue incomparable sur les fonds marins et permet de s'enfoncer dans des chemins étroits, inaccessibles en bateau. Au programme : découverte de la mangrove et du lagon, pause rafraîchissement et reportage photo. Une sortie en famille ou entre amis apaisante.

BASSE-TERRE

 Moins bétonnée que la côte sud de Grande-Terre, plus variée aussi géographiquement que sa côte nord, Basse-Terre séduit énormément. Pour apprendre à aimer vraiment la Guadeloupe, il faut prendre le temps de découvrir cette région où la nature montre l'étendue de sa générosité, et qui compte de plus en plus d'adeptes au fil des ans : le remplissage des gîtes, souvent bien intégrés à leur environnement, et leur renouveau aussi en témoignent. Loin des complexes touristiques et des marinas, on découvre ici un paysage luxuriant et surprenant. Stupeur et tremblements, c'est donc vrai qu'il suffit de planter un bâton pour que ça pousse ! Cette abondance se perçoit d'ailleurs à travers la chaleur de l'accueil et, en réalité, à travers ce plaisir que l'on a, visiblement, de bien vivre en Basse-Terre.

BASSE-TERRE

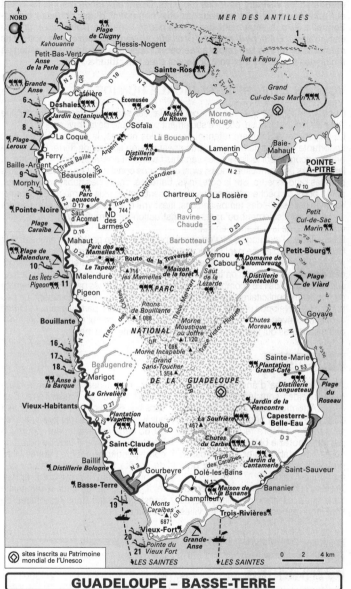

GUADELOUPE – BASSE-TERRE

Pour vous convaincre encore plus d'y passer autant sinon plus de temps qu'à
Grande-Terre, précisons que la côte Sous-le-Vent – de Vieux-Fort à Deshaies –
compte de jolies plages qui conservent, aujourd'hui encore, tout leur attrait
naturel. On y trouve par ailleurs encore de vrais bons petits restos où l'on ne

prend pas les visiteurs pour des touristes. Quant aux fonds marins, ils livrent aux plongeurs de tous niveaux un environnement d'une richesse exceptionnelle, et pas seulement dans la fameuse « réserve Cousteau », un peu encombrée... Enfin, pour rassurer ceux qui ont gardé le souvenir de bouchons mémorables lors de leur retour à l'aéroport, rappelons que tout est question de timing (les heures à éviter sont connues) et de zen attitude.

VOLCAN ET FORÊT TROPICALE HUMIDE

Contrairement à ce que son nom pourrait laisser supposer, Basse-Terre est une zone très montagneuse, coupée seulement par la route de la Traversée.

Le volcan de la Soufrière retenant souvent les nuages, la pluviosité y est plus importante – du moins dans sa partie orientale – qu'en Grande-Terre. Les innombrables sources qui jaillissent des versants favorisent une végétation luxuriante, et les sentiers (les fameuses traces) ainsi ombragés constituent un véritable paradis pour les randonneurs. Sur la côte, forts, batteries, anciennes habitations créoles, petits ports de pêche pittoresques témoignent – avec plus ou moins de charme, reconnaissons-le – des temps anciens. Il est vrai que Basse-Terre n'est vraiment sortie de son isolement qu'après la construction de la route du littoral et celle, magnifique, de la Traversée en 1967.

Basse-Terre a l'avantage d'être en grande partie protégée par le parc national de la Guadeloupe et classée par l'Unesco au Réseau mondial des réserves de la biosphère. D'autres associations militent aussi sur place pour la défense d'un environnement mis à mal lorsqu'on traverse les faubourgs de Pointe-à-Pitre pour arriver sur cette partie de l'île : combien de lieux sont encore pollués par un foisonnement de panneaux publicitaires qui semble n'obéir à aucune loi ! Heureusement, un peu partout se développe une nouvelle forme de tourisme vert, particulièrement tourné vers la découverte des milieux naturels, des produits locaux et des « habitants », petits et grands qui font la richesse de la terre comme de la mer.

Transports

➢ **Voiture :** dos-d'âne et côtes carrément raides sont légion en Basse-Terre. Attention aux bas de caisses, ne jouez pas les héros de *Meurtres au paradis*, célèbre feuilleton tourné par ici. Ajoutez à cela de traîtres bas-côtés non stabilisés et autres fossés profonds, et vous comprendrez qu'il faut ouvrir l'œil...

➢ **Bus :** la fréquence est acceptable entre les villes, mais les horaires sont peu respectés. Toutes les villes côtières sont desservies via la route qui fait le tour de Basse-Terre. Certains bus de Pointe-à-Pitre empruntent aussi la route de la Traversée (ttes les 30-60 mn), achevant leur course à Pointe-Noire, d'où il faut prendre une correspondance pour les autres villes de la côte Sous-le-Vent. Pas ou peu de bus roulent les mercredi après-midi, samedi après-midi et dimanche (renseignements dans les offices de tourisme).

PETIT-BOURG   (97170)   24 300 hab.

Ouvert sur le Petit Cul-de-Sac Marin, Petit-Bourg est la commune la plus étendue de Guadeloupe. Rien de particulier à y voir, mais une certaine atmosphère et quelques vestiges comme la distillerie de Montebello, l'église Notre-Dame du Bon Port datant de 1930, marquée par l'empreinte d'Ali Tur ou les maisons traditionnelles du centre-bourg. Voir aussi le quartier résidentiel de

BASSE-TERRE

Vernou – où, dans les années 1940-1950, les notables du coin construisirent de vastes villas en béton, inspirées du style Art déco – et le marché « Péyi Tibou » très animé le vendredi. Vous trouverez, notamment sur les hauteurs, quelques gîtes très agréables et bien situés. Les coteaux, vallées et cours d'eau à proximité se prêtent admirablement aux randonnées.

Adresse et info utiles

fi *Office de tourisme :* à l'angle des rues Delgrès et Bel-Air. ☎ 05-90-60-12-31. • contact@tourisme-petitbourg. fr • Dans un beau bâtiment récent, sur le front de mer. Lun-ven 8h30-13h, 14h-16h30. 🛜 Très bien documenté, plan de Petit-Bourg, infos sur la région, liste des hébergements, restos, horaires des bus et des bateaux, activités culturelles et attractions locales. Vente de billets pour les Saintes et aussi pour les spectacles. Borne interactive accessible 24h/24. Accueil excellent et dynamique.

➤ *Bus pour Pointe-à-Pitre ou Basse-Terre (ville) :* 4-8 bus express/j. ; omnibus ttes les 20-40 mn. Société CAVT (☎ 05-90-86-57-95).

BASSE-TERRE

Où dormir ? Où manger dans le secteur ?

Prix moyens

🏠 *Gîtes de Blonzac* (Gîtes de France) : à **Goyave**, à quelques km au sud de Petit-Bourg. 🖥 06-90-56-10-13. • berthelot.sophie@gmail.com • gitesdeblonzac-guadeloupe.com • De la N1 venant du nord, prendre à droite vers Blonzac ; tourner à gauche au panneau « Jardin d'eau » ; c'est 200 m au-delà dudit jardin, à droite. Compter 455-560 €/sem pour 2. 🛜 Situés sur les hauteurs, avec une vue géniale sur toute la baie et Pointe-à-Pitre, 3 bungalows impeccables, confortables, vastes et très agréables avec, en plus, une piscine et un carbet. Également une villa pour 6 personnes (formule week-end intéressante). Bel accueil de Sophie, la fille de la propriétaire du Jardin d'eau situé à 200 m, auquel les clients des gîtes ont accès gratuitement durant leur séjour. Une adresse diablement sympathique !

🏠 |●| *Le Palmaretum* (label Parc national de la Guadeloupe) : 19, rue de l'Espérance, à **Vernou**. ☎ 05-90-38-78-12. 🖥 06-90-42-18-78. • hotel palmaretum@gmail.com • lepalma-retum.com • À env 10 km à l'ouest de Petit-Bourg. Depuis la route de la Traversée, suivre « Vernou, Hauteurs de la Lézarde », puis « La Glacière » ; panneau à 400 m à gauche. Compter 70-130 €/nuit ou 330-500 €/sem pour 2 selon saison. Dîner (sur résa) env 25 € (hors boissons). 🛜 Dans un jardin luxuriant incitant au repos et à la méditation, 4 chambres et 4 gîtes soignés (ces derniers avec terrasse et coin cuisine extérieur), 2 cases créoles (tout en bois et fort plaisantes aussi) et 4 chambres de charme à thème (dont 2 avec clim). Belle piscine avec un deck flanqué d'un bar et de tables où se prennent les repas. Fitness (gratuit), bain à bulles et sauna (payants). Table d'hôtes ouverte aux non-résidents, sur réservation.

🏠 *Gîtes Bellevue :* 18, allée des Bougainvilliers, à **Petit-Bourg**. ☎ 05-90-95-25-09. 🖥 06-90-58-08-03. • contact@ bellevue-gites.com • bellevue-gites. com • Venant de la N1, tourner à gauche à l'entrée de Petit-Bourg (panneau « Bellevue »), puis à gauche juste après le collège ; monter sur 100 m, c'est fléché à droite. Chambre ou gîtes 290-390 €/sem pour 2. 🛜 4 bungalows en bois, colorés pour certains, bruts pour d'autres, s'étagent au-dessus d'un lotissement pavillonnaire sur les hauteurs de la ville. De là, on embrasse du regard la mer, la Soufrière et même les Saintes. Bons équipements pour les gîtes (clim). Même la chambre louée seule possède son coin terrasse et le nécessaire pour préparer petits déj ou frichtis de base... le tout aux bons soins de Mireille et Jean-Richard.

BASSE-TERRE

Plus chic

🛏 **Habitation Touboul :** 1390, Hauteur Lézarde, à **Petit-Bourg.** ☎ 05-90-94-10-69. 📱 06-90-53-32-50. ● frans sou971@orange.fr ● habitationtouboul. com ● Au Carrefour Market, suivre « Vernou, Hauteurs de la Lézarde », l'habitation est à 4 km : passer devant l'école de la Lézarde, puis la chapelle, et se garer devant le portail blanc. Chambre 90 €/nuit. pour 2 et repas 40 €/pers. 📶 Françoise, la « chasseuse de fruits et de plantes », et Gérard, le passionné de voyages, vivent aux Antilles depuis plus de 30 ans. Leur maison créole est entourée d'une grande galerie et d'un jardin de rêve, patiemment entretenu. En cuisine, Françoise prend plaisir à chercher et élaborer des recettes nouvelles qui font le bonheur des hôtes, tout comme son petit déjeuner, royal. Tous deux se mettent en quatre pour rendre le séjour des plus agréable.

DANS LES ENVIRONS DE PETIT-BOURG

🍴 **La distillerie Montebello :** à **Montebello.** ☎ 05-90-95-41-65. ● rhumguade-loupe.com ● Fléché depuis la N1 (rond-point), au sud de Petit-Bourg. Lun-ven : visite (gratuite) de la distillerie 8h-12h ; boutique 8h-17h. Cette distillerie produit l'un des rhums blancs les plus médaillés aux concours agricoles français. Intéressante visite des installations, suivie des procédés de transformation et de conseils pour réaliser vos punchs. Et si la tête vous tourne en sortant, allez vous régaler **chez Marie-Louise,** à 2 km de là, un tout petit resto avec de petits prix (15 €/pers) qui fait dans le goûteux et le chaleureux tout à la fois. ☎ 05-90-95-57-87. 📱 06-90-61-24-53.

🍴🚶 **Le domaine de Valombreuse, parc floral et animalier de la Guadeloupe :** à **Cabout.** ☎ 05-90-95-50-50. ● info@valombreuse.com ● valombreuse.com ● En venant de Pointe-à-Pitre, sortie Petit-Bourg, direction Grande-Savane ; le parc se trouve à 5 km, bien fléché. Tlj 8h-18h. Entrée : 12 € adulte ; 15 € enfant (incluant l'accès à plein d'activités et jeux, mais slt mer, w-e et pdt vac scol ttes zones, métropole et Guadeloupe). Balade à poney 8 € (15 mn). Resto et snack-bar (midi slt).
Ce beau parc classé Jardin remarquable abrite environ 500 espèces de fleurs et de plantes, provenant de tous les endroits du globe situés aux mêmes latitudes que la Guadeloupe. Sur les sentiers, outre les arbres qui parlent (!), on retrouve tout ce qui fait le charme des jardins tropicaux : alpinias roses et rouges, héliconias, anthuriums, roses de porcelaine, lianes « couilles José », mais aussi des papyrus, nymphéas, un bel ensemble de palmiers, des arbres fruitiers... et encore plusieurs sortes de plantes tout à fait étonnantes, comme le « caractère des hommes et le caractère des femmes » (ainsi nommés car la fleur change de couleur au cours de la journée), la plante « eau de Cologne » (on la presse et elle libère une eau parfumée) ou encore les « chapeaux chinois », de mignonnes petites fleurs en forme de chapeau conique... sans oublier les oiseaux (colibris, tapeurs, hérons verts, grives, gros-becs, sucriers...).
Au départ du domaine, on peut faire une balade en forêt (sentier non balisé) avec baignade dans une cascade (30-45 mn de marche : prévoir de bonnes chaussures, c'est parfois bien boueux !).

🍴 Voici un **circuit gourmand** au départ de Petit-Bourg qui fera le bonheur des locavores qui auront la bonne idée de se poser ici. Un tour à la **kassaverie de Duquerry** (direction Grande Savane, route de Duquerry) ou à la **kassaverie du Morne-Bourg** pour assister à la fabrication de la farine à partir des racines de manioc (suivre les panneaux). Achat de gousses de vanille chez Laurence à **Tambour,** sur les hauts de Petit-Bourg **(Racoon Vanille).** Arrêt à la **brasserie de la Lézarde,** petit endroit cosy dans une ravine (1, allée Merwart, à **Vernou).** La seule brasserie artisanale de l'île propose six bières différentes, à déguster en terrasse, en profitant du cadre autant que de la fraîcheur de cette production quasi bio initiée par des Bretons. Tout cela avant d'aller déjeuner **chez Zézette,** au centre du (petit) bourg, un resto typique qui régalera les amateurs de poulet coco et de poulpe bien relevé pour moins de 25 € par personne. Vous sortirez de table pour assister au *marché nocturne* (à partir de 16h) au rond-point de Montebello.

Randonnées pédestres

Se renseigner avant toute randonnée sur les conditions d'accès, auprès du siège du parc national de la Guadeloupe (voir coordonnées plus loin « Le volcan de la Soufrière. Adresses utiles »).

🎋🎋 *La trace des chutes de la rivière Moreau :* accès par une petite route qui part sur la droite juste après Blonzac, venant du nord, direction Douville/chutes Moreau, la C7 qui progressivement rétrécit et se transforme en route forestière. La suivre sur 8 km et se garer sur le parking aménagé. Aussi belles que celles du Carbet, un sentier y mène en 2-3h de marche. Attention cependant, certains passages nécessitent l'usage des mains. Cet itinéraire, très dangereux en cas de pluie, nécessite de se renseigner avant le départ sur les conditions. Le sentier, très boueux, traverse la rivière à huit reprises ! En cas de montée des eaux, ne pas traverser... évident nous direz-vous, mais pas pour tout le monde !

🎋 *La chute Bras-de-Fort :* après le rond-point de Montebello, prendre direction Goyave ; juste après le radar (!), route à droite direction Bois-Sec. Après 1 km, petit arrêt devant l'échoppe de Jahlove (fruits et légumes délicieux pour grignoter en chemin). Le parking de la chute, 3 km plus loin, n'est pas indiqué (sur votre gauche, une pompe à eau avec de gros tuyaux, c'est là). Compter 40 mn de marche pour découvrir Bras de Fort. Au retour, à la hauteur du panneau « Chemin de Bon-Air », vous passerez tout près de la *maison des Illustres* où vivait l'écrivain André Schwarz-Bart et où réside toujours son épouse Simone Schwarz-Bart, écrivain elle aussi. Pour les affamés, resto *Koté T'Chalis* sur le joli petit port de Goyave.

🎋🎋 *Le saut de la Lézarde :* superbe balade d'environ 1h aller-retour, à éviter après de grosses pluies. Par sécurité, on peut s'adresser à l'une des associations de guides professionnels (*Tanbou Rando,* 📱 06-90-54-37-88, ● tanbourando. org ●, *et Les Marcheurs de Tambour,* 📱 06-90-39-16-45). Après une marche à travers la forêt, on parvient à un splendide site où une cascade de 10 m de haut tombe dans un bassin de 50 m de diamètre. La végétation y a succombé à la luxuriance la plus pure !

CAPESTERRE-BELLE-EAU   (97130)   19 600 hab.

La route ne cesse d'hésiter entre terre et mer, livrant de-ci de-là un clin d'œil historique, un site célèbre ou un panorama grandiose. Capesterre-Belle-Eau n'a de poétique que son nom, mais des environs superbes pour monter le camp, planter la fourchette et enfiler les chaussures de marche !

Où dormir dans les environs ?

Prix moyens

🏠 *Lamatéliane :* rue des Ananas, Belair, sur les hauteurs de **Sainte-Marie.** ☎ 05-90-86-31-37. 📱 06-90-39-35-39. ● loc@lamateliane.com ● lamateliane.com ● Depuis la N1, tourner au panneau « Belair, Plantation Grand-Café », puis 1 km plus loin à droite après la distillerie Longueteau, c'est à 100 m à gauche. Gîtes 2-5 pers 64-80 €/nuit pour 2 (min 3 nuits). CB refusées. 📶 Réduc de 10 % sur les tarifs hte saison sur présentation de ce guide, à condition de le préciser au moment de la résa. Sur un grand terrain joliment planté et fleuri, 4 beaux gîtes en bois, spacieux, aérés. Chacun offre un vrai confort, avec cuisine bien aménagée ouvrant sur la terrasse. Clim dans les chambres, grands placards, un bon niveau de confort et lave-linge en option. Également une belle piscine flanquée d'une pergola et d'un carbet. Bon accueil. Location de voitures.

🏚 |●| *Habitation Latentouasie :* rue de la Distillerie, Belair, sur les hauteurs de *Sainte-Marie.* ☎ 05-90-86-41-26. ● latentouasie@orange.fr ● latentouasie.com ● *Depuis la N1, tourner au panneau « Belair, Plantation Grand-Café » ; 1 km plus loin, prendre la 2e à droite après la distillerie Longueteau ; c'est à 200 m sur la droite. Compter 70-85 €/nuit pour 2*

selon durée (min 3 nuits) et saison. Plat (sur résa) 13 €. 🛜 On aime bien cette petite adresse sereinement plantée dans un bout de campagne d'où l'on part volontiers visiter les versants orientaux de Basse-Terre. L'aventure débute par un gentil accueil familial de Karine et Erwan. Ils trouveront toujours l'occasion de partager avec vous un apéro sympa, et Erwan vous régalera de bons petits plats. Quant aux bungalows, ils sont décorés avec simplicité mais bien dans l'air du temps, proposant un appréciable niveau de confort. Tous partagent la vue sur la piscine et le jardin avec son carbet et son barbecue.

Où manger à Capesterre et dans les environs ?

Prix moyens

|●| *Cap Est Délices « chez Micheline » :* av. Paul-Lacavé. 📱 06-90-19-88-15. *Ouv midi et soir, tlj sf lun. Plats à emporter et assiettes sur place 12-25 €.* Dans le village même, au beau milieu de la rue principale dominant le grand large, Micheline, une ancienne maraîchère, nourrit le visiteur de passage. Son fils surveille le gril. Au menu, poissons pêchés par Steve, le neveu, ou volailles et légumes venant des fermes voisines. Facile à repérer, vu la couleur des deux containers plantés là.

|●| *Le Rivage :* plage de Salée, à *Bananier.* ☎ 05-90-86-02-40. *Entre Capesterre-Belle-Eau et Trois-Rivières ; fléché sur la N1 à la sortie sud de Bananier. Tlj le midi. Plats env 20-22 €.* Agréable resto à l'ambiance souvent animée, qui accueille ses clients sous une grande paillote plantée à la lisière de la plage de sable noir. Dans l'assiette, des spécialités créoles de la mer plutôt bien mitonnées. Service un peu long parfois, tout dépend de l'humeur des serveuses... alors on patiente en profitant de la vue sur les Saintes!

|●| *Kalinago Carbet :* à *Bananier.* ☎ 05-90-81-84-46. ● louis.a064@orange.fr ● *Sur la N1. Ouv le midi tlj sf lun. Plat du jour (+ café) 10,50 € ; menu du jour env 15 € ; autres menus*

17-24 €. Après avoir vécu à la Dominique (*Kalinago* en désigne les habitants amérindiens), les propriétaires ont jeté l'ancre ici, en bord de mer, entre Capesterre et Trois-Rivières. Si le cadre du resto manque un peu de chaleur (quelques tables sur une terrasse à l'étage de la maison), la cuisine servie dans des calebasses devrait vous surprendre.

|●| *La Dame Jeanne :* rue Alfred-Balon, à *Doyon.* ☎ 05-90-86-01-27. ♿ *À env 5 km au sud de Capesterre, sur la N1 (bien indiqué). Tlj sf dim et j. fériés, le midi slt. Plats 15-17 € avec accompagnement. Apéritif offert sur présentation de ce guide.* Timidement en retrait de la route, un resto sans prétention qui pourrait être la version guadeloupéenne d'un routier en métropole. Pas d'esbroufe ni de fantaisie donc, mais une cuisine créole simple et servie avec le sourire, depuis 20 ans, dans une salle assez anonyme ou en terrasse. Les propositions du jour suivent le marché et l'humeur du cuistot. Acras uniquement le dimanche, inutile de les réclamer un autre jour !

|●| *Beach Paradise :* plage de la Batterie, à *Sainte-Marie.* ☎ 05-90-95-16-64. 📱 06-90-72-88-28. *Tourner en direction de la mer au niveau de la stèle de Christophe Colomb, et, au bout de la rue, encore à gauche, puis à droite, jusqu'à la plage ; le resto est 100 m plus loin. Tlj sf mar, le midi slt. Plats 16-20 €,*

langouste 30 € env (supplément selon grosseur, attention aux dérapages). CB refusées. Julien, un rasta poète, et sa petite famille vous accueillent avec la décontraction légendaire qui sied aux héritiers de Bob Marley. Quelques tables sous les cocotiers, les pieds dans le sable, une ambiance à la Robinson Crusoé et, dans l'assiette, c'est tous les jours vendredi avec de bons poissons grillés au feu de bois. Très cool.
– Voir aussi plus loin « Les chutes du Carbet et le Grand Étang. Où manger ? ».

DANS LES ENVIRONS DE CAPESTERRE-BELLE-EAU

🎄🎄🎄 **La distillerie Longueteau :** à Belair, **Sainte-Marie.** ☎ 05-90-25-42-00. ● contact@ rhumlongueteau.fr ● rhumlongueteau.fr ● À 1 km après Sainte-Marie, en venant du nord, sur la droite (panneau), puis faire encore 1 petit km ; la distillerie est à l'arrière du domaine du Marquisat de Sainte-Marie. Lun-ven 9h-18h, sam 9h-13h, plus dim de mi-déc à fin avr 9h-13h. Visite et dégustation gratuites (profitons-en, c'est rare dans

UN CERTAIN 4 NOVEMBRE 1493...

À Sainte-Marie, une stèle commémore le débarquement d'un certain Christophe Colomb le 4 novembre 1493, le lendemain de son passage éclair à Marie-Galante puis aux Saintes. Située en bord de nationale, cette stèle a totalement oublié de regarder la mer... à qui elle doit son existence.

BASSE-TERRE

les parages !). La plus ancienne distillerie de l'île et la seule à produire un rhum à... 62° ! On se balade au gré de son inspiration dans ce très beau site naturel (étendues de champs de canne à sucre, avec la mer en ligne d'horizon), avant de faire un petit tour dans les installations. Le sympathique patron et ses ouvriers se font un devoir de répondre à n'importe quelle question. Boutique sur place proposant, outre le rhum pur, une trentaine de punchs à tous les parfums et quelques produits en rapport avec le rhum. Prix très corrects.

🎄🎄 🚶 **La plantation Grand-Café :** à Belair, **Sainte-Marie.** ☎ 05-90-86-33-06. ● gbabin@wanadoo.fr ● À la sortie de Sainte-Marie vers Capesterre-Belle-Eau, prendre à droite direction Neuf-Château ; c'est indiqué. Lun-ven 9h-16h. Fermé en sept. Visite guidée (obligatoire) : 12 € ; 6 € enfant. Inclut un tour en tracteur (téléphoner avt), une promenade dans la bananeraie et la dégustation d'un jus de banane.

Malgré le nom du lieu, rien à voir avec le café, vous êtes ici au royaume de la banane ! Certes, l'exploitation fut d'abord une forêt dont l'ombrage favorisait la plantation de vanille, de cacao et donc de café, mais elle fut rasée et plantée de canne à sucre pour la distillerie *Longueteau* avant d'être finalement transformée en bananeraie depuis trois générations. L'intérêt de la visite repose grandement sur les guides, leur humour, leur connaissance du terrain : ce sont d'anciens

PLASTIQUE BLEU POUR BANANES JAUNES ?

Mais pourquoi donc les régimes de bananes sont-ils enveloppés dans d'affreux sacs en plastique bleu ? Ce n'est pas uniquement pour les faire mûrir, mais aussi pour les protéger d'une variété d'insectes, dont les piqûres provoquent de vilaines taches de rouille, au grand dam des consommateurs !

ouvriers du domaine qui, à tour de rôle, trimbalent les visiteurs dans un énorme char à bancs couvert, tiré par un tracteur. Pas mal d'animation quand les écoles font la visite ! En 1h30, on sait tout sur la naissance des bananiers, leur culture, la récolte, le mûrissement, et même l'empaquetage de la banane *Cavendish* (ou *poyo*), la plus commercialisée. Pour finir, dégustation de jus de banane et de café locaux, dans une ancienne et charmante habitation. C'est parfois l'occasion de discuter avec le patron de cette plantation familiale de 30 ha qui emploie une quinzaine de personnes.

🍴 Peu avant Capesterre-Belle-Eau, en venant du nord, sur la droite de la nationale, *temple hindou de Changy,* à la façade ornée de statues polychromes, témoignage de la forte présence indienne dans la région. Ne se visite pas.

🍴 *L'allée Dumanoir :* juste au sud de Capesterre-Belle-Eau, la N1 longe sur plus de 1 km une allée ombragée par deux doubles rangées d'immenses et majestueux palmiers royaux. Les plus vieux furent plantés vers 1850 par Pinel Dumanoir, auteur dramatique et traducteur-adaptateur du célèbre roman *La Case de l'oncle Tom.* Pour la petite histoire, puisque le lieu ne se visite pas, dans une belle bananeraie toute proche se trouve le domaine de Bois-Debout, toujours propriété de descendants de la famille Léger. Leur plus célèbre représentant, Saint-John Perse (Alexis Léger), y passa une partie de son enfance.

🍴 *La savonnerie Saint-Sauveur :* à *Saint-Sauveur.* ▤ 06-90-35-17-78. ● soleil-nature.fr ● *En venant de Capesterre-Belle-Eau, avt Bananier, à droite. Lun-ven 9h-13h, 15h-17h ; sam 10h-16h.* Possibilité de visiter la savonnerie et d'acheter produits cosmétiques, savons, huiles, beurres, gels douche et autres douceurs parfumées pour votre petit corps.

🍴 *La manioquerie de Germaine :* îlet Pérou. ▤ 06-90-65-35-59. ● contact@maniocriedegermanie.fr ● Cette petite entreprise familiale située à l'îlet Pérou a créé au fil des ans un véritable rendez-vous gourmand le vendredi soir. Beaucoup de Guadeloupéens (et de visiteurs) ont redécouvert grâce à Germaine et ses filles le manioc et ses vertus. Dégustation de cassaves sucrées ou salées, achat de farines, dans une ambiance chaleureuse.

LES CHUTES DU CARBET ET LE GRAND ÉTANG

● Carte Le massif de la Soufrière p. 156-157

Le Carbet prend sa source à 1 300 m d'altitude, sur le flanc de la Soufrière et de l'Échelle, et parcourt une dizaine de kilomètres avant de se jeter dans la mer, au sud de Capesterre-Belle-Eau. Les trois chutes consécutives émanent de l'échec du Carbet à entamer les roches très dures nées de diverses éruptions volcaniques. La route pour s'y rendre livre de très belles échappées sur les immenses bananeraies et permet de s'enfoncer dans une végétation de plus en plus dense et impressionnante.

Où manger ?

|●| ✼ *Boutique Ti'Punch :* route des chutes du Carbet, 2,5 km après *L'Habituée.* ☎ 05-90-92-96-68. ● *boutique tipunch@live.fr* ● *Tlj 10h-17h. Pas de restauration sept-nov. Plats 10-12 €.* Une boutique de produits locaux (punch aux piments, vinaigre de canne, bloc de cacao...) installée dans un ancien hangar à bananes, doublée d'un café-snack pris d'assaut par les marcheurs affamés. À la carte, de bons pâtés salés (au crabe, lambis...), de petits plats (*ouassous* notamment) et des « tourments d'amour » (tarte à la frangipane, noix de coco...). Parfait aussi pour un café ou un jus de fruits frais.

|●| *Jangal Kafé :* route des chutes du Carbet, à *L'Habituée.* ☎ 05-90-95-15-40. ● jangalkafe@orange.fr ● Tlj (le soir sur résa). Menus 18-23 € env (planteur compris). 🛜 Grande salle ouverte aux murs vivement peints. Le patron propose de belles assiettes de poulet à la canne à sucre, la spécialité maison. Également des lambis au champagne en saison ou des filets de daurade au gingembre, accompagnés de frites de *fouyapin* (l'arbre à pain), papaye verte et autres gratins de légumes pays dont la plupart sont cultivés sur place. Après ça, vous êtes requinqué si vous revenez de la balade... ou peut-être bon pour la remettre au lendemain !

Achats

⚜️ *Les Jardins de Saint-Éloi :* 2 km après *L'Habituée,* sur la route des chutes du Carbet. ☎ 05-90-86-39-22. ● jardins-st-eloi.com ● Tlj sf w-e 9h-17h. Boutique à l'aéroport Pôle Caraïbes (☎ 05-90-21-14-48). Ce fleuriste réputé propose des fleurs tropicales, emballées dans des cartons, qui peuvent voyager en soute. Les fleurs sont livrées gratuitement à l'aéroport le jour de votre départ ou directement en métropole par *Chronopost.*

À voir

🌴🌴 🚶 *Le jardin de Cantamerle, circuit des épices :* chemin Édouard-Baron, à *L'Habituée.* ☎ 05-90-86-44-13. Petite route à gauche à l'entrée de L'Habituée (panneau). Tlj 9h30-17h. Entrée : 6 € (visite guidée comprise) ; 3 € enfant. Un très beau jardin de 8 000 m² touffu et « sauvage » à souhait, d'où son charme et sa particularité. Ambiance un peu étrange, qui séduira ou irritera le voyageur. Marc Péronne entretient avec passion la connaissance et la sauvegarde des 500 espèces de palmiers, plantes, fleurs, épices et arbres tropicaux de tous les continents, que ses aïeux ont plantés jadis. Pendant la visite guidée (de 30 à 40 mn minimum), il vous fera humer d'étonnantes senteurs et vous montrera l'impressionnant figuier maudit âgé de 80 ans, au bas mot. Pique-nique possible. Dégustation (payante) de jus frais et de café maison, un délice. Et bien sûr, achat d'épices si ça vous tente.

🌴 🚶 *Le jardin de la Rencontre :* à *Petite Mamelle.* 📱 06-90-43-99-56. ● lejardindelarencontre.com ● Depuis la N1, prendre direction Fonds-Cacao-Routhiers et suivre la D3 ; tt au bout, juste après L'Oasis de la 3e chute, elle se transforme en piste et c'est indiqué. Tlj : lun-jeu 9h-17h, ven 9h-15h et dim 10h-17h. Fermé sam. Entrée : 10 € ; réduc. Déj sur place 20 €, résa conseillée si on est nombreux. Un autre beau jardin, de 15 000 m² celui-ci, pour découvrir arbres, plantes médicinales, fruits, fleurs et épices de Guadeloupe. Visite passionnante rondement menée par l'adorable propriétaire, dans une nature généreuse, avec vue sur la première chute du Carbet, la Soufrière, et même Marie-Galante. À l'issue de la balade, vous régale gratuitement d'un excellent jus ou de fruits de la propriété ! On peut également acheter des fleurs et se les faire livrer à l'aéroport le jour du départ.

Randonnées pédestres

– Pour faire appel aux services d'un guide professionnel, voir plus loin « Le volcan de la Soufrière. Adresses utiles ».
– Soyez prudent car les traces (sentiers) peuvent évoluer suite à des pluies violentes et, de ce fait, ne plus suivre le balisage initial. Renseignez-vous AVANT d'entreprendre toute balade. Prévoyez impérativement de bonnes chaussures,

ainsi qu'un imperméable ou un parapluie (le temps change très vite) et de l'eau. Certaines randonnées sont réservées aux plus sportifs. Les chiens sont interdits.

☆ La trace du tour du Grand Étang : 2 km après L'Habituée, les randonneurs apprécieront le sentier de découverte du Grand Étang, quand il est praticable (se renseigner au parking de la deuxième chute du Carbet). Belle promenade d'une bonne heure (bonnes chaussures obligatoires). Du petit parking, on atteint en 5 mn de marche le *Grand Étang*, la plus grande étendue d'eau de la zone (20 ha, 6 m

de profondeur), où le parc national a installé un observatoire flottant destiné aux ornithologues (arriver tôt et se montrer silencieux). De nombreuses plantes aquatiques, joncs, bambous, etc., croissent ici. Le Grand Étang accueille quelques espèces de poissons, de nombreux mollusques, crustacés, *kios* (hérons verts), martins-pêcheurs, mais hélas aussi des nuées de moustiques (vous voilà prévenu !). BAIGNADE INTERDITE : attention aux sangsues !

☆ La trace des Étangs : le Grand Étang est le point de départ de la trace des Étangs, qui vous mènera jusqu'à l'*étang As-de-Pique* en passant par l'*étang Roche* et l'*étang Madère* (souvent à sec !) en 2h15 de marche environ (penser au retour !). Difficilement praticable par temps de pluie. Enfin, d'après un panonceau, Moscou ne serait qu'à 2h30 de marche ! Vous avez raison, ce ne doit pas être le Moscou auquel vous pensez...

☆ La cascade Paradise : elle porte bien le nom que lui ont donné les habitants ! Il s'agit d'une petite chute d'eau tombant dans un bassin d'eau cristalline, où l'on peut même se baigner, le tout dans un décor enchanteur. On l'atteint en 20 mn depuis la route, par un sentier aménagé qui part du premier passage piéton, à droite après le pont en arrivant sur le site.

LES TROIS CHUTES DU CARBET

En débarquant en Guadeloupe, Christophe Colomb fut impressionné par ces chutes. Dieu seul sait s'il les a vues toutes les trois, mais il en fit une description enthousiaste dans son journal de bord.

Adresse et info utiles

■ **Centre d'accueil des chutes du Carbet :** *au bout de la D4, à env 10 km de la N1. Tlj 8h-16h30.* Ce bâtiment en béton censé s'intégrer au paysage est le point de départ des sentiers *(accès : 2,20 €, réduc)* conduisant aux chutes. Vous pouvez y prendre des infos, et on vous y remettra un petit plan-brochure du secteur. N'hésitez pas à vous informer auprès des agents d'accueil qui connaissent parfaitement les risques et les difficultés. Il arrive que les accès soient momentanément interdits en raison d'éboulements.

➢ **En voiture :** depuis la N1, prendre la D4 à la hauteur de Saint-Sauveur et parcourir environ 9 km. Pour la troisième chute, accès conseillé par la D3 depuis Capesterre-Belle-Eau (à 5 km).

À voir

✹✹✹ *La deuxième chute du Carbet :* la plus proche (et de loin !) du centre d'accueil (environ 20 mn de marche en forêt). Chemin bien balisé en jaune. En raison de sa proximité, c'est l'itinéraire favori des visiteurs. Pour les personnes handicapées, une rampe de béton a été aménagée jusqu'à une plate-forme située à une centaine de mètres du centre d'accueil. De là, vue sur la deuxième chute haute de 110 m et, par temps dégagé, sur la première haute de 120 m. Pour les marcheurs, sachez toutefois qu'il est officiellement impossible d'accéder au pied même de la chute et aux sources chaudes en raison des risques de chutes de pierres. Certains passent outre l'arrêté municipal, mais en cas d'accident, leur responsabilité est engagée. On doit donc s'arrêter juste avant la rivière (petit balcon aménagé), ce qui réduit la visibilité de la chute et, du coup, tout de même un peu l'intérêt de la balade. Un projet de plate-forme devrait permettre un de ces jours d'apprécier l'ensemble de la chute d'eau. Tout autour, nombreux arbres intéressants, dont le châtaignier grandes feuilles (qui peut atteindre 40 m de haut), le gommier blanc, le bois résolu, les choux-palmistes (petits palmiers) et le philodendron à feuilles géantes. En cours de route, un premier carrefour indique le début du sentier pour la première chute (à 1h30 de marche).

✹✹✹ *La première chute du Carbet* *(niveau difficile) :* compter 3h30 de marche aller-retour depuis le centre d'accueil. Pour revenir avant la nuit, il est impératif d'entreprendre la balade avant 13h. Composée de deux sauts d'une hauteur totale de 120 m, c'est la plus haute des trois chutes et l'une des balades préférées des randonneurs. À éviter toutefois par temps de pluie, car aux deux tiers du chemin, il faut traverser une rivière (à gué) qui connaît souvent des crues soudaines.

✹✹ *La troisième chute du Carbet :* il est plus rapide (seulement 45 mn de marche) de s'y rendre depuis l'extrémité de la D3 (à 5 km de Capesterre) que du centre d'accueil de la D4 (environ 2h de marche). Cette chute est la plus secrète, la moins fréquentée et la moins haute des trois (elle ne fait que 20 m de haut), mais c'est aussi la plus puissante. Un important éboulement rend impossible l'accès à son bassin de réception.

TROIS-RIVIÈRES   (97114)   9 000 hab.

> • Plan *p. 139*

À l'extrémité sud de Basse-Terre, Trois-Rivières est une vaste commune composée de hameaux totalement dispersés sur un grand versant de montagne, couvert d'une végétation luxuriante (un qualificatif que vous n'avez pas fini de lire ou d'entendre, par ici), et qui descend abruptement vers la mer. Son économie repose essentiellement sur la culture de la banane, le tourisme et *Capès,* dont les eaux s'invitent sur toutes les tables du département. On aime bien ce petit havre. Le bourg compte quelques belles maisons créoles. Gentille animation en fin d'après-midi, quand les enfants sortent de l'école et que les employés des plantations de bananes, perchées dans les collines, regagnent leurs pénates. Côté mer, on trouve la belle *plage de Grande-Anse,* de sable noir et bordée de cocotiers, site de ponte des tortues marines. Séjour agréable en perspective, ponctué de somptueux couchers de soleil sur les monts Caraïbes... tandis que le magnifique archipel des Saintes trône au large, posé sur l'horizon. D'ailleurs, les bateaux-navettes vous conduisent à Terre-de-Haut depuis l'embarcadère situé en contrebas du village.

BASSE-TERRE

UN PEU D'HISTOIRE

Trois-Rivières doit son nom aux cours d'eau qui la traversent : la rivière de Grande-Anse, la rivière du Petit-Carbet et la rivière du Trou-au-Chien, qui prennent leur source dans le massif volcanique de la Soufrière. Le site fut d'abord un haut lieu de la culture amérindienne (IVe-Ve s apr. J.-C.), et en particulier arawak, dont le *parc archéologique des Roches gravées* apporte d'ultimes témoignages. Les premiers colons français s'installent en 1640 en raison de la grande fertilité des sols et se lancent dans de nombreux types de cultures : vanille, indigo, manioc, tabac, coton, etc., avant que la canne à sucre ne s'impose... et s'impose aux esclaves, qui représentaient 8 habitants sur 10 à la fin du XVIIIe s. Avec l'abolition de l'esclavage au siècle suivant, la main-d'œuvre se raréfie et l'économie de la canne à sucre s'effondre. Il faut attendre les années 1960 pour que la culture de la banane se développe. Pour vous donner une idée de la fertilité de Trois-Rivières, pendant la Seconde Guerre mondiale, l'*habitation Roncière Petrelluzi* se mit à cultiver avec succès les asperges, les artichauts et même les choux de Bruxelles !

Arriver – Quitter

En bus

🚌 *Les arrêts de bus se trouvent en plein centre, devant l'église et à droite de la mairie (plan A1). Bus slt en sem.*

➤ *Basse-Terre ou Pointe-à-Pitre :* 4-8 bus express/j. ; omnibus ttes les 20-40 mn. Société *CAVT* (☎ 05-90-86-57-95).

➤ Une ligne de minibus dessert les hauteurs du village et une autre la plage de Grande-Anse. Passage toutefois assez peu fréquent : ttes les 30-60 mn 6h30-18h30.

En bateau pour les Saintes

⛴ C'est moins cher d'ici que depuis Pointe-à-Pitre, et la traversée jusqu'à Terre-de-Haut est bien plus courte (autour de 20 mn). Départs de l'embarcadère situé en contrebas du centre de Trois-Rivières *(plan A2)*. 3 compagnies assurent la liaison, à des heures et prix assez semblables. C'est un peu plus cher pour Terre-de-Bas. Parking payant *(5 €/j.)*, près de l'embarcadère.

■ *CTM-Deher :* ☎ 05-90-92-06-39. ● ctmdeher.com ● *Réduc sur présentation de ce guide.* Assure plusieurs traversées/j. pour Terre-de-Haut : départs à 8h15, 9h, 15h45 (sf dim) et 16h30 ; retours depuis Terre-de-Haut

à 6h15 (sf dim), 6h45, 13h15 (sf dim) et 15h45. Traversées supplémentaires dim en fin de journée selon période. Dessert également Terre-de-Bas. A/R 23 €. Réduc sur présentation de ce guide en réservant à l'avance.

■ *Val'Ferry :* ☎ 05-90-91-45-15, 05-90-57-45-74 ou 05-90-94-97-09. ● valferry.fr ● Assure 1-2 traversées/j. pour Terre-de-Haut et Terre-de-Bas : départs à 9h et parfois 17h ; retours depuis Terre-de-Haut tlj à 16h15 (j. fériés, consulter) ; depuis Terre-de-Bas lun-sam 6h (stop à 6h15 à Terre-de-Haut sur demande slt, certains j.) et 15h45, dim 7h (stop à 7h15 à Terre-de-Haut sur demande slt) et 15h45. A/R 23 €, réduc sur place ou sur Internet. Parking gratuit réservé à la clientèle.

■ *Beatrix :* ☎ 05-90-94-89-96 *(Terre-de-Haut)* ou 05-90-25-08-06 *(Trois-Rivières).* Assure en principe 4 traversées/j. pour Terre-de-Haut : départs à 8h, 9h30, 15h15 (sf dim), 17h (dim slt) et 18h ; retours depuis Terre-de-Haut à 5h45 (lun slt, hors vac scol), 6h30 (mardim), 9h, 13h (sf dim), 16h30 (dim slt), 17h15 (sf dim) et 17h30 (dim slt). A/R 20 € (réduc si résa par tél à l'avance). Les bateaux de 8h, 15h45 (sf dim) et 18h (ven et dim slt) continuent jusqu'à Terre-de-Bas ; retour depuis Terre-de-Bas à 5h30 (lun slt), 6h, 8h20 et 16h10 (les autres j.).

Adresses utiles

ℹ *Office de tourisme (plan A1-2) :* rue Gerville-Réache, à côté de l'église.

☎ 05-90-92-77-01. ● odttr114@ orange.fr ● troisrivieres971.com ● Tlj

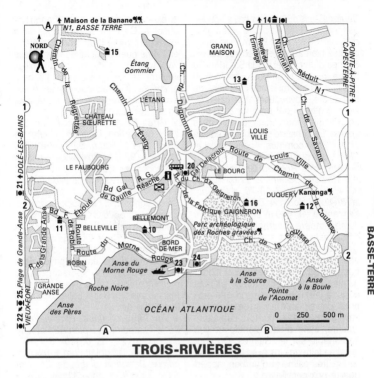

TROIS-RIVIÈRES

■	**Adresses utiles**		15	Gîtes L'Îlot Fruits Guadeloupe
	⚓ Embarcadère		16	Gîtes Coco & Zabrico
	🛈 Office de tourisme			
		|◉|	**Où manger ?**
▲	**Où dormir ?**		20	Total Végétal
	10 Gîtes des Roches Gravées		21	Chez Denis
	11 An-Tikaz La		22	Les Cocotiers
	12 Bungalows de La Coulisse		23	Le Fétou Kréyol
	13 Villa Koulaya Tona		24	Restaurant 4 Épices
	14 Le Jardin Malanga		25	La Paillotte du pêcheur

sf mer et dim 7h-12h30, 14h30-17h (fermé l'ap-m ven-sam). Plan de Trois-Rivières et infos sur la région. La brochure *Pleins feux* propose une liste des hébergements, restos, activités culturelles et attractions du coin. Également les horaires des bateaux. Vente de timbres et recharges téléphoniques. Hôtesses gentilles comme tout.

✉ **Poste** *(plan A2) :* rue Gerville-Réache *(en contrebas du centre, direction Vieux-Fort). Tlj sf l'ap-m mer et sam 8h-12h, 14h-16h.*

Où dormir ?

Bon marché

▲ **Bungalows de La Coulisse, chez M. et Mme Robert Bernus** *(plan B2,*

12) : La Coulisse. ☎ 05-90-92-99-88. ♿ *Depuis l'église, prendre la direction de Pointe-à-Pitre ; tourner 1 km plus loin à droite sur le chemin de la*

Coulisse, puis 500 m plus bas suivre les panneaux « Gîtes » à droite puis à gauche. Gîte 50 €/j. pour 2. 2 maisonnettes créoles bien au large, avec vue sur les Saintes d'un côté et sur la Soufrière de l'autre (on sait si on peut y monter ou pas !), le tout au milieu de cocotiers, de manguiers, d'avocatiers et de calebassiers. 3 gîtes, dont un pour 8-10 personnes avec mezzanine. Simple mais soigné. Eau chaude par énergie solaire et lave-linge commun. Accueil jovial et prolixe des propriétaires.

🏠 **Gîtes des Roches Gravées** *(plan A2, 10)* **:** *cité Bellemont.* ☎ 05-90-92-83-47. 📱 06-90-57-18-70. ● *leblanc. laura@wanadoo.fr* ● *Depuis l'église, descendre sur 400 m en direction de l'embarcadère ; tourner à droite vers « Roussel », c'est à 300 m à droite. Compter 50 €/nuit et 250-270 €/sem pour 2 selon saison.* 📶 À deux pas du bourg et du débarcadère, voici 4 bungalows en bois, bien tenus, plantés dans le jardin de la maison des proprios, une aimable famille de pêcheurs. Très simple mais confort suffisant : cuisine, salle d'eau, ventilo et vue imprenable sur les Saintes. On peut aussi se faire des jus avec les fruits du jardin. Très calme et d'un bon rapport qualité-prix-gentillesse.

Prix moyens

🏠 **Gîtes L'Îlot Fruits Guadeloupe** *(labels Association Guadeloupe Écotourisme et Bienvenue à la ferme ; plan A1, 15)* **:** *72 A, route de La Regrettée.* 📱 06-90-54-93-00 ou 06-90-27-83-72. ● *ilotfruitsguadeloupe@gmail.com* ● *ilot-fruits.com* ● ♿ *De Capesterre-Belle-Eau par la N1, prendre la seule sortie à droite vers La Regrettée ; c'est 500 m plus loin, sur la gauche (panneau), par une petite route cimentée qui monte à pic. Gîtes 2-4 pers 590-650 €/sem.* 📶 À 360 m d'altitude, 4 beaux gîtes indépendants et autonomes énergiquement, avec vue sur l'archipel des Saintes, les monts Caraïbes et la plage de Grande-Anse. Gîtes avec ventilation naturelle, moustiquaire, et belle terrasse privée avec hamac et chaise longue. À disposition, le barbecue et la belle piscine, des

livres et une malle de jeux. Tranquillité absolue. On peut se promener dans le verger créole (300 arbres fruitiers) et même cueillir quelques fruits. Belle villa avec une suite, pour les familles voulant se faire plaisir. Ici, l'accent québécois (Claudia adore jaser) et les expressions créoles font bon ménage, vous serez aux anges.

🏠 **Gîtes Coco & Zabrico** *(plan B2, 16)* **:** *habitation Duquery, route de Gaigneron (à 800 m du centre-ville).* ☎ 05-90-92-83-50. ● *cocoetzabrico@wanadoo.fr* ● *cocoetzabrico.fr* ● *Depuis l'église, prendre la direction de Pointe-à-Pitre et quitter la route juste avt le Crédit agricole, sur la droite (pancarte). Compter 430-520 €/sem pour 2.* 📶 Au calme, une petite résidence verdoyante et accueillante avec 2 bungalows (pour 2 personnes), pourvus d'une cuisinette, de la clim et d'une terrasse privée. Également 2 duplex (4-6 personnes), de même confort... et la vue sur la mer. Piscine avec carbet et balançoire dans le grand jardin.

🏠 **An-Tikaz La** *(label Parc national de la Guadeloupe ; plan A2, 11)* **:** *fg Joyeux, n° 29.* ☎ 05-90-03-71-03. ● *gites.tikazla@gmail.com* ● *tikaz-la. com* ● *Direction plage de Grande-Anse, c'est juste après l'hôtel* Joyeux *et le* Huit à Huit, *dans une ruelle sur la gauche. Congés : sept-oct. À partir de 330 €/sem (60 €/nuit) pour 2.* 📶 *(à la réception).* Un petit *écolodge* qui se mérite (la pente est raide), tenu par Mi-Marie, baroudeuse écolo. Bien cachées en contrebas de la route principale, 6 cases-studios en bois de conception traditionnelle. Chaque gîte peut accueillir 2 personnes (avec éventuellement 2 enfants) et dispose d'un coin salon et d'une chambre. La cuisine et la terrasse, elles, sont à partager avec la case contiguë.

Très chic

🏠 ●l **Le Jardin Malanga** *(hors plan par B1, 14)* **:** *60, route de l'Ermitage, sur les hauteurs de Trois-Rivières.* ☎ 05-90-92-67-57. ● *info@jardinmalanga.com* ● *jardinmalanga.com* ● *Depuis le village, suivre la rue Delacroix sur 600 m ; puis à gauche, direction*

« Ermitage ». Doubles 277-290 €/nuit, petit déj inclus (promos sur Internet). Dîner 38 € ; set pique-nique 23 € (36 € pour 2). 🛜 (à la maison historique slt). Voici une adresse rare, et chère, forcément. Très beau parc peuplé d'essences variées et piscine à débordement mettant les Saintes à une portée de clapotis (vue somptueuse). Indéniablement, la dizaine de chambres disséminées dans la belle maison principale (1920) et dans 6 cottages a le charme du bois qui craque. Les grincheux seront surtout dérangés par le coassement des grenouilles ! Petit déjeuner plantureux et convivialité de la table d'hôtes préparée par un chef attachant ayant fait ses classes à Lyon.

🛖 🍽 **Villa Koulaya Tona** (plan B1, 13) : sur les hauteurs de Trois-Rivières.

☎ 05-90-38-22-72. 📱 06-90-68-19-52. • villakoulayatona@gmail.com • villa-koulayatona.com • Depuis le village, suivre la rue Delacroix sur 600 m ; puis à gauche, direction « Ermitage » ; c'est fléché ensuite. Doubles 180-210 € selon vue, petit déj inclus. Table d'hôtes 28 €. 🛜 Maison moderne qui fait la part belle au bois et à la couleur orange, et dont le cœur est un atrium où glougloute un bassin. Tout autour s'organisent 5 chambres bien équipées, climatisées, dotées de jolies salles de bains, les plus chères ayant même une terrasse. En contrebas, une grande piscine et un rafraîchissant bassin d'eau naturelle. Les yeux portent au loin vers la mer, les Saintes et la Dominique. Table d'hôtes sous la houlette de l'accueillant et malin Bruno.

BASSE-TERRE

Où manger à Trois-Rivières et dans les environs ?

De bon marché à prix moyens

🍽 **Restaurant 4 Épices** (plan B2, 24) : bord de mer, allée des Espadons. ☎ 05-90-53-55-28. 📱 06-90-76-80-60. Laisser le débarcadère sur votre main droite et c'est à l'autre bout face à la mer. Ouv le midi tlj sf lun, plus le soir w-e. Formules 18-20 €. On mange de bons poissons grillés, sélectionnés selon l'arrivage et cuisinés le jour même. Salle ouverte sur une grande terrasse devant la mer. Bon rapport qualité-prix-accueil !

🍽 **Chez Denis** (hors plan par A1-2, 21) : Dolé-les-Bains. ☎ 05-90-92-14-43. Sur la D7, à gauche, à 3 km, entre Gourbeyre et Trois-Rivières, au niveau des eaux Capès (Bain des Amours). Tlj sf lun soir, mar midi et jeu soir (plus dim soir hors saison). Carte 25-30 € et formules. Dans une salle où sont exposés quelques artistes locaux, Denis passe de table en table pour proposer ses petits plats créoles. Son accueil est adorable, et il explique volontiers les produits, les cuissons, les herbes et légumes de son jardin. Même si le temps d'attente peut vous sembler long, gardez de la place pour les desserts, dont un délicieux flan coco à l'ancienne.

🍽 **Total Végétal** (plan A-B1, 20) : 3, rue du Général-Delacroix. ☎ 05-90-92-05-81. Juste avt le Crédit agricole, dans le virage en montant du centre. Tlj sf dim 17h-22h. Sandwichs, salades, quiches, pizzas 8-16 €. Pas un resto, plutôt un comptoir donnant sur la rue avec 2-3 tables, où atterrissent des pizzas qui font la réputation du lieu : c'est l'occasion d'en manger une, par exemple, à la daurade. Pour s'éviter les affres d'une attente souvent longuette, autant passer pour commander et revenir plus tard !

🍽 **Les Cocotiers** (hors plan par A2, 22) : plage de Grande-Anse. ☎ 05-90-92-94-05. • les-cocotiers@wanadoo. fr • Tlj sf le soir dim-lun. Résa conseillée le w-e. Buffet à volonté 20 € ; menus viande ou langouste 30-55 €. Au bord de la route qui longe la plage, dans une grande salle ouverte avec piste de danse pour les fins de semaine (à partir de 22h). Un genre de grande cantine, mais devant la plage. On vient ici pour le buffet de cuisine créole, proposé à volonté, avec apéro, entrée et dessert, pour un prix raisonnable. Le week-end, une cohue bon enfant investit les lieux. Service prévenant.

🍽 **Le Fétou Kréyol** (plan A2, 23) : entre le parking et l'embarcadère. ☎ 05-90-55-20-91. Fermé ven soir et sam. Menus 13-20 €. Digestif maison offert sur présentation de ce guide. Pratique pour caler une petite faim avant ou après la traversée pour les Saintes, un p'tit *lolo* de quelques tables, tout simple. Le poulet à la vanille est la spécialité de la maison, mais on y sert aussi tous les classiques créoles. Rien d'inoubliable mais très correct. Également un bon choix de *bokits* et sandwichs.

|●| **La Paillote du pêcheur** (hors plan par A2, 25) : entre Trois-Rivières et Grande-Anse. ☎ 05-90-92-94-98. ♿ Tourner à gauche sur la route de Grande-Anse, c'est au bout de la route, à gauche au bord de l'eau. Tlj le midi, et le soir sur résa (sf dim et lun). Formule 16 €, menus 35-45 € (demi-langouste ou langouste entière selon le poids). Un resto qui a du caractère, comme le patron, Jean-Claude – un solide marin barbu – dont l'embarcation est échouée tout à côté. Dans l'assiette, le fruit de la pêche du jour. Simple et bon, la fraîcheur et l'authenticité en prime. Accueil brut de décoffrage parfois mais cuisine qui vaut le détour, comme l'emplacement lui-même, face à la mer et les véliplanchistes déchaînés.

À voir

🏛 **Le parc archéologique des Roches gravées** (label Parc national de la Guadeloupe ; plan B2) : bien fléché depuis le centre de Trois-Rivières. ☎ 05-90-92-91-88. Visites guidées (obligatoires) mar-sam à 9h, 10h, 11h, 14h, 15h et 16h. Compter 45 mn de visite. GRATUIT. Voici donc les fameuses « roches gravées » sur un chaos rocheux de lave volcanique, ultimes témoignages des Indiens arawaks, au milieu d'un jardin botanique. Venir de préférence le matin, les gravures étant nettement moins visibles l'après-midi.

🏛 **Kananga** (voie des Graines ; plan B2) : à l'habitation Duquéry, chemin de la Coulisse. 📱 06-90-82-13-98. Fléché depuis la route de Louis-Ville. Visites sur rdv. Entrée : 6 € ; réduc. Installé sur l'ancienne propriété du duc de Sansac de Touchenbert du XVIe s (véridique !), Philippe Alexis, plus connu sous le nom de Paipo, un rasta très zen, cultive un jardin botanique afin de produire des graines qu'il utilise pour composer des tableaux, des tables et des bijoux. On visite son atelier (pas énorme), un tout petit musée qu'il a aménagé et le jardin. Bon, seulement pour ceux que le sujet intéresse particulièrement.

Manifestations

– **Artiflore :** un w-e en avr-mai. C'est le rendez-vous des producteurs, des fleuristes et des amoureux des fleurs et parfums enivrants. Vente d'artisanat végétal.
– **Rencontres d'art et d'histoire de Trois-Rivières :** ts les 2 ans (années paires), en nov. Une semaine de manifestations (expos, animations, conférences) autour d'une thématique amérindienne.
– **Chantés Noël traditionnels :** en déc (pardi !). Dans les quartiers, avec les associations de la commune.

DANS LES ENVIRONS DE TROIS-RIVIÈRES

🍴🍴 **La Maison de la banane** (hors plan par A1) : à La Regrettée. 📱 06-90-69-21-59. ● maisondelabanane.com ● Fléché au bord de la N1 et depuis le centre de Trois-Rivières. Lun-sam 9h30-12h, 14h-17h, dim sur résa. Entrée : env 8 € avec la dégustation ; réduc enfants. La visite guidée permet de découvrir nombre d'arbres fruitiers, de plantes médicinales dont vous ignoriez sûrement tout et, bien sûr, plusieurs types de bananiers. On y apprend, entre autres, que les bananes qu'on mange sont toujours femelles, les bananes mâles restant atrophiées sous la

« popote » (comme quoi, le sexe fort n'est pas toujours celui qu'on croit). La visite vaut d'ailleurs surtout pour les explications enthousiastes de Nancy, la très énergique patronne. Et pour la découverte de la *Maison du planteur,* une case de 1902 entièrement restaurée. On y voit le salon, la cuisine, la chambre de madame, celle de l'enfant... le tout garni d'un mélange de mobilier et d'objets anciens et modernes : machines à coudre, robes de couturière, machines à écrire (papa était commissaire de police !), etc. Dégustation, boutique.

🏠 La maison propose également 3 *gîtes,* dont l'un au sommet de la plantation, avec une vue magique sur les îles.

🍴 *Les bassins d'eaux chaudes :* sur la D7, 500 m après *Dolé-les-Bains* en direction de la N1. Petit parking sur la gauche. Un chemin s'enfonce dans la forêt sur environ 500 m et aboutit au *bassin des Amours,* aménagé en forme de cœur. L'eau y avoisine les 35 °C, et on peut y faire trempette... pas seulement pour la Saint-Valentin. En continuant le sentier, on parvient au vrai bassin d'origine, plus naturel et également praticable. Si baigner dans les amours ne vous suffit pas, d'autres bassins essaiment les parages.

△ *La plage de Grande-Anse* (hors plan par A2) : située sur la route de Vieux-Fort. La plus populaire du secteur, mais de sable noir, il faut aimer. Belle vue sur les Saintes et superbe environnement. Douches publiques. Prudence néanmoins : la mer, assez agitée, est dangereuse par endroits. ATTENTION, la plage est un des rares sites de ponte des trois espèces de tortues marines de l'archipel, de mars à novembre principalement. Les recommandations sont résumées sur des panneaux au niveau des deux accès. Un point d'information de l'association *Kap Natirel* y est implanté et permet d'en savoir plus sur ces animaux emblématiques. ☎ 06-90-84-64-51. ● *tortuesmarinesguadeloupe.org* ●

🥾🥾 *La trace de la Grande-Pointe :* jolie promenade bien balisée, sans difficulté (juste un passage les pieds dans l'eau), qui permet d'aller de l'*Anse Grande-Ravine* à l'*Anse Duquéry* en longeant le littoral (vue sur les Saintes) en 1h15 aller. Départ (ou arrivée, selon le sens choisi) au bas du chemin de la *Grande-Pointe* que l'on prend sur la N1, 2,5 km avant Trois-Rivières quand on vient de Capesterre. Sur le parcours, vestige d'une batterie et d'une poudrière du XVIIIe s, d'un ancien moulin à vent du XIXe s (unique en Basse-Terre) dont les murs ne tiennent debout que grâce au « figuier maudit » qui les enserre. Différents paysages se succèdent : une côte austère, soumise à l'érosion marine et aux vents, puis le sous-bois où domine la forêt tropicale humide. Inconvénient : le parcours n'étant pas en boucle, il faut faire l'aller et le retour, sauf si l'on peut se faire déposer en voiture à l'une de ses extrémités. Depuis l'Anse Duquéry, on peut suivre le sentier de l'Acomat jusqu'à l'embarcadère de Trois-Rivières ou, dans l'autre sens, remonter vers Trois-Rivières par le *chemin de la Coulisse.*

■ *Association L'Îlot Randos :* ☎ 06-90-28-78-01. Évelyne Mazingant propose des randos sympas en petit effectif *(25 € la ½ journée),* pour découvrir une multitude de traces, rivières et cascades moins fréquentées que celles dont on parle d'ordinaire. Une association qui sort des sentiers battus.

BASSE-TERRE

VIEUX-FORT   (97114)   1 900 hab.

La route côtière (D6) entre Trois-Rivières et Vieux-Fort offre une vue remarquable sur les Saintes et les monts Caraïbes, avant d'arriver au phare de Vieux-Fort, qui domine un éperon rocheux et marque l'entrée de la rade de Basse-Terre. Mer agitée, paradis des véliplanchistes. Le village s'étale sur le flanc d'une colline, avec les toits rouges de ses maisons et le bleu de la mer en toile de fond.

BASSE-TERRE

UN PEU D'HISTOIRE

En 1635, les colons français L'Olive et Du Plessis s'installèrent sur cette pointe, après avoir combattu (et massacré, on peut le dire) les Indiens caraïbes. Les indigènes vivaient de la pêche et de la chasse, dans un important village bâti à cet emplacement stratégique. Nos colons construisirent un fort qui fut baptisé plus tard « Vieux-Fort », quand celui de Basse-Terre, l'imposant fort Delgrès, fut édifié. C'est la culture du tabac qui fera vivre, jusqu'au milieu du XXe s, ce coin de Guadeloupe.

Où manger ?

De prix moyens à chic

|●| Le Phare : 156, rue du Phare. ☎ 05-90-32-79-31. ▯ 06-90-97-01-92. Juste avt le phare, sur la droite. Tlj sf mar 11h-23h. Menus 24-29 €. Idéalement situé sur un promontoire rocheux dominant le phare et la mer des Caraïbes, ce lieu a été entièrement réaménagé par ses nouveaux propriétaires. Comme ils ont ouvert l'espace sur l'extérieur, on profite de la vue sur le phare et du rayon vert. Idéal au coucher du soleil, donc, pour une cuisine saine et métissée, mais aussi en journée, côté bar (pizzas, crêpes, gaufres).

|●| La Pointe à l'Aunay : rue Sylvain-Janoe. ☎ 05-90-92-07-92. À 400 m du centre-bourg, en direction de Trois-Rivières. Tlj sf dim soir. Menus env 16 € (midi), puis env 17-20 €. Les abords de ce petit resto, perché au-dessus de la route côtière, donnent sur un palmier, la grande bleue et les Saintes (pour les étourdis, un panneau routier signale le panorama !). On en oublierait presque la salle, toute simple mais ponctuée de quelques efforts de décoration. Cuisine assez basique (blaff de poisson, paella créole). Service décontracté et gentil qui sait faire pardonner l'attente par des acras.

À voir

¶ L'église : le clocher du XVIIIe s, fort bien restauré, a la particularité d'avoir été construit hors des murs.

¶ Le fort L'Olive – Centre de broderie : fléché depuis le bourg. ☎ 05-90-92-04-14. Tlj 9h-17h30. GRATUIT, petite obole bienvenue. La tradition de broderie se transmet de génération en génération depuis près de 300 ans. Expo-vente intéressante dans de vieux bâtiments. Les prix sont... vraiment très élevés mais sans doute justifiés, étant donné le travail formidable de ces dames. Joli site avec vue sur un **phare** inauguré en 1955, à l'entrée de la rade, qui a rendu célèbre cette commune, la plus petite de l'île ; et belle vue sur la mer, évidemment.
Le fort Olive accueille désormais les bureaux de l'association *Kapnatirel,* qui s'occupe des tortues marines et des requins principalement. Point d'information sur le patrimoine naturel de l'archipel et conseils pour la découverte des fonds marins. ▯ 06-90-84-64-51.

DANS LES ENVIRONS DE VIEUX-FORT

Balades dans les monts Caraïbes et sur les contreforts de la Soufrière

Les monts Caraïbes, qui protègent la région des quintes de toux de « la dame Soufrière », proposent quelques balades intéressantes. Celles-ci partent pour la plupart de **Gourbeyre** et se font en aller-retour et non en boucle *(rens sur l'état des traces auprès du parc national :* ☎ *05-90-80-86-00).*

🏃 Si l'on ne veut vraiment pas trop se fatiguer, balade facile jusqu'au **col d'Acajou** ; sinon, direction le **bassin Bleu** par la route du Palmiste (2 km). Les plus courageux continueront vers la **cascade de la Parabole** (1h30 aller), pour bénéficier de superbes points de vue sur la Soufrière. Au départ de Rivière-Sens, petite rando (2h) possible aussi vers le **mont Houëlmont** (428 m).

🏃 **De Champfleury à Vieux-Fort :** compter environ 3h. Emporter de l'eau. À Champfleury, emprunter la route du stade jusqu'à un petit pont. Le sentier, mal balisé et réservé aux bons marcheurs, part sur la droite. Traversée d'une belle forêt, parsemée de boqueteaux de bambous et de balisiers, avant de parvenir au *col du Grand-Acajou* (environ 1h). Du col part un autre sentier de randonnée, vers la *marina de Rivière-Sens.* Pour Vieux-Fort, prendre à gauche. Peu après, belle vue sur les Saintes et les mornes environnants. Quelques passages assez raides avant de rejoindre *Ravine-Déjeuner.* Plus loin, à *Ravine-Grand-Fond,* nombreux palmiers royaux. Ne pas emprunter le chemin de gauche qui descend, mais suivre à droite le sentier qui grimpe sur le *morne La Voûte.* Plus tard, ignorer le sentier qui part à gauche et continuer à travers ce qu'on appelle une forêt sèche ou xérophile (nombreux arbustes de la famille des acacias). Un peu plus tard, ignorer de nouveau le sentier à gauche. Continuer en montant sur la droite. Peu de temps après, on parvient à la route qui mène à Vieux-Fort. Avec un peu de chance, on aura rencontré un iguane en cours de route...

🏃🏃 Plus physique, la **trace des étangs Madère et Roche** : compter 3h l'aller-retour. De Gourbeyre, aller en voiture au lieu-dit Moscou (fin de la D10) où se situe le départ de la rando. Alternance de portions plates et de raidillons, végétation de plus en plus dense. On traverse la rivière Petit-Carbet, puis, à l'*étang As-de-Pique* (altitude 732 m), quitter la trace qui continue tout droit vers le *Grand Étang* (voir plus haut « Les chutes du Carbet et le Grand Étang ») pour prendre à droite. Après un raidillon, c'est l'*étang Madère,* puis l'*étang Roche* où apparaît la pierre de lave qui lui donne son nom. Nymphéas sur les bords.

BASSE-TERRE (VILLE)   (97100)   env 11 800 hab.

● Plan *p. 148-149*

Sur la côte sud-ouest de Basse-Terre, au bord de la mer, dominée par la masse imposante de monts verdoyants, voici la capitale administrative de la Guadeloupe, qui abrite le conseil régional et la préfecture de l'île. Même si la ville a été classée Ville d'art et d'histoire, son centre ancien lui-même n'offre que peu d'attraits aux yeux des visiteurs non concernés par les formalités administratives, surtout un dimanche après-midi, quand tout est fermé...

UN PEU D'HISTOIRE

L'actuelle capitale administrative de la Guadeloupe fut, à sa fondation, en 1643, la première ville des Antilles françaises. Longtemps un enjeu majeur des guerres franco-anglaises, elle fut plusieurs fois détruite. Son rôle de capitale diminua peu à peu du fait de la fondation de Pointe-à-Pitre en 1759 et de son développement important. Car Basse-Terre, coincée entre mer et montagne, ne présenta jamais les conditions idéales pour devenir un grand port commercial. Et, aujourd'hui encore, quasiment tout le trafic maritime s'effectue par Pointe-à-Pitre.

Basse-Terre ne s'est jamais relevée de l'épisode dramatique de l'éruption de la Soufrière en 1976. Les gens revinrent chez eux, certes, mais pas tous, et nombre de petites entreprises qui avaient fermé n'ont jamais redémarré. Dans l'aventure, la capitale a perdu sa position économique. Sombrant dans une douce léthargie, elle prit le rythme d'une aimable sous-préfecture de province lointaine, peu animée en semaine, et quasi déserte (patrouilles de police) le dimanche. Mieux vaut dormir à Saint-Claude ou Trois-Rivières.

UNE ÉRUPTION DRAMATIQUE

Lors de l'éruption de la Soufrière en 1976, Basse-Terre et ses environs (plus de 70 000 personnes) furent évacués totalement pendant 5 mois. Toute la vie économique, mais surtout administrative, se déplaça à Pointe-à-Pitre. Il y eut alors de violentes querelles entre scientifiques et autorités. Le célèbre vulcanologue Haroun Tazieff fut l'un des rares à pronostiquer l'extinction progressive de l'éruption et à critiquer l'excès des mesures de sécurité. De nombreux habitants de la région vendirent leur maison pour une bouchée de pain.

Arriver – Quitter

En bus

🚌 **Gare routière principale** *(plan B2) : près du grand marché. Également un arrêt devant le palais de justice (plan B2) pour se rendre à Saint-Claude.*
➤ **Trois-Rivières et Pointe-à-Pitre :** 4-8 bus express/j. 6h-18h ; sinon, omnibus ttes les 20-40 mn. Société *CAVT* (☎ 05-90-86-57-95).
➤ **Vieux-Habitants, Bouillante et Pointe-Noire :** ttes les 30 mn lun-ven, plus aléatoire sam. Société *TCSV* (☎ 05-90-86-43-56).

En bateau pour les Saintes

⛴ Au départ du port autonome *(plan A1)*, **CTM-Deher** (☎ 05-90-92-06-39) assure 1 traversée lun, mer et ven, départ à 12h15 ; depuis Terre-de-Haut, à 5h45 (eh oui !). Compter 29 € l'A/R. Prendre le billet sur le bateau même. Env 45 mn de navigation parfois houleuse.

Adresses utiles

🛈 **Maison du tourisme** *(plan A1) :* 2, *cours Nolivos.* ☎ 05-90-32-51-01. ● info@tourismebasseterre.com ● tourismebasseterre.com ● Tlj sf w-e 7h-17h (13h mer). Propose aussi des visites guidées de la Soufrière et du fort Louis-Delgrès, ainsi que des circuits de découverte à la demande. Vente de billets de bateau pour les Saintes.
■ **Maison du patrimoine** *(plan A1) :* 24, rue Baudot. ☎ 05-90-80-88-70.
● patrimoine.bt@wanadoo.fr ● Visites guidées *(sur résa ; 5 €/pers)* du fort et de la ville *(5 pers min).*
✉ **Poste** *(plan C3) :* rue Amédée-Fengarol. Tlj sf dim 8h-17h (12h30 sam).
✚ **Centre hospitalier de Basse-Terre :** *rue Daniel-Beauperthuy, sous la rocade nord.* ☎ 05-90-80-54-54. **Urgences :** ☎ 05-90-80-54-00. **SMUR :** ☎ 05-90-80-54-01.

Où manger ?

De prix moyens à chic

I●I **Relais des Saintes** *(plan A1, 25) :* bd du Général-de-Gaulle (face à l'embarcadère). ☎ 05-90-92-44-41. Tlj sf mar 11h-16h. Repas 15-24 €. Apéritif maison offert sur présentation de ce guide. À 5 mn à pied du centre, voici une petite adresse à l'étage d'un édifice banal surplombant l'embarcadère et la mer. Quelques tables en terrasse aux toiles cirées colorées. Cuisine familiale très honorable. C'est l'un des rares restos ouverts le dimanche midi. Pratique quand on redescend de la Soufrière.

|●| *Caprice des Îles* (hors plan par A1, 24) : bd du Père-Labat, à **Baillif.** ☎ 05-90-81-74-97. Pile sur la N2, côté gauche de la route, 1 km après la sortie nord de Basse-Terre. Tlj sf dim soir, lun et mar midi. Plats env 17-25 €. Vaste terrasse ouverte sur la mer. Une adresse que tout le monde connaît dans le coin, où couples, familles et petits groupes se retrouvent dans une bonne ambiance locale et authentique. Il faut dire que l'accueil est toujours chaleureux et la cuisine constante : blaff de poissons à la nasse, vivaneau à la crème d'ail, colombo de cabri grand-mère... le tout certes un peu classique, mais c'est bon, soigné et servi avec le sourire !

|●| *Le Jazzy's* (plan C2, 23) : bd Félix-Éboué, Champ-d'Arbaud. ☎ 05-90-25-50-02. Tlj sf sam midi et dim. Plats env 18-22 €. Déco un peu kitsch dans une salle à l'entresol, à deux pas du cinéma de Basse-Terre, mais la cuisine est originale et excellente (ouassous flambés au rhum vieux, côte de cochon local). Service délicat et attentif.

À voir

....

🍴 Le centre-ville (plan A1) : pas énormément à voir, mais on peut flâner sans déplaisir en semaine (et s'arrêter pour grignoter sur le pouce) dans les rues Baudot, Christophe-Colomb, Peynier et Père-Labat (maison des Corsaires). Vous pouvez également faire une intéressante visite guidée avec la *Maison du patrimoine* (voir plus haut « Adresses utiles »).

🍴🍴 Le grand marché (plan B2) : entrées rue de la République ou par le front de mer. Tlj sf dim 5h-13h. Il s'étend jusqu'au boulevard du front de mer. Particulièrement animé le samedi matin et peu touristique. C'est l'attraction principale de la ville, ne la manquez pas.

🍴🍴 Le fort Louis-Delgrès (plan D3) : entrée par la rue Evremont-Gene, 1re à droite après la poste, puis à gauche. ☎ 05-90-81-37-48. Tlj sf lun 9h (9h30 w-e)-16h30. GRATUIT. Visite guidée mar-mer et dim à 10h (durée 2h). Parking à l'extérieur du fort (ne rien laisser de visible dans les voitures). Datant de 1649, ce magnifique fort se distingue par ses remparts massifs et ses nombreux bâtiments militaires. Le père Labat, dont on parle surtout en Martinique, l'avait déjà transformé en 1702 pour faire face aux Anglais, qui finirent toutefois par l'occuper en 1759. Une caserne importante y abrita par la suite des logements pour sous-officiers jusqu'au milieu du XXe s. Table d'orientation au sommet. Dans le cimetière des soldats reposent le fameux amiral Gourbeyre, ancien gouverneur de la Guadeloupe, ainsi que le général Richepanse, envoyé par Napoléon pour rétablir l'esclavage et décédé de la fièvre jaune après sa victoire sur Delgrès. Notez l'ultime discours de ce dernier contre l'esclavage et l'émouvant monument érigé en 2002, sur le bastion à gauche en entrant dans le fort, en hommage aux larmes et au sang versés lors du suicide collectif, avec 300 de ses compagnons.

🍴 La cathédrale (plan B1) : tlj 8h-11h30. Construite au milieu du XIXe s par les jésuites, elle surprend par son inhabituelle façade néobaroque très XVIe s. Intérieur à voir.

🍴 L'église Notre-Dame-du-Mont-Carmel (plan C3) : connue pour sa grotte où coule une eau qui aurait des vertus curatives, ainsi que pour sa Vierge censée détenir des pouvoirs de guérison.

🍴 La place du Champ-d'Arbaud (plan C1-2) : grande esplanade dominée par son monument aux morts tout blanc. Quelques demeures coloniales, et surtout le jardin Pichon, où l'on trouve la *Scène nationale*, bâtiment en forme de Soufrière qui abrite spectacles, pièces de théâtre et expos.

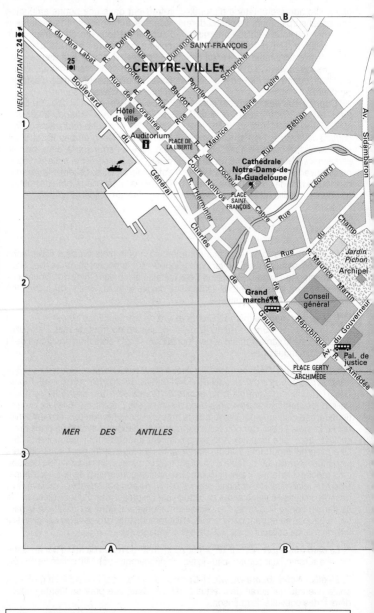

BASSE-TERRE

VIEUX-HABITANTS, 24

25

CENTRE-VILLE

SAINT-FRANÇOIS

R. du Père Labat

R. du Delrieu

Rue

Rue Dumanoir

R. du Docteur

Rue des Corsaires

Rue Pitat

Rue Baudot

Rue Peynier

Schœlcher

Marie Claire

Boulevard

du

Général

Charles

de

Gaulle

Hôtel de ville

Auditorium

PLACE DE LA LIBERTÉ

1

Cours Nolivos

R. du Docteur

R. Maurice

Rue Bébian

Cathédrale Notre-Dame-de-la-Guadeloupe

PLACE SAINT FRANÇOIS

R. l'Herminier

Rue Cable

Rue Léonard

Rue du Champ

Av. Sidambaron

Jardin Pichon

Archipel

2

Grand marché

Rue de la République

R. Maurice Martin

Conseil général

R. du Gouverneur

Av. Amédée

Pal. de justice

PLACE GERTY ARCHIMÈDE

3

MER   DES   ANTILLES

A   B

■ **Adresses utiles**
⛴ Port autonome

🛈 **Maison**
    du tourisme

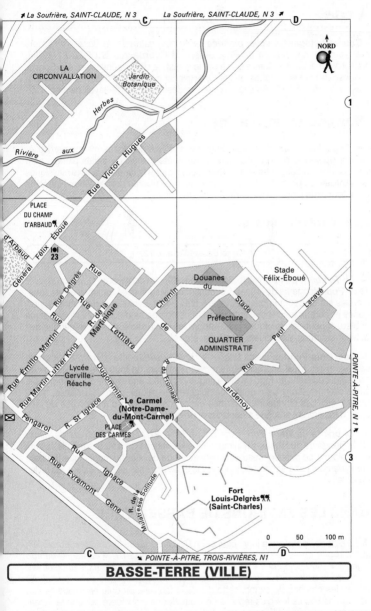

La Soufrière, SAINT-CLAUDE, N 3 · C · La Soufrière, SAINT-CLAUDE, N 3 · D

NORD

1

BASSE-TERRE

LA
CIRCONVALLATION

Jardin
Botanique

Herbes

Rivière aux

Rue Victor Hugues

PLACE
DU CHAMP
D'ARBAUD

d'Arbaud Félix Éboué

Général

Rue Delgrès

Rue

Rue

R. de la Martinique

Rue Lethière

Chemin

du

Douanes
du

Stade

de

Préfecture

QUARTIER
ADMINISTRATIF

Stade
Félix-Éboué

Lacavé

2

Rue Émilio Martini

Rue Martin Luther King

Lycée
Gerville-
Réache

Dugommier

R. du Fromager

Rue Paul

Rue Lardenoy

POINTE-À-PITRE, N 1

Fengarol

R. St Ignace

Le Carmel
(Notre-Dame-
du-Mont-Carmel)

PLACE
DES CARMES

3

Rue

Ignace

Rue Evremont

Gene

R. de la Mulâtresse Solitude

Fort
Louis-Delgrès
(Saint-Charles)

0   50   100 m

C · POINTE-À-PITRE, TROIS-RIVIÈRES, N1 · D

BASSE-TERRE (VILLE)

	Où manger ?	24 Caprice des Îles
	23 Le Jazzy	25 Relais des Saintes

À faire

– **Cours et stages de voile, plongée... :** *au club nautique de Basse-Terre (hors plan par D3), à la marina de Rivière-Sens, à **Gourbeyre**.* ☎ 05-90-81-39-96. ● *cnbt@wanadoo.fr* ● Centre agréé par le ministère de la Jeunesse et des Sports. Propose des cours et des stages de voile (planche, cata, Optimist), plongée sous-marine (formation FFESSM), randonnées pédestres et canoë-kayak de mer.

Plongée sous-marine

Peu fréquenté, le sud de la côte Sous-le-Vent livre des fonds marins particulièrement préservés et souvent d'une richesse étonnante. De belles plongées en perspective, où débutants et confirmés découvriront la faune et la flore classiques des Antilles. La plupart des clubs sont regroupés plus au nord, à Vieux-Habitants ou autour de la plage de Malendure (voir plus loin).

Nos meilleurs spots

> ● Carte Basse-Terre *p. 127*

⚓ **Le Tombant du Fort** *(carte Basse-Terre, 19) : en contrebas du fort de Basse-Terre. Pour plongeurs de Niveau 1 et confirmés. Magnifiques tranches de vie sous-marines sur ce petit tombant sauvage (- 6 à - 24 m). Évoluant entre éponges, gorgones et coraux resplendissants, des bancs compacts de gorettes rayées jaune et bleu, et peut-être quelques raies endormies sur le sable. Joli bal frénétique des poissons-coffres, perroquets, papillons, etc.*

⚓ **Les Trois-Pointes** *(carte Basse-Terre, 20) : sur la côte, tt proche du phare de Vieux-Fort. Idéal pour les baptêmes et plongeurs de tous niveaux. Déluge de poissons coralliens au fond de cette crique protégée, entre rochers volcaniques et sable clair. Poissons-perroquets, demoiselles, papillons, mérous, balistes, trompettes, etc. Les plongeurs confirmés descendent le long d'une coulée de lave (- 20 m maximum) enrobée d'éponges et de gorgones.*

⚓ **La pointe du Vieux-Fort** *(carte Basse-Terre, 21) : au sud du phare de Vieux-Fort. Plongeurs de Niveau 1 minimum. Quelle chance ! On a vu des lambis vivants en explorant ce gentil plateau corallien, avant de dévaler un magnifique tombant vertigineux, où une armada de langoustes et de murènes se cache dans les failles du corail.*

DANS LES ENVIRONS DE BASSE-TERRE

🥃 **La distillerie Bologne** *(hors plan par A1) : à la sortie de la ville, direction Baillif, sur la droite après le stade (panneau).* ☎ 05-90-81-12-07. ● *contact@rhumbologne.fr* ● *rhumbologne.fr* ● *Tlj sf dim (et sam en oct) 8h-13h, mais appeler avt. Visite de la distillerie : 7,50 € (dégustation comprise). Boutique dans le chai.* Au milieu des champs de canne, cette distillerie familiale produit, entre autres, l'un des rhums blancs les plus réputés de Guadeloupe (considéré comme le « maillot jaune » des rhums !), en version 40°, 50° et 55°. Et aussi du rhum vieux, bien sûr ! Visite guidée des installations avec dégustation à la fin. Les installations se visitent toute l'année, mais la production bat son plein de février à juillet. Visites agrémentées de démonstrations en costumes traditionnels le dernier samedi du mois *(janv-mars ; entrée 10 €)*.

↟ *La marina de Rivière-Sens* (hors plan par D2) : *à 2 km du centre de Basse-Terre. Marina assez récente faite, selon certains, pour « regarder les bateaux en suçant des glaces à l'eau ! ». Peut accueillir les yachts de 20 m maximum. Quelques restos sur place, comme Signes é sens (ouv le midi et les ven-sam soir). Pour ceux et celles qui seraient tentés par prendre « la » voile, une bonne école de croisière à la voile :* **Rêve de Nav'** *(☎ 05-90-95-04-76 ; 🖥 06-90-91-11-00 ; ● contact@revedenav.com ●).*

SAINT-CLAUDE   (97120)   10 700 hab.

À 530 m d'altitude, sur le versant sud de la Soufrière, cette charmante bour-gade (à seulement 6 km de Basse-Terre) est entourée d'une exubérante végétation tropicale. On peut y voir, le long d'allées bordées de cocotiers majestueux, de superbes propriétés et des villas de style créole enfouies dans la verdure. On y trouve aussi le siège du *parc national de la Guadeloupe* (voir plus loin « Le volcan de la Soufrière »), dont les conseils sont précieux aux nombreux randonneurs de la région.

UN PEU D'HISTOIRE

C'est l'un des épisodes les plus sinistres du colonialisme français. En 1802, sous la pression des békés de Guadeloupe et de Marti-nique (et notamment de la femme qui le cocufiait au vu et au su de tous, Joséphine de Beauharnais), Bonaparte charge le général Richepanse de rétablir l'esclavage, pourtant aboli sur l'île en 1794. Ainsi, après avoir désarmé les troupes composées d'Antillais à Pointe-à-Pitre, Richepanse gagne Basse-Terre et y rencontre la résis-tance de Louis Delgrès, officier

VIVRE LIBRE OU MOURIR !

En 1802, les troupes napoléoniennes butèrent sur Delgrès et ses 300 hommes qui s'étaient retranchés au-dessus de Saint-Claude. Plutôt que de se rendre, ceux-ci se firent sauter au cri de « Vivre libre ou mourir ! » Dans les décombres, on trouva une seule sur-vivante, enceinte, que l'on appela « la mulâtresse Solitude ». On attendit la naissance de son enfant, quelques mois plus tard, avant... de l'exécuter.

noir commandant la place et républicain convaincu. Un court récit d'André Schwarz-Bart (voir la rubrique « Livres de route » dans « Guadeloupe utile »), sobrement intitulé *La Mulâtresse Solitude,* raconte l'histoire de cette résistance et la tragédie qui y mit fin. Un monument situé à Matouba (voir plus loin « Dans les environs de Saint-Claude ») commémore aujourd'hui l'héroïsme de ces hommes.

Adresses utiles

🛈 **Pavillon du tourisme :** *149, av. du Maréchal-Foch.* ☎ *05-90-60-90-23.* ● *ovap.saintclaude@gmail.com ● Au-delà de la poste, charmant bâtiment orange à colombages situé à gauche de la médiathèque. Lun-ven 9h-16h, w-e 9h-12h (fermé dim et j. fériés hors saison). Plan de la commune et infos sur les traces de randonnée, les sites* à visiter dans le coin, et une liste des hébergements. Accueil adorable et compétent.

✉ **Poste :** *route du Camp-Jacob (D11), dans le bourg, sur la droite en montant vers la Soufrière.*

🚌 **Arrêt des bus :** *autour de la pl. du Marché. Bus pour Basse-Terre.*

Où dormir à Saint-Claude et dans les environs ?

De prix moyens à plus chic

⌂ *Gîtes Karambol :* 49, rue des Laelias, à *Belfond.* ☎ 05-90-80-33-71. • *gîtes karambol@wanadoo.fr* • *ouloger.com/ gites-karambol* • *De Basse-Terre par la N3, route de Belfond à droite, puis à 500 m la 1re à droite ; c'est un peu plus loin sur la gauche. Compter 320-480 €/ sem pour 2-4 pers selon saison.* 🛜 *Dans une maison blanche entourée d'un jardin fleuri avec vue sur la campagne généreuse, 3 studios (2-4 personnes), plutôt agréables et bien équipés : cuisinette, ventilo, etc. Mezzanine basse de plafond dans un des gîtes. Petite piscine et gentil coin lecture en terrasse.*

⌂ *Habitation Matouba* (label Association Guadeloupe Écotourisme) : *route de Matouba, à* **Petit-Parc.** ☎ 05-90-80-09-28. • *habitationma touba@orange.fr* • *habitationmatouba. com* • *À 600 m de la mairie de Saint-Claude sur la route de Matouba, côté gauche. Gîtes 2-4 pers env 455-525 €/ sem pour 2 (90-100 €/nuit).* 🖥 🛜 *Au cœur d'un superbe parc floral de 3 ha en pente, 3 gîtes dans une ancienne habitation composée de 2 duplex et d'un studio en contrebas : cuisine équipée, terrasse ouverte sur la nature et lits avec moustiquaire. Également une spacieuse chambre (le Pavillon) nichée dans un cottage colonial entouré d'une galerie, avec cuisine ouverte et salle de bains. Partout, de jolis meubles anciens et un charme certain. Accueil chaleureux de Nicole, ancienne comédienne qui a donné une âme à cette maison...*

⌂ |●| *Gîte Les Bananes vertes :* impasse des Gardénias. ☎ 05-90-99-34-73. ▤ 06-90-55-40-47. • *info@ vert-intense.com* • *lesbananesvertes. fr* • *En montant dans le village, prendre à droite juste avt la poste, puis à gauche au panneau ; c'est tt au bout de l'impasse. Double 90 €, petit déj compris ; lodges 2-5 pers 130-170 €. Dégressif à partir de la 2de nuit. Table d'hôtes locale sur résa 21 €.* 🛜 *Des chambres petites mais bien agencées dans une maison tout en bois faisant face à une grande piscine. Mais surtout de sympathiques lodges éparpillés dans un beau jardin, dont un avec jacuzzi et un autre dans les arbres. Idéal pour qui veut profiter des sorties randonnée et canyoning proposées par la maison...*

⌂ |●| *Chambres d'hôtes Habitation la Reine du Camp :* allée des Philolendrons. ☎ 05-90-98-96-51. ▤ 06-90-55-46-69. • *reineducamp@gmail. com* • *Prendre la route à droite, juste avt la poste ; 300 m plus loin, tourner à gauche et remonter l'impasse sur 100 m ; c'est à gauche après le grillage vert. Doubles 80-100 €. Table d'hôtes (ouv aux extérieurs) 20-30 €.* 🛜 *La maison de Nathalie et André est bâtie sur les fondations d'une ancienne sucrière. À l'arrière, un bungalow indépendant abrite leur chambre d'hôtes, bichonnée jusqu'au moindre détail. Une moustiquaire en guise de ciel de lit, une salle de bains joliment équipée, une avancée terrasse pour profiter des extérieurs, à l'abri du soleil ou des grains... Dans la maison principale, ou parfois sous le carbet, se prennent les repas confectionnés avec autant que faire se peut les légumes du jardin. Les hôtes peuvent également profiter du beau salon de lecture. Soirées à thème de temps à autre.*

⌂ *Gîtes Les Colibris, chez Mme Jeanine Ramassamy* (Gîtes de France) : *30, allée des Sandragons, à* **Matouba.** ☎ 05-90-80-03-10. ▤ 06-90-58-27-40. • *jeanine.ramassamy@orange.fr* • *gitesguadeloupelescolibris.fr* • *À 2 km du bourg, sur la route de Matouba (qui part de l'église), à gauche. Gîte 500 €/sem pour 2 selon saison.* 🛜 *En contrebas de la « vieille dame Soufrière », dont on aperçoit le sommet par temps clair, voici 2 belles maisons abritant chacune un gîte (4 épis) pimpant et éclatant (murs blancs, plafond à poutres et mobilier choisi), pour 2 à 4 personnes. Grand confort, terrasse, barbecue avec vue sur la mer et... clim naturelle ! En prime, un mignon jardin fleuri dont s'occupe avec dévotion Jeanine, la charmante propriétaire, vraiment aux petits soins pour ses hôtes. Une excellente adresse.*

⛰ **Les Cycas :** route de Matouba. ☎ 05-90-32-56-26. • les.cycas@wanadoo.fr • lescycas.gp • ♿ À 500 m de la mairie de Saint-Claude sur la route de Matouba, côté droit. Téléphoner avt, les proprios n'habitent pas sur place. Gîtes 2-5 pers 490-840 €/sem selon saison et nombre de pers. 🛜 Une petite dizaine de logements disséminés dans un vaste parc rythmé par des cascades et un plan d'eau où s'ébattent les canards. 4 studios et 4 duplex avec mezzanine, dans un style néocréole, avec des lits en bois du Brésil et un mobilier classique. Tous confortables et parfaitement tenus. Buanderie et lave-linge communs. Ambiance un brin confidentielle qui prête à la rêverie, et très bon accueil.

Où manger ?

|●| **Le Faymm :** propriété Dain, allée des Samanas, dans les hauteurs de Saint-Claude. ☎ 05-90-86-41-29. • restaurantlefaymm@gmail.com • Tlj sf dim-lun, ouv midi et sem et ven-sam soir. Carte 27-32 €. Au cœur même de ce qui serait la plus vieille demeure de Guadeloupe, la propriété Dain, qui s'étend sur plusieurs hectares. Une belle surprise niveau déco comme niveau gustatif. Cadre naturel et reposant : terrasse en deck, bassins d'eau de rivière. Cuisine créative, raffinée et originale, service impeccable.

|●| **Le Tamarinier :** rue Robert-Thamas, dans le centre du bourg. ☎ 05-90-80-06-67. Dans la rue qui descend le long de l'église, sur la droite. Tlj sf sam soir, dim soir et mer. Repas 15-20 €. Un petit resto simple proposant, midi et soir, 2 ou 3 options créoles, comme le poisson en court-bouillon, le « p'tit bandit au poulet », l'espadon coco ou le « requin étouffé à la tomate »... Bon et pas cher.

DANS LES ENVIRONS DE SAINT-CLAUDE

🔫 **Le site historique du 28 mai 1802 (stèle Louis-Delgrès) :** une plaque commémore le sacrifice du commandant Delgrès et de ses hommes (voir plus haut la rubrique « Un peu d'histoire »). Elle se trouve dans le secteur de **Matouba,** à l'intersection de la route N3 et de la route de Morne-Savon, à environ 1,5 km au nord de Saint-Claude.

➤ **Randonnées pédestres, aquatiques et canyoning :** avec **Vert Intense** (label Parc national de la Guadeloupe), route de la Soufrière, morne Houël (env 500 m à droite après la poste). ☎ 05-90-99-34-73. 📱 06-90-55-40-47. • info@vert-intense.com • vert-intense.com • Lun-ven 8h-16h (téléphoner avt, personne quand ils sont en rando). Canyoning 45-70 €/pers la journée selon niveau ; randos pédestres env 30 €/pers. Propose de belles « aqua-randos » accessibles à tous. Cinq accompagnateurs en montagne vivant sur l'île et diplômés pour les différentes activités encadrent ces sorties qui respectent le code de l'écotourisme. On commence par 30 mn de marche dans la forêt, puis, une fois équipé d'une combinaison, on suit le lit d'une rivière. Également de bons plans canyoning et des randonnées pédestres à la Soufrière (boucle de 5h). Groupes jusqu'à 12 personnes en randonnée et 6 à 8 personnes en canyoning.

➤ **Balades à cheval :** avec **Manade,** section Saint-Phy. ☎ 05-90-81-52-21. Env 25 € pour 1h30 de balade (groupes de 4-20 pers). Du débutant au confirmé, propose de belles chevauchées dans la végétation tropicale.

Randonnées

Avant d'entreprendre une quelconque randonnée, renseignez-vous auprès du bureau du parc national (☎ 05-90-41-55-55). Noter que l'accès à la **cascade Vauchelet,** devenu dangereux, est interdit au public.

BASSE-TERRE

🏃 *Le saut d'eau du Matouba :* *au nord de Saint-Claude.* Pour y aller, prenez la route de Matouba, tournez vers la stèle Louis-Delgrès, longez la bananeraie et, après l'usine d'embouteillage de Matouba, prenez la deuxième à gauche, et garez-vous au niveau de l'abri plus loin. De là, un sentier mène en 30 mn environ à la rivière Saint-Louis. Attention, vu son état (mais cela peut changer, on peut toujours rêver), la balade comporte des passages délicats. Plutôt pour les marcheurs expérimentés. On remonte le lit de la rivière jusqu'à la cascade, qui tombe de 5 m en jaillissant d'un goulet volcanique. Autre mise en garde, la baignade en dessous de la chute est très dangereuse : ne pas s'y frotter directement, car l'eau est ici réellement très puissante (cas de noyade avérés) ! Sauf pour les mulets (poissons de rivière) qui y barbotent placidement...

🏃🏃 *Les bains chauds de Matouba :* compter 3h aller-retour, par une trace qui peut être assez boueuse sur la fin du parcours. Départ de la maison forestière de Matouba (677 m) comme pour les traces Victor-Hugues et Merwart (voir plus loin). Le sentier débute par une large allée ombragée de pommes-roses et une forêt de pins caraïbes et d'eucalyptus australiens. Après environ 30 mn d'ascension, tournez à droite à la bifurcation (panneau) et descendez le sentier en lacet qui vous mènera à une rivière, qu'il faut traverser (à pied sec, du moins s'il ne pleut pas !). Puis, 1,5 km plus loin, dans un décor de gommiers blancs odorants et de châtaigniers, prenez à gauche et, quelques centaines de mètres plus loin, longez la tuyauterie (toujours chaude) jusqu'à la clairière et la zone de captage qui alimente, plus bas, l'ex-centre thermal Harry-Amouzin. Là se trouve un bassin empli d'une eau à 40 °C avis à ceux qui rêvent d'un bon bain ! Pour le retour, revenez sur vos pas ou bien, après la descente quelque peu glissante, tournez à gauche à l'intersection pour rejoindre en moins de 1h le plateau Papaye et arriver face à la *clinique des Eaux-Vives.* Beau point de vue (on est à 850 m d'altitude, dans la zone habitée la plus élevée de Guadeloupe) et charmants jardins de cultures vivrières et maraîchères. En revanche, si vous choisissez cet itinéraire de retour, il faut prévoir un véhicule à l'arrivée.

🏃🏃 *Les traces Victor-Hugues et Merwart* (difficiles) : déconseillées sans guide patenté (pour les téméraires solitaires, carte IGN impérative). Emporter de l'eau, un bon pique-nique et des vêtements imperméables. Ces traces (sauvages et souvent boueuses), réservées aux bons randonneurs, rejoignent Montebello et Vernou en 8 à 10h. Point de départ commun : la maison forestière de Matouba (677 m).

LE VOLCAN DE LA SOUFRIÈRE

• Carte p. 156-157

Ce point culminant des Petites Antilles (1 467 m) se drape souvent pudiquement dans les brumes. Sur ses pentes, il tombe près de 10 m d'eau de pluie par an, ce qui constitue un des records de pluviométrie dans le monde ! Et puis, sans crier gare, le sommet se dégage parfois soudain, quelques instants. C'est alors un merveilleux spectacle, surtout si vous n'êtes pas loin de l'atteindre.

➢ En juin, le *Volcanotrail* rassemble des randonneurs de haut niveau pour une course sportive de 42 km dans tous les massifs autour de la Soufrière et au sommet du volcan.

UN PEU D'HISTOIRE

La Soufrière possède plusieurs bouches éruptives actives. Le cratère sud, le plus puissant, est interdit d'accès. La Soufrière connut plusieurs éruptions au cours des derniers siècles (au XXᵉ s, deux seulement : en 1956 et 1976), toutes phréatiques, c'est-à-dire faites d'émissions violentes de vapeurs et de gaz mélangés à des roches et de cendres projetées à la surface par accumulation de la pression et de la chaleur. Des conséquences géophysiques extrêmement spectaculaires, qui menèrent à un exode massif en 1976. La Soufrière reste aujourd'hui le centre d'activités « fumerol-léennes » permanentes, qui dégagent des odeurs soufrées caractéristiques (œuf pourri, autrement dit). Le volcan est sous la surveillance permanente de l'Observa-toire sismologique et volcanologique de la Guadeloupe. Attention, les fumerolles acides peuvent être très toxiques, mieux vaut donc éviter les abords des cratères !

VOLCANO PARK, UN PROJET TRÈS CONTROVERSÉ

Présenté par un porteur privé, un projet de téléphérique devant mener les visi-teurs de Beausoleil à Savane-à-Mulets s'est heurté à une forte résistance locale des mouvements écologiques. Toujours à l'étude, malgré tout, le *Volcano Park* comprendrait un complexe touristique situé à Beausoleil (avant l'entrée du parc), d'où partirait un téléphérique à trois stations, les deux derniers arrêts, « Gare Bains Jaunes » et « Savane-à-Mulets », se situant à l'intérieur même du parc. Or, rappelons que nous sommes dans un parc national, théoriquement inviolable, sur-tout par des structures lourdes comme celles d'un « transport par câble aérien ». L'argument principal pointe du doigt l'actuelle difficulté d'accéder au site, point de départ de randonnées du volcan. Mais de nombreuses questions sur les conséquences environnementales d'un tel projet se posent : intervention d'engins lourds, pollution visuelle, dérangement de la faune et de la flore, nuisances sono-res, etc. La sécurité générale se révèle par ailleurs très incertaine dans cette zone volcanique. La privatisation rampante (avec accès payant évidemment) d'un site appartenant à tous est également dénoncée. Quant aux effets positifs sur l'éco-nomie et l'emploi local que l'on promet, ils restent à démontrer.
Le *Volcano Park* en est encore au stade des études de faisabilité, d'impact envi-ronnemental, de sécurité et autres compléments d'informations. Gageons qu'il retournera gentiment dans ses cartons, laissant simplement derrière lui quelques fumerolles vite dissipées.

BASSE-TERRE

Adresses utiles

■ *Siège du parc national de la Guadeloupe :* Montéran, 97120 *Saint-Claude.* ☎ 05-90-41-55-55. ● guadeloupe-parcnational.fr ● rando. guadeloupe-parcnational.fr ● *Lun-mar et jeu-ven 8h-12h30, 14h-17h (16h ven) ; mer 8h-13h.* Infos sur le parc, et notamment sur l'état des traces (sen-tiers de randonnée), assez changeant. On peut aussi s'y procurer quelques brochures utiles, notamment le petit dépliant sur la Soufrière, qui contient un plan du secteur.
■ *Prévisions météo :* ☎ 0892-680-808 *(prix d'un appel local ; répondeur 24h/24).* ● meteofrance.gp ●

■ *Randonnées guidées :* plusieurs agences proposent de vous guider dans vos pérégrinations guadelou-péennes. Intéressant à plus d'un titre : non seulement certaines traces s'avè-rent ardues à suivre, mais en plus les guides donnent de précieuses expli-cations sur la faune et la flore.
– *Vert Intense (label Parc national de la Guadeloupe) :* route de la Soufrière, morne Houël *(env 500 m à droite après la poste de Saint-Claude).* ☎ 05-90-99-34-73. ▤ 06-90-55-40-47. ● vert-intense.com ● *Lun-ven 8h-16h (télé-phoner avt, personne ne répond quand ils sont en rando).* Outre des

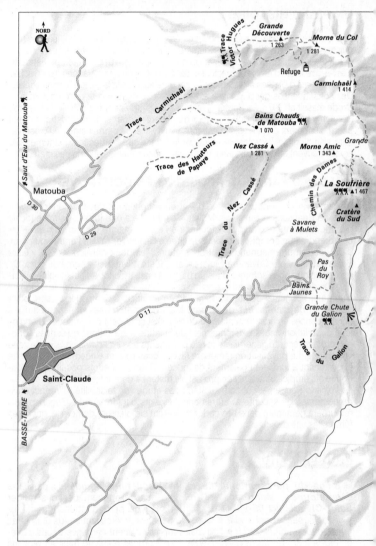

« aqua-randonnées » (voir plus haut « Dans les environs de Saint-Claude »), ils proposent des randonnées pédestres à la Soufrière et dans tout le secteur. Très bon accueil et guides diplômés. Et puis ils fournissent de bonnes chaussures de marche à qui n'en a pas, et des combinaisons intégrales pour les activités de canyoning. – *Club des montagnards :* BP 45,

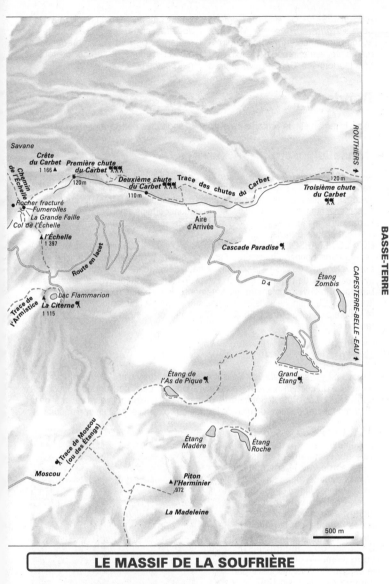

LE MASSIF DE LA SOUFRIÈRE

97120 **Saint-Claude.** ☎ 05-90-94-29-11. ● *clubdesmontagnards.com* ● Un club qui existe depuis une bonne centaine d'années ! Les randonnées, de différents niveaux, sont gratuites ; il suffit de se rendre au lieu de rendez-vous (voir leur programme de sorties) et de se présenter au guide.
– Voir également plus loin **Éc**[...]
Balades : *route de Poirier, à Pigeo*[...]

BASSE-TERRE

☎ 06-90-59-30-95. ● rando@tigligli. com ● tigligli.com ● ♿ Martine, accompagnatrice en montagne diplômée d'alpinisme, propose de formidables randonnées. Départ Bains Jaunes

ou covoiturage depuis Bouillante. Une Joëlette, sorte de chaise à porteurs roulante, permet aux personnes à mobilité réduite de profiter de toutes ces balades.

Randonnées

Toute la région est un véritable must pour la randonnée pédestre.

Conseils

Avant de partir, *informez-vous sur les conditions météo* et vérifiez l'état des traces auprès du siège du parc national de la Guadeloupe (voir précédemment « Adresses utiles »). Les intempéries et les mouvements de terrain qui surviennent de temps à autre peuvent modifier sensiblement certains itinéraires de randonnée. Par ailleurs, les interdictions indiquées dans ce guide peuvent être levées à tout moment et sans préavis.
RESPECTEZ ABSOLUMENT LES PANNEAUX D'INTERDICTION. Attention, munissez-vous de bonnes chaussures car la grimpette n'est pas aisée, ainsi que de bons vêtements de pluie – le crachin, là-haut, détrempant tout – et d'un sac à dos avec eau et pique-nique au cas où. Évitez de vous aventurer avec des enfants en bas âge ! Prévoyez également des vêtements de rechange (à laisser au sec dans la voiture). Et, enfin, ne vous laissez pas surprendre, la nuit tombe tôt aux Antilles, et encore plus tôt en forêt (15h30 ou 16h) : tenez-en compte et ne partez pas trop tard en randonnée.

Cartes

Si vous partez sans guide, on vous recommande fortement de vous munir de la carte IGN du secteur où vous comptez randonner. Elles peuvent être difficiles à trouver sur place. Pour la Soufrière, le petit dépliant remis par le parc national de la Guadeloupe, qui contient un plan de la zone du volcan, est déjà un bon document.

🥾🥾🥾 *Le tour de la Soufrière :* y aller dès l'aube, vous n'aurez pas nécessairement plus de chances de voir le sommet du volcan dégagé mais, au moins, vous éviterez la foule, surtout le week-end. En voiture, impossible d'aller plus haut que les *Bains Jaunes,* sur la route D11 de Saint-Claude à la Soufrière. C'est ici qu'il faudra laisser votre véhicule. On emprunte le *pas du Roy,* sentier pavé par l'armée coloniale en 1887, qui fut longtemps le seul accès au

SOUFRE ANTIDOULEUR

C'est en 1887 qu'ont été construits (par l'infanterie de marine) les deux bassins mitoyens des Bains Jaunes, fréquentés à toutes les heures de la journée... et même de la nuit, dit-on ! Incroyables bassins d'eau chaude (tiède, plutôt, car toujours en mouvement) qui font le bonheur de ceux qui viennent de grimper dur. Profitez-en, c'est gratuit, et le soufre a de bons effets sur vos rhumatismes.

volcan. À travers l'une des forêts primaires les mieux conservées des Petites ...illes, ce sentier conduit en 40 mn à la Savane-à-Mulets, au pied du dôme ...frière. De cet ancien parking désormais fermé, la vue sur Basse-Terre ...e.

... la gauche, à partir de ce point, se trouvent de nombreux solfatares, ... cheminées laissant échapper des fumerolles à l'odeur d'œuf pourri, caractéristiques de la Soufrière... À la bifurcation, prendre à gauche pour finalement arriver à la Savane-à-Mulets. Compter 30 mn de marche aller simple. Attention : pavés glissants en cas de pluie.

Ensuite on attaque réellement les flancs du volcan par le *chemin des Dames*. Tout le long vous trouverez des panneaux avec devinettes sur la faune, la flore et l'histoire du volcan. La réponse se trouve au panneau suivant : ça motive ! À l'intersection de la *Grande Faille*, grimpez jusqu'à la partie sommitale (fléché, environ 20 mn d'escalade). Là-haut, nombreux gouffres, crevasses et pitons, où le volcanisme actif de la Soufrière se manifeste de façon spectaculaire. Ne vous emballez pas et respectez les panneaux de sécurité pour éviter de finir grillé comme du pop-corn. Le cratère sud, soupape de sécurité du volcan, est une fissure qui rejette des fumerolles chaudes (vapeurs et eau bouillantes) et sulfureuses dans un bruit de réacteur d'avion. Selon le temps qu'il fait, cette promenade sur le sommet demande environ 30-45 mn. *Attention* aux dégagements acides très dangereux de certains gouffres. Plusieurs secteurs de la partie haute de la Soufrière sont interdits d'accès.

🥾🥾 Des Bains Jaunes, belle balade possible jusqu'à la *chute du Galion* (compter 2h30 aller-retour) ; la cascade, qui fait tout de même 60 m (mais on n'en voit que 40 m environ), est bien jolie avec sa paroi orange ferrugineuse, et la promenade à travers la forêt est agréable, bien que boueuse. Chaussures de marche indispensables. Attention, la dernière partie du trajet, à l'aide des cordes, peut être dangereuse pour les personnes inexpérimentées et par temps de pluie (la rivière grossit alors !). Après cette trace, possibilité de poursuivre sur la *trace de l'Armistice* (très difficile) jusqu'à la *Citerne*. C'est fléché. Compter 2h de plus (donc 4h aller-retour).

🥾 *Balade au cratère de la Citerne :* à env 1 km de la Savane-à-Mulets. Sur les bas-côtés à droite, quelques fumerolles (vapeurs et eau bouillantes). La Citerne est un grand cratère éteint dont le fond est occupé par un petit lac, strictement inaccessible et malheureusement invisible par temps couvert. C'est ici que s'élève l'un des relais de radio-télévision de l'île.

BASSE-TERRE

VIEUX-HABITANTS (97119) 7 900 hab.

La plus ancienne commune de Guadeloupe fut fondée en 1636 par les premiers colons de la Compagnie des isles d'Amérique, autorisés à s'y établir. Le terme « habitant » désignait alors celui qui a reçu une concession, exploite une terre et y installe une habitation...

Ce n'est pas à Vieux-Habitants même mais dans les hauteurs que vous logerez ou partirez à la découverte des trésors cachés de la commune. La seule curiosité du village est son église (ouverte uniquement à l'heure de la messe), édifiée au XVIIe s par des bâtisseurs francs-maçons du Limousin, et qui possède un curieux clocher à plusieurs toits... À cette époque, la culture du café assurait l'essentiel des ressources locales. Aujourd'hui encore, trois habitations caféières perpétuent la tradition artisanale de cet excellent arabica très doux, un patrimoine communal que contribue à sauvegarder l'association Verte Vallée (La Grivelière). À visiter, à déguster même sans modération !

Également à découvrir, le 1er vendredi après l'Avent (fin novembre-début décembre) : le Noël Kakado, qui fait revivre des festivités traditionnelles et attire pas mal de visiteurs de toute la Guadeloupe.

BASSE-TERRE

Arriver – Quitter

🚌 *En bus :* arrêt devant la boulangerie Cœur d'Épi *pour les liaisons avec Pointe-à-Pitre, Bouillante et Pointe-Noire. Arrêt devant l'église pour les bus reliant Basse-Terre (ville).*
➤ *Bouillante, Pointe-Noire et Basse-Terre (ville) :* bus ttes les 30 mn lun-ven, moins fréquents sam, hypothétiques dim. Société *TCSV* (☎ 05-90-86-43-56 ; 🖳 06-90-35-02-68).
➤ *Pointe-à-Pitre :* par les Mamelles (route de la Traversée), prendre un bus pour Pointe-Noire et changer à Mahaut. Sinon, redescendre et changer à Basse-Terre (ville).

Adresses utiles

■ *Maison du parc national :* à Marigot. *À 3 km au nord de Vieux-Habitant, à gauche de la N2 avt d'entrer dans Marigot. Lun-ven sf mer ap-m 8h30-13h, 14h-16h.*
✉ *Poste :* bd Habissois-Souverains, *devant le cimetière. Tlj sf sam ap-m et* dim 7h30-12h, 14h-16h.
■ *Plongée :* avec le club *Habiss Plongée, Anse à la Barque,* au nord de Vieux-Habitants. Voir plus loin les infos dans le paragraphe « Plongée sous-marine » à Bouillante.

Où dormir au vert, dans les hauteurs de Vieux-Habitants ?

Là encore, les locations sont multiples, nous n'indiquons que quelques coups de cœur, pour un séjour au vert.

De prix moyens à plus chic

🏠 *Habitation Dieudonné :* vallée de Beaugendre. ☎ 05-90-99-57-20. 🖳 06-90-72-05-58. ● habitation. dieudonne@laposte.net ● habitation-dieudonne.net ● À 5 km de Vieux-Habitants. 3 km après la sortie nord de Vieux-Habitant, prendre à droite la route de la vallée de Beaugendre (juste avt le pont et la boulangerie) ; tourner à droite 1,5 km plus loin à la fourche, c'est 500 m plus loin (au pied du château d'eau). Gîtes 300-450 €/sem (60-80 €/nuit) pour 2 selon hébergement et saison. 📶 Peintes en blanc, des cases en bois indépendantes au charme envoûtant, noyées dans un coin perdu de forêt tropicale. Quelques touches de couleurs distillées ci-de-là, et un confort douillet empreint de simplicité. Accueil formidable de la très sympathique Maryline qui vous offrira volontiers un jus de fruits frais du jardin. La musique ambiante de la rivière invite à la baignade dans ses vasques naturelles. Une adresse pleine d'esprit, à la fois douce et puissante, dans un cadre de rêve. Gros coup de cœur !
🏠 🍴 *Bungalows Les Cocotiers, chez Anne Marty* (label Parc national de la Guadeloupe) : 664, chemin de l'Étang. ☎ 05-90-98-33-18. 🖳 06-90-61-72-37. ● gitescocotiers@gmail.com ● bungalows-cocotiers-guadeloupe.com ● À 1,5 km au nord du panneau de sortie nord de Vieux-Habitants à gauche ; aller jusqu'à la plage et ne pas craindre d'emprunter la piste pierreuse. Continuer à droite sur env 400 m. À petit régime, ça passe. Compter 350-600 €/sem (60-100 €/nuit) pour 2-4 pers, panier petit déj compris. Bivouac sous le carbet 30 € pour 2, petit déj inclus. Table d'hôtes 25 €. Également des forfaits avec plongée, soins énergétiques et massages. 📶 Dans un cadre fleuri et agréable, 2 studios (bungalow commun, pratique pour les familles) confortables et bien tenus, avec vue sur le bleu des Caraïbes entre les cocotiers. Déco simple, chambre avec moustiquaire et ventilo, cuisine en terrasse. Électricité

solaire. Pour cultiver son côté Robinson du XXIe s, opter pour un bivouac sous un carbet avec douche extérieure et toilettes sèches... Calme garanti et accueil très prévenant d'Anne et Thierry.

🏠 🍴 **Chambres d'hôtes Habitation Getz (écolodge) :** *route de Géry.* ☎ 05-90-24-46-86. 🖨 06-90-58-70-20. ● contact@chambrescabanesguadeloupe.com ● chambrescabanesguadeloupe.com ● *1,3 km après le panneau de sortie nord de Vieux-Habitants, prendre à droite la route de Géry qu'on remonte sur 2 km. Doubles 90-100 €, 480 €/sem ; cabanes 2-4 pers 110-130 €, 540-660 €/sem. Réduc à partir de 3 nuits. Table d'hôtes sur résa.* 📶 Dans la superbe maison coloniale de 1780 (ancienne plantation de café), 2 chambres d'hôtes ravissantes en bois de mahogany et parquet qui craque. Salon intérieur et extérieur dans le même esprit, avec joli mobilier ancien, pour prendre le petit déj. Le jardin abrite 3 cabanes perchées dans les arbres, avec vue sur mer, très bien aménagées, avec salle de bains privées en contrebas et toilettes sèches. Tout est écolo, jusqu'au frigo ! Le petit déj est déposé tous les matins dans un panier. Couloir de nage aménagé dans l'ancien bassin à laver le café, dont l'eau est traitée naturellement. Valérie et Pascal mettent beaucoup d'énergie à faire vivre ce lieu d'exception, entre histoire et nature. Une adresse d'exception.

🏠 🍴 **Habitation l'Oiseau :** *à Grande-Rivière.* 🖨 06-90-48-84-00. ● habitationloiseau@gmail.com ● habitationloiseau.fr ● *Route de la Grivelière (D27), 500 m après le panneau de sortie de Vieux-Habitants, sur la gauche. Doubles 70-120 €, petit déj compris. Repas 25 €.* 📶 Une maison coloniale centenaire, ancienne caféière installée dans un joli parc où chuchote un petit ruisseau. On peut encore y voir la « bonifierie » où les grains étaient traités. Dans leur maison de famille, les Guilliod proposent 5 chambres dont 3 avec salle de bains. Celles qui n'en ont pas sont louées en supplément des autres, idéal en famille. Le décor, dans la pure tradition antillaise du début du XIXe s, dégage un charme certain. Meubles anciens, cadres, vérandas... Un lieu qui raconte toute une histoire.

🏠 🍴 **Domaine de Romy, chambres d'hôtes :** *à Grande-Rivière.* ☎ 05-90-81-60-84. 🖨 06-90-31-73-30. *Sur la D27, à 4 km sur la route de la Grivelière, chemin qui grimpe (beaucoup) à droite. Doubles 75-95 €/nuit. Repas env 15 €.* Une maison en pleine forêt, tout en bois entourée de hautes collines. Elle accueille 3 chambres à l'étage, toutes avec un balcon étroit et commun donnant sur la verdure. Juste en dessous, au rez-de-chaussée, grand salon commun avec transats. Et puis une petite piscine pour se rafraîchir, puisqu'on est à l'écart de la plage. Calme total évidemment.

Où manger... côté mer ?

De bon marché à prix moyens

🍴 **L'Arc-en-Ciel Tropical :** *plage de Simaho.* ☎ 05-90-81-70-61. *Au sud du bourg, après la mairie. Tlj sf lun 10h-17h. Congés : août. Plats 7-25 €. Ti-punch offert sur présentation de ce guide.* Situé au pied d'un vieux tamarinier, les pieds dans l'eau, en bord de plage avec galets et sable noir. Agréable terrasse pour prendre l'air marin et avaler quelques spécialités créoles. Bon poulet boucané, pas cher du tout, et puis les classiques poissons grillés, fricassée de lambis, etc. Service sympa, avec la radio locale en fond sonore.

🍴 Si c'est complet, juste à côté, *Les Alizées, chez Valdo,* propose le même style de cuisine, plats copieux et note légère. Ou bien encore *Le Relais des pêcheurs,* encore plus local, si cela peut être seulement concevable. Accueil charmant, en plus.

🍴 **La Grillade, chez Louisiane et Robert :** *à Marigot (à 4 km au nord de Vieux-Habitants), sur la N2.* ☎ 05-90-98-49-32. ♿ *Dans une maisonnette en bois vernis, en bord de mer. Ouv le midi tlj, plus le soir ven-sam en saison ; dim sur résa. Menu 12,50 € ; plats env 10-18 €. Café offert sur présentation de*

BASSE-TERRE

ce guide. Madame est aux fourneaux et monsieur au service, tout en douceur et avec le sourire. Carte alignant tous les classiques créoles, généreusement servis. Honnête et simple. Également une bonne dizaine de punchs maison à siroter sur une terrasse tranquille donnant sur la mer.

|●| *Rocroy Zouk'Afé : plage du Rocroy (à 2 km au sud de Vieux-Habitants), sur la N2.*

🖩 *06-90-80-02-72.* ● *rocroyzoukafe@ hotmail.com* ● *Ouv le midi mar-dim. Formules 15,90 € et carte.* Cette case colorée fait partie des bonnes surprises de la côte, avec sa terrasse sur la mer, son bar à jus, son accueil enjoué et sa carte surtout, moins rock'n roll ou zouk qu'on pourrait le croire : du frais, du parfumé, du bon. Fait aussi bar à jus, un vrai bonheur.

DANS LES ENVIRONS DE VIEUX-HABITANTS

🌿🌿🌿 *La plantation de café Vanibel (label Parc national de la Guadeloupe) : à Cousinière, à 5 km à l'est de Vieux-Habitants* (c'est fléché). ☎ 05-90-98-40-79. ● contact@vanibel.fr ● *Tlj sf dim et j. fériés ; visites guidées slt : janv-avr à 14h30 et 15h30 ; mai-déc à 15h (slt sur rdv sept-oct). Entrée : 7,50 € ; réduc. Bonnes chaussures indispensables.* Depuis 1974, la famille Nelson cultive 15 ha de caféiers et 1,5 ha de vanilliers sur son domaine, et produit environ 5 t par an d'un café artisanal 100 % Guade-

ITINÉRAIRE D'UN PLANT DE CAFÉ

Au début du XVIIIe s, le sieur Gabriel Mathieu de Clieu, officier de marine française, déroba au Jardin des plantes de Paris un plant de café offert par la Hollande à Louis XIV. Il l'embarqua à bord du vaisseau Le Dromadaire *et l'implanta en Martinique. Un demi-siècle après, l'île comptait près de 20 millions de plants de café... Très vite, le café est arrivé en Guadeloupe !*

loupe, variété arabica. L'un des meilleurs de l'île (fournisseur de *Malongo*). La visite de l'exploitation (*compter 1h*), nourrie d'intéressants commentaires, évoque tour à tour le café, la banane, puis la vanille, en insistant à chaque fois sur leur histoire et les techniques d'exploitation. La balade elle-même permet d'approcher un vieux moulin restauré, avant de sillonner les plantations. On en apprend pas mal, de la récolte des « cerises de café » à la main jusqu'à la « bonification », en passant par le décerisage et la fermentation (car le café récolté est gluant et acide). Vous apprendrez aussi ce qu'est un *tarare*, une petite chose très, très légère... Le café est séché ici comme jadis, sur les toits et dans d'immenses tiroirs disposés sous les maisons... La visite s'achève sur la traditionnelle et indispensable séance de dégustation de café (et de fruits de saison).

🏠 Sur place, 4 gîtes confortables, dont l'ancienne habitation du gérant de la plantation. Belle piscine entourée de fleurs et d'arbres fruitiers. Calme total.

🌿🌿 *L'habitation La Grivelière, Maison du café (label Parc national de la Guadeloupe) : vallée de la Grande-Rivière.* ☎ 05-90-98-34-14. ● info@habitationlagri veliere.com ● *À la sortie nord de Vieux-Habitants, prendre la D27. C'est à env 5 km à l'est, par une route de montagne très étroite et chaotique mais carrossable. Visite guidée slt (env 1h), tlj et ttes les heures 10h-16h (plus à 16h30 déc-avr et juil-août). Congés : de sept à mi-oct. Entrée : 7,50 € ; réduc enfants.*
Le site (jardin, vallée, rivière...) est proprement magnifique et domine la vallée. Ancien domaine de 47 ha créé en 1750 qui produisait principalement du café, du cacao et de la vanille. Il fut racheté en 1842, période à laquelle la culture du cacao, puis du café, se développa (le domaine faisait alors 90 ha et employait jusqu'à 70 personnes). Laissés à l'abandon pendant de nombreuses années, plusieurs bâtiments, dont la maison de maître, ont été rachetés par la Région

Guadeloupe et rénovés par l'association Verte Vallée. L'habitation est classée Monument historique depuis 1987 et constitue aujourd'hui l'un des ensembles patrimoniaux les mieux conservés de Guadeloupe, même si elle est toujours en partie en cours de restauration.

L'excellente visite guidée donne une idée très précise de ce que pouvait être une manufacture de café au XIXe s, vivant pratiquement en autarcie avec son four à pain, son jardin médicinal, etc. Voir notamment la maison de maître (on visite le salon au rez-de-chaussée avec ses meubles anciens), les moulins à café, la case des ouvriers et le jardin créole, mis en valeur par trois sentiers de découverte. Dégustation de café (la production suffit juste à l'approvisionnement de la boutique et à la dégustation des visiteurs !), de cacao et de bananes quand il y en a.

KAKADO DE NOËL

Autrefois, à la fin de la récolte des grains de café, la dernière branche de caféier avec ses cerises (oui, on dit « cerise » !) était offerte à une femme, en guise de bouquet final. Cette dernière organisait alors la première crèche, aidée par un homme de son choix (kdo !). Aujourd'hui, on retrouve à chaque Noël Kakado ces rois de la fête, ouvrant le défilé aux flambeaux. Au fait, saviez-vous qu'un kakado est une écrevisse noirâtre plus petite que le ouassou ?

|●| **Table d'hôtes de La Grivelière :** sur la D27, bien indiqué. ☎ 05-90-98-37-52. Tlj slt le midi. Congés : de sept à mi-oct. Menus 13-21 €. Au bord de cette petite route, une maison en bois équipée d'une sympathique terrasse. On y sert une cuisine traditionnelle – bien pratique quand on a terminé la visite et qu'on redescend vers le bourg.

🦐 **Le musée du Café, établissements Chaulet :** route du Bouchu, à la sortie nord de Vieux-Habitants, puis sur la gauche (fléché). ☎ 05-90-98-54-96. ● cafe.chaulet@wanadoo.fr ● cafechaulet.com ● Tlj 9h-17h. Entrée : 6 € ; réduc. Les établissements *Chaulet* sont en activité depuis 1860, d'abord à Baillif, chez les Pères blancs, puis à La Grivelière, et enfin sur ce site. Visite ludique et didactique d'un petit musée historique contenant de vieilles machines étonnantes, des maquettes et des panneaux bien faits, illustrant anecdotes et procédés techniques (de la plantation à la torréfaction des grains), ainsi qu'une belle collection de moulins à café. La délicieuse odeur qui titille vos narines provient des machines modernes à torréfier le café (100 % arabica), en service dans un bâtiment annexe (sauf le week-end). Boutique de produits locaux, à voir en fin de visite, avant la dégustation de rigueur, offerte. Également une **chocolaterie,** avec une petite expo sur le chocolat et quelques produits exquis à acheter, comme le chocolat blanc au safran et aux patates douces.

🦐🦐 **L'Anse à la Barque :** sur la côte, à 4-5 km au nord de Vieux-Habitants. Jadis lieu de rendez-vous des flibustiers, cette baie protégée, avec ses vestiges de batteries côtières et ses deux petits phares, offre un panorama d'une beauté exceptionnelle même si la plage elle-même est minuscule. Les plaisanciers des Caraïbes la considèrent aujourd'hui comme l'un des plus beaux et des plus sûrs mouillages des Antilles. Sous la surface limpide de l'Anse à la Barque, on a même découvert les restes de deux navires napoléoniens – La Seine et La Loire – coulés en 1809 lors d'une attaque anglaise... On peut observer certains de ces trésors sous-marins en chaussant le masque (voir plus loin le club *Habiss Plongée* sous la rubrique « Plongée sous-marine » à Bouillante). Et puis, plus terrestres et perdus dans la mangrove (difficiles à localiser sans un accompagnateur), se trouvent aussi des restes de bassins d'une ancienne **indigoterie.** La Guadeloupe a été, aux XVIIe-XVIIIe s, un gros producteur d'indigo, substance tirée d'une plante tropicale aux pigments colorés, qui a donné son nom à une nuance de bleu.

BASSE-TERRE

△ *La plage du Rocroy :* à 2 km au sud de Vieux-Habitants par la N2. Charmante petite plage de sable noir, bordée de galets et relativement sauvage. Assez fréquentée le week-end, mais vraiment tranquille en semaine. Chaussures en plastique préférables pour se baigner. Quelques tables pour pique-niquer. Sinon, un petit resto sur place, qu'on aime bien (voir « Où manger... côté mer ? »), le *Rocroy Zouk'Afé* (📱 06-90-80-02-72 ; ● rocroyzoukafe@hotmail.com ● ; ouv le midi mar-dim), case colorée sur la droite avec sa terrasse sur la mer.

BOUILLANTE (97125) 7 400 hab.

● Carte Pigeon et Malendure (commune de Bouillante) *p. 165*

C'est l'un des plus anciens bourgs de la Guadeloupe. Il étend ses eaux chaudes sur 15 km de littoral, en passant par Pigeon et Malendure (voir plus loin), où se situent la plupart des hébergements. La grande richesse du bourg, dont les touristes raffolent, c'est la beauté de ses fonds marins, plus encore que ses eaux chaudes. La commune, classée France station nautique, est devenue le site majeur de la plongée sous-marine en Guadeloupe.

DES ŒUFS DURS À L'ŒIL

Le nom de la commune provient des nombreuses sources d'eau chaude (à 80 °C environ) qui jaillissent dans le secteur, y compris sous la mer. Si les habitants en ont longtemps profité pour faire des œufs durs, cette véritable richesse naturelle a permis l'implantation d'une centrale géothermique dans le bourg, unique dans la Caraïbe. L'électricité produite éclaire les maisons de Pointe-Noire à Vieux-Habitants, soit environ 9 % de l'électricité consommée en Guadeloupe.

Arriver – Quitter

🚌 *En bus :* l'arrêt principal (hors plan par B2) pour Pointe-Noire se trouve tt près de la pharmacie, et celui pour Basse-Terre presque en face du resto Eddy's Papillon.
➤ *Malendure, Pointe-Noire, Vieux-Habitants et Basse-Terre (ville) :* bus ttes les 30 mn lun-ven, moins fréquents sam, hypothétiques dim. Société *TCSV* (☎ 05-90-86-43-56).
➤ *Pointe-à-Pitre par les Mamelles (route de la Traversée) :* prendre un bus pour Pointe-Noire et changer à Mahaut.

Adresses utiles

🄸 *Office de tourisme* (hors plan par B2, **1**) : au rdc de la mairie (située dans le centre de Bouillante, sur la N2), tt de suite à gauche en entrant. ☎ 05-90-98-98-92. ● office.tourisme@ville-bouillante.fr ● Lun-mar et jeu 8h-12h30, 14h-17h30 ; mer et ven 8h-13h30. 📶 Petit guide et plan de la commune (bien faits et gratuits), et liste des hébergements. Bon accueil.

✉ ■ ⊛ *Poste, pharmacie, boucher, supérettes et minuscule marché :* dans la rue du bord de mer (hors plan par B2). Également une *poste* (plan A-B2) et un *centre commercial* (plan A1, 63) à Pigeon.
■ *Distributeurs de billets* (hors plan par B2) : à la poste de Bouillante et à côté de la station Total, à la sortie sud du bourg.

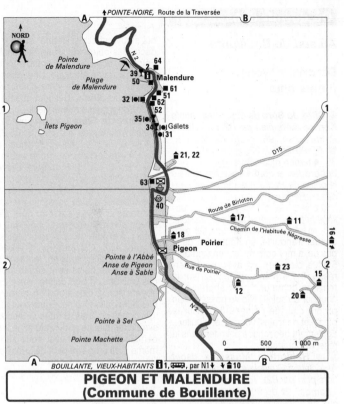

PIGEON ET MALENDURE
(Commune de Bouillante)

■ **Adresses utiles**

🛈 1 Office de tourisme de Bouillante
🛈 2 Office de tourisme de Malendure
⚙ 63 Centre commercial

🏠 **Où dormir ?**

10 Harmonie créole
11 Les Jardins de l'espérance
12 La Koumbala
15 Gîte Le Soleil latino
16 Le Hamac Camp
17 L'Escale tropicale
18 Gwo Caillou
20 Ti Gli Gli
21 Gîte Mayo
22 Gîtes Bajapo
23 Chalets Sous-le-Vent

|●| **Où manger ?**

31 Chez Dada
32 Le Rocher de Malendure

35 La Touna

🍷 **Où boire un verre ?**

34 Les Vins de la Réserve
35 La Touna
39 Le Coucher de Soleil

⚙ **Où acheter de bons produits ?**

40 Cap Créole

■ **À faire**

32 Les Heures saines
50 Caraïbe Kayak
51 Canopée
52 Association Évasion Tropicale
61 PPK Plongée Guadeloupe
62 Centre de plongée des Îlets
63 Club de plongée Bleu Passion Guadeloupe
64 Gwada Pagaie

BASSE-TERRE

Où dormir dans le coin ?

Au sud de Bouillante

De prix moyens à plus chic

⌂ **Gîtes du Bord de Mer, chez Nicole Kerrien** (hors plan par B2) : résidence Petite Anse, 96, route de Monchy. ☎ 05-90-25-05-22. ▯ 06-90-32-62-28. ● terrien.nicole@orange.fr ● gites-duborddemer.com ● Descendre vers la plage de Petite-Anse et suivre panneaux. Résa conseillée. Compter 250-650 €/sem selon taille et saison. Package hébergement et plongée possible. CB refusées. ☍ Dans un quartier résidentiel tranquille, en hauteur, à deux pas de la mer comme le nom l'indique, 5 gîtes bien conçus avec petite terrasse. Il y a même un jacuzzi sur la terrasse commune pour apprécier le coucher du soleil ! Nicole possède son propre club de plongée (local sur la plage) et peut ainsi vous aider à buller... Également des randos palmées dans la réserve Cousteau.

⌂ ●|● **Habitation Massieux** (label Association Guadeloupe Écotourisme ; hors plan par B2) : route de Marquis, à **Thomas**. ☎ 05-90-98-89-80. ● francois.fauchille@wanadoo.fr ● habitation-massieux.com ● À env 2 km au sud de Bouillante, tourner à gauche au panneau ; c'est à 600 m sur la gauche, sur les hauteurs. Pour 2 pers, case ou chambre 84-100 €/nuit (dégressif), petit déj compris ; en écolodge, 100-130 €/nuit (max 6 pers). ☍ Une ancienne sucrerie, devenue plantation de café et restaurée en chambre d'hôtes... et en annexe de l'arche de Noé pour chiens et chats. Cette habitation du XVIIᵉ s classée Monument historique possède, dans 2 corps de bâtiments en bois des îles, 3 chambres avec clim. Également un écolodge tout en bois, original : 2 chambres séparées par une salle de bains astucieuse et une grande terrasse couverte, à la fois cuisine, salon et salle à manger. Originale, pour les aventuriers, une case en bois au milieu des arbres, restée dans son jus, avec douche extérieure. Plein de volets qui s'ouvrent sur la nature, et pour la déco, des objets de récup étonnants. En prime, accueil d'une grande gentillesse par dame Monique. Une adresse pionnière, qui habite votre guide préféré depuis 30 ans. Respect, même si l'adresse a quand même vieilli.

⌂ **Alamanda Gîtes** (hors plan par B2) : chemin de Matone, à **Coreil.** ☎ 05-90-98-84-82. ● gites-alamanda@hotmail.com ● guadeloupe-alamanda.com ● À 4-5 km au sud de Bouillante. Depuis la N2, prendre la route en direction de Mantone (au niveau de l'arrêt de bus Coréal) ; 300 m plus loin, prendre l'impasse à droite, c'est au bout (fléchage timide). Compter 350-450 €/sem (70 €/nuit) pour 2 selon saison (3 nuits min). CB refusées. ☍ 4 bons petits gîtes dont le salon, la chambre et la salle de bains sont séparés par des cloisons en bois coloré. Vue plongeante sur la mer, que l'on retrouve d'ailleurs de la piscine. Également une villa pour 2 couples. Barbecue. Accueil sympa, ambiance conviviale et, le lendemain de votre arrivée, vous aurez même droit à un vrai petit déj. Possibilité de repas sur demande.

Très chic

⌂ **Infiniti Blue** (hors plan par B2) : chemin de Matone, à **Coreil.** ☎ 05-90-46-75-20. ● infinitiblue@outlook.com ● infinitiblue.net ● À env 5 km au sud de Bouillante. Depuis la N2, prendre la route en direction de Mantone et continuer après les gîtes Alamanda, c'est sur la droite. Compter 670 €/sem en bungalow. Chambre d'hôtes 140 €/nuit pour 2 avec petit déj. ☍ Le nom ne triche pas : du bleu, rien que du bleu en face de vous, avec un arc-en-ciel pour couronner le spectacle ou un coucher de soleil selon l'heure et l'humeur. Tout ça vu du deck ou de la piscine à débordement. Pour le reste, confort, sérénité, professionnalisme et gentillesse au programme, que l'on profite des bungalows ou de la chambre d'hôtes. Jacuzzi, repas délicieux sur demande, aux saveurs thaïes ces derniers temps.

À *Birloton*

Sur les hauteurs de Pigeon, 3 adresses un peu perdues dans la forêt, au départ d'itinéraires de canyoning et de traces de randonnée. Pour s'y rendre, prendre la route de Caféière-Birloton, au nord de Pigeon (repérer l'arrêt de bus Birloton), et, environ 500 m plus loin, à la patte-d'oie, le chemin de l'Habituée-Négresse à droite. Les gîtes sont 1,5 km plus loin, le *Hamac Camp* encore un peu plus haut. Attention, c'est la jungle, ça grimpe, et la route n'est pas toujours en très bon état !

De bon marché à prix moyens

🏠 *Le Hamac Camp (hors plan par B2, 16) :* chemin de l'Habituée-Négresse. 📱 06-90-63-53-53. ● hamac.camp@gmail.com ● *Nuitée 25 €/pers, petit déj 5 €/pers. Formule avec sortie nature 60 €/pers. Résa obligatoire. Parking à l'entrée du chemin (monter sur 150 m). Prendre le strict minimum avec soi.* Les propriétaires, Anne et Dom, s'occupent d'activités nature depuis 20 ans. Vivant sur place, ils vous accueillent, en fonction du temps, sur leur exploitation agricole (vanille, ananas). Le site dispose de 2 carbets avec la possibilité de 4 à 5 hamacs par carbet (moustiquaire, duvet, drap et lampe). Toilettes sèches, douche extérieure à l'eau de rivière, kit petit déjeuner, espace collectif autour d'un feu de camp avec vue imprenable sur les reliefs de la Basse-Terre. Sorties nature hors sentiers battus avec Dom.

🏠 *Les Jardins de l'espérance (plan B2, 11) :* chemin de l'Habituée-Négresse. ☎ 05-90-98-88-27. 📱 06-90-42-91-11. ● info@jdle.net ● *jdle.net* ● *Selon saison, env 360-490 €/sem pour 2, 590-720 €/sem pour 4.* 🛜 Au pied d'un magnifique rideau de jungle, 2 maisons créoles enfouies dans la verdure, toute jaunes, s'inspirant habilement du style traditionnel. On a été vraiment séduits par le lieu, d'autant que la piscine au beau milieu du site renforce cette impression d'isolement sauvage. Déco sympa et colorée, bon confort avec mezzanine pour la plupart, cuisine ouverte. Bon accueil de Victoria et d'Yves. Une belle adresse pour une immersion dans la nature.

🏠 *L'Escale tropicale (plan B2, 17) :* chemin de l'Habituée-Négresse. ☎ 05-90-32-05-52. ● escale-tropicale@wanadoo.fr ● escale-tropicale. com ● *Bungalows 2-4 pers 340-570 €/sem selon saison.* 🛜 Cette escale propose 4 gîtes blottis les uns contre les autres, en lattes de bois aux couleurs pastel, parfaitement tenus et régulièrement repeints. Tous avec terrasse et cuisine ouverte face au jardin, ventilo et clim, moustiquaires et très bonne literie. Piscine. Excellent accueil de Daniel et Sylvie.

Au nord de Bouillante et à Pigeon

Hameau à peu près à mi-chemin entre Bouillante et Malendure, Pigeon regroupe une grande partie des bonnes adresses du coin, disposées de part et d'autre des rues grimpant vers la montagne. Et plus on se rapproche du sommet, plus la vue est époustouflante, logique !

De prix moyens à plus chic

🏠 *Gîte Le Soleil latino (plan B2, 15) :* route de Poirier, au morne Michot. ☎ 05-90-98-64-61. ● au.soleil.latino@gmail.com ● soleil-latino.com ● *Monter sur 2 km env, c'est le dernier gîte de la route. Gîtes 2-7 pers 315-364 €/sem. CB refusées.* 🛜 Une sorte de nid d'aigle perché à flanc de montagne, qui domine fièrement la mer et la forêt tropicale. Une adresse pour les routards dans l'âme (mais pas adaptée aux enfants), pas trop regardants sur l'entretien. André Paume a posé ses valises ici et fait tout lui-même ; il joue de la guitare et de la harpe sud-américaine, comme au bon vieux temps. Ce gîte très simple, qu'il continue d'entretenir de son mieux, comprend 3 chambres, avec ventilo et coin cuisine, qui donnent sur une grande terrasse avec

BASSE-TERRE

hamacs (et toujours cette superbe vue), l'endroit idéal pour siroter l'excellent punch maison.

🛏 *Harmonie créole (hors plan par B2, 10) :* 1, impasse Camille-Turlet, à **Desmarais.** ☎ 05-90-46-01-28. 📱 06-90-43-80-91. ● info@harmoniecreole. com ● harmoniecreole.com ● À 2 km au nord de Bouillante par la N2 ; tourner en direction du collège Fontaine ; 1re rue à droite vers le lotissement des Morselles, c'est 300 m plus loin à gauche. Doubles 79-99 €, petit déj plantureux inclus. 📶 📺 Vue aussi perchée que sublimissime sur la mer Caraïbe, qui vous accompagne du petit déj à l'apéro en passant par le jacuzzi posé dans le jardin. Chambres pas immenses mais décorées avec goût et des couleurs vives. Gianpaolo et Francesco ont l'art de mettre à l'aise des hôtes qui se déchaussent pour monter dans leurs chambres, se partagent la salle de bains avec le sourire et se retrouvent sur la terrasse panoramique autour d'un repas végétarien italien goûteux.

🛏 *La Koumbala (plan B2, 12) :* 9, résidence du Soleil Couchant. ☎ 05-90-26-43-79. ● isabel@koumbala.com ● koumbala.com ● Remonter la route de Poirier sur 600 m et entrer (à droite) dans la résidence ; c'est tt au fond du chemin (en haut, fourche de gauche). Bungalows 2-4 pers 390-660 €/sem selon capacité et saison. 📶 Dans une belle végétation, au bord d'une petite rivière chantante, 2 bungalows en bois joyeusement colorés. Ils sont coquets et bien conçus, notamment grâce à d'agréables terrasses avec cuisine ouverte et hamac. La piscine, avec vue sur mer, est un plus non négligeable, de même que l'accueil très souriant d'Isabel... Un petit nid bien tranquille, assez enchanteur !

🛏 *Ti Gli Gli (plan B2, 20) :* route de Poirier, au morne Michot. 📱 06-90-59-30-95. ● contact@tigligli.com ● tigligli.com ● Accès en face du gîte Soleil Latino. Compter 420 €/sem (65 €/ nuit) pour 2 (4 nuits min). 📶 En pleine nature, 3 bungalows tout en bois façon Robinson Crusoé, le confort en plus. Simples mais bien équipés avec clim naturelle. Grand carbet commun, espace avec barbecue et

four à pizza. Chaque semaine, les très accueillants proprios invitent leurs hôtes à un repas qui se finit par la chanson du *Ti Gli Gli.* Bref, une sorte de *Club Med* (en mieux !) pour les amoureux de calme et de nature. D'ailleurs, le lieu est adhérent de la Ligue pour la protection des oiseaux et, pendant que Dédé vous chouchoute, Martine propose un incroyable programme de randos dans la forêt, notamment aux personnes à mobilité réduite (voir plus bas la rubrique « À voir. À faire »).

🛏 *Chalets Sous-le-Vent (plan B2, 23) :* route de Poirier. ☎ 05-90-98-91-61. 📱 06-90-59-43-10. ● reservations@souslevent.biz ● souslevent. biz ● ♿ Chalets 2-3 pers 350-450 €/ sem. Également des forfaits incluant véhicule et plongée. 📶 Sur un grand terrain de 2 300 m², avec une belle pelouse, une piscine sécurisée, quelques chalets simples mais sympas. Le « Marlin » est le plus grand (40 m²), le seul aussi à bénéficier de la clim et d'une vue sur la mer. Et l'ensemble offre une vue sur les îlets Pigeon, centre de la réserve Cousteau : est-ce pour garder un œil sur sa plongée du lendemain que l'adresse attire autant les plongeurs ? Bon accueil de Véro et Alex.

🛏 *Gwo Caillou (label Parc national de la Guadeloupe ; plan B2, 18) :* rue de la Glacière. ☎ 05-90-98-99-97. ● contact@gwocaillou.com ● gwocaillou.com ● Sur la N2 en direction du sud, passer l'arrêt de bus Birloton, puis un petit pont et prendre la 1re route à gauche sur 300 m. Compter 300-1 120 €/sem selon taille et saison. 📶 Dans un superbe et paisible jardin tropical, de spacieuses cases créoles (de 58 à 120 m² !) en bois de Guyane rouge, installées autour d'une piscine camouflée dans la verdure. Déco soignée et équipement exemplaire : cuisine complète et coquette, lave-linge, AC, barbecue, coin repas avec bar (pour les plus grandes) et terrasse agréable avec hamac. Accueil sympa de Jeanne et Luc Schroeder, des Luxembourgeois venus trouver le réconfort sous les palmiers.

Où manger à Bouillante et dans les environs ?

Peu d'adresses à Bouillante même, n'hésitez pas à pousser un peu vers le sud, vers Vieux-Habitants ou jusqu'à Malendure, à 7 km au nord, où le choix est meilleur.

De prix moyens à chic

|●| *Aux 4 Mondes (hors plan par B2) :* en bord de N2, à 1,5 km au sud de Bouillante, sur la gauche de la route juste avt de tourner vers l'habitation Massieux. ☎ 05-90-41-63-79. 📠 06-90-47-07-66. ● resto@aux4mondes.com ● Ouv midi et soir mar-ven, slt le soir sam-dim. Menus 19-29 € ; plats 14-22 €. Café ou thé offert aux porteurs de ce guide. Grande terrasse ouverte et agréable, à la déco étudiée, avec la mer en point de vue. Bonne cuisine créole agrémentée de quelques plats venus d'ailleurs comme le poulet sénégalais et le wok de légumes aux gambas. Accueil charmant.

|●| *Les Tortues (hors plan par B2) : Anse Duché (ou Anse des Tortues),* à env 4 km au sud de Bouillante. ☎ 05-90-98-82-83. Indiqué sur la droite, à côté du club de plongée La Rand'eau. Tlj 10h-15h30, plus jeu-sam 19h-23h. Formules 12-15 € ; menu ½ langouste 28 €. Une cuisine créole simple et bonne, à déguster sur la terrasse devant la mer au son du clapotis sur les rochers. Profiter d'une petite baignade dans cette jolie petite crique (prévoir des chaussures pour les rochers). Bonne musique et accueil décontracté.

|●| *Chez Ginette (hors plan par B2) :* plage de Petite-Anse, env 6 km au sud de Bouillante. 📠 06-90-31-26-20. Tlj le midi sf lun. Congés : août-sept. Repas env 13-20 €. Sur la très belle crique de Petite-Anse, un *lolo* de plage, avec quelques tables sous une paillote et la cuisine dans une espèce de roulotte... où officie Ginette, une femme pétillante et dynamique. Au menu, spécialité de *ouassous* au coco, salades, colombo, chatrou ou poisson. Parfois un peu d'attente : le mieux est de commander, puis d'aller piquer une tête dans la mer, juste devant vous !

|●| *Eddy's Papillon (hors plan par B2) :* au centre du bourg. ☎ 05-90-99-80-10. 📠 06-90-42-36-42. ● leddyspa pillon@hotmail.fr ● ♿ Tlj sf dim soir et mer. Pizzas 10-14 €, plats 12-20 € ; menus 16-35 €. Digestif maison offert sur présentation de ce guide. Un resto dans une agréable véranda face à la mer, décoré d'un joli vert flashy, avec cœur, par le très souriant Eddy. Il a concocté une carte créole appréciée des riverains comme des touristes avec, notamment, la fricassée de *ouassous* au coco et le flan giraumon. Également, le soir, des pizzas. Résultat : c'est bon et l'ambiance est sympa.

|●| *O Z'épices :* à *Falaise,* env 1 km au nord de Bouillante, sur la gauche de la route. ☎ 05-90-38-87-61. Tlj sf dim soir, lun midi et mar. Formule déj en sem env 25 € ; plats 18-30 €. Habillé en rouge pétant, ce resto de bord de route propose, et c'est assez rare, une vraie « cuisine évolutive », comme précise la carte. Entrecôte sauce cacao pays, marmite de fruits de mer flambés au vieux rhum... Les fines saveurs qui s'échappent des assiettes ont assis la réputation du lieu rapidement.

BASSE-TERRE

Où acheter de bons produits ?

✺ *Cap Créole (plan A2, 40) :* en bord de N2 (face au stade). ☎ 05-90-95-45-66. Tlj sf dim 8h-18h30 (coupure déj 13h-15h ven-sam). Rillettes de poisson, thazar et marlin fumés, et plein d'autres superbes produits bien frais et traités sur place. Également, selon la saison, feuilleté aux lambis. De quoi se préparer de bons petits apéros et plein de choses à rapporter à la maison (sous vide).

À voir. À faire

🗿 *La chapelle du Dépôt :* bâtie par Ali Tur en 1931, elle jouxte l'église de Pigeon, édifiée par la suite pour la remplacer.

– *Découverte des sources chaudes :* on en trouve une, appelée « bain du curé », à la plage de l'Anse à Sable, à l'entrée sud de Pigeon, à vrai dire peu séduisante... Et une autre, très courue le week-end et les soirs de pleine lune (si, si !), au lieu-dit Thomas (à 2,5 km au sud de Bouillante). Repérez le panneau indiquant « Ravine-Thomas » ; garez-vous sur le parking et prenez le chemin sur la droite (en faisant face à la mer), le bassin est au bout, 150 m plus loin. Un spa naturel en quelque sorte, avec une eau à 70 °C minimum (à la sortie), et une chaleur plus intense près de la falaise. Pas la peine d'y rester des heures, ce serait même déconseillé.

➤ *Randonnées :* avec *Éco Balades,* route de Poirier, à *Pigeon* (aux gîtes Ti Gli Gli, voir « Où dormir dans le coin ? »). ▯ 06-90-59-30-95. ● *rando@tigligli.com* ● tigligli.com ● ☘ Compter 35 € la ½ journée, 50 € la journée, bivouac et trek (2 j. avec nuit dans un hamac) env 150 €. Pour découvrir la côte Sous-le-Vent à pied, du bord de mer à la Soufrière, Martine, accompagnatrice en montagne diplômée d'alpinisme, a des thèmes plein le sac, une multitude de cordes à son arc (faune, flore, histoire, géologie), et propose également de formidables randonnées en *Joëlette,* une sorte de chaise à porteurs roulante sacrément bien conçue qui permet aux personnes à mobilité réduite de profiter de toutes ces balades. Un grand bravo !

Plongée sous-marine

À deux coups de palmes des superbes spots de Malendure, haut lieu de la plongée en Guadeloupe, massivement fréquentés, les environs immédiats de Bouillante recèlent également des beautés sous-marines inattendues, notamment une abondance d'herbiers riches en tortues. Les deux clubs ici référencés ont l'énorme avantage d'être loin de la foule et de proposer des prestations en petit comité, y compris sur les sites de Malendure : profitez-en !

Clubs de plongée

■ *La Rand'eau : Anse Duché (ou Anse des Tortues),* à env 4 km vers le sud. Tourner à droite au grand panneau du resto Les Tortues. ▯ 06-90-57-06-05. ● *contact@larandeau.com* ● larandeau.com ● *Baptême 50 €, exploration 40 € ; rando palmée 30 € ; safari tortues 40 € ; kayak 20 € (½ journée) ou 30 € (1 j.).* Ben et son équipe, bien sympa et dynamique, proposent des plongées, des randos palmées et des balades en kayak, pour découvrir ce joli coin. Excursions en petit comité, explications savantes dans le fond (et même en surface), mais amenées avec modestie et humour. Demandez-leur leurs petits secrets : la rando palmée pour découvrir les tortues vertes de Malendure (un must !), la plongée sur (et dans) le cargo *Augustin-Fresnel...*

■ *Habiss Plongée : Anse à la Barque,* juste au sud de Bouillante, commune de *Vieux-Habitants.* ☎ 05-90-95-79-49. ▯ 06-90-95-01-90. ● *habiss-plongee.com* ● *Baptême 50 €, plongée 40 €, pack découverte 160 €.* À l'écart de la foule puisqu'il part d'un petit ponton sur la charmante plage d'Anse à la Barque. Bonne ambiance qui n'exclut pas le professionnalisme.

Nos meilleurs spots

┌─────────────────────────────────────┐
● Carte Basse-Terre *p. 127*
└─────────────────────────────────────┘

La pointe des Trois-Tortues (carte Basse-Terre, 18) : au sud de Bouillante. Niveau 1. Innombrables bébés poissons-perroquets, papillons, anges... sur cette langue rocheuse qui part de la côte en pente douce (0 à - 27 m). Une plongée haute en couleur, avec beaucoup de coraux et d'éponges. Parfois des tortues. Les confirmés s'y régalent aussi.

🐚 *La pointe Quesy (carte Basse-Terre, 17) : au sud de Bouillante.* Plongeurs de tous niveaux (idéal pour les baptêmes). Connue pour ses sources chaudes (d'eau douce !) sous-marines, une succession d'éboulis, arches et tunnels, recouverts de coraux et peuplés de langoustes royales ou brésiliennes. Quelques poulpes malicieux, de classiques poissons coralliens multicolores et des barracudas solitaires. Une belle plongée facile. À proximité, sur fond de sable, repose l'épave du navire *Augustin-Fresnel* (30 m de fond, 60 m de long), exceptionnelle...

🐚 *La pointe Joubert (carte Basse-Terre, 16) : au sud de Bouillante.* Pour plongeurs de tous niveaux. Coulée de lave envahie par le corail, avec de belles gorgones, des éponges tubulaires et des cratères multicolores. Dans les failles, murènes, langoustes et poulpes. Une plongée riche en découvertes.

LA PLAGE DE MALENDURE (97125)

- Carte Pigeon et Malendure (commune de Bouillante) *p. 165*

BASSE-TERRE

À 7 km au nord du bourg de Bouillante, cette plage de sable noir est réputée pour son magnifique espace sous-marin appelé « réserve Cousteau ». Malendure et ses fameux îlets Pigeon sont devenus le haut lieu de la plongée en Guadeloupe. Tout le monde s'est donné le mot, et on vient ici observer les poissons par minibus entiers. Toutes les combinaisons sont bonnes, y compris en bateaux à fond de verre, ce qui, bien sûr, n'est pas sans conséquences sur l'écosystème de la zone.

LE PLUS CÉLÈBRE BONNET DU MONDE... DU SILENCE !

Depuis le début des années 1980, on appelle communément le secteur des îlets Pigeon la « réserve Cousteau », car le célèbre commandant y aurait tourné une partie de son film Le Monde du silence *dans les années 1950. Depuis 2004, un buste du plus célèbre marin à bonnet rouge repose par 12 m de fond au pied des îlets.*

Depuis l'intégration de la plage en 2009 au parc national de la Guadeloupe, la surfréquentation qui menace à terme l'avenir de ses magnifiques eaux n'a pas vraiment ralenti. D'où cette volonté de réglementer le stationnement, payant (plus ou moins cher) selon les zones. Certes, il serait dommage de ne pas s'y arrêter pour chausser les palmes et plonger la tête sous l'eau (oh, la belle tortue verte !), ou bien partir observer en surface dauphins et baleines. Veinards que vous êtes, il y a des cétacés toute l'année par ici ! C'est assez incroyable, on sait.

ET L'ÉCOSYSTÈME MARIN DANS TOUT ÇA ?

Les activités subaquatiques et de surface à haute dose s'avèrent difficile à concilier. Les bateaux à fond de verre, bouées tractées et autres jet-skis slaloment entre les kayaks et les nageurs à palmes et tuba disséminés ici et là, et la pression sur l'écosystème marin se révèle problématique. Sans parler de la pêche, que les pêcheurs locaux continuent de pratiquer à la senne (la zone est interdite de pêche, sauf pour eux), du comportement irresponsable de certains plongeurs qui s'accrochent aux coraux (par exemple pour prendre des photos !) ou, tout simplement, du réchauffement climatique... qui tue le corail. Il semble néanmoins que les autorités du parc national (dont les moyens sont toutefois limités) et les acteurs commerciaux du site s'attachent à prendre des mesures pour ralentir la dégradation des fonds et pour garantir la sécurité des plongeurs et des baigneurs autour des magnifiques îlets Pigeon (classés Cœur du parc national) : interdiction des mouillages sur ancre (remplacés par l'arrimage à des bouées, réduction du nombre de plongeurs dans un même espace – en proposant notamment de nouveaux spots plus au large –, enfin interdiction de pêcher et de nourrir les poissons comme ce fut longtemps le cas. En revanche, pour ce qui est de la préservation à long terme de l'écosystème, on est encore loin du compte...

CÉTACÉS DE GUADELOUPE

D'une manière générale, les migrations des mammifères marins sont encore assez mal connues. Ici, on verra essentiellement des **cachalots** (entre 20 et 50 t, de 12 à 18 m), plusieurs espèces de dauphins, comme le **dauphin tacheté pantropical** que l'on peut observer en groupe, les **globicéphales, pseudorques, baleines à bec...** Une vingtaine d'espèces en tout. Les **cachalots** sont des animaux semi-sédentaires observés sur l'ensemble des côtes Sous-le-Vent de la Guadeloupe, de la Dominique et de la Martinique. Les femelles séjournent dans cette zone toute leur vie pour élever leurs petits. Les mâles, lorsqu'ils atteignent leur maturité sexuelle, quittent le groupe et s'en vont vivre leur vie, sans que l'on connaisse précisément leur route migratoire. On estime la population totale à environ 500 individus.

L'AMOUR EN GRAND

Pas folles, les baleines célèbrent leurs amours dans les eaux chaudes des tropiques, où les soupirants font assaut de démonstrations de puissance pour emporter le cœur de la belle : sauts, chants, tous les coups (de nageoires) sont permis ! Au final, l'accouplement est classique pour un mammifère (monsieur étant équipé d'un pénis long de 2 m, quand même !). Madame portera entre 12 et 16 mois le fruit de cette union, avant de perdre les eaux...

Les **baleines à bosse,** elles, sont une espèce migrante. Longues de 10 à 15 m, pesant entre 20 et 40 t, elles fréquentent les eaux chaudes des Caraïbes de décembre à mai pour se reproduire et mettre bas. C'est donc tout à la fois une chambre nuptiale, une salle d'accouchement et une nurserie. Leurs chants et leurs sauts constituent un spectacle absolument unique. Pour info, seuls les mâles chantent. Pour attirer les femelles, avancent certains. Après leur séjour dans les Caraïbes, elles rejoindront les eaux plus froides de l'atlantique Nord pour se gaver de krill et reconstituer leur couverture graisseuse. On a tracé cette migration sur plusieurs milliers de kilomètres (jusqu'à 8 000 km) en les marquant avec des balises électroniques reliées à des satellites. Les **baleines à bec,** quant à elles, sont supposées être des mammifères sédentaires qui passent le plus clair de l'année à l'abri de la côte Sous-le-Vent.

En ce qui concerne les **dauphins,** selon les espèces, certains peuvent être sédentaires... si on ne les dérange pas. D'autres semblent être semi-sédentaires et on les revoit régulièrement dans les eaux au large de Malendure.

Si la côte Sous-le-Vent (Bouillante et Malendure) est la zone où l'on peut observer la plus grande variété d'espèces et le plus grand nombre d'animaux, les autres côtes de la Guadeloupe accueillent également des spécimens intéressants comme le **grand dauphin** ou le **dauphin sténo** (à noter), etc.

Observation et protection

L'observation, assez récente en Guadeloupe, se présente sous plusieurs formes. Depuis les côtes (pointe de la Grande-Vigie, pointe des Châteaux) ou grâce à des opérateurs spécialisés pour des sorties en pleine mer d'une demi-journée environ, à bord de bateaux homologués. Un guide naturaliste spécialisé est toujours présent à bord, et ces bateaux doivent respecter un code de bonne conduite. Certains opérateurs aident également la communauté scientifique en communiquant les données d'observation réalisées lors des sorties au sanctuaire l'AGOA (qui fait référence à la déesse de la mer dans la mythologie amérindienne). Cet organisme s'étend à l'ensemble des îles françaises (138 000 km²) et incite les États voisins des Caraïbes à créer d'autres sanctuaires. Trente-sept États et territoires ont signé en 1983 la Convention de Carthagène pour la protection et la mise en valeur des milieux marins de la Caraïbe.

TORTUES, PAS TOUCHE !

De plus en plus de gens connaissent le spot comme l'un des plus faciles d'accès pour voir des tortues, et ce n'est pas un problème en soi. Les résultats d'une étude menée en 2015 par l'association Kap Natirel, l'UAG et l'ONCFS indiquent qu'au moins 82 individus différents (on peut les distinguer grâce à la disposition et la forme des écailles) fréquentent la baie.

Le « souci » repose sur l'approche. Nombreux sont ceux qui les poursuivent, les attrapent, les touchent, voire s'accrochent à la carapace. Alors que cela est formellement interdit par l'arrêté de protection de 1991. Toutes les espèces de tortues marines sont donc protégées en Guadeloupe ainsi que leurs habitats. Si la connaissance du spot est une bonne chose potentiellement pour la sensibilisation, trop peu de gens connaissent et/ou respectent les règles d'approche et ce, malgré une intense communication.

Les risques : un stress induit pour les individus qui perdent alors en apports de nutriments (les tortues vertes sont en gros des ruminants marins, qui ont besoin de manger une bonne partie de la journée) et donc un affaiblissement à court terme, ainsi que la désertion du site à moyen terme.

BASSE-TERRE

Adresses utiles

🛈 *Office municipal de tourisme* (plan A1, 2) *: bureau annexe, sur la plage.* ☎ 05-90-98-86-87. *En sem slt 9h-17h (15h mer).* Tout type d'infos sur le coin et riche documentation, notamment une carte du secteur bien faite et gratuite.
✉ *Poste* (plan A-B2) *: à* **Pigeon** *et à* **Bouillante**, *au sud. Fermé mer ap-m, sam ap-m et dim.*
◼ *Distributeur de billets :* AUCUN !

Se rendre à la poste de Pigeon. Distributeur à l'intérieur, uniquement aux heures d'ouverture.
🚌 *Arrêts des bus : au niveau de l'office de tourisme.* Pour les horaires et fréquences, voir « Arriver – Quitter » à Bouillante.
⬦ *Centre commercial* (plan A1, 63) *:* supermarchés, station-service, pharmacie et boutiques.

Où dormir ?

Voir aussi plus haut toutes nos adresses à Pigeon et à Bouillante, à quelques kilomètres de là, pour un plus grand choix.

De prix moyens à plus chic

🛏 *Gîte Mayo* (plan B1, 21) *: morne Tarare.* ☎ 05-90-80-34-60.

🛏 06-90-71-06-77. ● *contact@gite-mayo.com* ● *gite-mayo.com* ● *Après la station-service* Vito *(venant de Bouillante) et le cours d'eau, prendre la côte à droite, puis en bas, juste après le grand parking, le chemin à gauche. Chambres d'hôtes 85 €/nuit petit déj inclus et studios 400-440 €/ sem.* 📶 *Dans une villa accrochée à flanc de colline et dominant la côte, 5 chambres d'hôtes (2-4 personnes)*

BASSE-TERRE

sobres et coquettes, la plupart côté mer (vue fabuleuse sur l'îlet Pigeon pour certaines !), et 2 studios (2-4 personnes) dans le même esprit, avec cuisine ouverte sur terrasse et vue sur la baie. Pour les chambres d'hôtes, salle à manger et cuisine à partager. Piscine dans la végétation. Bon accueil.

🏠 *Gîtes Bajapo* (plan B1, **22**) : morne Tarare. ☎ 05-90-98-72-76. ● bajapo@ orange.fr ● amivac.com/bajapo ● Un peu après le *Gîte Mayo*, par une rue qui descend sur la gauche. Pentu, on peut le dire. Compter 315-420 €/sem (60-70 €/nuit) selon taille (2-4 pers) et saison. 📶 En rez-de-jardin, 2 studios en dur, simples mais convenables (cuisine semi-extérieure, AC), avec vue timide sur la mer. Plus cher, celui à l'étage est aussi plus grand, tout en bois et davantage équipé. Panorama sur les îlets Pigeon grandiose depuis la terrasse commune équipée d'un bar. Accueil sympa de Daniel et de l'espiègle Valérine, en général autour d'un bon rhum coco.

🏠 *Habitation Colas, chez Sandrine et Serge Simonneau* (hors plan par A1) : chemin Colas, à **Mahaut** (commune de Pointe-Noire, 97116). ☎ 05-90-98-34-76. ● gitecolas@gmail.com ● gite-en-guadeloupe.fr ● À 3 km au nord de Malendure, 500 m avt la route de la Traversée, prendre la 1re à droite après la Rivière-Colas ; monter sur 400 m (prendre à droite à la fourche). Compter 75-90 €/nuit pour 2. 📶 Perchée tout en haut d'une côte bien raide, cette charmante propriété jouit d'un bel environnement. Plantés dans un jardin où s'imbriquent joliment rochers volcaniques et végétation, 3 bungalows coquets pour 2-5 personnes, colorés et plutôt bien aménagés (meubles choisis, jeux de société, clim...). Grandes terrasses plaisantes et intimes. Piscine, rivière à proximité... Calme olympien, dépaysement complet.

Où manger ?

Bon marché

🍴 *Chez Dada* (plan A1, **31**) : à Galets-Pigeon. ☎ 05-90-98-13-40. Sur le front de mer, en bord de route, côté droit en allant vers le nord. Tlj en hte saison ; sinon, fermé ts les soirs et dim midi. Congés : sept. Formules 12,50-15,50 €. CB refusées. Plats créoles servis dans une petite salle croquignolette et proprette, agrémentée de quelques plantes. Cuisine familiale de très bonne tenue. Excellents acras, colombo de cabri, chatrous, ou encore fricassée de calamars, entre autres. On se régale ! Service sympa et décontracté. Un très bon rapport qualité-prix. Seul bémol : le continuel vroum-vroum de la route le midi ; énervant ! Accueil pétaradant lui aussi, d'ailleurs.

De prix moyens à chic

🍴 *La Touna* (plan A1, **35**) : à Galets-Pigeon. ☎ 05-90-98-70-10. ● contact@la-touna.com ● Au sud de la plage de Malendure, côté mer. Tlj sf dim soir et lun. Congés : de mi-juin à mi-juil. Menus 23-30 € (45 € avec langouste) ; plats 15-30 €. 📶 Cette ancienne cabane de pêcheur transformée en un vaste resto ouvert sur la mer offre un cadre à la fois relax et soigné. Coin *lounge* sur la plage, avec fauteuils garnis de coussins pour siroter un cocktail au soleil couchant (la vie de château !). Fine cuisine franco-créole qui fait la part belle aux produits de la mer, servis avec élégance et simplicité, bien dans l'esprit du lieu. Tapas le soir à partir de 18h30.

🍴 *Le Rocher de Malendure* (plan A1, **32**) : au sud de la plage de Malendure, en bord de route, sur le rocher. ☎ 05-90-98-70-84. ● rocher-malendure971@gmail.com ● VHF 72 (mouillage et ponton si vous arrivez par la mer autrement qu'à la nage !). Tlj sf mer. Résa conseillée le midi. Congés : sept. Plats 16-35 € ; menus 19-32 € (49 € avec langouste). Difficile de rester insensible à la vue panoramique depuis ses différentes petites terrasses étagées sur le fameux rocher ! Resto en lui-même plutôt vieillissant. Comme la *Capes* est aussi chère que le ti-punch, prenez l'apéro avec quelques tempura de *ballaou* (la sardine locale), un thon grillé pesto, et basta. Service plus ou moins décontracté.

Où boire un verre ?

Y *Le Coucher de Soleil (plan A1, 39) :* sur la plage de Malendure. ☎ 05-90-98-97-03. Tlj sf dim soir. Sympa pour se faire un petit bisou et surtout boire un verre en face dudit astre. Fait aussi resto, la cuisine a même plutôt bonne réputation, mais le service n'est pas rapide. Et pour rythmer les soirées du jeudi, en saison, concerts de tambours caribéens (réservez !).

|●| Y *Les Vins de la Réserve (plan A1, 34) :* rue des Galets, à *Galets-Pigeon.* ☎ 05-90-98-97-03. ▯ 06-90-40-50-47. ● lesvinsdelareserve@gmail.com ●

Sur le front de mer, pas loin de Chez Dada. *Mar-sam 16h-minuit, dim 10h-13h. Assiettes à partager 8-18 € ; vins au verre à partir de 3,50 €.* 📶 Bar à vins face à la mer où l'on peut, tout en goûtant les vins, grignoter une assiette de charcuterie ou de fromages et contempler la vue sur la terrasse en teck. Également vin à emporter.

Y Au resto *La Touna* (voir plus haut), très agréable et romantique coin *lounge* sur la plage, avec des soirées musicales de temps en temps.

À faire

– *Kayak de mer :* avec *Gwada Pagaie (plan A1, 64),* en face de la plage de Malendure. ☎ 05-90-10-20-29. ▯ 06-90-93-91-71. ● gwadapagaie.com ● *Loc 25 € la ½ journée ou 35 €/j.* Tenu par des gens sérieux, pour qui la sécurité n'est pas un vain mot ! Au retour, vous pourrez prendre une douche et vous vous verrez même offrir une boisson ! Masque, tuba et carte topographique étanche inclus dans la location. Également *Caraïbe Kayak (plan A1, 50),* sur la plage de Malendure. ▯ 06-90-74-39-12. ● caraibekayak@laposte.net ● caraibespirates.com ● *Loc 25 € pour 3 h et 35 €/j. ; réduc enfants.* Outre la location classique, ils proposent plusieurs formules, comme vous emmener aux îlets Pigeon en bouée tractée ou vous ramener par le même procédé.

– *Canyoning :* avec *Canopée (plan A1, 51),* cabanon devant la plage de Malendure, de l'autre côté de la route. ☎ 05-90-26-95-59. ● canopee.forest.adventure@gmail.com ● canopeeguadeloupe.com ● *Tlj sur résa. Différents parcours 45-70 € ; réduc enfants.* Pour découvrir la Guadeloupe côté nature sauvage. Voici quelques parcours de rêve, riches en sensations et de différents niveaux de difficulté, à la demi-journée ou à la journée (apporter son pique-nique, sans oublier l'eau). Le premier (une randonnée aquatique), à la demi-journée, peut même être fait en famille (à partir de 8 ans). Sauts et toboggans ou rappel de 10 à 35 m (plusieurs niveaux), sensations inoubliables ! Encadrement compétent et sympa qui vous conseillera le parcours le mieux adapté à vos capacités.

➤ *Randonnées pédestres :* au départ de la plage, la trace de Malendure offre deux bonnes heures de marche tranquille (pas de guide nécessaire) en bordure des criques sauvages et dans la forêt côtière avec, en prime, un beau panorama sur les îlets Pigeon. Renseignements à l'office de tourisme.

Cétacés et dauphins

■ *Association Évasion Tropicale (plan A1, 52) :* face au rocher de Malendure. ▯ 06-90-57-19-44. ● evastropic@wanadoo.fr ● evasiontropicale.org ● *Sorties quasi quotidiennes, départ vers 7h ; durée : 4-6h. Sur résa slt. Sortie env 65 € (+ 25 € d'adhésion* à l'association) ; réduc enfants. Boissons et sandwichs de poissons frais à bord. Voilà plus de 20 ans que Renato et Caroline étudient les mammifères marins, présents toute l'année (cachalots, dauphins...) ou migrant dans les eaux tropicales en hiver pour se

BASSE-TERRE

reproduire (baleines à bosse). À bord du *Tzigane VI* (bateau de 16 m, 10 personnes maximum), équipé d'hydrophones, on observe différentes espèces tout en participant à la récolte de données de l'association. Peu de monde à bord, d'où le prix tout de même très élevé de la sortie. À voir, au retour, le petit *musée Balen Ka Souflé* (GRATUIT). Participation possible aux suivis menés sur les tortues marines et autres activités de l'association. *Manolo,* fils de Renato et Caroline, propose des croisières cétacés dans le même esprit, à bord de son propre bateau, une vedette à moteurs de 10 m, dernière génération qualité environnementale, 10 personnes maximum

📟 06-90-44-14-85 ; ● *ecotourisme. baleinier@gmail.com* ●).
■ *Les Heures saines* (plan A1, *32*) : *voir coordonnées plus loin, dans la rubrique « Plongée sous-marine ». 3 sorties/sem (de 3h) lun, mer et sam. Compter 55 € ; tarifs enfants.* À bord d'un confortable catamaran à moteur de 15 m, pouvant accueillir 35 personnes, un guide naturaliste vous expliquera tout ce que vous avez toujours voulu savoir sur les cétacés et les dauphins.
■ Voir également les excursions proposées par *Guadeloupe Évasion Découverte* (lire plus loin la rubrique « À voir. À faire » à Deshaies).

Plongée sous-marine

Malendure est le haut lieu de la plongée sous-marine en Guadeloupe, avec, en point d'orgue, ses fameux îlets Pigeon, tout proches de la côte, et le buste de Cousteau que l'on peut admirer par 12 m de fond. Depuis le tournage supposé de quelques séquences sous-marines du film *Le Monde du silence,* les plongeurs ont nommé l'endroit « réserve Cousteau » et affluent en masse, totalement envoûtés par les sirènes du pacha de *La Calypso.* On parle de 50 000 à 80 000 plongées par an ! Il est vrai que les fonds marins – interdits à la pêche intensive et à la chasse sous-marine – demeurent magnifiques et plutôt préservés. On y croise une superbe diversité d'espèces sous-marines (voir le descriptif des spots). Les eaux y sont très claires et abritées, peu profondes et adaptées à toutes les palmes. Bref, des conditions de plongée idéales...

Clubs de plongée

■ *Club de plongée Bleu Passion Guadeloupe* (plan A1, *63*) : *à Pigeon, dans la zone commerciale, face au port de pêche. Tourner au niveau du Carrefour Market et aller au fond du parking, en bord de mer.* ☎ 05-90-92-85-76. 📟 06-90-16-96-82. ● *contact@ bleu-passion-guadeloupe.com* ● *bleu-passion-guadeloupe.com* ● *Résa très conseillée en saison. Baptêmes 49-59 €, plongées 34-50 €.* Bonne ambiance, petits prix, matériel de qualité. 2 sorties par jour pour 10-12 plongeurs maximum, du côté de Bouillante surtout, mais pas seulement. Plongées de nuit, ainsi qu'au *Nitrox.* Tous types de formations.
■ *Les Heures saines* (plan A1, *32*) : *sur le rocher de Malendure.* ☎ 05-90-98-86-63. ● *info@heures-saines.gp* ● *heures-saines.gp* ● ♿ *Baptêmes*

45-55 € ; plongée encadrée 45 €, autonome 35 € ; snorkelling 15 € ; forfaits dégressifs à partir de 6 plongées. L'un des principaux centres (FFESSM, ANMP, PADI) de la Guadeloupe. Les moniteurs encadrent vos balades sous-marines, à partir d'un chalutier ou d'un bateau rapide et confortable. Souvent 3 sorties par jour (dans et hors du parc national). Plongée de nuit. Également sorties d'une journée aux Saintes.
■ *Centre de plongée des Îlets* (plan A1, *62*) : *kiosque sur le parking de la plage de Malendure.* ☎ 05-90-41-09-61. ● *contact@centredesilets.fr* ● *plongee-guadeloupe.fr* ● *Baptême 47 €, plongées d'exploration 32-40 €, randonnée palmée autonome 18 €.* La grande compétence de Jaco et la gentillesse de sa femme Isabelle, ainsi

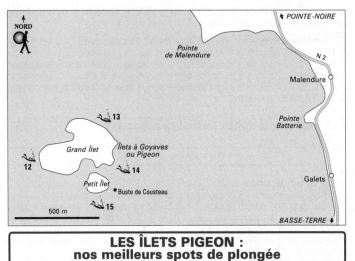

LES ÎLETS PIGEON :
nos meilleurs spots de plongée

que le côté simple et sympa du club, ont touché nos lecteurs, et ce depuis quelques années.
■ **PPK Plongée Guadeloupe** (plan A-B1, **61**) : en face de la plage, de l'autre côté de la route (kiosque également sur le parking). ☎ 05-90-98-82-43. 📱 06-90-71-15-30. ● ppkplongee@orange.fr ● ppk-plongee-guadeloupe.

com ● Baptême 50 €, plongée encadrée 40 €, snorkelling 18 €. Fred et son équipe assurent des formations des Niveaux 1 à 3 et des explorations. Toute l'année, 3 sorties par jour. Plongée de nuit et initiation enfants à partir de 8 ans. Tout le matériel nécessaire à bord du bateau.

Nos meilleurs spots autour des îlets Pigeon

● Carte Les îlets Pigeon : nos meilleurs spots de plongée p. 177

🔱 **Le Jardin de Corail** (carte Les îlets Pigeon, **14**) : à l'est du Grand Îlet. Idéal pour les baptêmes. Dès qu'on met la tête sous l'eau, c'est un festin de corail pour les mirettes ! Plongée tranquille sur ce monticule corallien (- 2 à - 10 m) très riche et survolé par des nuées de poissons multicolores. Nombreux poissons-perroquets familiers, petites demoiselles, amusants poissons-trompettes. Souvent des tortues curieuses. Une plongée éblouissante, même pour les confirmés.

🔱 **La pointe Barracuda** (carte Les îlets Pigeon, **12**) : à la pointe ouest du Grand Îlet. Pour les plongeurs de Niveau 1 minimum. Ici, les tortues ont accompagné notre descente tranquille (- 5 à - 38 m), le long de la pente naturelle de l'îlet, parmi les éboulis et les failles, abritant murènes et une grosse concentration de langoustes.

🔱 **Les sources d'eau chaude** (carte Les îlets Pigeon, **13**) : au nord-est du Grand Îlet. Pour plongeurs brevetés Niveau 1 minimum. Exploration d'une pente douce (- 23 m maximum) très riche en coraux (cerveaux de Neptune, gorgones, éponges tubulaires...). Au fond, une source d'eau chaude (environ 50 °C) et douce à - 17 m

BASSE-TERRE

(Niveau 1) et une autre à - 23 m (Niveau 2), possibles résurgences de la Soufrière. Pas mal de langoustes, gros crabes et murènes dans les trous.

◁ *La pointe Carangue (carte Les îlets Pigeon, 15) : au sud du Petit Îlet.* À partir du Niveau 1. Carangues et thazars foisonnent sur une pente douce (- 40 m maximum), prolongement de cette côte de carte postale. Riches coraux et quelques petites grottes, terrain de jeu favori des gorettes jaune et bleu. À proximité : *La Piscine,* un spot idéal pour une plongée de nuit sympa, accompagnée d'amusantes tortues somnolentes.

Nos meilleurs spots dans les environs

● Carte Basse-Terre p. 127

◁ *Le Jardin japonais (carte Basse-Terre, 10) : un peu plus au nord de la pointe de Malendure.* Pour plongeurs débutants et confirmés. Un très beau récif qui descend en pente douce (- 2 à - 28 m), avec des coulées de sable blanc, alternées de langues de coraux dans les failles desquelles se blottissent de nombreuses langoustes. Pas mal de belles gorgones. Charmante petite arche sans danger. Un site exceptionnel, où l'on peut même croiser des raies pastenagues.

◁ *Le Franjack (carte Basse-Terre, 11) : face au resto* La Touna. Pour plongeurs Niveau 1 et confirmés. Autour de l'épave de cet ancien sablier, posé bien droit sur du sable immaculé, par seulement 23 m de fond. Belle étrave ornée de coraux. Poissons sergents-majors, poissons-perroquets, colas, pagres, bancs de castagnoles... Coup d'œil sympa sur l'hélice. Également quelques balistes et parfois des tortues. Une plongée lumineuse et très agréable.

LA ROUTE DE LA TRAVERSÉE

Cette belle route (la D23) balafre les hauteurs de Basse-Terre d'est en ouest, au milieu d'une forêt tropicale humide, sorte de jungle dense et bien préservée. Depuis Mahaut sur la côte ouest, entre Pointe-Noire et Bouillante, la départementale grimpe en tournant jusqu'au col des Mamelles (615 m). Puis elle redescend vers la côte est de Basse-Terre en offrant de très belles vues sur les versants, la plaine côtière et la mer au loin. Ce trajet donne l'occasion de s'immerger dans la forêt primaire de Guadeloupe telle qu'elle était (enfin, presque !) quand les Européens débarquèrent au XVIIe s. Prudence tout de même en cas d'intempéries, la route peut même être fermée. Tout le long, plusieurs installations et activités recommandées ou gérées par le parc national de Guadeloupe, dans la forêt, à la découverte de cascades, sur les cimes des arbres ou le long de sentiers de randonnée pédestre.

À voir. À faire

🎙️🎙️ 🏃 *Le parc zoologique et botanique des Mamelles (label Parc national de Guadeloupe) : sur la D23, à env 4 km de Mahaut, sur la gauche.* ☎ 05-90-98-83-52. ● zoodeguadeloupe.com ● Tlj 9h-18h (dernière entrée à 16h30). Entrée : 15 € env ; 8,50 € 3-12 ans ; boisson offerte au snack, de l'autre côté de la route.

Audioguide : 1 €. Entrée vraiment chère malheureusement, mais ce parc, installé dans la forêt tropicale de Guadeloupe, permet d'en découvrir in situ la flore et la faune. La balade (1h30-2h) emprunte un sentier sécurisé, jalonné d'étapes péda-gogiques (panneaux) et d'enclos grillagés abritant mangoustes, iguanes, crabes, oiseaux antillais ou encore le raton laveur, mascotte de l'île, appelé ici *racoon* (qui signifie « avare » en anglais, du fait de sa rapidité à manger). Puis on passe à la faune guyanaise avec les aras, ocelots, singes-écureuils, singes-araignées et même un jaguar. Également une grotte à chauves-souris. Deux rendez-vous par jour avec les soigneurs : à 12h pour les jaguars et à 15h45 pour d'autres pensionnaires (programme journalier à l'accueil). Le parc est connu pour veiller aussi à la repro-duction des animaux en captivité, avant d'en rendre certains à la vie sauvage. À mi-chemin, le « royaume des tout-petits », un insectarium original, où chaque spécimen (phasme, dynaste, scolopendre...) se balade dans un amusant décor. Puis vient l'étape aventure du parcours : une quinzaine de ponts suspendus à 20 m de hauteur permettent aux visiteurs de plus de 1,20 m (les plus petits doivent patienter dans la *kaz à Tarzan*) d'atteindre le niveau de la canopée et d'observer la jungle depuis la cime des arbres. Assez impressionnant, même si la faune préfère attendre pour sortir les heures paisibles, où l'*Homo touristicus* cesse de se prendre pour Tarzan... – Pour ceux que la marche aurait affamés, rien de très gourmand à se mettre sous la dent, dans le secteur. Pousser jusqu'à Mahaut, en bord de mer, à 10 mn de là (voir plus loin « Où manger à Pointe-Noire et dans les environs ? »).

Le Tapeur, parc Aventure en forêt tropicale (label Parc national de la Guadeloupe) : en face du parc zoologique. ☎ 06-90-44-17-51. ● letapeur@yahoo.fr ● le-tapeur.fr ● Départs tlj 9h-15h (juil-août, départs à 9h, 12h et 15h ; pensez à réserver par tél ou mail). Entrée : 20 € ; 16 € 8-12 ans. À partir de 3 ans. Un parcours sportif intéressant et en toute sécurité à 15 m du sol. Ponts de singe ou népalais, poulies, tyroliennes seront vos gentils bourreaux pendant environ 1h30. Grand frisson garanti avec les trois tyroliennes, de 105 à 158 m de long frôlant la cime des arbres à 30 m de haut. La piste du Foufou est encore plus fofolle ! Noc-turnes de temps en temps.

La Maison de la forêt : sur la droite de la D23, 5,5 km après le col des Mamelles. ● guadeloupe-parcnational.fr ● rando.guadeloupe-parcnational.fr ● Lun-sam 8h30-13h, 13h30-16h30 ; dim 9h-13h15. Fermé w-e hors saison (horaires quasi identiques). GRATUIT. Vitrine du parc national de Guadeloupe, cette petite maison abrite une exposition illustrant la forêt guadeloupéenne, son histoire, son exploitation par les populations successives. Des pros de la rando vous y rensei-gneront sur le parc. Organise également des activités gratuites (mais sur ins-cription) pour adultes et enfants de mi-juillet à mi-août.

Randonnées dans la forêt tropicale : la Maison de la forêt marque le point de départ de deux balades superbes, le *sentier découverte* et la trace de *Bras-David* (20 mn ou 1h de marche). Renseignez-vous sur place sur l'état du terrain avant de partir, c'est plus sûr. Difficile de se perdre, les deux sentiers étant parfaitement balisés autour du site de *Bras-David,* spécialement aménagé par le parc national de Guadeloupe, avec pancartes à l'appui (petit guide disponible à la Maison de la forêt). En cours de randonnée, on découvre les arbres et les plantes et on longe un torrent impétueux encombré de blocs rocheux. Deux autres circuits, l'un de 1h30, appelé *trace des Ruisseaux* (3 km), et l'autre de 3h, *trace de la Rivière Quiock* (4,5 km), qui traverse 17 fois la rivière en question (!), sont recommandés aux randonneurs, sauf en cas de pluie. Attendez-vous dans tous les cas à un fes-tival de couleurs, d'odeurs, de bruissements et autres stridulations. Un vrai plaisir des sens !

La cascade aux Écrevisses : 2 km après la Maison de la forêt. Cette courte balade de 10 mn aller-retour (700 m), entièrement aménagée pour l'accès aux per-sonnes à mobilité réduite et pour les malvoyants (panneaux en braille, fil d'Ariane), aboutit à une belle petite cascade. Site plutôt charmant et possibilité de baignade (très touristique). Aire de pique-nique, au bord de la rivière.

¶¶ *Le saut de la Lézarde* : *sur la route de la Traversée.* Superbe balade mais quelque peu difficile à localiser (longtemps chasse gardée des guides). Descente sportive. Terrain gras nécessitant de bonnes chaussures. Voir plus haut « Dans les environs de Petit-Bourg. Randonnées pédestres ».

POINTE-NOIRE   (97116)   6 900 hab.

● Plan *p. 181*

Pointe-Noire, gros bourg animé, s'étire le long de la mer au pied de monts boisés de la côte ouest de Basse-Terre. Il tire son nom des roches noires volcaniques qui l'encerclent. On y trouve encore quelques jolies maisons créoles en bois et, du côté de la mairie, une Marianne polychrome, ainsi qu'un curieux monument aux morts. Les habitants de cette bourgade tranquille ont longtemps été considérés comme des gens indépendants et rebelles (un groupe de planteurs armés obtint, en 1715, la suppression d'un impôt instauré par le roi, « l'Octroy par tête de Noir »...). Aujourd'hui, les Ponti-Neris vivent de la pêche, de l'exploitation de la forêt, de l'ébénisterie, et se consacrent aussi à la culture du café – un pur arabica très doux – qui fait le bonheur des amateurs. Une aubaine : Pointe-Noire et ses environs forment une micro-région riche en sites à visiter.

Arriver – Quitter

En bus : *arrêts face à l'église (plan zoom) pour les liaisons avec* **Pointe-à-Pitre** *(par la route de la Traversée),* **Bouillante** *et* **Basse-Terre.** *Autre arrêt à l'angle des rues Baudot et de la République (plan zoom) pour les liaisons avec* **Deshaies.**
➤ *Malendure, Bouillante, Vieux-Habitants et Basse-Terre (ville) :* ttes les 30 mn lun-ven (5h-18h), un peu moins fréquents sam, hypothétiques

dim. Société *TCSV* (☎ 05-90-86-43-56 ; 06-90-35-02-68).
➤ *Pointe-à-Pitre par les Mamelles (route de la Traversée) :* ttes les 30-60 mn lun-ven (5h30-16h30), ttes les 1h-1h30 sam (dernier bus vers 15h) et 1 bus (théoriquement !) dim et j. fériés.
➤ *Deshaies :* ttes les 20-30 mn lun-sam 6h30-17h30. Société *Corniche d'Or.*

Adresses utiles

🛈 *Office de tourisme* (plan A2) : *route des Plaines.* ☎ 05-90-99-92-43. ● pointe-noire-guadeloupe.com ● Lun-ven 8h-17h (13h mer et ven). Très bon accueil. Organise, en saison, des pots d'accueil des touristes (2 vendredis par mois).
✉ *Poste* (plan zoom) : *rue Baudot, au nord du bourg.*
■ *Boulangerie de la Reberdière* (plan

zoom, *2*) : sur le front de mer, près du supermarché Huit à Huit, avt d'entrer dans le bourg en arrivant de Bouillante. ☎ 05-90-98-05-45. Tlj 6h30-19h30 (12h30 dim). À emporter ou à consommer sur le pouce, viennoiseries, gâteaux coco, sandwichs, friands et même quelques pâtés de crabe ou de morue. Boissons fraîches.

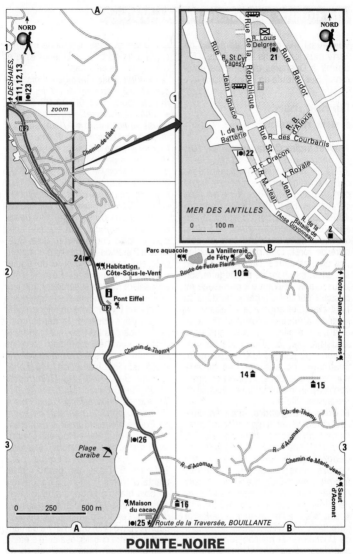

BASSE-TERRE

POINTE-NOIRE

■	**Adresses utiles**		**11** Gîtes Beaugendre	|●|	**Où manger ?**
ℹ	Office de tourisme		**12** Villa Rose Caraïbes		**21**	Les Gommiers *(zoom)*
2	Boulangerie de la		**13** Kotési et Îlot Palmiers		**22**	A Ka Tolé *(zoom)*
	Reberdière *(zoom)*		**14** Acomat-Bellevue		**23**	L'Oasis
			15 Beauséjour		**24**	An Ba Tol La
⌂	**Où dormir ?**		Guesthouse		**25**	Le Mambo
			16 Les Jardins de		**26**	Délices Caraïbes
10	West Indies Cottage		Pointe-Noire			

Où dormir autour de Pointe-Noire ?

Voir aussi les proches adresses de Ferry plus loin, dans la rubrique « Où dormir à Deshaies et dans les environs ? Sur la route de Pointe-Noire ».

De bon marché à prix moyens

🛏 *West Indies Cottage (plan B2, 10) :* 62, chemin des Plaines. ☎ 05-90-92-96-17. ● contact@westindiescottage. com ● westindiescottage.com ● Accès par un pont métallique juste en face de l'atelier Rêve de Sable. Compter 400-700 €/sem pour 2 ; petit déj en sus. Assiette créole 20 €. 🛜 5 gîtes à thème, dans un grand parc en bordure de forêt, tous plus originaux les uns que les autres. Du « Moulin »avec ses ailes, sa chambre à l'étage et son jacuzzi, à la « Roulotte » climatisée en passant par le « Carbet », bordé d'un petit étang, et encore la « Cabane » à la déco XVIIIe s où l'on dort presque à la belle étoile... On a craqué pour le dernier-né, la « Route de l'explorateur » : ambiance XIXe s dans cette charmante cabane perchée ouverte sur l'extérieur. Super rapport charme-confort-prix avec en bonus l'accueil de Renaud et Olivier !

🛏 *Gîtes Beaugendre, chez Annette et Adrien (*label Association Guadeloupe Écotourisme ; hors plan par A1, 11) : 1987, chemin de Morphy, à **Beaugendre.** ☎ 05-90-98-29-41. ● beaugendre.annette.adrien@wanadoo. fr ● gitebeaugendre.free.fr ● Depuis Pointe-Noire, suivre Deshaies et tourner à gauche sur la route de Morphy ; la suivre sur 2 km jusqu'à la pancarte (attention, pas de panneau en venant de Deshaies) ; la maison se trouve en contrebas à gauche. Gîtes 2-4 pers 420-850 €/sem ou 60-120 €/nuit (3 nuits min). 🖳 🛜 Annette et Adrien, belges et anciens libraires, proposent 2 gîtes (2-4 personnes) indépendants, confortables et aménagés avec goût, dans une jolie longère en bois des îles, avec vue sur la mer depuis le fond de son lit ! « Bioclimatisation », moustiquaire, coffre-fort, hamacs sur la grande terrasse commune et amusante salle de bains... Une adresse et des hôtes très attachants.

🛏 🍽 *Villa Rose Caraïbes (hors plan par A1, 12) :* chemin de Varin, **Gommiers** nord. ☎ 05-90-99-96-62. ● contact@villarosecaraibes.com ● villarosecaraibes.com ● À 1 km au nord du panneau de sortie de Pointe-Noire, tourner à droite avt l'arrêt de bus Belle-Hôtesse ; monter la rue sur 400 m et prendre à droite le chemin de Varin sur 300 m. Compter 430-480 €/sem (70-80 €/nuit) pour 2 selon saison ; petit déj en sus. Table d'hôtes 21 € (accessible sur résa aux non-résidents). 🛜 4 beaux bungalows en bois, tout équipés avec cuisine, plus une belle terrasse. Également 2 studios-chambres bien agréables eux aussi, à l'ombre du figuier maudit. Christiane et Patrick vous accueillent chaleureusement dans leur propriété avec piscine et vue splendide sur la mer. Il y a même un mignon petit bassin pour observer la danse colorée des carpes koï ! Le must : la table d'hôtes, très, très appréciée. La plage de Petite-Anse est à 5-6 mn en voiture.

🛏 *Kotési (hors plan par A1, 13) :* chemin de Belle-Hôtesse, **Gommiers.** ☎ 05-90-38-04-56. 🖥 06-90-75-64-74. ● kotesi@hotmail.fr ● kotesi.com ● À 1 km au nord du panneau de sortie de Pointe-Noire, tourner à droite avt l'arrêt de bus Belle-Hôtesse ; monter la rue sur 1,5 km (fléché). Compter 400-470 €/sem (60-70 €/nuit) pour 2-4 pers. 🛜 Dans un grand jardin planté d'arbres fruitiers, 3 bungalows en bois blanc à la déco simple, avec cuisine, TV satellite, petite terrasse et parking. Les fruits (mangues, cerises, papayes, avocats) du jardin ne demandent qu'à être cueillis, et à côté s'étend même un petit bois avec tables de pique-nique... Accueil discret et sympathique de Geneviève.

🛏 *Les Jardins de Pointe-Noire (plan A-B3, 16) :* lot. Pagesy, la **Grande Plaine** sud. ☎ 05-90-98-88-27. 🖥 06-90-42-91-11. ● info@jdpn.fr ● jdpn.fr ● À 3 km au sud du bourg, juste en face de la Maison du cacao. Gîtes 2 pers 320-440 €/sem selon saison ;

gîte et villa 4-6 pers 490-920 €/sem selon saison. CB refusées. ☎ Dans un joli jardin fleuri (les fleurs, c'est la passion de Victoria !), 3 bungalows créoles assez proches les uns des autres mais néanmoins intimes, installés autour d'une petite piscine. Déco gaie et colorée, cuisine équipée, lave-linge, chambres climatisées, terrasse, hamac et barbecue... les vacances, quoi ! Petite plage de galets à 300 m et la plage Caraïbes à 800 m. Accueil chaleureux de Victoria et Yves.

Un peu plus chic

🏠 *Îlot Palmiers* (hors plan par A1, 13) : *chemin de Varin,* **Gommiers** *nord.* ☎ *05-90-99-96-62.* ● *contact@villaro secaraibes.com* ● *villarosecaraibes. com* ● *À 1 km au nord du panneau de sortie de Pointe-Noire, tourner à droite avt l'arrêt de bus Belle-Hôtesse ; monter la rue sur 400 m et prendre à droite le chemin de Varin sur 150 m. Se repérer à la vue des palmiers royaux, à l'entrée. Compter 500-650 €/sem pour 2-4 pers ; nuitée possible.* ☎ 5 élégants bungalows en bois hyper équipés, sans vis-à-vis, qui semblent encore tout nouveaux, tout beaux, au milieu d'un parc où l'on peut croiser quelques iguanes (ici, ils font même les accouchements d'iguanes !). Clean, clim aussi. Piscine. Belle atmosphère.

🏠 *Acomat-Bellevue* (plan B3, 14) : *chemin de Thomy,* **Gros Morne.** ☎ *05-90-99-90-63 ou 52.* ● *vegerber@ wanadoo.fr* ● *acomat-bellevue.com* ● *Au sud du bourg, prendre à gauche au panneau « Acomat » et continuer sur 1,5 km, puis à gauche sur le chemin de Thomy qu'on garde sur 700 m ; c'est à gauche. Gîtes 2-4 pers 650-800 €/sem selon saison.* ☎ Perchés à 200 m d'altitude dans un jardin calme et sauvage, 3 élégants bungalows en bois avec 2 chambres chacun, douche et cuisine extérieures, terrasse, barbecue et vue dominante sur la mer. Piscine entourée d'un *deck* et végétation. Un endroit serein, en pleine nature. Bel accueil.

🏠 *Beauséjour Guesthouse* (plan B3, 15) : *chemin de Thomy,* **Gros Morne.** ☎ *05-90-98-10-09.* 📱 *06-90-67-66-84.* ● *info@beausejour-guest-house. com* ● *beausejour-guest-house.com* ● *Au sud du bourg, prendre à gauche au panneau « Acomat » et continuer sur 1,5 km, puis à gauche sur le chemin de Thomy qu'on garde sur 600 m, puis à droite et monter tt droit, c'est tt en haut. Pour 2 pers compter 400-640 €/ sem, 4 pers 550-720 €/sem.* ☎ Perchés tout là-haut sur la colline, 3 *lodges* indépendants les uns des autres, offrant une vue époustouflante sur la forêt et la mer. Aménagement intérieur excellent. Du bois blanc et du bois sombre du plus bel effet. Le bungalow pour 4 offre un grand salon ouvert fort agréable, où l'on se sent vraiment chez soi. Zénitude totale ! Une adresse au top, dans tous les sens du terme.

Où manger à Pointe-Noire et dans les environs ?

De bon marché à prix moyens

🍴 *An Ba Tol La* (plan A2, 24) : *à l'entrée de Pointe-Noire en venant du sud, sur le front de mer.* ☎ *05-90-86-93-46. Plats env 6-12 €.* Un lieu étonnant (« sous la tôle » en créole), où l'on mange à la bonne franquette *ribs,* poisson ou poulet grillé. Simple et bon. Moules-frites le mercredi. Beaucoup de monde qui s'interpelle, se claque la bise, babille joyeusement... Reste à patienter en sirotant un ti-punch, comme tout le monde !

🍴 *A Ka Tolé* (plan zoom, 22) : *dans le bourg.* ☎ *05-90-98-19-52. Passer devant la mairie, puis tourner à droite pour rejoindre le front de mer. Tlj, parfois fermé dim. Plat du jour env 10 €.* Dans ce petit *lolo* rustique, juste quelques tables recouvertes de toile cirée pour accueillir les locaux, qui viennent y boire l'apéro et jouer aux dominos. La cuisine ne vous emmènera pas dans de grandes aventures gustatives, mais c'est très honnête et bon marché, notamment les poissons rôtis et le court-bouillon, accompagnés de riz et, parfois, de racines (excellentes).

BASSE-TERRE

|●| *Délices Caraïbes (plan A3, 26) :* plage Caraïbe. ☎ 05-90-98-12-34. ● *delicescaraibes@gmail.com* ● *Tlj sf mer. Repas 15-20 €.* Grande salle couverte et ventilée, tout en bois. Au menu, des plats classiques : chatrou sauce piment doux, colombo de cabri. Du connu et du reconnu. Une adresse fréquentée par les locaux, et c'est un signe de régularité.

|●| *Les Gommiers (plan zoom, 21) :* 200, rue Baudot. ☎ 05-90-98-01-79. *Dans le bourg, juste avt la poste en venant du sud. Lun-sam 7h-18h. Menu env 18 € ; plats 14-22 €.* Dans un petit décor sans prétention, avec une terrasse avoisinant la cantine d'une école (bruyante le midi). Régalez-vous avec les christophines farcies et les courts-bouillons de poisson. La clientèle locale y ayant ses habitudes, le service est souvent un peu débordé mais reste très souriant.

|●| *L'Oasis (hors plan par A1, 23) :* à *Gommiers.* ☎ 05-90-62-20-48. 🖥 06-90-62-20-48. *À 1 km au nord de Pointe-Noire, tourner à droite avt l'arrêt de bus Belle-Hôtesse ; monter la rue sur 1 km, c'est sur la droite. Sur résa slt, tlj. Menu 25 € (avec apéro, café et digestif). CB refusées.* Une table d'hôtes unique en son genre. Alain est généreux et sa cuisine tout autant. Artiste, il peint, il sculpte, mais

surtout il cuisine. Rien que du frais, essentiellement du poisson et de bons légumes bio. À déguster sur l'une des 3 petites terrasses nichées dans la verdure, décorées de multiples objets et colorées... Certaines abritées, et une autre qui offre une vue extraordinaire sur la forêt et la mer. Peu de tables, ce qui permet de passer un moment tranquille, sans être bousculé. Un lieu atypique qui ne plaira pas à ceux qui attendent un service de restauration traditionnelle.

|●| *Le Mambo (hors plan par A3, 25) :* à *Mahaut.* ☎ 05-90-98-04-90. ● *le-mambo97116@hotmail.fr* ● ♿ *Au nord de Malendure et un peu au sud de Pointe-Noire (juste avt la route de la Traversée, sur la gauche quand on va vers le nord). Tlj le midi ; le soir résa en hte saison. Menu déj 16 € ; plats env 13-18 €. Apéritif maison ou digestif offert sur présentation de ce guide.* En retrait de la route, voici un vrai resto couleur locale, rondement mené depuis un quart de siècle par Marcelle, une Antillaise souriante et consciencieuse. Mignonne terrasse très soignée, ouverte sur la mer. Bonne cuisine créole, copieuse et parfumée (gratin de légumes, court-bouillon de poisson, coquille de lambis, *ouassous* à la nage, côte de porc à l'antillaise, etc.). Très bon rapport qualité-prix et accueil impeccable.

À voir. À faire autour de Pointe-Noire

🥾 🚶 *L'habitation Côte-Sous-le-Vent (plan A2) :* route des Plaines. ☎ 05-90-80-42-62. ● *habitationcotesouslevent. com* ● *À l'angle de la N2 et de la route des Plaines. Tlj 9h-17h30 (dernière entrée à 16h30). Entrée : 9,50 € ; 4,50 € 3-12 ans. Audio-guide : 1 €.* Noyé dans un beau sous-bois, un site éminemment touristique. Panneaux interactifs bien faits, ludiques et explicatifs à la fois. Pour amuser les gamins, une *miniferme* où gambade une basse-cour digne des *Contes du chat perché,* une *volière à*

D'LA FAUTE À NAPOLÉON !

Lors de la « quasi-guerre » entre la France et les États-Unis (1798-1800), les corsaires français basés dans les Antilles s'emparent de tant de navires américains que les États-Unis obtinrent une compensation de 20 millions de francs sur les 60 millions de vente de la Louisiane par la France en 1803. Accessoirement, pour protéger leur marine marchande, les Américains décidèrent aussi de créer... une marine de guerre.

papillons, une aire de jeux et une cabane dans les arbres. Pour les parents, une *maison-musée* présentant, au gré d'une muséographie maligne, les activités agricoles et l'histoire de la côte Sous-le-Vent : reconstitution d'une case créole, section dédiée au bois (ébéniste, luthier, charpentier...) ; machines agricoles liées au café, au manioc ; panneaux expliquant la flibuste et la « quasi-guerre » avec les États-Unis.

🏛 *Le pont Eiffel (plan A2)* : sur la N2 (à 50 m au sud de l'intersection avec la route des Plaines). Issu des célèbres cabinets Eiffel, il a permis, dès 1935, de désenclaver Pointe-Noire qu'aucune route ne reliait précédemment à Basse-Terre (ville). De nombreux ponts semblables, installés en Guadeloupe au début du XXe s pour relier les hommes aux hommes, ne sont pas parvenus jusqu'à nous, très souvent emportés par de violentes crues des cours d'eau qu'ils enjambaient.

🏛🏃 *Le Parc aquacole – Écloserie de ouassou* (label Association Guadeloupe Écotourisme ; plan B2) : route des Plaines. ☎ 05-90-98-11-83. ● parc-aquacole.fr ● Situé à 800 m de la N2, sur la gauche. Visite guidée (ven et dim à 11h) 8 €. Pêche à la ligne 5 € (poisson attrapé vendu au poids). François et son équipe sont des passionnés. De la larve à l'assiette, vous saurez tout sur le *ouassou* en Guadeloupe.

LE SEL DE LA VIE DU *OUASSOU*

Si cette crevette tient son nom de l'expression « roi des sources », créolisée en... « ouassou », elle débute sa vie de façon peu royale ! Comme un véritable combat, même. Car, si elle éclot en eau douce dans le fond des rivières, elle n'a que 24h pour trouver de l'eau de mer, sous peine de mourir... À l'arrivée, c'est un vrai petit roi du 100 m nage libre !

Le site compte une dizaine de bassins d'élevage, qui alimentent en larves tous les producteurs de la Guadeloupe... qui ne couvrent eux-mêmes que 3 % de la consommation de *ouassous* de l'île, les 97 % restants arrivant congelés d'Asie, autant le savoir. Le vendredi, à 10h, pêche des *ouassous* et petit marché aux épices, avant la visite et la table d'hôtes. Également un parcours de pêche à la ligne, histoire de titiller le rouget créole.

I●I *Table d'hôtes :* ven et dim midi. Résa impérative ! Menu (apéro inclus) 25 €. CB refusées. Le Parc aquacole propose à sa table les produits de l'exploitation, préparés sur place (*ouassou*, rouget créole et loup caraïbe en provenance directe du parc d'élevage en mer) et mitonnés savoureusement à la façon créole.

🏛 *La vanilleraie de Fêty (plan B2)* : route des Plaines. ☎ 05-90-80-03-01. ▤ 06-90-37-13-24. ● bianay.norbert@orange.fr ● Après le Parc aquacole, sur la gauche. Tlj sf lun et dim ap-m 9h-12h, 14h-17h (6 visites guidées/j.). Fermé le mat mars-juin. Entrée : 5 €. Compter 40 mn. Norbert et son fils se partagent les visites d'un jardin dont ils font découvrir les trésors cachés dans la verdure : plantes exotiques et médicinales, bien sûr, mais surtout, pour ceux qui ne les connaissent pas encore, les trois variétés de vanille existant (la bourbon, le vanillon et la *tahitensis*). Vous saurez tout, sans avoir à vous déplacer beaucoup, sur les différentes phases de sa culture, depuis la floraison (de mars à juin), la pollinisation à la main, la scarification puis la récolte (de décembre à février), l'étuvage et le séchage des gousses...

🏛 ✻ *Rêve de sable, Michel Coste (plan B2)* : route des Plaines, après le Parc aquacole, sur la gauche. ☎ 05-90-98-61-74. Tlj sf lun 9h-12h30, 14h30-18h. GRATUIT. Voici la maison-atelier d'un couple d'arénophile (collectionneurs de sable, quoi !), dont les œuvres n'ont rien d'éphémère. Œuvres d'art sous forme de tableaux, on précise.

🏛 *Notre-Dame-des-Larmes (hors plan par B2)* : en continuant cette même route, après 3,5 km, on arrive à un joli autel en plein air, au bord d'une rivière et au pied du monastère Saint-Joseph. Charmant et bucolique. Un aménagement permet l'accès à la statue de la Vierge, qui aurait fait ici une (brève) apparition en 1977. Tous les dimanches à 10h s'y tient une messe en latin. Bougies partout et mantille fournie si on n'en a pas. Il faut le vivre au moins une fois ! Possibilité aussi de se baigner dans des bassins d'eau pure, en contrebas.

➤ De là, départ de la *trace des Contrebandiers,* randonnée pédestre de 5h jusqu'à Duportail (à environ 12 km de Sainte-Rose). Assez difficile quand même, car elle demande des mollets bien entraînés ! Guide très conseillé, d'autant que la trace n'est plus... tracée.

🚶 🧗 *La Maison du cacao* (plan A3) : *à 3 km au sud de Pointe-Noire sur la N2.* ☎ 05-90-98-25-23. ● maisonducacao@wanadoo.fr ● maisonducacao.fr ● *Tlj, sf dim hors saison, 10h-17h. Fermé de mi-sept à mi-oct. Entrée : 7 € (dégustation de chocolat incluse) ; réduc.* Mini-jardin tropical planté de quelques

cacaoyers, agrémenté de panneaux didactiques (dont un quiz pour motiver les plus jeunes) et de quelques outils. Outre la boutique, l'intérêt de la visite et son prix proportionnellement élevé reposent principalement sur les explications très complètes données par groupes en fin de visite et accompagnées de la dégustation d'un excellent chocolat.

🚶 *Le saut d'Acomat* (hors plan par B3) : *à env 3 km au sud de Pointe-Noire, prendre à gauche vers Acomat ; poursuivre sur env 1,5 km ; à la 1re fourche, prendre sur la droite (la route qui descend) ; au niveau de la 2e fourche, se garer ; en contrebas, sur la droite, un petit chemin mène à un bassin et à une belle cascade.* Prévoir de bonnes chaussures, même par temps sec, car le terrain est souvent boueux. Possibilité de baignade, mais la balade n'est pas inoubliable. Prudence comme toujours en cas de fortes pluies, le niveau d'eau pouvant rapidement monter.

Plongée sous-marine

Club de plongée

■ *Anse Caraïbe Plongée* (label Association Guadeloupe Écotourisme ; hors plan par A3) : *plage Caraïbe.* 📱 06-90-64-04-34. ● jazz971@orange.fr ● anse-caraibe-plongee-guadeloupe.org ● *Entre Pointe-Noire (2,5 km) et Malendure (6 km), dans un cabanon bien visible. Baptême 45 €, plongée d'exploration (Niveau 1) 40 € ; forfait* à partir de 3 plongées. Plongée en petit comité et à la carte, avec Jazz, moniteur d'État qui encadre baptêmes et enseignements jusqu'au Niveau 3 et brevets PADI. Deux départs quotidiens. Plongée de nuit (ou sur épave) possible et plongées enfants (à partir de 8 ans). Propose aussi le Sec-Pâté (aux Saintes).

DE POINTE-NOIRE À DESHAIES

Toute cette côte n'est ni bétonnée ni trop envahie par les touristes. Profitons pleinement de ce superbe littoral ! Et pour les plongeurs, des clubs qui tiennent la route si l'on peut dire.

🚶 *Le trou Caverne :* chemin très mal indiqué, mais c'est à l'arrivée de la *trace Belle-Hôtesse.*

🚶🚶 *Beausoleil :* point d'arrivée de la *trace Baille-Argent,* chemin de randonnée qui met Beausoleil à 6 ou 7h de Sofaïa dans le sens ouest-est, 5h dans l'autre sens. Assez rude quand même ; marcheurs du dimanche, s'abstenir ! Guide conseillé (rens auprès du parc national de la Guadeloupe : ☎ 05-90-80-86-00).

⚓ **La plage de Petite-Anse :** peu avt Ferry, dans un virage en épingle à cheveux. Pas très grande mais mignonne et ombragée par quelques arbres et cocotiers. Joli coin. Idéal pour le PMT (palmes, masque, tuba), au bord ou au large ; l'eau n'est pas très profonde, et on voit des tas de jolis poissons à peine émus qu'on les surprenne dans leur intimité. Malheureusement des villas ont poussé sur la plage. Certes, ce n'est pas Le Gosier, et la tranquillité du lieu n'en pâtit guère, mais le site n'est plus le même. Dommage car il abrite un de nos clubs de plongée préférés (voir plus loin). Remontée en voiture un poil rude (arrêt au stop conseillé).

⚓ **La plage Leroux :** juste avt de descendre sur Ferry. Très joli croissant doré, pas trop fréquenté, en contrebas de la route. Bien aussi pour la plongée en apnée. En prime, un petit resto sympa mais en bord de route.

🍽 **Boulangerie Gallet et restaurant La Terrasse Leroux :** tlj sf mar 6h-18h. Plats env 10-14 € ; formules déj à partir de 10 €. Menu langouste 28 €. Café offert en fin de repas sur présentation de ce guide. Mieux vaut venir avant 8h pour avoir des viennoiseries ou encore pour commander la pizza du pique-nique dominical. Plat du jour le midi qui fait des heureux. Service peut-être un peu long mais bien sympathique. Et puis les plats sont copieux, peu chers et bons ! En partant, si elle a le temps et si vous lui demandez de notre part, Liliane vous offrira un poème de sa composition. On vous l'a dit, vous n'êtes pas dans une boulangerie-pâtisserie traditionnelle.

Plongée sous-marine

Clubs de plongée

■ **Nautica Plongée Caraïbes** (label Association Guadeloupe Écotourisme, membre du réseau Tortue marine de Guadeloupe ; hors plan par A2) : plage de Petite-Anse, entre Deshaies et Pointe-Noire. ☎ 05-90-99-90-47. ● contact@nauticaplongee.fr ● nauticaplongee.fr ● Tlj, tte l'année. Baptême 48 €, plongée 43 € ; journée au Sec-Pâté 110 € ; forfaits. Nautica est un club (FFESSM, PADI, ANMP) posé sur la charmante plage de Petite-Anse, lieu privilégié de ponte de tortues. Éric et sa petite équipe vous accueillent dans une ambiance familiale et vous emmènent en moins de 5 mn sur les spots de Deshaies et Pointe-Noire. Matériel renouvelé régulièrement. Plongées enfants dès 6 ans. Formation jusqu'aux Niveau 4 et Divemaster.

■ **Les Baillantes Tortues :** sur le port de Baille-Argent, entre Deshaies et Pointe-Noire. ☎ 05-90-98-28-38. 📱 06-90-37-36-17. ● divecor@wanadoo.fr ● lesbaillantestortues.com ●

Ouv slt au moment des départs, à 8h30 et 14h, tlj sf sam ap-m et en août. Baptême env 47 €, plongées d'exploration 37-42 € ; forfaits dégressifs 3, 6 et 10 plongées. Gentil petit club (FFESSM, PADI), rondement mené par Chantal et Cor de Munnik, tous deux moniteurs d'État polyglottes. Ils encadrent les baptêmes, mais aussi les formations jusqu'au Niveau 3 et brevets PADI. Plongée de nuit et initiation enfant. Location d'appareils photo et vidéo.

Et aussi, à Deshaies même

■ **Piton Plongée** (plan Deshaies A2, 30) : sur le port. ☎ 05-90-28-53-74. 📱 06-90-34-32-81. ● didier.belouriez@orange.fr ● piton-plongee.com ● Résa nécessaire. Baptême 48 € (35 € moins de 12 ans), plongée d'exploration 42 € ; forfait 10 plongées. Ambiance amicale dans ce petit centre (FFESSM, ANMP, PADI), où Didier assure baptêmes et formations. Plongée de nuit et initiation enfants à partir de 8 ans. Excellent accueil.

BASSE-TERRE

■ *Calypso Plongée (plan Deshaies A2, 31) : dans le bourg.* ☎ 06-90-67-01-69 *(Cyril).* ● *glplongee971@gmail.fr* ● *glplongee.fr* ● *Baptême env 48 € ;* *plongée exploration 42 € ; forfait dégressif.* Un autre club sympathique dans la mouvance actuelle : découverte familiale, petit comité, chacun à son rythme, etc.

Nos meilleurs spots

● Carte Basse-Terre *p. 127*

Morphy (carte Basse-Terre, 5) : face à Morphy, à 20 mn au sud de Deshaies. Pour les baptêmes et plongeurs de tous niveaux. Belle succession de canyons (de 0 à - 28 m) tapissés d'éponges et de coraux.

Le Gros Morne (carte Basse-Terre, 6) : à la pointe Gros-Morne, à 5 mn au nord de la baie de Deshaies. Idéal pour les baptêmes et plongeurs de tous niveaux (- 2 à - 18 m). Et pour une plongée de nuit.

L'Ancre (carte Basse-Terre, 8) : entre Deshaies et Ferry. Pour les baptêmes et plongeurs de tous niveaux. Toute la biodiversité de la mer des Caraïbes est ici réunie. Sur ce beau platier corallien (3 à 16 m de fond), rendez-vous avec les murènes tachetées et les poissons-anges français.

La pointe Batterie (carte Basse-Terre, 7) : au sud de la baie de Deshaies. Pour plongeurs de tous niveaux. Méli-mélo de coraux posés sur du sable blanc immaculé.

La plage Paul-Thomas (carte Basse-Terre, 8) : au sud de la plage Paul-Thomas, entre L'Ancre et la plage Leroux, à 10 mn de Deshaies. Parfait pour baptêmes et plongeurs de tous niveaux. Joli plateau rocheux couvert de coraux, gorgones et éponges. Entre - 2 et - 18 m ! Très belle plongée, très prisée.

Le Stanior (carte Basse-Terre, 8) : au large de la plage Paul-Thomas, à 10 mn de Deshaies. Deux très belles roches entre 18 et 30 m de profondeur, accessibles dès le Niveau 2. Formation de coraux et de roches magnifiques, où cohabitent tous les poissons de récif des Caraïbes.

La pointe Ferry (carte Basse-Terre, 8) : à 15 mn au sud de Deshaies. Idéal pour baptêmes et plongeurs de tous niveaux (- 4 à - 17 m). On rejoint un minitombant avec quelques canyons. Tombant de quelques mètres dans les failles duquel se cachent quelques langoustes et toutes sortes de poissons jouant de leurs couleurs. Grand plateau rocheux où l'on apercevra tortues, murènes et poulpes.

DESHAIES   (97126)   4 350 hab.

● Plan *p. 191*

Deshaies (prononcer « Déhé ») est un petit village de pêcheurs, serti de hautes collines verdoyantes, constellées de nombreuses maisons en bois de style caraïbe, dont les plus pittoresques s'ouvrent sur une jolie petite baie abritée. Les marins s'y réfugient depuis le temps des corsaires, et les tortues... depuis toujours. Gentiment assis à la terrasse d'un resto les pieds dans l'eau ou à celle d'un de ces *écolodges* qui font le charme de cette micro-région, on se laisse bercer par la douceur du lieu, en regardant le soleil se coucher dans la mer, accompagné d'un festival de couleurs. Coluche et Robert Charlebois en avaient fait leur jardin (botanique) d'hiver, visitable et superbe. Et même les grandioses cinq-mâts *Club-Med 2, Silver Wid* ou encore *Seabourn Legend* y jettent régulièrement l'ancre... Bref, avec ses environs, Deshaies est un de nos villages coups de cœur.

Arriver – Quitter

🚌 **En bus :** *arrêt devant l'église (plan A1) pour Sainte-Rose. Devant la mairie et à côté du club* Piton Plongée *(plan A2) pour Pointe-Noire et les communes de la côte ouest Sous-le-Vent.*

➤ **Sainte-Rose et Pointe-à-Pitre :** une vingtaine de bus/j. (dont la moitié express) lun-ven 5h30-17h10 (15h30 w-e, et pas d'express). Compter 30 mn pour Sainte-Rose, puis 45 mn (express)-60 mn (omnibus) pour PAP. Également une ligne locale avec Sainte-Rose par la route D18, bus ttes les 30 mn 5h-18h30 (14h dim, et très hypothétique).

➤ **Pointe-Noire :** ttes les 20-30 mn lun-sam 7h-18h. Société *Corniche d'Or.*

Adresses utiles

ℹ️ **Syndicat d'initiative** *(plan A1) : rue de la Liberté, près de l'église.* ☎ 05-90-68-01-48. • *sideshaies@ wanadoo.fr* • *Ouv lun-ven 8h-12h (et sam nov-avr).* Plan du village et du coin, brochure avec liste des hébergements, restos, commerces, loisirs... Organise aussi, en saison, un pot de bienvenue avec groupe de musique traditionnelle tous les mardis à 18h30.

✉️ **Poste** *(plan A1) : bd des Poissonniers. Fermé mer ap-m, sam ap-m et dim.*

Où dormir à Deshaies et dans les environs ?

Sur la route de Pointe-Noire

De bon marché à prix moyens

🏠 **Fanelie Location, chez Mylène Marcel** *(Gîtes de France ; hors plan par A2) : 71, impasse Bougainvilliers, à* Ferry Leroux. ☎ 05-90-28-52-11. 📱 06-90-59-59-77. • *fanelie.location@ gmail.com* • *fanelie.fr* • *À 7,5 km au sud de Deshaies, sur la gauche juste après la plage Leroux, prendre l'impasse Bougainvilliers. Gîtes 300-650 €/sem pour 2-4 pers.* 📶 *Dans un jardin en retrait de la route, une dizaine de gîtes de 1 à 3 chambres, simples, fonctionnels et pas trop chers. Terrasse privée, barbecue et clim dans certaines chambres. Lit bébé sur demande. Vue sur la mer pour certains et plages à 500 m. Piscine bien cachée au fond du jardin. Bel accueil à l'antillaise.*

🏠 **Les Balisiers, chez Joan et Gérard Rafinon** *(hors plan par A2) : à* Ferry. ☎ 05-90-28-58-67. • *info@ les-balisiers.fr* • *location-vacances-en-guadeloupe.com* • *À env 7,5 km au sud de Deshaies, fléché à droite juste après la plage Leroux. Studios 2 pers 245-380 €/sem, apparts 34 pers 300-450 €/sem. CB refusées.* 📶 *Une adresse située à la pointe de Ferry, non loin des plages de Petites-Anses et Leroux. Studios, dans un jardin gentiment touffu avec AC, terrasse, etc. Les appartements possèdent une chambre, un salon, un canapé cliç-clac ou 2 lits simples. Eau chaude solaire. Lave-linge (payant). Jacuzzi dans le jardin. Accueil parfois bourru.*

🏠 **Les Gîtes Bleu Outremer** *(hors plan par A2, 10) : pointe Batterie.* ☎ 05-90-28-45-62. 📱 06-90-76-33-79. • *gitebleuoutremer@gmail. com* • *bleuoutremer.over-blog.com* • *À 300 m du panneau de sortie de Deshaies, direction Pointe-Noire, suivre le fléchage du domaine de la pointe*

BASSE-TERRE

Batterie ; c'est un peu après, sur la gauche (panneau discret). Selon saison, 260-390 €/sem pour 2, 310-490 €/sem pour 4. 🛜 Noyés dans la végétation tropicale et les orchidées, 2 gîtes mitoyens en pin, l'un pour 2 personnes, l'autre pour 4, avec grande terrasse communicante. Cuisine bien équipée. Très calme et belle vue sur la mer des Caraïbes avec, au loin, l'île de Montserrat. Plage de gros galets à 2 mn à pied. Tarif très abordable. Excellent accueil de Dominique et Nathalie.

🛖 **Aux Deux Ylangs** (hors plan par A2) : chemin Bornave, à **Ferry**. ☎ 05-90-28-76-41. • contact@ gite-guadeloupe-ylang.com • gite-guadeloupe-ylang.com • À 7 km au sud de Deshaies, passer le front de mer de Ferry ; juste après le pont, prendre à gauche et monter sur 300 m, c'est à droite. Compter 410-710 €/sem. 🛜 Maryse, la sympathique propriétaire, ne dispose que d'un gîte. Une terrasse en bois de 50 m², une micro-piscine dit « bassin à punch », une douche extérieure, un petit coin détente. À l'intérieur, parfaitement soigné et bien équipé, 3 chambres climatisées, petite bibliothèque, salle de bains, cuisine et salon extérieurs. Une sérénité assez magique et une adresse idéale pour se (re)poser.

🛖 **Gîtes Couleurs Créoles** (hors plan par A2) : ruelle Alamanda, à **Ferry**. ☎ 0 5 - 9 0 - 2 3 - 7 7 - 6 3. • couleurs-creoles.com • À 7 km au sud de Deshaies, passer le front de mer de Ferry ; après le pont, continuer sur 400 m. Fléché à gauche. Compter 350-560 €/sem pour 2. 🛜 4 beaux gîtes aménagés de façon sympathique et offrant une vue sur la mer en contrebas. Cuisine-terrasse agréable pour chaque structure et petite piscine. La végétation est encore un brin timide, mais ça va pousser... La piscine, elle, est bien là. Accueil très pro de Sylvie et Max. Assiette surprise offerte à l'arrivée.

🛖 ◉ **Domaine Karaïbes** (hors plan par A2) : la Coque, à **Ferry**. ☎ 05-90-28-58-88. • dksoleil@gmail.com • karaibes.com • 4 km au sud du panneau de sortie de Deshaies, prendre à droite après la boulangerie Gallet (fléché). Compter 480-770 €/sem pour 2-4 pers. Table d'hôtes

38 €. 🛜 7 bungalows tout en bois, des cloisons aux lits, avec des branches en guise de baldaquins, en passant par les cuisines-terrasses, ouvertes sur l'extérieur. Sympa ! De plus, la situation est privilégiée, avec une vue super sur la mer et les collines. boisées. Piscine et coin détente. Enfin, il y a l'accueil enjoué d'Olivier et Françoise.

Plus chic

🛖 ◉ **Le Morne aux Fous** (hors plan par A2) : impasse Villiers, à **Villers**. ☎ 06-90-28-38-02. • lemorneaux fous@gmail.com • lemorneauxfous. com • À 1,5 km au sud de Deshaies ; chemin à gauche juste après le jardin botanique. Compter 590-770 €/sem pour 2. Table d'hôtes env 25 €. Réduc de 10 % sur le prix de la chambre, mai-nov, sur présentation de ce guide. Au calme, 3 gîtes récemment rénovés pour 2-7 personnes avec ventilo, terrasse... Piscinette pour faire trempette. La maison propose aussi quelques prestations comme service de laverie, table d'hôtes, plongée et location de voitures.

🛖 ◉ **Bleu des Îles** (hors plan par A2) : chemin Bornave, à **Ferry**. ☎ 06-90-65-34-46. • contact@bleudesiles.com • bleudesiles.com • ♿ Depuis Deshaies, prendre à gauche à 200 m après Ferry ; c'est juste au-dessus de la plage Leroux et d'Au Ti Sucrier. Selon confort et saison, 475-745 €/sem pour 2 pers. Table d'hôtes 38 € sur résa. 🛜 5 bungalows impeccables pour 2-4 personnes, avec terrasse, hamacs et une vue sur la mer des Caraïbes et l'île de Montserrat. Déco soignée, clim en bas et ventilo à l'étage pour les duplex. Piscine au milieu d'un magnifique jardin tropical très bien entretenu. Fred et Nico ont créé une vie, une atmosphère bien à eux dans ce petit complexe. Leur table d'hôtes est un régal. Apéro à discrétion, pour trouver le bleu des îles encore plus bleu.

🛖 **Les Bungalows du Jardin Botanique** (hors plan par A2) : au lieu-dit **Villers**. ☎ 05-90-28-43-02. ☎ 06-90-71-44-64. • info@jardin-botanique.com • jardin-botanique.com • ♿ À 1,5 km au sud de Deshaies sur la route de

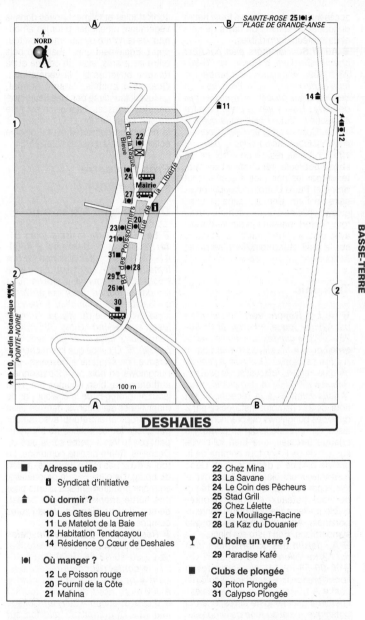

DESHAIES

■ **Adresse utile**

🄸 Syndicat d'initiative

🛏 **Où dormir ?**

10 Les Gîtes Bleu Outremer
11 Le Matelot de la Baie
12 Habitation Tendacayou
14 Résidence O Cœur de Deshaies

|●| **Où manger ?**

12 Le Poisson rouge
20 Fournil de la Côte
21 Mahina

22 Chez Mina
23 La Savane
24 Le Coin des Pêcheurs
25 Stad Grill
26 Chez Lélette
27 Le Mouillage-Racine
28 La Kaz du Douanier

🍸 **Où boire un verre ?**

29 Paradise Kafé

■ **Clubs de plongée**

30 Piton Plongée
31 Calypso Plongée

Pointe-Noire, sur la gauche. Compter 403-460 €/sem pour 2, 580-600 €/sem pour 4. 🛜 2 bungalows tout en bois, petites cases colorées à l'entrée du parc. L'un pour 2 avec 1 chambre et l'autre pour 4 avec 2 chambres. Chacun très bien équipé. Salon et grande terrasse en teck. Le tout avec

BASSE-TERRE

accès au jardin botanique à toute heure du jour et de la nuit ! Un havre de paix et de senteurs formidables.

🛏 *Au Ti Sucrier (hors plan par A2) :* chemin Bornave, à **Ferry.** ☎ 05-90-28-91-29. • autisucrier@orange.fr • autisucrier.com • ♿ À 7 km au sud de Deshaies, passer le front de mer de Ferry ; juste après le pont, prendre à gauche ; c'est au pied de la pente à droite. Congés : 1er juin-5 juil. Doubles 490-840 €/sem selon saison ; petit déj 12 €. 📶 Petite résidence hôtelière de style néocréole franchement sympa, tenue par les non moins accueillants Bruno et Paola Dutto, un couple originaire de Turin. Une quinzaine de bungalows spacieux, un peu sombres mais tout confort, dans un jardin verdoyant avec piscine. Vue superbe et étendue sur la baie et, au loin, Montserrat et Antigua.

Très chic

🛏 🍽 *Le Rayon vert (hors plan par A2) :* la Coque, à **Ferry.** ☎ 05-90-28-43-23. • guadeloupe.lerayonvert@ gmail.com • hotels-deshaies.com • À 4,5 km au sud de Deshaies, à l'entrée nord de Ferry. L'hôtel est sur la gauche. Doubles 150-200 €/nuit, petit déj inclus (4 nuits min). 📶 (à la réception). Un hôtel de 22 chambres installées 2 par 2 dans des bungalows qui prennent leurs aises sur un vaste jardin en pente. De chaque terrasse, une bien jolie vue sur la baie de Ferry, tout comme de la grande piscine à débordement. Déco plaisante, murs blancs joliment dynamisés par du mobilier en bois de récup de vieux bateaux, et confort appréciable (belles salles de bains contemporaines). Accueil tout aussi pro que sympathique. Bon resto sur place.

🛏 *Au Jardin des colibris (hors plan par A2) :* à **Villers.** ☎ 05-90-28-52-68. 📱 06-90-58-62-11. • aujardindesco libris@orange.fr • aujardindescolibris. com • À 1,5 km au sud de Deshaies ; chemin à gauche juste après le jardin botanique ; c'est au fond de l'impasse. Gîte 43-145 €/j. pour 2. Case ou lodge 64-195 €, cabane 78-229 € (tarifs dégressifs 2-5 nuits). 📶 Plusieurs types d'hébergement, tous coquets,

confortables et joliment noyés dans la végétation, aménagés pour les amoureux de la nature ou les amoureux tout court. Également une cabane en bois entre les arbres, avec sa cuisine et sa douche ouvertes sur la végétation... Quant aux colibris, ils sont partout, prélevant leur dîme dans les fleurs bordant les terrasses. La maison est fière de son label Refuge LPO (Ligue pour la protection des oiseaux). La piscine éclairée le soir est accessible 24h/24.

Près du centre et plus au nord

De plus chic à très chic

🛏 *Le Matelot de la Baie (plan B1, 11) :* à la sortie de **Deshaies.** 📱 06-90-41-77-98. • contact@lematelot.fr • lematelot.fr • À 150 m du centre de Deshaies ; chemin à droite indiqué (ne pas le louper). Pour qui arriverait de Sainte-Rose, panneau à gauche, juste avt l'entrée du village. Grimper jusqu'au parking. Gîtes 385-690 €/ sem pour 2 (plus cher gîte avec spa privatif). 📶 C'est ce que l'on recherche lorsque l'on séjourne à Deshaies : des bungalows en bois pour 2 personnes, authentiques, bien équipés (un avec jacuzzi), protégés de la chaleur par de magnifiques mahoganys, dans un beau jardin tropical entretenu avec amour par Lucile (et les colibris ne s'y trompent pas !). Vue superbe sur la baie de Deshaies. Petite piscine commune. Le tout à deux pas (enfin, presque) à pied du bourg. De plus, Éric, le propriétaire, emmène gratuitement ses clients pour une sortie *snorkelling* sur le bateau de son club de plongée. Vous l'aurez compris, un coup de cœur.

🛏 *Résidence Ô Cœur de Deshaies (plan B1, 14) :* la Haut-Matouba. ☎ 05-90-90-93-86. 📱 06-90-62-16-91. • contact@ocoeurdedeshaies. com • ocoeurdedeshaies.com • À 300 m au nord du bourg, tourner à droite direction « La Haut/Collège Matouba » ; grimper le raidillon sur 100 m, on y est. Doubles 968-1 272 €/ sem en ½ pens. 📶 Une dizaine de chambres, toutes avec vue dominante sur la mer, clim et terrasse couverte pourvue de chaises caribéennes ou de chaises longues. Déco fraîche et plaisante. Une belle brochette de studios, duplex, ainsi qu'un *lodge* alliant bois et matériaux contemporain, pour qui voudrait être autonome. Piscine à débordement et carbet pour mieux apprécier les superbes couchers du soleil sur la baie, avant de passer à un autre exercice au bar à vins *kawan* (le proprio est bordelais). Coin bibliothèque avec livres sur la Guadeloupe, polars, récits divers... Et un vrai service de restauration. On est à 800 m de la plage de Grande-Anse.

🏠*Habitation Tendacayou (hors plan par B1, 12) :* à *Matouba.* ☎ 05-90-28-42-72. ● resa@tendacayou.com ● tendacayou.com ● *À 300 m au nord du bourg, tourner à droite vers « La Haut/ Collège Matouba » et suivre le fléchage. Bungalows 2-6 pers 169-249 €/nuit*

pour 2, petit déj et accès au spa inclus ; ven-sam 257-339 €. 📶 L'endroit, perché sur les collines enrobées d'une végétation foisonnante et surplombant la magnifique baie, est assez fou, avec ses 11 bungalows de style créole en bois, très bien agencés et décorés avec un goût et un humour exquis. Lit suspendu avec moustiquaire, hamac ou balancelle sur chaque terrasse privée, et cuisine équipée. Le « Château Mango », notre préféré (pour 6 personnes, 4 niveaux !), est perché dans un gros manguier, et dans sa dernière chambre, on dort presque à la belle étoile, comme dans un nid en compagnie des oiseaux. Jolie piscine d'eau de source, entourée d'un solarium. Spa bluffant. Accueil chaleureux. Fait aussi restaurant (Le Poisson rouge, voir « Où manger à Deshaies et dans les environs ? »).

Où manger à Deshaies et dans les environs ?

Bon marché

I●I *Chez Mina (plan A1, 22) :* bd des Poissonniers, au nord du village, en face de la station-service. ☎ 05-90-53-53-34. 📱 06-90-83-38-09. 🍴 Tlj sf dim midi et soir. Plat 7,50 €. Digestif maison offert aux porteurs de ce guide. Petite case restée dans son jus, avec juste quelques tables, qui fait aussi bar PMU, rendez-vous des turfistes du village. Salades, sandwichs et galettes pour qui veut manger sur le pouce. Simple, pas cher et rapide. Poissons frais et langoustes pour s'aventurer dans un autre registre.

I●I *Stad Grill (hors plan par B1, 25) :* entre Deshaies et Grande-Anse, sur la gauche en allant vers le nord, juste au niveau du stade. ☎ 05-90-28-47-84. 🍴 Tlj sf dim-lun, le soir slt. Congés : mai-juin. Portions 7,50-11 €. Apéritif maison, café ou digestif offert sur présentation de ce guide. Petit *lolo* familial, pratique quand la plupart des adresses sont fermées le soir. À emporter ou à consommer sur place : brochettes, poissons grillés, demi-poulet, steak, *ribs*... et surtout des frites maison, faites avec de vraies patates, épluchées sur place. Ça devient rare !

I●I *Fournil de la Côte (plan A2, 20) :* bd des Poissonniers. ☎ 05-90-22-92-01. 🍴 Tlj 6h-18h. Excellente boulangerie à la façade vert anis, avec de vrais croissants, du bon pain et des gâteaux tout frais tout bons. Également de succulents « tourments d'amour », voire des galettes des rois au coco ou à la goyave (en janvier, *of course*).

I●I *Boulangerie Gallet et Terrasse Leroux (hors plan par A2) :* la Coque, à *Ferry.* ☎ 05-90-91-42-94. 🍴 Voir plus haut : la plage Ferry.

De prix moyens à chic

(●I *Mahina (plan A2, 21) :* 139, bd des Poissonniers. ☎ 05-90-88-95-38. 📱 06-90-37-33-61. ● mahina.deshaies@ hotmail.fr ● *Tlj sf lun-mar. Congés : de mi-sept à mi-oct. Pizzas 9-14 €, plats 13-27 €.* Non seulement le cadre est agréable (terrasse couverte donnant sur le port ou petite salle à l'étage aux tons marins), mais la cuisine est bien réalisée. Essayez le tartare de poisson, très bon, le thon *a la plancha*, ou encore, le soir, les pizzas, bien fines. Sert aussi des tapas. Une adresse qui fait souvent le plein dans ce village touristique, tenue par une équipe tout sourire.

BASSE-TERRE

I●I *Le Coin des Pêcheurs* (plan A1, **24**) : bd des Poissonniers. ☎ 05-90-28-47-75. ● magguyvalluet@yahoo.fr ● Tlj sf mar, ven soir et dim soir. Congés : sept. Menu 19 € ; plats 14-37 € ; pdt les happy hours (16h-18h), ti-punch + acras 4 €. L'entrée se fait par la petite épicerie, certes bien apprêtée pour séduire les touristes mais vraiment craquante. Puis on s'installe sur la terrasse colorée, au bord de l'eau (principal attrait du resto), pour goûter une carte créole qui ne vous laissera pas forcément un souvenir impérissable, tout dépend de l'humeur en cuisine. À côté, vente de plats à emporter.

I●I *Chez Lélette* (plan A2, **26**) : bd des Poissonniers. ☎ 05-90-28-99-07. Tlj sf mer soir. Plats 12-18 € ; menu 20 €. Nostalgie aidant, on revient dans ce resto resté dans son jus, on attend son tour devant un maigre buffet d'entrées qui n'a rien de très local avant de voir arriver un plat du jour style poulet boucané en enviant ceux qui ont choisi un poisson à la carte. La nouvelle génération, qui a repris le flambeau, gère cette affaire qui continue d'attirer du monde, la terrasse aidant, et faute aussi de vraie concurrence, dans le bourg même.

I●I *Le Mouillage-Racine* (plan A1, **27**) : bd des Poissonniers. ☎ 05-90-28-41-12. Tlj sf mar. Plats 11-27 €. Le plus vieux resto familial du bourg. La caissière prépare ses additions derrière son comptoir vitré tandis que le reste de la famille Racine s'active pour préparer et servir des plats qui n'ont pas changé d'intitulé depuis 30 ans : crabe et lambi farcis bien épicés, pâté local pimenté, blaff de poisson, cabri en colombo... Une maison de pêcheurs, qui a les pieds dans l'eau, mais n'en profite même pas pour vous en mettre plein la vue. Tables et chaises en plastique, bientôt ce sera tendance.

Plus chic

I●I *La Kaz du Douanier* (plan A2, **28**) : 84, bd des Poissonniers. ☎ 05-90-84-85-75. ● edouarddacourt@orange.fr ● Tlj sf mar le soir 17h-minuit. Plats 15-27 €. Résa conseillée. On ne vient pas ici seulement pour admirer les toiles du Douanier, même si la déco et l'atmosphère de cette case – elle pourrait toujours servir de décor pour le tournage de Meurtres au paradis – sont le premier atout du resto, à égalité certes avec sa cuisine. Risotto aux fruits de mer délicieux, steak de thon juste snacké, carré d'agneau parfait. Plats joliment présentés. Service rapide, agréable, souriant. Le seul resto digne de ce nom ouvert tard à Deshaies, autre atout.

I●I *La Savane* (plan A2, **23**) : bd des Poissonniers. ☎ 05-90-91-39-58. ● potiron.vincent@hotmail.ch ● ♿ Tlj sf mer, jeu midi et ven midi. Plats env 18-22 €. Amateurs de plats sucrés-salés ou épicés, vous allez vous régaler. Déco vraiment agréable et bien pensée, aux accents africains. Emilia, la propriétaire, originaire du Portugal, a passé une partie de sa vie en Afrique, avant d'aller vivre plus de 20 ans en Suisse avec son cuisinier-pâtissier de mari... Le métissage culinaire s'explique ! Emplacement exceptionnel en bord de mer.

I●I *Le Poisson rouge* (hors plan par B1, **12**) : c'est le resto de l'Habitation Tendacayou (voir plus haut « Où dormir à Deshaies et dans les environs ? »). Tlj sf lun-mar. Résa impérative. Formule env 30 € ; plats env 16-28 €. Cadre cosy, avec des pointes de delirium-tropicalis de voyageur au long cours. Cuisine excellente qui fait la part belle aux poissons de toutes les couleurs. On n'y voit passer ni les minutes, ni les heures, ni les années (heureusement car le service peut être long !).

Où boire un verre à Deshaies et dans les environs ?

Les amateurs de polars et les fidèles du feuilleton télévisé Meurtres au paradis chercheront forcément les terrasses où les héros se retrouvent pour fêter la fin de leurs enquêtes. Depuis plusieurs saisons, une fois les touristes partis,

Deshaies se métamorphose, entre avril et septembre. Allez boire un verre au **Madras,** pour la nostalgie. Et réfugiez-vous ensuite dans un de nos restos préférés de la rue principale ou filez plutôt au **Paradise,** s'il est ouvert.

🍸 ▮◉▮ **Paradise Kafé** *(plan A2, 29) : 83, bd des Poissonniers.* ▯ *06-90-19-40-09. Tlj sf mer-jeu le soir slt 17h-22h. Cocktails 3,50-7,50 €, tapas asiatiques* 8-12 €. Patron sympa, lieu sympa, mobilier de récup plein de charme et surtout cocktails extra. On sirote une *pinacolada* ou un mojito sur la plage ou sur le bout de terrasse surélevé en regardant le soleil se coucher tout en profitant d'une musique qui aurait plutôt tendance à vous réveiller. Tapas à l'asiatique, samoussas, *bo bun* pour changer un peu.

À voir. À faire

🎭 🚶 **Le jardin botanique de Deshaies** *(ex-propriété de Coluche ; hors plan par A2) : au lieu-dit **Villers.** ☎ 05-90-28-43-02. ● jardin-botanique.com ● 🚗 À 1,5 km au sud de Deshaies sur la route de Pointe-Noire, sur la gauche. Tlj 9h-17h30 (dernier billet à 16h30). Entrée : 15,90 € ; 10,90 € 5-12 ans. Visite : 1h-1h30. Poussette prêtée pour les petits, fauteuil roulant pour les pers handicapées et parapluie pour tt le monde s'il pleut ! Tablettes interactives, prêtées également (contre CI ou passeport), avec 120 fiches détaillées très bien faites.*

L'un des sites les plus magiques de Guadeloupe, classé Jardin remarquable... et l'un des plus visités, malgré le prix d'entrée, car ce parc botanique (et animalier) de 5 ha compte plus de 1 300 espèces tropicales et occupe facilement une demi-journée, voire plus si vous déjeunez sur place.

On découvre à pied ce qui fut la propriété de Coluche, arrangée par le paysagiste Michel Gaillard qui la racheta en 1985. Un an avant sa mort, le comédien lui

LA FLEUR DE L'ÂGE

Arrêtez-vous devant les vestiges du vieux tallipot et la beauté du petit, déjà bien grand. Sachez que ce palmier géant, unique en Guadeloupe, est originaire du Sri Lanka. D'une durée de vie exceptionnelle (entre 80 et 100 ans), il a « passé l'arbre à gauche » après avoir donné son unique fleur. La relève est assurée avec le « petit », qui, lorsqu'il sera à maturité, donnera des feuilles pesant chacune près de 50 kg !

avait laissé le soin de s'en occuper : en échange de l'utilisation des terres, son successeur y créer sa pépinière. Le résultat est surprenant. Des avalanches de bougainvillées, des roses de porcelaine superbes, des arbres à saucissons, des arbres du voyageur, un baobab ventru, un fromager (ceiba) aux racines en draperie, un impressionnant banian (de la même famille que le ficus de votre salon), des graines de Zanzibar, des fleurs chauves-souris de Malaisie *(tacca),* des fougères vénézuéliennes... et bien d'autres essences, comme le majestueux tallipot. Toutes ces plantes aux drôles de noms sont présentées grâce à de petits panneaux explicatifs très bien faits et grâce à des QR codes sur l'histoire, les métiers botaniques et les outils. On s'attarde volontiers dans ce petit paradis. Le sentier tortueux mène également à une volière de très beaux loriquets (des petits perroquets d'Australie peu farouches qui grimpent parfois sur les épaules), ainsi qu'à des aras multicolores, tous disparus de l'île depuis les lustres... sans oublier la dizaine de flamants roses du Chili et les carpes koï. Et puis ne manquez pas d'admirer la cascade, ni de passer sous le brumisateur (génial quand il fait chaud). En fin de parcours, petit jardin des simples pour trouver son remède au mal du pays... la vue somptueuse met déjà du baume au cœur. Également un espace de jeux pour les enfants où des cabris les attendent, et des ateliers pour les 7-12 ans. Distributeurs de boissons dans le parc.

BASSE-TERRE

I●I Sur place, restauration possible au **snack** (une jolie surprise) ou au **resto panoramique,** reconnu pour la qualité des produits proposés et leur transformation (formule 19 €, menus 28-39,50 €, plats et assiettes 18-26 €). Essayez de trouver une table près de la cascade, si possible. Pour la petite histoire, c'est sous le grand banian, sous le resto, que Coluche venait boire son ti-punch au coucher du soleil !

🛏 On peut également dormir sur place, dans 2 bungalows, et profiter du jardin après la fermeture au public (voir plus haut « Où dormir à Deshaies et dans les environs ? »). Il y a même la villa, construite à la place de l'ancienne maison de Coluche, tout en bois des îles, qui avait brûlé : 4 chambres et une vue imprenable. Une petite folie à s'offrir entre amis fortunés. Consulter le site du parc (compter env 2 700 €/sem ou 1 000 € le w-e).

➢ **Excursions en mer :** plusieurs formules au départ de Deshaies.
– Sur son catamaran Planète Bleue, **Guadeloupe Évasion Découverte** propose des sorties pour observer les cétacés (☎ 05-90-28-52-67 ; 📱 06-90-42-28-69 ; ● guadeloupeevasiondecouverte.com ● ; 50 €/pers env, 25 € moins de 12 ans).
– En voilier, très agréable balade de 2h sur le **Keïla** pour découvrir la côte sauvage au soleil couchant et s'initier à la voile (📱 06-65-57-12-86 ; ● laurentbonnet.eu/pages/keila.html ● ; 36 €/pers, 20 € moins de 12 ans).
– **Talamanca :** 📱 06-90-19-29-26. ● info@talamanca.fr ● talamanca.fr ● Sorties en mer sur résa : 40 € env la ½ journée ou le coucher de soleil, 80 € la journée. Sorties en mer à la journée, navigation le long de la côte Sous-le-Vent, repas au mouillage à Malendure, avec prêt de palmes, masques et tubas pour observer les tortues marines. Également des sorties apéro au coucher du soleil, des sorties découverte en matinée ou encore la location du bateau avec son skipper (devis personnalisé). Le tout sur le catamaran de 18 m en bois de Xavier, skipper expérimenté.

Plongée sous-marine

Voir précédemment au chapitre « De Pointe-Noire à Deshaies » les spots de plongée et les clubs du secteur : **Piton Plongée** (plan A2, **30**), **Calypso Plongée** (plan A2, **31**) et **Nautica Plongée Caraïbes.**

LA PLAGE DE GRANDE-ANSE   (97126)

● Plan p. 199

À 2 km à peine au nord de Deshaies, ourlée de cocotiers, Grande-Anse est vraiment l'une des plus belles plages de Basse-Terre, voire de la Guadeloupe. La plus vaste aussi, la plus large et la plus populaire. Elle s'étire majestueusement au pied d'un grand versant de colline enrobée par la forêt tropicale. Revers de la médaille, le fond descend très rapidement et on perd vite pied. La baignade peut en outre se révéler dangereuse à certaines périodes de l'année en raison des vagues fortes et du courant puissant (soyez vigilant avec les petits et même avec les grands). Beaucoup viennent tenter leur chance pour apercevoir le furtif rayon vert qui, quelquefois, paraît quelques secondes au coucher du soleil. L'un des attraits de la plage réside dans la quasi-absence de béton. Les baraques en tôle des pêcheurs et les barques colorées en garantissent le côté sympa et authentique. Plusieurs *lolos* pour déguster du poulet boucané et autres délices créoles à deux pas de plage, sous les cocotiers. Et un bar à jus *(La Breizh'ilienne, tlj sf mar)* qui propose smoothies, jus frais, préparés et mixés devant vous par Christine... Mais depuis quelques années la prolifération des voitures fait fuir les habitués vers d'autres rivages. Comme à Malendure, il est plus que temps de s'interroger sur une pollution, pas seulement visuelle, qui empire d'année en année.

IL Y A RAYON VERT ET RAYON VERT

Aux Antilles, lorsque le soleil passe sous la ligne d'horizon, il semble furtivement chapeauté d'un halo vert. Il s'agit de ce fameux rayon vert décrit par Jules Verne dans son roman du même nom. Contrairement à ce qu'avance le romancier, ce n'est pas une illusion d'optique mais un phénomène de réfraction. Jules en connaissait pourtant un rayon en sciences !

BASSE-TERRE

Où dormir à Grande-Anse et dans les environs ?

De bon marché à prix moyens

🛏 *Gîtes Les Manguiers, chez Brigitte et Gilbert (plan A1, 21) :* allée du Cœur, à *Ziotte.* ☎ 05-90-28-41-33. ● lesmanguiers@orange.fr ● manguiers. com ● *À 200 m de la plage de Grande-Anse. Prendre la D18 au niveau de la station Total ; c'est à 100 m sur la gauche. Gîtes 2 pers 45-75 €/nuit, 4 pers 70-120 €/nuit (min 2 nuits).* 📶 Maison basse comprenant 4 gîtes climatisés avec cuisine extérieure, terrasse privée et barbecue. Nos préférés donnent sur l'agréable jardin tropical, enserrant une belle piscine d'eau salée et flanquée d'un carbet commun. Équipement bébé sur demande. Machine à laver. Très bon rapport qualité-prix-accueil depuis près d'un quart de siècle.

🛏 *Villa Le Safran – Le Triskell, chez Laurence et Denis Herpe (plan A2, 11) :* impasse Ziotte. ☎ 05-90-28-52-77. 📱 06-90-33-24-88. ● deherpe@wanadoo.fr ● lesafran-locations-grandeanse.fr ● *Au rond-point de la plage, direction Deshaies (fléché). Studio 180-260 €/sem, T1 ou T2 300-525 €/sem.* 📶 La famille Herpe, originaire de Saint-Malo, habite un coin calme et résidentiel, dans une grande villa confortable. Elle propose ici 4 logements aux noms d'États américains, indépendants (les appartements, pas les États !) et modulables, dont 2 climatisés. Ils sont situés en rez-de-jardin fleuri (sans vue dégagée), avec cuisine ouverte et terrasse en bois. Sinon, villa créole avec vue sur mer, à l'écart, dans une belle végétation, avec 3 chambres climatisées et terrasse. Repaire d'amateurs de pêche. Location de voitures.

🛏 *Piton Bungalows (hors plan par B1, 12) :* 7, impasse Pomme-Rose, à *Caféière.* ☎ 05-90-28-47-55. ● contact@pitonbungalows.com ● pitonbungalows.com ● *Au rond-point de la plage, direction Caféière ; c'est à 3 km, à droite après l'arrêt de bus Piton. Compter 470-600 €/sem (87-100 €/nuit) pour 2.* 📶 Dans un jardin escarpé et planté de nombreux hibiscus, bananiers et bambous qui s'épanouissent au fil de nos passages, 8 bungalows en bois, bien conçus et nickel. Quelques attentions sympas comme le petit coin de verdure dans la salle de bains, la pièce commune avec un bar, des bouquins, un lave-linge. Piscine, carbet, baby-foot et barbecue à disposition.

🛏 *Gîtes Mangoplaya (plan B1, 14) :* chemin des Amandiers, à *Ziotte.* ☎ 05-90-20-53-83. 📱 06-90-56-39-30. ● mangoplaya@gmail.com ● mangoplaya.com ● *Traverser l'Habitation Grande-Anse en passant la barrière automatique (interphone). C'est la maison tt en haut du raidillon, sur la droite. Selon saison, compter 300-400 €/sem pour le studio, 600-800 € pour le gîte*

(4-5 pers). 📶 Corinne et Raymond proposent un gîte de 2 chambres et un studio dans leur maison haut perchée. Déco colorée agrémentée de photos de voyage, et confort douillet (clim, bonne literie, petite bibliothèque). Piscine, ravissant petit *deck* pour méditer face à l'exubérance de la forêt, coin barbecue. Une adresse familiale bien paisible.

🏠 **Bungalows Soleil Couchant** *(plan A1, 15)* : à *Ziotte.* ☎ 05-90-28-40-64. 📱 06-90-56-74-62. ● info@soleilcouchant.fr ● soleilcouchant.fr ● Fléché depuis la N2. F2 375-475 €/sem, F3 575-675 €/sem. Dominique, le sympathique gérant des lieux, prend grand soin de ses 5 bungalows, particulièrement colorés, tous différents mais toujours dans une gamme fraîche et acidulée. Ils sont accolés les uns aux autres (3 d'un côté du jardin, 2 de l'autre) et disposent d'un bon équipement. Et on est à peine à 5 mn à pied de la plage de Grande-Anse. Pas mal, non ?

🏠 **Résidence Deshroses** *(hors plan par A1, 19)* : à *Petit-Bas-Vent.* ☎ 05-90-28-41-72. ● deshroses@me.com ● deshroses.fr ● À 4 km au nord de Grande-Anse, tourner à gauche en direction de l'hôtel Fort Royal ; c'est la 2e rue à gauche, puis la 1re à droite. Gîtes 2-4 pers 315-579 €/sem. 📶 À 800 m de la plage de l'Anse de la Perle, pour ceux qui en auraient assez de Grande-Anse, 8 appartements en duplex avec cuisine aménagée et chambre climatisée à l'étage. Joli jardin avec piscine et un agréable carbet-bibliothèque. Accueil très sympa.

De plus chic à très chic

🏠 **Écolodges Arsenault** *(label Parc national de la Guadeloupe ; plan B2, 16)* : 442, allée du Cœur, à **Ziotte.** ☎ 05-90-28-47-74. 📱 06-90-18-14-74. ● ecolodges-arsenault@gmail.com ● ecolodges-arsenault.fr ● Compter 540-640 €/sem pour 2, 700-900 € pour 4-5 pers. 📶 3 bungalows en bois, en pleine forêt tropicale, avec vue plongeante sur la mer et la campagne luxuriante. Calmes et confortables : grande terrasse, moustiquaire, cuisine et douche extérieures. Très écolo : panneaux solaires, tri sélectif et compost,

etc. En bordure de propriété, un torrent où l'on peut faire trempette avec les *ouassous...*

🏠 **Fleurs des Îles** *(plan A1, 17)* : au bord de la plage, à *Ziotte.* ☎ 05-90-28-54-44. ● fleursdesiles@wanadoo.fr ● fleursdesiles.com ● 🦽 Fléché sur la N2. Compter 500-900 €/sem pour 2 selon saison. 📶 Une petite résidence hôtelière, composée d'une vingtaine de bungalows aux couleurs pastel, disséminés dans un joli jardin entourant une piscine. Également quelques studios et duplex. L'ensemble est très bien tenu, agréable et confortable : 1 grand lit et, dans une petite chambre à part, 2 lits superposés pour des enfants, kitchenette sur la grande terrasse à l'extérieur, AC, etc. Autre atout, et non des moindres : sa situation de choix avec accès direct à la magnifique plage. Accueil pro et gentil.

🏠 **Caraïb Bay Hotel** *(plan B2, 18)* : 410, allée du Cœur, à *Ziotte.* ☎ 05-90-28-41-71. ● reservation@caraib-bay-hotel.com ● caraib-bay-hotel.com ● 🦽 À partir de 138-184 €/nuit pour 2 selon saison, petit déj inclus (loc à la sem également, surveiller les promos). 📶 (à l'accueil). Spacieux duplex pour 2 à 5 personnes, à la déco tropicale, avec kitchenette camouflée dans un placard, mezzanine et terrasse privative. Également 3 villas (4-8 personnes) décorées avec goût dans des couleurs et matériaux naturels, telle cette salle de bains « Robinson » ouvrant directement sur la forêt. Accueil dynamique et très sympa. Bon petit déj et bar convivial sur une agréable terrasse couverte. Un lieu parfait pour se ressourcer quelques jours entre mer et piscine.

🏠 🍴 **Taïnos Cottages** *(plan A1, 20)* : au bord de la plage. ☎ 05-90-28-44-42. 📱 06-90-53-42-84. ● tainos-cottages.com ● Accès par un petit chemin (fléché sur la N2). Cottages 2 pers 150-380 €/nuit selon saison, petit déj compris. Restauration sur place. 📶 Sur le flanc doucement incliné d'une colline verdoyante bordant la plage, de magnifiques maisons créoles aux intérieurs joliment meublés et éclairés, rafraîchis par des persiennes... magique ! Et que dire de la piscine côté plage, avec un carbet

LA PLAGE DE GRANDE-ANSE

🏠	**Où dormir ?**		**19** Résidence Deshroses
	11 Villa Le Safran – Le Triskell		**20** Taïnos Cottages
	12 Piton Bungalows		**21** Gîtes Les Manguiers
	14 Gîtes Mangoplaya		
	15 Bungalows Soleil Couchant	🍴	**Où manger ?**
	16 Écolodges Arsenault		**30** Chez Liline
	17 Fleurs des Îles		**31** Banana's Plage
	18 Caraïb Bay Hotel		**32** Passion Créole
			34 Cacao Café et L'Otentik

surplombant la mer pour s'allonger tranquillement face au coucher de soleil. Le soir, agréable et délicieux resto. Accueil extra. Très cher, bien sûr.

Où manger ?

Voir également plus haut nos adresses dans le bourg de Deshaies même, situé à seulement 2 km de Grande-Anse.

De bon marché à prix moyens

🍴 **Chez Liline** (plan A1, **30**) : plage de Grande-Anse, à gauche en arrivant.

📞 06-90-30-18-65. En principe, tlj le midi. Plats env 10-16 €. Gentil petit resto de plage à la déco et à l'atmosphère hors du temps (ne fussent les voitures du parking mitoyen, qui gâchent la vue comme le plaisir). Liline s'applique à préparer des plats créoles simples et copieux, préparés selon le marché (fricassées de lambis ou de chatrou, poissons, brochettes...) et présentés avec un vrai souci de plaire. Attention, c'est presque toujours plein et le service a... son propre rythme !

I●I *Banana's Plage* (plan A1, **31**) : plage de Grande-Anse, à gauche en arrivant. ▦ 06-90-58-70-25. Tlj sf ven, le midi slt. Menus 14-18 € (30 € avec langouste). Salle agréable et colorée en terrasse (mais vue sur le parking !), où l'on sert une cuisine très honorable et régulière, sur cette plage souvent bondée où la qualité des adresses joue au yo-yo.

I●I *Cacao Café* (plan A1, **34**) : sur la plage, mais à droite, en arrivant sur le parking. ☎ 05-90-83-40-65. ▦ 06-90-64-11-67. Tlj sf lun 9h-18h. Fermé sept. Plats 15-22 €. Un resto-glacier qui s'est fait une spécialité que l'on vient déguster de loin : les brochettes géantes, cuites juste comme il faut, qui vous changent votre ordinaire. Comme les tripes à la portugaise, d'ailleurs, Fernando ayant conservé quelques plats de son pays natal. Belles salades sinon. Et bon accueil de Dominique.

De prix moyens à chic

I●I *Passion créole* (plan A1-2, **32**) : 381, allée du Cœur. ☎ 05-90-91-81-75. ● rama@passion-creole.com ● Tlj sf mar-sam. Congés : juin et sept. Menus 25-30 € ; plats 13-18 €. À l'écart de la plage, 2 salles colorées et une terrasse regardant une ravine. La cuisine, bien mitonnée et servie dans des casseroles miniatures, suit l'humeur de Domi, la rigolote patronne : marlin cru, *matété*, *calalou*, *bébélé* (tripes) au curcuma (spécialité de Marie-Galante), mais aussi les plus classiques *ouassous* grillés et fricassées de lambis. Belle collection de rhums. Une adresse un peu secrète et intime.

I●I *L'Otentik* (plan A1, **34**) : plage de Grande-Anse. ☎ 05-90-48-50-56. Sur la droite en venant du rond-point. Tlj sf lun-mar et dim soir. Congés : de mi-août à mi-oct. Plats 17-26 € ; repas env 35 €. Une belle salle sympa à la déco et aux couleurs actuelles, où le grand mur rouge rehausse le gris de l'ensemble. Terrasse en teck, agréable mais pas immense (à réserver donc, si on veut être dehors, le passage des voitures s'atténue le soir). Mieux vaut réserver pour avoir une chance de profiter d'une cuisine généreuse et délicieuse qui fait la part belle aux produits locaux. Le chef (un vrai, pour une fois !) les travaille avec inventivité et les saveurs ne laissent pas indifférent. Une très bonne table, vraiment, où l'accueil est charmant.

À faire

🏃🏃 *Le rayon vert :* ne manquez pas de guetter ce furtif phénomène au moment où le soleil disparaît à l'horizon, quand le temps et la saison s'y prêtent. Vous ne serez d'ailleurs pas seul à admirer le spectacle. Un truc (que vos voisins de plage ne savent pas...) : soyez accroupi lorsque le soleil commence à plonger dans les eaux. Et si, d'aventure, le rayon vert se manifeste, redressez-vous lentement à mesure que le soleil disparaît : vous prolongerez ainsi le moment magique.

🏃 *Balades à pied :* un chemin des douaniers suit la côte soit vers Deshaies au sud, soit vers les plages de *Rifflet* au nord (très belle, prise d'assaut certains dimanches pour sa *beach party*) et de *La Perle*. Un sentier plus ou moins bien entretenu gravit ensuite la falaise et conduit à la plage de l'hôtel *Fort Royal*. Un ancien *Club Med* à qui les locaux ne pardonnent pas son architecture bétonnée, mais qui fait le bonheur des hordes suédoises et nordistes. Vous pouvez même y aller boire un verre pour vous dépayser.

🏃 *Excursion à l'îlet Kahouanne :* pas de service régulier. Il faut demander aux pêcheurs ou se renseigner sur la plage. À éviter cependant par temps orageux, sous peine d'être sans cesse importuné par de petits insectes très désagréables. **Attention,** à Kahouanne, la plage est bordée de mancenilliers (voir « Santé » dans « Guadeloupe utile »), des arbres toxiques. Possibilité également de pêcher : contacter l'office de tourisme de Deshaies.

LES PLAGES DE DESHAIES À SAINTE-ROSE

La plage de l'Anse de la Perle : au nord de Rifflet. Superbe plage de sable protégée par une barrière de corail, avec vue sur l'île de Montserrat. Elle est ombragée, propre et beaucoup moins fréquentée que celle de Grande-Anse. ATTENTION, elle peut être dangereuse à certaines périodes de l'année, quand les grosses vagues passent la barrière de corail. Sur place, plusieurs paillotes pour déjeuner ou boire un verre sans subir les odeurs des pots d'échappement (pas de voitures ou très peu). Chacune avec sa terrasse sur le sable et ses spécialités créoles simples, d'un bon rapport qualité-prix. Attention, fans du feuilleton *Crimes au paradis,* si vous croyez apercevoir au loin la case réservée à l'inspecteur de police le plus déjanté des Antilles, ce n'est pas à un abus de ti-punch que vous devrez ce mirage, mais à une arrivée hors saison. Car les tournages reprennent une fois les touristes partis, en avril. Et notre resto préféré (*Chez Albertine,* la fille de Ninotte) sert alors de cantine à l'équipe des techniciens.

⌂ Paillote de la Perle, chez Ninotte : à droite en arrivant sur la plage. ☎ 05-90-28-45-87. Tlj en saison 11h-16h. Un emplacement exceptionnel, une vraie gentillesse à l'accueil et une qualité de cuisine que l'on ne retrouve pas partout. Albertine, la fille de Ninotte, continue de nourrir son petit monde avec générosité et discrétion. On mange sur la plage, s'il n'y a plus de place en terrasse, ou simplement si on en a envie, et le poisson grillé n'en est que plus savoureux. Une vraie perle, mais ne le dites pas trop.

*Jolie route côtière jusqu'à la **plage de Clugny,** où les tortues marines viennent pondre leurs œufs. Possibilité de faire une jolie rando de 2h jusqu'à la **plage des Amandiers.***

|●| Chez Francine : à 3 km du Fort Royal et 8 km avt Sainte-Rose, à l'extrémité droite de la plage de Clugny en regardant la mer. 📠 06-90-43-48-32. Ouv le midi tlj sf mar, le soir slt sur résa. Plats env 15-20 €, demi-langouste env 35 €. Dans une cabane en bois bleu et jaune, on se sustente d'une cuisine antillaise toute simple. Acras de légumes, lambis, colombo de raie, flan coco et bons jus de fruits frais. Ambiance vacances, les pieds dans le sable, sous les cocotiers. L'accueil toujours aussi lunatique fait désormais partie du charme des lieux, on vous prévient, n'allez pas énerver la patronne...

|●| Chez Mme Nestor, les Alizés : venant de Deshaies, 50 m au-delà du resto *Chez Francine,* prendre (au niveau de l'arrêt de bus) l'allée sur la gauche. Tlj le midi. Plats env 8-15 €, langouste env 35 €. Un petit resto simplissime avec chaises et nappes en plastique, face à la plage et aux cocotiers, et avec des îlets en toile de fond. Juste quelques plats à l'ardoise. Non seulement les prix sont riquiqui, mais c'est bon et copieux, une aubaine pour les petits budgets.

BASSE-TERRE

SAINTE-ROSE   (97115)   20 700 hab.

L'attraction principale de Sainte-Rose, ce sont ces îlets déserts et paradisiaques qui s'inscrivent sur la ligne d'horizon et dans la fameuse réserve naturelle du *Grand Cul-de-Sac Marin,* classée par l'Unesco comme « réserve mondiale de la biosphère ». Elle est fermée par une barrière de corail de 25 km de long (la plus longue des Antilles) et habitée par de nombreuses espèces : algues, coraux, mollusques, crustacés, poissons, oiseaux, reptiles, végétaux... Bref, un patrimoine naturel à ne pas manquer.

BASSE-TERRE

Sainte-Rose est une grosse commune agricole, spécialisée dans la canne à sucre, dont les faubourgs s'étendent de plus en plus. Le centre-ville autour de sa grande place est dénué de charme ; en revanche, on aime bien son port de pêche pittoresque. L'atmosphère devient authentique en fin de matinée, lorsque les pêcheurs rentrent avec, dans leur sillage, de majestueux pélicans voraces. Aussitôt les barcasses hissées sur la grève, la vente des poissons, coquillages et crustacés sur le front de mer provoque une effervescence générale à peine contenue...

Arriver – Quitter

En bus : arrêt face à la pharmacie Battaglia, à proximité immédiate de la pl. Tricolore, pour les liaisons avec Pointe-à-Pitre. Pour Deshaies et les communes de la côte Sous-le-Vent, prendre un bus face à la station Vito.
➤ **Pointe-à-Pitre :** bus ttes les 20-40 mn. Trajet de 45 mn (express)-60 mn (omnibus).

➤ **Deshaies et Pointe-Noire :** une vingtaine de bus/j. (moins sam et hypothétique dim). Également une ligne locale pour Deshaies par la route D18, bus ttes les 30 mn. Société Corniche d'Or.
– Pas de bus direct pour Basse-Terre (ville), il faut changer à Pointe-Noire.

Adresses utiles

fi **Office de tourisme :** pl. Tricolore, face à la station-service Vito. ☎ 05-90-20-20-48. Lun-ven sf l'ap-m mer et ven 8h-12h30, 14h-17h30. Liste des hébergements, cartes et docs sur la ville, ses environs et toute la Guadeloupe. Également

quelques infos pour visiter la réserve naturelle du Grand Cul-de-Sac Marin.
✉ **Poste :** pl. Tricolore. Tlj sf mer ap-m, sam ap-m et dim.
■ **Distributeurs de billets :** concentrés autour de la pl. Tricolore.

Où dormir à Sainte-Rose et dans les environs ?

Prix moyens

🏠 **La Case Bord de Mer :** en bord de mer. ☎ 05-90-03-09-69. 🖥 06-90-86-60-30. ● ikr971@gmail.com ● caseborddemer.blogspot.fr ● De la pl. Tricolore, descendre la rue jusqu'à la mer ; la case est juste devant. Compter 60 €/nuit pour 2. 🛜 Elle est vraiment posée au bord de mer, à fleur d'eau même. Avec une chambre avec un lit double, une autre avec 2 lits simples, un bar-cuisine, une salle d'eau, et une terrasse de 30 m², avec son hamac bien sûr. Pour seuls voisins, le lagon et les oiseaux qui fréquentent les îlets proches. Simple, génial et diablement réussi. Raoul accueille avec beaucoup de gentillesse. Prêt de canoë.

🏠 **La Joupa :** entre Sainte-Rose et Deshaies, sur les hauteurs de **Solitude**. ☎ 05-90-28-00-04. 🖥 06-90-56-05-10. ● lajoupa@orange.fr ● En quittant Sainte-Rose vers Deshaies, prendre la D18 à gauche en face de la plage des Amandiers, faire env 5-6 km puis, après l'église, tourner à gauche (panneau discret). Cases 400-500 €/sem pour 2, 500-850 €/sem pour 3-4 pers. 🛜 3 ravissantes cases colorées, dans un jardin magnifique avec vue plongeante sur la grande bleue. Ancienne exploitation de vanille de la grand-mère de la propriétaire, qui en continue l'exploitation. 2 des bungalows possèdent une petite piscine privée et une chambre, le 3ᵉ un jacuzzi et 2 chambres. Tous très bien équipés, joliment décorés et dotés d'une terrasse avec vue sur mer. Douche extérieure également et barbecue pour tout le monde. Une retraite au calme, idéale pour se ressourcer ! En prime, l'extrême gentillesse de Philippe et Sulyanise.

⌂ *La Créolina, chez Isabelle Chomeyrac (label Parc national de la Guadeloupe) : chemin de Lachaise.* ☎ 05-90-28-84-21. 🗎 06-90-38-29-39 ou 06-90-75-96-25. ● *lacreolina@ wanadoo.fr ● lacreolina.com ●* ♿ *En direction de Lamentin (N2), tourner à droite vers le collège Bébel-Lachaise ; c'est 2 km plus loin sur la gauche. Compter 300-550 €/sem (70-105 €/ nuit) pour 2.* 📶 *En pleine campagne, dans un jardin fleuri de 3 800 m² plein d'essences rares et odorantes, 4 gîtes-studios jouxtant la maison des avenants proprios. Les 2 situés au bord de la piscine sont sympas pour piquer une tête au saut du lit, mais moins intimes. Confort standard et déco dans le style des îles, avec cuisine et terrasse privée. Sinon, il y a aussi « la cabane » (un peu plus chère) à l'arrière, les pieds dans le jardin, très agréable et tout en bois, avec salle de bains ouverte. Très calme. Piscine et solarium. Possibilité de location de voitures à tarif intéressant.*

⌂ *Gîtes de l'écomusée créole de la Guadeloupe : coordonnées plus loin dans la rubrique « À voir. À faire autour de Sainte-Rose ». Gîtes 290 €/*

sem pour 2, 440 €/sem pour 4. Noyés dans la végétation, ces gîtes donnent l'impression d'îlots perdus dans la canopée : l'un peut accueillir 2 personnes, et l'autre, familial, de 2 à 6 personnes. Petite déco bien sympa, tout comme Virginie et Jocelyn, les inénarrables proprios. Et puis, comme on est au sein de l'écomusée, on ne se lassera pas d'y jeter un œil journalier...

Très chic

⌂ ●I●I *Habitation du Comté : comté de Loheac.* ☎ 05-90-21-78-81. ● *contact@habitationducomte.com ● hotelducomte.com ● À env 3 km de Sainte-Rose en direction de Deshaies, bien indiqué sur la gauche. Resto fermé mar-mer. Doubles 140-330 €/nuit selon saison. Formule 25 € ; menu 45 € ; plats 16-26 €.* 📶 *Construite en 1948 par le propriétaire d'une sucrerie, cette maison de maître néocoloniale se dresse fièrement dans un parc arboré et fleuri de 5 ha. Un lieu accueillant et confortable où on a envie de se poser, pour profiter du calme et de la vue superbe sur la vaste terrasse au 1er étage, ou au bord de la piscine. Également une villa de 2 chambres et sa piscine privée. Côté resto, le chef (ex-sancerrois) réalise une belle cuisine métissée et raffinée. Une table à la hauteur du lieu... un vrai coup de cœur !*

BASSE-TERRE

Où manger à Sainte-Rose et dans les environs ?

Très bon marché

●I●I *Le Boukané : route de Pointe-à-Pitre, à Viard.* ☎ 05-90-28-85-45. ● *leboukane@hotmail.fr ● À 50 m de l'intersection pour le musée du Rhum, en bord de N2. Tlj 7h-15h. Formule déj 7,50 € ; plats 5,50-10 €. Punch local offert sur présentation de ce guide.* Un resto de bord de route qui ne paie pas de mine, simple, très populaire et vraiment bon marché. Excellent plat du jour et spécialité de poulet boucané, comme son nom l'indique, mais au charbon de bois et à la canne à sucre, ce qui a tout de même une autre gueule. Quelques tables pour

manger sur place ou plats à emporter (à commander la veille).

De prix moyens à chic

●I●I *Le Poulpe : bd Maritime.* ☎ 05-90-28-74-21. *À l'extrémité ouest du bord de mer. Ouv le midi tlj sf jeu, plus le soir le w-e. Congés : oct. Formule env 14 € ; plats env 14-22 €.* Terrasse couverte avec une vue dégagée sur la mer, impeccable pour découvrir la bonne cuisine créole familiale de la maison. Spécialités traditionnelles hermétiques aux effets de mode, comme la fricassée de chatrou, la brochette de poissons ou le court-bouillon à l'ancienne.

Terrasse sans chichis, assez brute de décoffrage même.

|●| L'Arbre à Pain : *rue Saint-Charles.* ☎ *05-90-28-70-87.* ♿ *En retrait du bord de mer. Ouv le midi tlj sf w-e. Formule env 14 € ; plats env 12-20 €.* Bar-restaurant bien connu des locaux où Juditha veille à ce que la cuisine comme le service soient parfaits. On vient y manger le poisson du jour mais aussi les colombos, dont celui de cabri, qui est la spécialité de la maison.

|●| Restaurant Clara : *bd Maritime.* ☎ *05-90-28-72-99. Ouv le midi tlj, plus le soir ven-sam. Menus 25-39 € ; plats env 16-25 €.* Une adresse haute en couleur, autant pour sa déco bariolée que pour la personnalité de Clara, ancienne danseuse et Claudette. On peut la croiser tous les jours, c'est une vraie personnalité et elle mène rondement

son affaire. Dans l'assiette, des plats créoles, mais aussi des goûts plus européens, parfois revisités avec fantaisie. Une adresse agréable et décontractée, presque mythique à Sainte-Rose.

|●| Terrasse des Amandiers : *plage des Amandiers.* ☎ *05-90-68-59-09.* 📱 *06-90-19-23-22. À 4,5 km de Sainte-Rose en direction de Deshaies (fléché depuis la N2). Tlj, le midi slt. Menu env 22 € (30 € avec langouste) ; plats env 17-25 €.* Alignées le long d'une terrasse-coursive, les tables se partagent une belle vue plongeante sur la plage, les cocotiers, la mer turquoise qui garde ses blancs moutons. Les plats qu'on vous sert ici se mangent les yeux fermés : brochettes de poisson en potence, *ouassous* et même quelques viandes, le tout servi (très cool) avec une belle générosité.

À voir. À faire autour de Sainte-Rose

🦐🦐 🚶 *L'écomusée créole de la Guadeloupe (labels Parc national de la Guadeloupe et Jardin remarquable) : route de Sofaïa (D19), Ravine Cheval.* ☎ *05-90-28-67-98.* ● ● *ecomusee.creole@orange.fr* ● *ecomusee.gp* ● ♿ *À 2 km de Sainte-Rose en allant vers Deshaies, fléché sur la gauche. Tlj sf lun 9h-16h30. Fermé de mi-sept à mi-oct. Entrée : 12,50 € ; 9,50 € enfant (5 €/enfant pour les familles de 2 enfants et plus).*

Plus qu'un simple jardin botanique, un véritable écomusée. On y valorise les produits du terroir ainsi que les essences en voie de disparition, comme le poivrier, le muscadier, les bananes de la vierge, le wawa giga, sorte de grosse liane qui pousse à côté des plus belles fleurs de Guadeloupe, sans oublier toute la pharmacopée locale et le savoir des ancêtres. Si vous rencontrez Jocelyn, le propriétaire, il vous expliquera certains des rituels magico-religieux qui accompagnent toujours l'absorption de plantes qu'il doit protéger des vols (certaines habituées viennent ici refaire leurs réserves). Comme les « 6-heures » qu'on doit planter à l'est de l'habitation : en fin de journée, les petites graines qui éclatent dégagent un parfum qui chasse les mauvais esprits de la case.

Il faut prendre le temps de lire, de respirer, de toucher : ici le poivre de Guinée au goût de *Vicks,* là le gros thym pour le poisson mariné... ou, dans un autre registre, l'herbe à femme (l'IVG d'*antan lontan*) et la *feuille à maltete.* Intéressant de savoir que les salades poussent mieux en compagnie du tabac, que les poireaux protègent les carottes ou encore le persil les poivrons...

Des vitrines ont été mises à disposition de chacune des 32 communes de Guadeloupe qui y exposent leur patrimoine local : de Lilian Thuram, enfant du pays d'Anse-Bertrand, à Trois-Rivières avec ses femmes qui accouchaient dans l'eau, en passant par Deshaies et son morceau de Boeing 707 d'*Air France* tombé au morne Piton en 1962. La visite s'achève par des reconstitutions de « scènes de vie » qui illustrent les différentes populations et les grandes étapes de l'histoire de la région : les Amérindiens, l'arrivée de Christophe Colomb, les esclaves, les colons, les Libano-Syriens (qui, débarqués aux Antilles, enterraient encore leurs morts dans des jarres comme leurs ancêtres), le *lolo* traditionnel avec son fameux « carnet-crédit ».

⦿ *Resto de l'Écomusée :* *réservé aux visiteurs du musée.* ♿ *Tlj sf lun, le midi slt. Sept-oct, sur résa. Plats à partir de 14,50 €.* 🛜 *Visite de l'écomusée + plat du jour 21,50 € sur présentation de ce guide (au lieu de 27 €).* Virginie mitonne de délicieux petits plats comme la *roucouyade* de poisson, servie avec des gratins de légumes cueillis le matin même, ou un excellent poulet boucané au bois d'Inde. Atmosphère chaleureuse, tout à fait dans l'esprit d'une table d'hôtes. Pour le soir, Jocelyn vous conseillera peut-être le resto de son fils, l'*Otantik Grill,* en bord de mer.

🥾 🚶‍♀️ Le musée du Rhum : à Bellevue. ☎ 05-90-28-70-04. ● museedurhum@wanadoo.fr ● musee-du-rhum.fr ● De Sainte-Rose, direction Pointe-à-Pitre, puis Bellevue sur la droite (panneaux) ; c'est à 400 m sur la gauche. Tlj sf dim 9h-17h. Entrée : 6 € (dégustation comprise) ; 3 € enfant. Photos interdites (!). C'est le musée de la distillerie *Reimoneng,* maison très connue pour son rhum blanc « cœur de chauffe » et son rhum vieux, le *J.R.* Rien ne vous oblige à suivre la visite, vous pouvez très bien passer directement à la boutique. Musée on ne peut plus éclectique puisque, en plus du circuit explicatif sur le rhum, il propose également une *galerie des plus beaux insectes du monde,* une expo sur les *grands voiliers du monde* et une petite galerie consacrée aux *métiers d'antan* et *costumes traditionnels* en Guadeloupe... sans oublier des reproductions grandeur réelle d'animaux (girafe, rhino... rien de bien local). Accueil plus ou moins détendu (pas de photos !).

🥾 🚶‍♀️ La distillerie du domaine de Séverin : à Cadet. ☎ 05-90-69-85-44. ● contact@ledomainedeseverin.fr ● ledomainedeseverin.fr ● Entre Sainte-Rose et Lamentin. Depuis la N2, tourner à droite au rond-point de Boucan et suivre les panneaux sur 3 km. Tlj sf dim 9h-17h. Visite à pied (30 mn-1h), visite d'une habitation, balade en petit train (35 mn ; non obligatoire) à 9h30, 10h30, 11h30, 14h, 15h et 16h (mat slt en sept). Entrée : 11 € ; 6 € 4-12 ans. Un petit train prodigue des commentaires audio tout en profitant des paysages de ce joli site. Puis on suit à pied un sentier pour découvrir l'habitation, une ancienne case d'ouvrier, une roue à aubes... Dégustation et boutique.

⦿ *Tilolo :* sur place, face à la boutique. ☎ 05-90-28-28-11. Tlj sf dim, le midi slt. Plats 13-22 €. À la carte de ce petit *lolo* dynamique plus coloré qu'une palette de peintre : colombo de cochon pays, poulet coco, grillades, poissons frais... le tout accompagné de légumes locaux et de fruits du jardin. Tartes maison et jus de fruits frais.

– *ULM :* avec *Les Îles du Ciel,* dont la base se trouve sur le port, à gauche du port de Sainte-Rose. ☎ 05-90-03-09-69. ● info@ulm-guadeloupe.com ● ulm-guadeloupe.com ● Baptêmes de l'air à partir de 50 € env. Raoul, instructeur ULM, propose différentes formules pour découvrir les magnifiques paysages et écosystèmes du Grand Cul-de-Sac Marin (îlets, mangrove, barrière de corail), à bord de son hydravion ULM biplace. Possibilité de s'initier ou de se perfectionner au pilotage. La base dispose d'un bar-terrasse avec vue sur mer.

Randonnées pédestres

🥾🥾 Ceux qui possèdent un véhicule et disposent d'un peu de temps aimeront le détour par *Sofaïa* (à 6 km). Là-haut, à partir du parking, trois circuits (compter entre 1h et 1h20 selon le parcours), dont le sentier de découverte du *saut des Trois Cornes* : le chemin entretenu par l'ONF (mais boueux par temps de pluie) descend jusqu'à une petite rivière puis une cascade. Une autre randonnée intéressante, la *trace Sofaïa Baille-Argent :* compter 5 bonnes heures (avec passages pas évidents) pour gagner la côte Sous-le-Vent. Mieux vaut se renseigner avant sur l'état de la trace auprès du parc national de la Guadeloupe (☎ 05-90-80-86-00).

BASSE-TERRE

Dès le parking, très belle forêt aux riches essences. Beau point de vue depuis la *Barre-de-l'Île* (point culminant de la balade à 758 m). Toutes ces balades sont à éviter s'il a plu récemment, les cours d'eau étant souvent en crue à ce moment-là. Près du parking également, possibilité de se doucher gratuitement en plein air sous une eau tiède et sulfureuse.

Pour redescendre, prendre la première route à droite en venant du parking ; au lieu de retourner à Sainte-Rose, on se retrouve directement à *Montplaisir*. Le spectacle que l'on a devant soi est superbe. Vue imprenable tout au long de la descente sur le **Grand Cul-de-Sac Marin** et tous ses massifs coralliens. La mer turquoise est enchanteresse. Le rêve ! Et en arrivant à l'Anse Leroux, vous apprécierez certainement la baignade en guise de récompense. L'idéal est d'avoir, évidemment, une voiture qui vous attend sur place, à Baille-Argent.

Découverte de la mangrove et des îlets sauvages

C'est au départ de Sainte-Rose qu'on trouve le meilleur choix d'excursions à la découverte des îlets de carte postale du Grand Cul-de-Sac Marin, sans oublier l'exploration étonnante de la mangrove et des baignades mémorables avec palmes, masque et tuba sur la barrière de corail. Tous les moyens sont bons : kayak, bateau à moteur, Zodiac... C'est plutôt cher, mais vous ne le regretterez pas. Pensez toutefois à réserver ! Tous les prestataires sont sur le front de mer en contrebas du bourg.

■ **Alizés Adventure :** *front de mer.* 06-90-26-20-51. ● alizesadventure@gmail.com ● alizes-adventure.com ● *Départs à 7h45 et 12h30. Résa vivement conseillée. Compter 35 € pour 4h ; 15 € moins de 13 ans.* Découverte du lagon avec de multiples arrêts à l'île de la Biche, la Piscine, l'île aux Oiseaux, l'îlet Blanc et une grande balade dans la mangrove jusqu'à la rivière Moustique... à bord de petits bateaux sans permis (de 2 à 6 personnes) que vous pilotez et dont le fond plat et la petite taille permettent d'accéder aux coins les plus sauvages. Richard, un passionné, moniteur de bord de plongée et amoureux de la nature, vous accompagne. Immersion complète grâce à lui dans ces paysages de rêve, avec des haltes riches en émotions : observation de la faune et de la flore sous-marines avec masque et tuba, partage d'un verre sur un îlet de sable blanc...

■ **Blue Lagoon :** *front de mer.* 06-90-34-99-69. ● capitaine@guadeloupe-excursion.com ● guadeloupe-excursion.com ● *Départs à 8h30 et 13h30. Congés : sept. Résa vivement conseillée. Compter 38 € pour 4h30 ; 20 € 2-10 ans.* Visite de la mangrove, notamment le long de la rivière Moustique, avant de gagner la barrière de corail pour une baignade avec masque et tuba. Puis finir sur l'îlet Blanc pour le verre de l'amitié. Le tout en compagnie de Jean-Eudes, qui n'a pas son pareil pour captiver son public, y compris les enfants. Explications de qualité sur la mangrove et son écosystème, sans jamais être barbantes.

■ **Bleu Blanc Vert :** *front de mer.* 06-90-63-82-43. ● info@bleublancvert.com ● bleublancvert.com ● *Départs à 8h30 et 13h. Env 35 € la ½ journée ; 15 € moins de 11 ans.* François organise des balades pédagogiques et commentées en mer à bord d'un Zodiac et vous fait découvrir la rivière Moustique, le cœur de la mangrove et la barrière de corail de très près *(snorkelling)* grâce au faible tirant d'eau de ses bateaux. Au passage, on se pose aussi sur quelques îlets de rêve... L'originalité : tout se fait en petits groupes de 4 adultes par Zodiac.

■ **Nico Excursions** (label Parc national de la Guadeloupe) : *front de mer.* ☎ 05-90-28-72-47. 06-90-53-09-65. ● nico.excursions@wanadoo.fr ● nico-excursions.com ● *Excursion dans le lagon à la ½ journée 40 € ; 25 € enfant. Embarquement sur un gros Zodiac*

(12 pers max, sur résa). Nico comme Antoine connaissent bien leur affaire et distillent des commentaires pédagogiques enrichissants à toutes les étapes du circuit, dans une ambiance conviviale. Planteur maison à déguster les pieds dans l'eau, dans une piscine naturelle.

■ *Coco Mambo :* front de mer. 06-90-35-92-06. ● cocomambo.fr ● Compter 35 € la ½ journée ; 55 € la journée ; réduc. Claudius propose 3 formules dans le lagon : à la journée à l'îlet Caret, à l'îlet aux Oiseaux et dans la mangrove (départ de Sainte-Rose, baignade, barbecue et plein d'explications sur le milieu naturel) ; à la demi-journée (même itinéraire, sans le repas) ; minicroisière dans le lagon (balade dans différents îlets, baignade, visite commentée de la mangrove et d'une épave, repas chaud sur le bateau). Il propose aussi, pour les amateurs, une minicroisière naturiste, selon la demande.

■ *Jean-Luc, Marie-Laure et Axel :* front de mer. ☎ 05-90-28-39-61 (après 19h). 06-90-55-91-00. Résa impérative. Au départ du port de Sainte-Rose, visite 35 € la ½ journée ; ½ tarif moins de 12 ans ; gratuit jusqu'à 3 ans. Embarquement en petit comité (12 personnes maximum) pour l'îlet Caret, l'îlet aux Oiseaux et découverte de la mangrove. Avec, en prime, les explications et anecdotes enrichissantes de Marie-Laure. Masque et tuba fournis pour s'éblouir les mirettes. Accueil sympa.

■ *Lagoon Location :* front de mer. 06-90-00-71-91 (Stéphane).

● lagoonlocation.com ● Compter 50 € la ½ journée pour un sans-permis (hors carburant). Loue des bateaux pour 4 à 8 personnes, équipés de moteurs de 6 à 150 CV. Pour ceux qui veulent se promener par leurs propres moyens avec un GPS sur des routes maritimes prétracées. Initiation rapide avant de partir à la découverte de la mangrove, la rivière Moustique, la barrière de corail et son épave ainsi que les îlets. Prêt de masque et tuba (si disponibles) et glacière.

■ *Tam Tam Pagaie* (label Parc national de la Guadeloupe) : départ du port de pêche de *Morne Rouge.* 06-90-75-70-02. ● franck@guadeloupe-kayak. com ● guadeloupe-kayak.com ● tamtam-pagaie.fr ● À env 5 km en allant vers Pointe-à-Pitre. Compter 30 €/pers la ½ journée et 50 € la journée, déj compris (min 2 ou 4 pers selon circuit) ; ½ tarif moins de 12 ans, 8 € moins de 8 ans. Franck, diplômé d'État, propose des balades en kayak de mer dans la réserve du Grand Cul-de-Sac Marin. De jolis circuits en osmose avec la nature. Location de kayaks.

■ *Regy Balades :* front de mer. 06-90-62-82-24. ● regy.balade@ wanadoo.fr ● antilles-info-tourisme. com/guadeloupe/regy-balade.htm ● Départ à 8h30, retour vers 16h30. Compter 50 €/pers la journée ; 25 € moins de 12 ans ; ½ journée sans repas possible. Visite de la mangrove et baignade vers la barrière de corail à bord d'un offshore. Après-midi sur l'îlet Caret avec un repas antillais.

BASSE-TERRE

Plongée sous-marine

Totalement ignorée du commun des plongeurs, qui choisit généralement Malendure pour faire des bulles, Sainte-Rose offre des spots sauvages d'une beauté étonnante. Au large, on trouve l'une des plus grandes barrières de corail des Antilles, semée de charmants îlets de carte postale (sable clair, eau turquoise).

Club de plongée

■ *Centre de plongée Alavama Sainte-Rose :* dans le centre de Sainte-Rose, à 2 petites rues du bord de mer. ☎ 05-90-28-65-49. 06-90-64-60-81. ● info@alavama. com ● alavama.com ● Départs

tlj à 8h30 et, sur résa, à 14h. Résa conseillée. Baptême 45 €, plongées d'exploration 33-40 € ; forfaits nominatifs. Sur le bateau rapide de ce petit centre (FFESSM, ANMP, PADI), Stéphan encadre les formations jusqu'au

Niveau 3, les brevets PADI, ainsi que d'inoubliables balades sous-marines. Plongée de nuit, plongée profonde le dimanche matin et initiation enfant. Très original, unique même dans les parages, l'inoubliable baptême sur une épave particulièrement poissonneuse. Équipement complet fourni, bouteilles déjà sur le bateau.

Nos meilleurs spots

● Carte Basse-Terre *p. 127*

La Passe à Colas (carte Basse-Terre, **1**) **:** *à l'extrémité est de la barrière de corail, devant l'îlet Fajou.* Idéal pour plongeurs débutants et confirmés et randonneurs à palmes. Plongée fabuleuse (- 3 à - 25 m) juste en bordure des zones classées parc national du Grand Cul-de-Sac Marin.

La Passe de la Grande Coulée (carte Basse-Terre, **2**) **:** *face au port de Sainte-Rose.* Pour plongeurs autonomes (Niveau 2 minimum, descente jusqu'à - 42 m). Descente sur un magnifique plateau corallien à 20 m, puis le long d'un tombant vertigineux. Relief très marqué, faille, canyons où fleurissent de belles gorgones noires. Requins-dormeurs, grosses tortues, barracudas, énormes mérous et parfois même des raies. Une plongée au relief impressionnant.

La Tête à l'Anglais (carte Basse-Terre, **3**) **:** *au nord-ouest du port.* Pour plongeurs débutants et confirmés. À l'époque des guerres maritimes contre les Anglais, cet îlot servait de cible d'entraînement aux canonniers de notre marine à voile, qui y voyaient la représentation parfaite d'un casque british ! Aujourd'hui, c'est un site protégé pour la nidification des oiseaux. Sous l'eau, succession d'éboulis rocheux, tunnels, arches, tombants, canyons, où l'on croise d'impressionnantes foules de poissons (- 2 à - 22 m). L'autre site est le *Sec des Raies* (- 8 à - 22 m), accessible dès le Niveau 1. Comme son nom l'indique, rencontre majestueuse avec les raies pastenagues.

L'îlet Kahouanne (carte Basse-Terre, **4**) **:** *le plus grand des îlets du secteur, en forme de tortue, se trouve au nord-ouest du port.* Pour plongeurs débutants et confirmés. Entre - 2 et - 22 m, c'est le rendez-vous des tortues qui viennent se reproduire sur l'îlet. Rencontre de poissons particulièrement gros : platax, bancs de carangues, barracudas solitaires, et parfois un requin-dormeur en plein rêve (pas de panique !). Deux sites. D'une part, le *Sec de Kahouanne* (- 16 à - 22 m), où frayent agoutis, carangues, capitaines, poissons-anges et d'impressionnantes langoustes. D'autre part, la *Baie des Pélicans* (- 2 à - 18 m), éboulis rocheux habité par des gorgones et autres éponges-vases.

DANS LES ENVIRONS DE SAINTE-ROSE

LAMENTIN (97129)

Repaire de flibustiers au XVIIIe s, la commune agricole de Lamentin tire son nom de ce mammifère marin herbivore aujourd'hui disparu de ses eaux et qu'on tente aujourd'hui de réacclimater. Ce gros bourg compte quelques vieilles maisons créoles et des édifices publics construits par l'équipe de l'architecte Ali Tur après le cyclone de 1928. On y trouve aussi l'un des rares monuments de la Guadeloupe consacrés à l'esclavage, la **Maison de l'esclavage et des Droits de l'homme**, qui mérite un coup d'œil avec ses gros blocs rocheux maintenus par de lourdes chaînes, symbolisant l'esclavage (*à l'entrée du centre-ville, prendre à gauche au* *rond-point, passer devant le collège Poussin et continuer sur 300 m, le parc des Droits de l'homme se trouve à gauche au fond de l'impasse).*

Où dormir ? Où manger ?

🛏 **La Roseraie** (Gîtes de France)**: La Rosière.** ☎ 05-90-25-61-31. ● vil laslaroseraie@gmail.com ● giteslarose-raie.com ● *Sur la N2 venant de Pointe-à-Pitre, prendre la D1 à gauche à hauteur de Lamentin, et suivre « Sucrerie Grosse Montagne » sur 3,5 km jusqu'à Rosière ; c'est après le Huit à Huit, sur la gauche. Compter 495-590 €/sem pour 4.* 📶 Proches à la fois de la route de la Traversée et de la Grande-Terre, voici 2 gîtes bien tenus par Lisette et sa fille. Confort correct avec cuisine, lave-linge, etc. L'ensemble est situé dans un grand jardin fleuri, au calme, en retrait de la départementale. Petite piscine.

🍽 **La Belle Chaudière :** *route de Ravine-Chaude,* **Chartreux.** ☎ 05-90-25-96-46. *Sur la N2 venant de Pointe-à-Pitre, prendre la D1 à gauche à hauteur de Lamentin, suivre « Sucrerie Grosse Montagne » sur 3 km ; prendre à droite à l'entrée de La Rosière, direction « Ravine Chaude » ; c'est 2 km plus loin. Tlj sf sam midi, dim soir et lun. Carte env 30-40 €.* Excellent accueil de Jean qui tient ce resto depuis un quart de siècle. On y déguste des poissons et fruits de mer (*ouassous* sauvages, « lambis pays », « langouste caraïbe », etc.) dans plusieurs salles et couloirs sympas aux murs de brique ou de pierre. L'adresse la plus réputée du secteur.

LES ÎLES
DE LA GUADELOUPE

D'île en île, de bateau en bateau, la Guadeloupe se découvre différente, et peut-être plus attachante encore. Îles, elles, nous, ici difficile d'être objectif, à chacun ses préférences... Ces îles, il faut prendre le temps d'y aller, de les comprendre, et surtout de les aimer, au regard de leurs histoire, superficie, relief, climat, population... Leur humeur du moment aussi qui change vite, heureusement, comme le temps. Mais vous ne pourrez qu'être séduit par le caractère unique et bien trempé de ces petits joyaux posés sur l'écrin de l'Atlantique. Au large de la Guadeloupe, on croise d'abord les Saintes, incontestablement sublimes mais dont le succès touristique fait perdre, pendant la journée, un peu de cette tranquillité qui en fait le charme profond aux yeux des habitués. Ensuite, majestueuse et sauvage, la Désirade offre l'occasion d'une escapade formidable, surprenante, revigorante... au bout du monde. Puis il y a Marie-Galante, la reine débonnaire des îles guadeloupéennes. À ne manquer sous aucun prétexte, pour son cachet, son atmosphère hors du temps et ses magnifiques plages.

LES SAINTES

● Carte p. 213

ABC des Saintes

❏ *Superficie :* 15 km² (5 km² pour Terre-de-Haut, 10 km² pour le reste).
❏ *Population :* 3 000 hab. (1 900 Terre-de-Haut, 1 100 Terre-de-Bas).
❏ *Densité :* 200 hab./km² (moyenne française : 117).
❏ *Statut :* collectivité dépendant de la Guadeloupe.
❏ *Points culminants :* le Chameau à Terre-de-Haut (309 m), le morne Abymes à Terre-de-Bas (293 m).
❏ *Signe particulier :* se parcourt à pied, à vélo, à scooter ou en véhicules électriques (vélos, voiturettes).
❏ *Spécialité culinaire :* les « tourments d'amour » (tartelettes à la confiture coiffée d'une génoise).

Une vraie merveille ! Les Saintes se composent essentiellement de deux petites îles, Terre-de-Haut et Terre-de-Bas, et de sept îlets rocailleux et inhabités. Le climat est plutôt sec, les pluies rarissimes et les sources d'eau inexistantes. La végétation qui enrobe leurs hautes collines est donc aux antipodes de la luxuriante Basse-Terre, distante de seulement quelques kilomètres. Voilà qui fait le bonheur des iguanes, fondus dans le paysage près du stade de Terre-de-Haut, ou résidant à demeure au fort Napoléon, mais aussi à Petites-Anses sur Terre-de-Bas...

LA BELLE ET LA BAIE

Terre-de-Haut est baignée par une rade splendide, qui rappelle, surtout à l'heure sacro-sainte du ti-punch, un peu celle de Rio en miniature (il y a même un Pain-de-Sucre !). Qu'on y débarque pour la première ou la centième fois, on ne peut s'empêcher de l'admirer à chaque arrivée, et de la regretter à chaque départ. Elle fait du reste partie, depuis 1997, du club très fermé des « Plus Belles Baies du monde ». Honneur qu'elle mérite largement. Et, pour ne rien gâcher, les habitants se sont

> ### UNE PAGE D'HISTOIRE OUBLIÉE
>
> *Durant la Seconde Guerre mondiale, le gouverneur de Guadeloupe était favorable à Pétain. Parmi les 3 000 Guadeloupéens entrés en résistance, on dénombre une trentaine de Saintois qui s'enfuirent clandestinement via la Dominique (anglaise). Ils purent ensuite rejoindre des camps d'entraînement aux États-Unis et les champs de bataille.*

engagés dans une politique volontariste de respect de l'environnement. D'ailleurs, après qu'une petite famille de dauphins a élu domicile dans la baie fin 2013, faisant la joie des plongeurs et baigneurs, quelques-uns de leurs congénères sont régulièrement aperçus, dans la baie, au large du Pain-de-Sucre et de l'îlet Cabrit... Port et village, avec leurs blanches maisons aux toits rouges, sont d'une belle homogénéité architecturale. Certes, la quiétude de ce petit paradis est hélas un peu gâchée par le bourdonnement permanent des Vespa et (moins bruyants) des vélos ou voiturettes électriques promène-touristes... Ouf ! La fin d'après-midi sonne le glas de ce trafic, la plupart des visiteurs, arrivés le matin même, quittant l'île avec le dernier bateau. On partage alors ce lieu d'exception avec ses avenants habitants. Vous aurez compris qu'il vaut mieux y séjourner qu'y passer en coup de vent. Les visiteurs apprécient la richesse de ce petit territoire et la variété des activités offertes : de superbes fonds à découvrir avec ou sans bouteille ; une douzaine de plages de rêve pour ne rien entreprendre de sérieux... ou, au pire, pour faire clapoter les pagaies d'un kayak ; un terrain accidenté propice à de jolies petites randonnées, offrant d'incroyables points de vue sur la Guadeloupe, Marie-Galante, la Dominique ; et de bon petits restos pour mettre les petits plats dans les grands, le ventre à table et les pieds dans l'eau...

DES PÊCHEURS SANS HISTOIRE

Descendants de Bretons, Normands et Poitevins, les Saintois sont pour la plupart blancs de peau (avec quelques nuances). En effet, la canne ne poussant pas sur leur sol aride, ils n'eurent pas recours en masse aux esclaves, et le mélange des populations fut donc limité. Ne soyez pas étonné de retrouver en nombre des Cassin, Maisonneuve, Joyeux, Laurent... tous descendants des quelques rares foyers qui s'étaient accrochés au XVIIe s au flanc des mornes. Largement tournés vers la mer, les Saintois, peuple de pêcheurs (les meilleurs de toutes les Antilles, dit-on !) isolés sur leur île, ont ainsi conservé leur particularisme à travers les siècles de quasi-autarcie.

Le travail au quotidien de ces pêcheurs, que l'on voit revenir sur leurs embarcations colorées aux noms évocateurs, reste l'activité principale de l'île. Et c'est sous une petite halle installée en bord de mer que frétille une dernière fois le produit de la pêche du jour.

Longtemps, les charpentiers de marine locaux furent réputés pour la qualité de leurs bateaux, les fameuses « saintoises », légères et rapides, qui pouvaient mesurer jusqu'à 10 m de long. Aujourd'hui, bien sûr, les bateaux à moteur ont pratiquement remplacé les blanches voiles triangulaires, et seuls quelques vieux habitants portent encore le traditionnel salako avec ses lamelles de bambou recouvertes de tissu. Mais l'identité saintoise résiste aussi bien aux revers de fortune des uns qu'à l'arrivée de ceux qui, nouveaux aventuriers, viennent à leur tour tenter leur chance dans cet(te) « archiperle » des Antilles.

UN PEU D'HISTOIRE « SAINTES » QUAND MÊME !

C'est Christophe Colomb (et oui, encore lui !) qui découvrit l'archipel début novembre 1493 et le baptisa Los Santos, en l'honneur de la Toussaint. Une fête qui, ici, prend une couleur toute particulière, avec les centaines de bougies allumées au fond des corolles de lambis qui en rougissent d'émotion...

En 1648, les Français occupèrent les Saintes, mais la trentaine de colons envoyée de Guadeloupe par Charles Houël ne résista pas longtemps à la sécheresse ambiante. La deuxième tentative, en 1652, fut la bonne. Le 15 août 1666, la flotte anglaise fut battue (cette victoire est, depuis, commémorée chaque année à l'occasion de la fête patronale). Les Français se firent alors aider par les Indiens caraïbes pour chasser les Grands-Bretons. Cela n'empêcha pas les Saintes de rester sous-peuplées : en 1671, on ne dénombrait à Terre-de-Haut que 43 Blancs et 10 esclaves. En revanche, en 1782, ce furent les Anglais qui, à leur tour, provoquèrent un Trafalgar avant la lettre, terrassant la flotte de l'amiral de Grasse et s'emparant de Terre-de-Haut. Le musée installé dans le fort Napoléon évoque le sort du Ville de Paris, vaisseau-amiral qui fut coulé. Terrible bataille mettant aux prises près de 70 vaisseaux armés de plus de 5 000 canons et faisant 7 000 morts ! Les Saintes ne redevinrent françaises qu'en 1816, après plusieurs allers-retours entre la couronne britannique et l'Empire napoléonien. Petit à petit, la population augmenta (500 habitants au milieu du XIXe s), pour atteindre un peu plus de 3 000 îliens aujourd'hui.

UN PEU DE LECTURE « SAINTES »

L'art de vivre saintois s'exprime à merveille dans le joli Carnet de route de Cathy Régnier, adorable aquarelliste (elle déploie son atelier en plein air rue Calot, à côté de la pharmacie). Un ouvrage réalisé avec ses complices partiellement saintois Pierre Séguret et Catherine Voglimacci (disponible uniquement sur place).

À lire également sur le sable, les trois romans aux allures de polars de ce même Pierre Séguret, dont les créations ont toujours un lien étroit avec les Caraïbes : L'Île fauve (2005), État brut (2009) et Deux ou trois jours aux Saintes (2011), publiés chez Orphie.

Arriver – Quitter

En bateau

Autant prévenir : si la mer est plutôt calme de juillet à octobre, ça peut tanguer pas mal en haute saison. Quelques conseils : prendre un comprimé contre le mal de mer (c'est efficace !), traverser plutôt de Trois-Rivières, sur Basse-Terre (c'est la distance la plus courte en bateau), et préférer la poupe du bateau (ça remue moins qu'à l'avant).

Trois-Rivières : 3 compagnies font la navette (voir aussi plus haut à « Trois-Rivières »). Parking payant près de l'embarcadère à Trois-Rivières

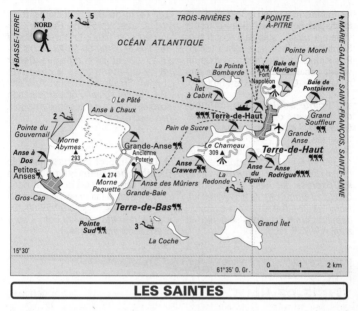

LES SAINTES

(env 2 €/j.). Autour de 30 mn de navigation seulement.

Voici les infos concernant les compagnies principales.

■ *CTM-Deher :* ☎ 05-90-92-06-39. • ctmdeher.com • Assure plusieurs traversées/j. pour Terre-de-Haut : départs de Trois-Rivières à 8h15, 9h, 15h45 (sf dim) et 16h30 ; retours depuis Terre-de-Haut à 6h15 (sf dim), 6h45, 13h15 (sf dim) et 15h45. Traversées supplémentaires dim en fin de journée selon période. Dessert également Terre-de-Bas. A/R 23 €. Réduc sur présentation de ce guide en réservant à l'avance.

■ *Val'Ferry :* ☎ 05-90-91-45-15 ou 05-90-57-45-74. • valferry.com • Assure 2 traversées/j. avec Terre-de-Haut et Terre-de-Bas : départs à 9h et 17h ; retours depuis Terre-de-Haut lun-sam à 16h15 (dim et j. fériés à 17h) ; depuis Terre-de-Bas, lun-sam à 6h (stop à 6h15 à Terre-de-Haut sur demande slt, certains j.) et 15h45, dim à 7h (stop à 7h15 à Terre-de-Haut sur demande slt) et 15h30. A/R env 23 €. Tarif réduit sur Internet (18 €).

■ *Beatrix :* ☎ 05-90-94-89-96 (Terre-de-Haut) ou 05-90-25-08-06

(Trois-Rivières). Assure en principe 4 traversées/j. pour Terre-de-Haut : départs à 8h, 9h30, 15h15 (sf dim), 17h (dim slt) et 18h ; retours depuis Terre-de-Haut à 5h45 (lun slt, hors vac scol), 6h30 (mar-dim), 9h, 13h (sf dim), 16h30 (dim slt), 17h15 (sf dim) et 17h30 (dim slt). A/R 20 € (réduc si résa par tél à l'avance). Les bateaux de 8h, 15h45 (sf dim) et 18h (ven et dim) continuent jusqu'à Terre-de-Bas ; retour depuis Terre-de-Bas à 5h30 (lun slt), 6h, 8h20 et 16h10 (les autres j.).

⛴ *Basse-Terre :* au départ du port autonome.

■ *CTM-Deher :* ☎ 05-90-92-06-39. Assure 1 traversée lun, mer et ven. À 12h15 depuis Basse-Terre et 5h45 depuis Terre-de-Haut. Prendre le billet sur le bateau même. Env 45 mn de navigation, parfois houleuse. Compter 29 € l'A/R.

⛴ *Saint-François via Marie-Galante :* attention, ça peut secouer pas mal ! Compter 2 fois 45 mn.

■ *Comatrile :* ☎ 05-90-22-26-31. Départ de Saint-François lun-ven à 7h45 et dim à 8h via Saint-Louis (Marie-Galante), puis Saint-Louis vers les Saintes mar et jeu à 8h25 et dim à 8h45. Des Saintes vers Saint-Louis, tlj sf sam à 15h45 ; puis Saint-Louis vers Saint-François mar, jeu et dim à 16h30. Pas simple tout de même si vous ne voulez pas vous arrêter ou passer une nuit à Marie-Galante. A/R env 39 €.

⚓ **Pointe-à-Pitre (gare maritime de Bergevin ; direct ou via Marie-Galante) :** compter 45 mn-1h de traversée.
■ **Jeans for Freedom :** ☎ 0825-010-125 (0,14 €/mn). ● jeansforfreedom. com ● Liaison mar et sam. A/R env 23 €.
■ **L'Express des Îles :** ☎ 0825-359-000 (0,15 €/mn), depuis les Antilles slt, sinon ☎ 05-90-919-520. ● express-des-iles.com ● 2 liaisons/sem, mar et sam. A/R 43 €, réduc.

⚓ **Terre-de-Bas :** plusieurs rotations/j. avec **Val'Ferry, Béatrix** (voir un peu plus haut), la navette **Soleil des Îles** (📱 06-90-50-36-28 ou 06-90-36-77-97) et la compagnie **Deher** (☎ 05-90-92-06-39 ; ● ctmdeher. com ●). Traversée 10 mn : A/R env 10 €. Déconseillé d'embarquer son scooter, c'est cher et les engins ne sont pas assurés par les loueurs.

En avion

✈ **De l'aéroport international Pôle Caraïbes de Pointe-à-Pitre :** il n'y a pas de liaison régulière, il faut donc recourir à un avion privé, comme celui de Patrick Amable (📱 06-90-58-89-70 ; ● amablepatrick@gmail.com ● aero prestation@gmail.com ●).

TERRE-DE-HAUT   (97137)   1 900 hab.

● Plan p. 217

Le bourg de Terre-de-Haut s'étire tout en longueur (et en langueur, aux heures les plus chaudes). Au centre, une croquignolette mairie veille sur un joli square, à deux pas de l'église dont le clocher en bois pointe la limite entre le quartier du Mouillage et celui de Fond-du-Curé, où habitent les pêcheurs. Dès l'arrivée au débarcadère, vous n'aurez aucun mal à vous repérer pour partir visiter les merveilles de cette île à dimension humaine. Faisable en une seule journée, oui, mais entre le bateau de l'aller et celui du retour, vous devrez faire des choix. Il faut goûter à la tranquillité de fin d'après-midi, à la qualité de la nuit, et déguster la fraîcheur de l'aube pour les balades à pied ou les baignades au levant. De Pompierre au Pain-de-Sucre, de Figuier à Crawen, autant de plages au charme différent et singulier.
Il faut prendre le temps de parcourir ces rues, enregistrant ici une conversation qui finit en éclat de rire, là un détail d'architecture : un délicat lambrequin en bois embellissant le bord de quelque toiture, un bout de jardin fleuri, une barrière, une jalousie à la peinture fatiguée... L'île est à l'échelle du marcheur, c'est ce qui participe de son charme et du sentiment de liberté, de légèreté même, qui saisit le visiteur.

Adresses et infos utiles

🛈 **Office de tourisme** (plan B3) : face au débarcadère. ☎ 05-90-94-30-61. ● tourisme@lessaintes.fr ● terredehaut tourisme.com ● Tlj sf dim ap-m 8h-12h, 14h-17h. Plan de l'archipel gratuit et bien fait, liste des hébergements, horaires des bateaux, etc. Toilettes, douche, garde de bagages et location de poussettes. Accueil pro et souriant.
✉ **Poste** (plan B4) : rue Emmanuel-Laurent. Tlj sf dim 7h30-12h, plus lun et jeu 14h-16h.
■ **Distributeurs de billets** (plan B3, 2) : le 1er que vous rencontrerez est

collé au petit phare du débarcadère, l'autre se trouve sur le flanc droit de la mairie. Un 3e à la poste, mais ouv aux horaires de celle-ci (voir plus haut). Prenez vos précautions « sur le continent », surtout le week-end. De plus, souvent hors service.

■ *Médecin : Dr Cassin* (plan B3, **5**), route de Grande-Anse, après la mairie en face de la maison de Francine Bonbon. ☎ 05-90-99-59-99.

■ *Pharmacie* (plan B2, **4**) *:* rue Jean-Calot, Mouillage. ☎ 05-90-99-52-48. Fermé sam ap-m et dim ; permanence urgences 24h/24. Distributeur automatique.

■ *Point Presse* (plan B3, **9**) *:* pl. de la Mairie. ☎ 05-90-99-55-58. Vous y trouverez des ouvrages sur les Saintes et sur les îles de la Guadeloupe en général.

■ *Location de masques et tubas :* à *Tropico Vélo* (plan B3, **7** ; voir la rubrique « Transports »), au *club de plongée Pisquettes* (plan B2, **50**) et auprès de *Christian Maisonneuve* (plan A4, **3** ; voir la rubrique « Transports »). Compter env 4 €/j.

■ *Laverie* (plan B3, **6**) *:* 3, rue Jean-Calot ; au 1er étage d'un café internet. Tlj sf dim 9h-12h, 14h-19h.

Transports

En saison, réserver à l'avance pour être certain d'avoir la catégorie de véhicule souhaitée.

■ *Location de scooters :* tlj 8h-12h, 15h-17h30. Compter 25-30 € la journée et 30-35 € pour 24h, assurance et essence comprises. Permis voiture obligatoire. De nombreux prestataires se partagent le marché des 100 et 125 cc ; ils sont présents à l'arrivée des bateaux. Il faut un permis moto pour conduire un 100 cc et les loueurs proposent beaucoup de 50 cc, plus bruyants et

polluants. À vous de bien choisir, de surtout bien en vérifier l'état et de relire le contrat de location ! Si vous n'êtes pas habitué à conduire un scooter, n'en prenez pas. La conduite sur l'île, le trafic augmentant, exige de bons réflexes... Et les fossés sont toujours aussi profonds.
– *Attention :* la rue qui passe devant l'embarcadère est exclusivement piétonne. Gare à l'amende ! Une rue contourne par l'arrière cette partie piétonne.

■ *Location de vélos :* à *Tropico Vélo* (plan B3, **7**), à côté de l'église. ☎ 05-90-99-88-78. ▤ 06-90-76-60-13. VTT 10 €/j. ; vélo électrique 18 €/j. Un moyen de locomotion adapté à la dimension de Terre-de-Haut, même si certaines côtes nécessitent des mollets musclés : ça grimpe sec du côté du Pain-de-Sucre !

■ *Voiturettes électriques : Capthéo* (☎ 05-90-81-49-82 ; ▤ 06-90-63-58-13 ; à gauche en sortant du débarcadère, à côté de la pharmacie) ; *Écolocation* (▤ 06-90-81-22-25) ; *Green Car* (▤ 06-90-71-32-10 ou 49-71). Env 50 €/j. pour 2, 80 €/j. pour 4. 2 autres prestataires s'y sont mis (voir avec l'office de tourisme)
– *Tour de l'île en minibus :* plusieurs compagnies, se renseigner à l'office de tourisme. Compter 10 € par personne pour une visite d'une grosse heure des principales curiosités de l'île (entrée du fort non comprise).

■ *Location de canots à moteur :* chez *Christian Maisonneuve* (plan A4, **3**), rue Benoît-Cassin, à côté du resto Le Triangle. ☎ 05-90-99-53-13. ▤ 06-90-13-85-37. Compter 75-90 €/j. selon puissance, plein d'essence compris. Location à la journée de canots équipés de moteurs allant jusqu'à 9,9 CV ; attention, au-dessus de 6 CV, permis mer obligatoire. Agréable de découvrir les criques depuis les flots. Peut aussi organiser un tour de l'île accompagné.

Où dormir ?

Au village

Bon marché

🛏 *Chez Line Bélénus* (plan B3, **21**) *:* route de Grande-Anse.

☎ 05-90-99-50-93. ▤ 06-90-52-29-87. ● linda-belenus@hotmail.com ● En face d'Iguann'la. Compter 35-90 €/ nuit pour 2 ; gîte 8 pers 800-850 €/ sem. 📶 2 chambres et 3 studios corrects, pas grands mais très propres. Ce n'est pas le grand luxe, mais les prix restent honnêtes. 2 avantages : à l'écart de la rue (loin des scooters pétaradants pendant la sieste !) et Line saura bien vous pouponner. Tout comme Linda ou Anderson, la nouvelle génération, qui s'occupent des résas. Terrasse très fleurie.

🏠 **Chez Pierrot** (plan B3, **12**) : 22, route de Grande-Anse. ☎ 05-90-99-52-97. ● pierrot-jobripi@wanadoo.fr ● Compter 35-45 €/nuit pour 2-3 pers. 📶 2 chambres climatisées, dans la maison des propriétaires, avec entrée indépendante ouverte sur la rue : 1 double et 1 triple avec mezzanine. Minicoin cuisine pour préparer le petit déjeuner, salle de bains et w-c communs. Très simple, propre et efficace. Accueil familial et prévenant de Brigitte et Pierre Hajjar.

Prix moyens

🏠 **Gîtes de M. Péderne** (plan A4, **13**) : rue de la Savane. ☎ 05-90-99-52-47. 📱 06-90-72-59-82. En tournant le dos au village, suivre la rue de la Savane. Lorsqu'elle fait un angle droit à gauche,

prendre la ruelle qui monte en face ; c'est 20 m plus haut à gauche. Studios 2-4 pers 55-70 €/nuit ; bungalows 2-6 pers 85-95 €. Sur la hauteur du quartier de la Savane, au 1er étage de cette maison blanche à toit rouge de style créole moderne, on trouve 2 studios propres et bien équipés avec superbe terrasse avec vue imprenable sur la baie. Également un bungalow F3 de la même trempe, sur le côté de la maison. Accueil très courtois.

🏠 **Archipel des Saintes** : morne Caret. ☎ 05-90-99-50-97. 📱 06-90-62-38-77. ● contact@archipeldessaintes. fr ● archipeldessaintes.fr ● Compter 75-100 €/nuit pour 2. Jacky Simaeys gère plusieurs locations à Terre-de-Haut. À l'Anse Mire (en direction du fort), 1 studio (2 personnes) avec terrasse donnant sur un jardin verdoyant. Également une maison créole en bois (2 chambres) bénéficiant d'une vue exceptionnelle sur la baie. Enfin, une autre maison créole avec 2 appartements (6-7 personnes) tout confort (2 chambres), à deux pas du village, avec terrasse sur l'Anse du Bourg.

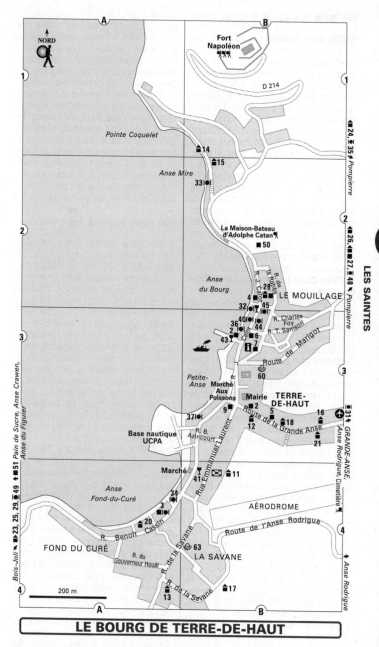

NORD

Fort Napoléon

D 214

Pointe Coquelet

Anse Mire

14
15
33

La Maison-Bateau d'Adolphe Catan
50

Anse du Bourg

R. de la Rade
R.-J. Calot
28
LE MOUILLAGE
4
32
45
R. Charles Foy
40
44
36
R. T. Samson
2
6
43
1
7
Calot

Route de Martigot

Petite-Anse
60

Marché Aux Poissons

TERRE-DE-HAUT

Mairie

37
9
2
5
16
12
18
Route de la Grande Anse
21

Base nautique UCPA
R. B. Azincourt

Marché
41
11

Anse Fond-du-Curé
34
3

20

R. Benoît Cassin

AÉRODROME

Route de l'Anse Rodrigue

FOND DU CURÉ

R. du Gouverneur Houël

LA SAVANE

63

R. de la Savane

17

13

200 m

Bois-Joli ➤ ≣ 23, 25, 29, ⚫ 49 ↑ ≣ 51 Pain de Sucre, Anse Crawen, Anse du Figuier

LES SAINTES

◀ 24, ▲ 35 ↑ Pompierre

◀ 26, ◀ 27, ◀ 48 ↖ Pompierre

▲ 31 ↑ GRANDE-ANSE, Anse Rodrigue, Cimetière ↗

↑ Anse Rodrigue

LE BOURG DE TERRE-DE-HAUT

LES SAINTES

De prix moyens à plus chic

🛏 *Villa Anse Caraïbe* (plan B4, 11) : rue Emmanuel-Laurent. Contacter Françoise (club de plongée Pisquette) : ☎ 06-90-46-29-19 ou 06-90-57-68-13. En métropole : ☎ 06-83-05-63-67. ● hexacom@wanadoo.fr ● grandbaie.com ● Derrière la poste. Studios et apparts 2-4 pers 365-630 €/sem (55-92 €/nuit) ; min 3 nuits (2 nuits hors saison et 1 sem pdt vac scol d'hiver). 🛜 Idéalement située au cœur du village tout en étant à l'écart du bruit, cette grande villa de style néo-créole abrite de beaux appartements lumineux, confortables, impeccables et fonctionnels. AC, lit et chaise bébé, barbecue et grandes terrasses pour 4 d'entre eux. Vous serez aux premières loges pour admirer le ballet des voiliers majestueux venus mouiller dans la baie ou pour profiter des couchers de soleil caribéens... ou les deux à la fois.

🛏 *Gîtes Dans un Jardin – Clear Blue Caraïbes* (plan B2, 28) : rue Jean-Calot. ☎ 06-90-65-79-81. ● takekayak@me.com ● clearbluecaraibes.fr ● Congés : 2 sem en juin et 1 sem en sept. Compter 580 €/sem (98 €/nuit) pour 2 (rapidement dégressif). 🛜 Surprise ! Ces murs d'un autre temps abritent les restes d'une ancienne caserne militaire de la fin du XVIIIᵉ s. Bien camouflé de la rue, ce vaste site accueille une base de kayaks (lire plus loin « À voir. À faire ») et 2 cases créoles idéalement situées, tranquilles et pourtant en plein bourg. Chacune climatisée, avec 2 chambres, coin cuisine et salle à manger... au milieu d'un verger à l'ancienne et d'animaux familiers. Barbecue. Une adresse accueillante, aux bons soins de Sylvie et Yves, qui ont laissé leurs neiges québécoises pour ce petit bout de tropique.

🛏 *Résidence Iguann'la* (plan B3, 16) : 151, route de Grande-Anse. ☎ 05-90-99-56-57. ☎ 06-90-53-65-01. ● iguannla@wanadoo.fr ● Selon saison, studios 2-4 pers 61-82 €, appart 6 pers 135-155 € (min 2 nuits). Maison toute rose, comportant un appartement et quelques studios, spacieux et d'un bon niveau de confort : AC, terrasse, cuisine équipée.

🛏 *Le Loft d'Édouard* (plan B3, 18) : route de Grande-Anse. ☎ 05-90-92-08-08. ☎ 06-90-34-37-25. ● nile@leloftdedouard.com ● leloftdedouard.

com ● Compter 105 € pour 2, 672 €/sem. 🛜 Superbe loft dans une maison d'hôtes en bois, construite sur 3 niveaux décalés, pour épouser la forme naturelle de la crête. Les espaces intérieurs comprennent une partie nuit avec vue sur la grande bleue depuis le lit et un salon-salle à manger avec cuisine ouverte (parfaitement équipée, lave-linge). Également une grande terrasse extérieure couverte, avec transats, table et salon, pour le farniente. Le tout dans une déco moderne et sobre, ornée de quelques tableaux du maître des lieux. Pas de clim, mais une ventilation naturelle par les ouvertures à jalousies. Un refuge pour amoureux !

De plus chic à très chic

🛏 *Lô Bleu Hôtel* (plan A4, 20) : rue Benoît-Cassin, Fond-du-Curé. ☎ 05-90-92-40-00. ● info@lobleuhotel.com ● lobleuhotel.com ● Selon saison, doubles 98-122 € côté rue et 125-145 € côté mer ; petit déj 10 €. 🛜 (réception). Un hôtel léché par les vaguelettes de l'Anse Fond-du-Curé, qui ne manque pas de charme. Juste une dizaine de chambres, toutes décorées par des artistes locaux, sur des thèmes différents (Afrique, Asie, marine...). Confortables, certaines ont vue sur la mer et les autres, moins chères, donnent côté rue. La situation en fait une halte agréable. Terrasse de rêve, juste devant les bateaux de pêche au mouillage, pour le petit déj.

🛏 *Hôtel Kanaoa* (plan B1, 14) : Anse Mire. ☎ 05-90-99-51-36. ● hotel kanaoa@wanadoo.fr ● hotelkanaoa. com ● À 500 m du village. Doubles 110-170 €/nuit. 🛜 Un petit hôtel les pieds dans l'eau d'une vingtaine de chambres, spacieuses et colorées. Il peut réserver une jolie surprise si on a la chance d'y trouver de la disponibilité. Jolie piscine mais surtout plage privée, et sentier agréable et ombragé pour rejoindre le centre en longeant la mer. Bonne petite restauration sur place, qui ne se prend pas au sérieux. Petit déjeuner moyen en revanche. Pas de wifi dans les chambres, mais carbet sur la plage connecté. Service souriant.

🛏 *Les Petits Saints* (plan B4, 17) : La Savane, Les Anacardiers.

☎ 05-90-99-50-99. ● info@petits saints.com ● petitssaints.com ● Sur la colline dominant le village, en direction de Grande-Anse et de l'Anse Rodrigue. Congés : juin. Selon saison, doubles et suites env 100-170 €. ☎ Unique en son genre, cet établissement domine la baie et propose des chambres, des suites ou des bungalows disséminés dans la verdure, autour de la piscine, où l'on se sent bien. Chaque chambre a son propre style. Partout, des coins et recoins pour se (re)poser, devant un tableau ou un cocktail aussi colorés l'un que l'autre, jusque dans le hall et sous la grande véranda. Beau jardin tropical, piscine et joli solarium. Fait aussi restaurant, le soir, avec une cuisine du marché raffinée à la carte.

En direction du fort Napoléon et de Pompierre

De prix moyens à plus chic

🛏 **Villa Jamaïne** (plan B1-2, **15**) : 20, ruelle de l'Anse-Mire. ☎ 05-90-99-56-28. ● jamainelessaintes. monsite-orange.fr ● Gîtes 2 pers env 670-450 €/sem ; également des doubles. ☎ À seulement 400 m du débarcadère. Une volée de marches, et on rejoint le coin des pêcheurs bien isolé qui abrite cet hébergement. 2 studios, rien de démesuré, avec chacun une cuisinette, une chambre et une terrasse. Également un grand appartement, avec une belle terrasse pour surveiller la mer. Le soir, les pêcheurs se posent sur la grève, devant le jardin, pour bavasser... c'est l'occasion de tisser des liens et de passer commande pour la pêche du lendemain.

🛏 **Gîtes Eden Mango** (hors plan par B2, **27**) : rue du Marigot. ☎ 05-90-99-58-69. 📱 06-90-81-43-28. ● eden-mango.fr ● Bungalows 2-7 pers 75-135 €/nuit. ☎ 2 élégantes structures de bois exotique, récentes. Équipement complet avec cuisine extérieure et terrasse, mignonne petite salle d'eau et clim. C'est cosy (mezzanine), et les chambres ont tout le charme du bois. Quant à Phil, qui a son atelier à côté, il se fera un plaisir de vous emmener en balade en mer sur son voilier (lire plus loin « À voir. À faire »).

🛏 **Chez Gisèle et Philippe Maison-neuve** (hors plan par B2, **26**) : route de Pompierre, 75, impasse Jean-Auguste-Moulinié. ☎ 05-90-99-55-52. ● chezgi seleetphilippe@wanadoo.fr ● chezgi seleetphilippe.com ● Sur la route de la plage de Pompierre, passer le stade ; 150 m plus loin, 1er chemin bétonné sur la gauche. Compter 448-609 €/sem (74-97 €/nuit) pour 2 (min 4 nuits). Petit déj possible. Belle maison au calme, dans les hauteurs, à 100 m de la plage de Pompierre et guère plus de celle du Marigot. Des studios et duplex pour 2 à 6 personnes, tout confort, avec cuisine équipée, AC et lave-linge commun. 2 ont une belle terrasse avec vue sur la mer et Marie-Galante, les autres sur le Chameau et le fort Napoléon. Également un bungalow attenant à la maison de cet ancien pêcheur. Jacuzzi. Service de transfert plage ou resto avec véhicule électrique pour les résidents. Pêche à la ligne sur résa. N'hésitez pas à interroger Gisèle sur tout ce qui touche le tourisme dans l'île, c'est son hobby.

🛏 **Centre UCPA** (hors plan par B1, **24**) : dans la baie de Marigot, à 1 km du village. Résas en métropole : ☎ 0825-880-800 ou 32-60, dire « UCPA » (0,15 €/mn) ; sur place : ☎ 05-90-99-54-94. ● saintes@ucpa.asso.fr ● ucpa.com ● Sur place, s'il y en a (de la place !), compter 42 €/nuit par pers, petit déj inclus. Tout beau, le centre UCPA a été reconstruit. Les 60 jolies cases-bungalows, disséminées sur un site magnifique tourné vers la mer, disposent de 2 chambres (3 lits) chacune avec terrasse, le tout doté d'équipements modernes. Restauration possible (buffet) sur résa. On pratique les sports à partir du centre nautique situé dans le bourg.

Au sud, en direction du Bois-Joli

De prix moyens à plus chic

🛏 **Gîte chez Daniel et Anne-Marie Bride** (hors plan par A4, **23**) : 721, route du Bois-Joli, à Pain-de-Sucre.

LES SAINTES

☎ 05-90-99-55-71. ● daniel.bride@ wanadoo.fr ● À 2 km du bourg, vers le Bois-Joli ; chemin sur la droite à descendre à pied (2e maison) ; attention, aucun panneau. Compter 380-390 €/ sem (59 €/nuit) pour 2. Dominant l'Anse du Pain-de-Sucre, gracieuse à souhait, un seul studio (F1 pour 2-3 personnes), propre et tout équipé, avec ventilo, moustiquaire et terrasse donnant sur le jardin fleuri d'hibiscus, la grande passion d'Anne-Marie. Chambre climatisée. Terrasse généreuse et spacieuse, avec vue sur mer. Très tranquille et atout majeur : l'accès direct à la magnifique plage du Pain-de-Sucre que les propriétaires nettoient eux-mêmes régulièrement. Accueil très gentil.

🏠 **Le Paradis saintois** (hors plan par A4, **25**) : 211, route des Prés-Cassin. ☎ 05-90-99-56-16. ● paradis. saintois@wanadoo.fr ● paradissaintois. com ● À 1 km du bourg, sur la gauche en montant vers Pain-de-Sucre. Selon saison, doubles 58-72 €, studios et apparts 2-5 pers 74-145 € ; min 3 nuits. 🛜 Un bel ensemble d'appartements, de studios et d'une chambre, pas très spacieux mais bien aménagés et impeccables, avec vue sur la baie et terrasse pour les plus chers. Tout confort : kitchenette, salon, barbecue, piscine et terrain de pétanque. Accueil courtois et atmosphère sympa.

🏠 **Résidence Grand Baie** (hors plan par A4, **29**) : route de l'Anse-du-Figuier. Mêmes contacts que Villa Anse Caraïbe (voir plus haut). Compter 475-1 250 €/ sem selon capacité et saison ; min 3 nuits (2 nuits hors saison et 1 sem pdt

vac scol d'hiver). 🛜 Dans une grande villa, plusieurs appartements indépendants, bien décorés et joliment équipés. Immenses terrasses offrant une superbe vue sur la baie. Un des hébergements, « îlet Cabrit », se niche sous une belle et haute charpente marine, chevillée à l'ancienne, et la vue sur mer est à couper le souffle. Également un bungalow pour 2 personnes indépendant avec séjour-cuisine, chambre climatisée, terrasse là aussi avec une très belle vue. Plages de Fond-du-Curé et du Figuier à 2 mn à pied.

Très chic

🏠 **Hôtel Bois Joli** (hors plan par A4) : après le Pain-de-Sucre, dans le morne Bois-Joli. ☎ 05-90-99-50-38 ou 52-03. ● hotelboisjoli@outlook.fr ● hotelbois joli.fr ● À 2,5 km du port (navette plusieurs fois/j.). Doubles 110-154 € (non rénovées) ; bungalows (2-4 pers) et doubles rénovées 175-241 € ; petit déj compris. 🛜 Un hôtel au charme caraïbe, dans la grande tradition des îles… Les bungalows plus anciens sont devant la mer, à un pas de la petite plage quasi privée, tous avec terrasse et vue sur mer. Les chambres les plus chères, elles, sont perchées dans un grand bâtiment moderne sur la hauteur, très zen dans l'esprit et tout confort. 6 chambres communicantes pour les familles, et d'autres plus simples avec balcon. Grande piscine et plage privée. Restaurant sur place ouvert également aux non-résidents.

Où manger ?

Attention : le service du soir des restos du village s'arrête généralement vers 21h.

Bon marché

🍴 **Escale Créole – Livraison, plats à emporter** (hors plan par A4, **49**) : 419, route de Bois-Joli. ☎ 05-90-99-59-87. ● mc.maisonneuve@orange.fr ● À 2 km du bourg. Fermé mer (plus 1 dim/mois). Congés : fin août-début oct et 1 sem mi-déc. Bokits 5-8 € ; repas env 25 €.

Une petite maison à flanc de colline, sur votre gauche en allant vers la plage. Marie-Christine Maisonneuve livre un peu partout sur l'île des sandwichs à sa façon ou des plats que vous pouvez également emporter. 2 studios sur place, où vous ne mourrez pas de faim (compter 420 €/pers).

De prix moyens à chic

🍴 **Le Triangle** (plan A4, **3**) : rue Benoît-Cassin. ☎ 05-90-99-50-50.

Tlj sf dim et mer soir. Congés : juin et sept. Résa conseillée. Menu déj 21 € ; plats 16-22 €. Digestif maison offert sur présentation de ce guide. Agréable terrasse au bord de l'Anse Fond-du-Curé, presque les pieds dans l'eau, à laquelle on accède en se glissant dans un étroit passage entre 2 maisons. Cadre très coloré. Juste quelques tables côté salle, les autres s'étirant côté plage. Cuisine créole simplement préparée et servie avec un bon assortiment de légumes. Service gentil, un peu lent peut-être, sauf si vous savez choisir votre heure.

|●| **La Toumbana** *(hors plan par B3, 31) : rue de l'Aérodrome.* ☎ 05-90-99-57-56 ou 51-96. *Prendre la direction de la plage de Grande-Anse ; c'est juste devant le cimetière. Tlj sf dim, le midi slt. Congés : de mi-sept à mi-oct. Le midi, formule et menu 12-14 € ; autres menus 15-17 €. Digestif maison offert sur présentation de ce guide.* On n'est pas les seuls à bien aimer cette grande paillote où les petits bus promène-tou-ristes amènent chaque jour leur lot de visiteurs assoiffés et affamés. Glissez-vous en terrasse de préférence, les tables donnant sur un petit jardin fleuri. Dans l'assiette, de savoureuses spécialités comme le gratin de légumes pays ou la coquille de fruits de mer. Service prévenant.

|●| **La Saladerie** *(plan B2, 33) : Anse Mire.* ☎ 05-90-99-53-43. *Ouv le midi mer-dim, plus le soir sam. Congés : de mi-sept à mi-oct. Résa conseillée. Salades 14-17 €, plats 15-19 €.* Un resto-galerie de peinture cerné par la mer et la végétation, devenu un des classiques de l'île depuis plus d'un quart de siècle. Les viandes, c'est pas le truc de la maison, embarquez plutôt vers un carpaccio de poissons crus et fumés, ou encore un poisson grillé... Pour un repas décontracté, sur des airs de jazz, dans un cadre agréable.

|●| **La Fringale** *(plan B2-3, 45) : 32, rue Jean-Calot.* ☎ 05-90-98-14-65. *Tlj midi et soir. Congés : 1er mai et 24-25 déc. Menus 20 € (déj)-26 € ; plats 16-20 €.* Un cadre encore plus sympa le soir que le midi, avec ses tables dans la cour intérieure, aux allures de jardin exotique (palmier, hamac, mur végéta-lisé). Toute la famille s'y met et vous trouve une table, le temps d'avaler un punch coco avec quelques acras. Vous pouvez prendre aussi bien un pavé de thon Rossini que des spécialités créo-les, en fonction de votre humeur et de votre porte-monnaie. Fresques hautes en couleur.

|●| ▼ **Couleurs du Monde** *(plan B2-3, 32) : 33, rue Jean-Calot, Le Mouillage.* ☎ 05-90-92-70-98. ● *couleurs.dumonde971@yahoo.fr* ● *Tlj sf jeu et dim soir. Congés : de sept à mi-oct. Plats 14-20 € ; repas env 30 €.* Dans l'assiette, une cuisine (du monde, vous l'auriez deviné) bien tra-vaillée et joliment présentée ! Tapas pour les uns, thon à l'asiatique ou *pasta* pour les autres. Des plats qui ont le goût des îles. Même si, comme toujours, les goûts et les couleurs, ça ne se discute pas. En tout cas, ici, le thon Kurosawa, ce n'est pas du cinéma... Un resto les pieds dans l'eau qui attire du monde. Peut-être parce qu'on vous y accueille avec une grande gentillesse ?

|●| **Le Génois** *(plan B3, 36) : 4, rue Jean-Calot.* ☎ 05-90-98-25-99. *Tlj midi et soir ; service tardif. Congés : sept. Menus 20-25 € ; plats 14-17 €.* En bordure de l'Anse du Bourg, devant les navires qui ondulent gracieusement au mouillage, un ancien bistrot de plai-sancier qui tient le cap. Dans l'assiette, de grands classiques sans envolée lyri-que, tout simplement bons. Des pois-sons, des *ouassous*, des langoustes. Belle terrasse devant les bateaux, où l'on peut aussi venir manger une glace ou boire un verre dans l'après-midi. Bon accueil.

|●| **Ti Bo Doudou** *(plan A4, 34) : 58, rue Benoît-Cassin ; entrée par la ruelle.* ☎ 05-90-98-56-67. ♿ *Tlj sf dim soir et lun. Menu (imposé) 25 €.* Une petite case en bois, joliment décorée, où défilent touristes et habitués, ces derniers ayant droit aux tables côté plage car ils ont eu la bonne idée de réserver, eux. L'adresse tendance du moment. Cui-sine raffinée, savoureuse, réalisée par Georges Garçon, qu'on voit s'agiter côté cuisine, tandis que l'équipe fémi-nine côté salle se démène elle aussi pour garder le rythme. Les tables rap-prochées incitent aux confidences.

Plus chic

|●| *Café de la Marine* (plan B3, **40**) : 19, rue Jean-Calot. ☎ 05-90-99-53-78. Tlj sf lun. Congés : 10 j. début juil. Menu le midi en sem 20 €, carte 35-40 €. 🛜 Au bord de cette baie qui nous fait tant rêver, la fille de la maison a transformé l'ancien bar des parents en un espace contemporain au cadre feutré qui propose désormais en soirée une des meilleures cuisines de l'île : poisson à la tahitienne, fricassée de langouste, filet de bourse, tout cela accompagné de purées originales, de légumes parfaitement cuits, avec toujours la vue sur le coucher de soleil et un service impeccable. En journée, bar coloré plutôt chic.

|●| *Ti Kaz' La* (plan B3, **37**) : rue Benoît-Cassin ; entrée par la ruelle. ☎ 05-90-99-57-63. Tlj sf mar-mer. Menu déj 25 € ; menu langouste 42 € ; plats 21-28 €. Un resto tout en bois, dont la terrasse – les pieds dans l'eau – s'ouvre sur l'Anse Fond-du-Curé et ses bateaux de pêche. Plus qu'avec le petit menu, sympa, c'est à la carte que vous pourrez le mieux juger de sa cuisine. Les produits de la mer y sont à l'honneur, mais de bonnes viandes aussi pour faire plaisir aux Saintois. Service souriant.

|●| *Au Bon Vivre* (plan B3, **44**) : 30, rue Jean-Calot, à gauche de l'embarcadère. ☎ 05-90-94-19-84. ● vincent malbec@gmail.com ● Tlj sf mer, sam midi et hors saison au déj. Formule déj 22 € ; carte 27-30 € ; menus langouste 42-48 €. Ce lieu apaisant, où bougies et suspensions lumineuses procurent aux vieux murs en pierre une patine inattendue, abrite un vrai talent de chef. Vincent Malbec réalise une cuisine métissée à base de produits frais et en fonction de la pêche du jour. Un régal. Musique caribéenne en fond sonore. Patio à l'arrière bien agréable, où l'on prend le temps de déguster en paix.

Où boire un verre ?

Malheureusement, pas grand-chose d'ouvert le soir, et si vous voulez assister au départ des pêcheurs tôt le matin...

🍸 *Coconut's* (plan B4, **41**) : 41, rue Benoît-Cassin ; face au marché. Tlj sf lun. 🛜 Après un farniente brûlant sur la plage ou une balade sur les chemins escarpés de l'île, vous avez bien mérité un petit rafraîchissement en terrasse. Excellents cocktails et jus de fruits frais. Ambiance amicale, qui s'embrase facilement quand les jeunes Saintois jouent du *gwo-ka* (tambour traditionnel). Soirée à thème.

🍸 *Ô Bar* (plan B3, **43**) : pl. du Débarcadère. De mi-oct à fin mai, tlj 8h-20h ; le reste de l'année, le w-e slt. Le lieu de rendez-vous incontournable, du petit café du matin à l'apéro du soir, envahi entre les deux par les visiteurs descendus du bateau. Installez-vous en terrasse, face à la baie, ou repliez-vous dans une salle décorée par les tableaux de Nathalie, la maîtresse de maison. Bel accueil de l'équipe.

🍸 Voir également *Couleurs du Monde* (plan B2-3, **32**) dans la rubrique « Où manger ? » plus haut.

Achats

⊛ *Chez Cillette* (plan B4, **63**) : rue de la Savane. ☎ 05-90-99-51-59. Tlj 9h-13h, slt sur commande la veille. Est-ce parce que son nom de famille est Apollinaire que Cillette porte un prénom plein de poésie ? En tout cas, c'est une besogneuse qui se lève le matin à... 2h pour confectionner ses « tourments d'amour » si réputés ici. Évasive quand on évoque le secret de sa recette... Il faut voir sa famille à l'ouvrage quand il s'agit de râper le coco !

⊛ *Kaz an Nou* (plan B3, **60**) : route de Marigot ; à 100 m à droite après l'église. 📱 06-90-43-13-09. Dans sa case-atelier quasi reconstituée, de bric et de broc, Pascal Foy essaie de sauver le patrimoine saintois, perpétuant la mémoire du bois, de la tôle ondulée, de ces traces de vie qui s'échappent quand une maison d'autrefois disparaît.

LES SAINTES

À voir. À faire

....

La maison-bateau d'Adolphe Catan *(plan B2) : à l'entrée de la baie, côté gauche (en direction du fort).* En arrivant aux Saintes, vous apercevrez une étrange maison-bateau, bleu et blanc, prête à fendre les eaux. Elle est l'œuvre d'un homme qui a beaucoup fait pour immortaliser la Guadeloupe : Adolphe Catan. Il a photographié Basse-Terre pendant un demi-siècle. Mais c'est en 1945 qu'il commença la construction de cette maison surplombant la rade, saluée à l'époque par les bateaux entrant dans la baie... car ils pensaient croiser un vrai navire !

Le fort Napoléon *(plan B1) : sur le Morne-à-Mire, à l'extrémité nord-est de l'île.* 📱 06-90-61-01-51 *ou* 06-90-50-73-47. ⚓ *Compter 25 mn de grimpette à pied depuis le centre du bourg. Tlj 9h-12h30 (dernière entrée à 12h). Entrée : 5 € ; réduc ; gratuit pour les pers handicapées. Fermé 1er janv, 1er et 27 mai, 15-16 août et 25 déc. Film sur l'histoire de l'île et les fonds marins.*
Essayez d'arriver dès l'ouverture, à la fraîche (surtout si vous montez à pied), avant que n'affluent les visiteurs d'un jour. De là-haut, quelle vue ! À 119 m d'altitude, on embrasse la quasi-totalité de l'île. Construite de 1844 à 1867 à la place du fort Louis, du XVIIIe s, dont il ne reste rien, la citadelle actuelle est très bien conservée mais ne connut jamais le feu et Napoléon n'y mit jamais les pieds ! Elle fut utilisée jusqu'au début du XXe s comme pénitencier et, à l'occasion, comme prison politique pour les opposants à Vichy durant la Seconde Guerre mondiale.
Elle accueille un *musée d'Histoire des Saintes,* sur deux niveaux, qui devrait connaître une nouvelle muséographie courant 2018 (certaines salles risquent donc d'être en travaux). Suivez le guide ou laissez-vous porter par votre imagination sur les pas des flibustiers, des gentilshommes de fortune, et d'autres personnages plus fréquentables. Une présentation très complète de la bataille des Saintes, avec maquettes des deux navires amiraux ennemis. Une salle dédiée aux fonds marins (coraux, carapaces de tortues...), où deux « saintoises » font leurs stars. Une autre présentant l'habitat local. Et, enfin, une salle remémorant les grandes lignes de la *Conquista,* avec une maquette de la *Santa-Maria* de Christophe Colomb. Le rez-de-chaussée dévoile l'ancienne cuisine du fort, et deux salles respectivement dédiées aux transatlantiques et à la « saintoise » : du mastodonte à la frêle embarcation... Visite guidée, malgré la foule à certaines heures, assez intéressante (une cloche l'annonce).
Après la visite, chacun peut faire le tour des remparts, replantés de cactus (dont les fameuses « têtes à l'Anglais ») qui étaient en voie de disparition sur l'île. Vue circulaire extra, notamment sur l'îlet Cabrit, où l'on devine quelques rares vestiges du fort Joséphine. En ouvrant l'œil, vous aurez toutes les chances d'apercevoir de superbes iguanes (vert fluo pour certains) filant entre deux plantes grasses ou se prélassant au bout des branches d'arbres. Ils sont aussi beaux qu'inoffensifs (on ne les nourrit pas !).

La plage de Pompierre *(hors plan par B2) : à 1 (gros) km du village par la rue du Marigot qui grimpe derrière l'église.* Cette balade donne l'occasion de jeter un œil sur les jardins débordant de fleurs et les prés où vaches, pique-bœufs, hérons et cabris cohabitent. Tout au bout (courage, si vous êtes à pied), LA plage à découvrir en priorité. L'une des plus agréables et populaires de l'île, retranchée dans une belle anse presque fermée par un îlet qui la protège de la haute mer. Soit on profite, avec

LES SAINTES (texte vertical)

LES SARGASSES, ÇA AGACE !

Au large des côtes de Floride, la mer des Sargasses a la particularité de n'être délimitée par aucun rivage. Christophe Colomb, déjà, avait observé la profusion des algues de surface qui y surnagent, le sargassum. Or, lorsque la température des eaux augmente, ces algues facétieuses se détachent et partent à la dérive pour passer des vacances 3 000 km plus au sud, sur les plages des Caraïbes... qu'elles polluent vite d'une odeur pestilentielle.

tout le monde, des ombrages d'une belle palmeraie qui se la coule douce à l'arrivée de la route, soit on part s'isoler sous son propre parasol, sur la grève de sable blond qui ourle l'extrémité droite de la baie. Malgré des eaux parfois troubles, la moitié gauche de l'anse réserve de belles promenades subaquatiques peuplées de poissons bigarrés. À vos masques ! Et comme ce farniente débordant creuse sacrément, quelques tables dans la palmeraie pour le pique-nique, qu'on aura eu la précaution d'acheter au village. À moins de faire cap, pour les faims de journée, vers la petite roulotte *D'jo bel snack* avec ses *bokits* ou, plus loin, l'une des adresses ci-après.

|●| **Le Salako, chez Z'Amour** (hors plan par B2, **48**) : route de Pompierre. ☎ 05-90-99-59-82. Dernière cabane à gauche juste avt la plage. Tlj sf dim, le midi slt. Formule 13,50 € ; plats 9-16 € ; formules langouste. Petit snack resté bon marché, idéal entre deux bains à Pompierre. Tables dehors à l'ombre des parasols en teck ou des arbres. Poissons grillés ou bons sandwichs locaux. Simple et bon, mais l'attente peut être longue certains jours. Bon accueil, pour compenser.

|●| **La Paillote** (hors plan par B1, **35**) : baie de Marigot, à 15 mn à pied du bourg. ☎ 05-90-99-50-77. ♿ Pas loin de l'UCPA. Tlj sf mer. Congés : de mi-sept à mi-oct. Menu 22 € ; formules langouste. Digestif maison offert sur présentation de ce guide. Sous une grande paillote aérée, dressée sur la jolie plage de Marigot. Cuisine créole traditionnelle dans la même famille depuis 4 décennies. Poisson et viande grillés au feu de bois, langouste sur commande (à réserver le matin ou la veille), etc. Soirées zouk parfois en été.

🏃🏃 **Marigot-Pompierre via le fort Caroline** (hors plan par B3) : départ derrière le resto La Paillote à *Marigot*. Compter 1h30 aller-retour. On peut pousser jusqu'à la pointe Zozio, au bout du morne Morel, et aboutir au stade, avant d'aller se rafraîchir à la plage de Pompierre. Balade très « Nouveau Monde » avec ses paysages sauvages et désolés battus par les vagues et les vents de l'Atlantique. Somptueux ! Compter dans ce cas 3h et ne pas oublier chapeau, bonnes chaussures et bouteille d'eau.

⌒ **L'Anse du Figuier** (hors plan par A3) : à 1,5 km du centre du village, accès par le Pré-Cassin, direction Bois-Joli. Belle et peu fréquentée. Beaux poissons à apercevoir, avec un peu de chance, mais les eaux ne sont pas toujours claires.

🏃🏃 **Balade au Chameau** (hors plan par A4) : à 1,5 km au sud du village direction Bois-Joli, prendre à gauche la route qui grimpe (encore plus) sur 2 km. Compter 2h aller-retour (pensez à l'eau, au chapeau et à la crème solaire). À scooter, on laisse sa bécane au panneau « Pointe de la Vigie » (face aux poubelles). De là, il ne reste que 30 mn de marche. On conseille la balade de bonne heure le matin ou en fin d'après-midi pour éviter de finir grillé comme une langouste... et pour voir la baie sous une lumière superbe. La route tourne sans cesse, grimpe pas mal mais livre peu à peu le plus beau panorama de l'île, jusqu'à son point culminant à 309 m. Tout en haut, en continuant sur un petit chemin de terre, une vieille tour militaire. De là, un sentier balisé, pentu et rocailleux permet de descendre jusque sur la plage de Crawen. Retour au village par la route : une boucle magnifique pour les bons marcheurs.

⌒ **L'Anse du Pain-de-Sucre** (hors plan par A4) : accès par la route du Bois-Joli ; à 2 km du bourg, un sentier défoncé descend vers la droite (on le fait à pied en 5 mn). Attention aux chevilles ! Étroite mais très agréable le matin, elle se transforme en fournaise l'après-midi. On aime bien son cadre superbe et ses jolis fonds marins. Pour être seul au monde, en arrivant, suivre la clôture vers la droite. On atteint une autre belle plage, moins charmante toutefois, bordée de cocotiers et moins fréquentée que la première. Sachez que le *snorkelling* autour du Pain-de-Sucre, aussi agréable soit-il, est fortement déconseillé en raison du passage incessant des bateaux. On pourra se consoler en surnageant de beaux chaos rocheux habités par de nombreuses variétés de poissons, à gauche de la plage.

△ *L'Anse Crawen (hors plan par A4)* : à 3 km du village par la route du Bois-Joli, à l'extrémité ouest de l'île. Le naturisme, qui était autorisé autrefois par ici, est maintenant interdit, comme partout aux Saintes, qui ne sont pas Nitouche pour autant. Très sauvage. Accès par un petit sentier. Attention aux mancenilliers ! À vos palmes, masques et tubas : sur votre droite, un petit cap rocheux au pied duquel s'étend un jardin d'éponges tubulaires, de gorgones multicolores de toutes sortes et de petits poissons tropicaux multiformes qui chercheront à vous en mettre plein les yeux.

🍴 *Le cimetière marin (hors plan par B3)* : à 500 m du village, par la rue qui grimpe à droite de la mairie, direction Grande-Anse. Pittoresque avec ses tombes immaculées ou soigneusement décorées de gros lambis. À la Toussaint, ils deviennent roses à la lueur des bougies posées à l'intérieur : une fête qui, ici, prend toute sa signification. En lisant les noms, peut-être découvrirez-vous ceux d'ancêtres bretons, poitevins ou normands...

△ Juste après le cimetière, face à Marie-Galante et la Dominique, belle et longue plage de *Grande-Anse* : pas un seul arbre et très dangereuse, il est interdit de s'y baigner. En longeant ensuite la plage vers la droite, on parvient à l'agréable et superbe crique de l'*Anse Rodrigue*. Jolis coraux à découvrir pour les amateurs de *snorkelling*.

■ *Sports de mer :* à la base nautique de l'UCPA (plan A3). ☎ 05-90-99-56-34. ● saintes@ucpa.asso.fr ● ucpa.com ● Cours de kayak, stand up paddle, catamaran, windsurf en groupe 20-35 € la ½ journée ; loc (navigation libre) de kayak, catamaran, windsurf 10-30 €. Également de la planche à voile. Attention : places limitées. Idéal et écolo pour partir à la découverte des criques sauvages de l'île. Possibilité de logement sur place (voir « Où dormir ? »).

■ *Centre Éco Nautique (plan B2, 28)* : face à la pharmacie. 🖥 06-90-65-79-81. ● takekayak@me.com ● clear bluecaraibes.fr ● Fermé lun. Compter 23 €/pers la ½ journée et 30 € la journée, masques, palmes et tubas inclus ; réduc moins de 18 ans ; gratuit jusqu'à 10 ans. Centre nautique tenu par un sympathique couple de Québécois, proposant des kayaks biplaces transparents, des bateaux gonflables à fond de verre, des *paddle boards* et des vélosubs avec fenêtre de vision, pour voir les fonds tout en pédalant. Poissons, très beaux coraux et même une épave. Également des excursions à la demi-journée et à l'îlet Cabrit en kayak.

■ *TDHK-Gilles Kayak (hors plan par A4)* : impasse Batterie, plage de Morne-Rouge. ☎ 05-90-95-13-38. 🖥 06-90-58-96-50. ● caraibescalade@yahoo.fr ● terredehautkayak.com ● Locations à la demi-journée de bateaux semi-rigides (40 €, essence comprise), kayaks simples ou doubles (10 €/pers) et *stand up paddle* (20 €/pers la ½ journée). Gratuit pour les moins de 12 ans ; prêt de palmes, masques et tubas selon disponibilité.

■ *Croisières en voilier (hors plan par B2, 27)* : avec *Phil à Voile*, route de Pompierre. ☎ 05-90-99-58-69. 🖥 06-90-81-43-28. ● philavoile@wanadoo.fr ● Compter 60 € la sortie (½ journée) pour 1 ou 2 pers, et 25 €/pers à partir de 3 pers. Possibilité de balade à la carte. Une autre façon de découvrir la baie des Saintes au fil de l'eau. Philippe fabrique des voiles, des sacs, des toiles de protection nécessaires aux marins-pêcheurs. En complément, il propose des sorties à bord du *Diabolo*, son voilier. Son sourire et sa longue expérience de marin finissent par convaincre les rares réticents à partir au gré du vent, et du vôtre, pour une balade qui vous laissera sous le charme !

Plongée sous-marine

Cet archipel de rêve est doublé d'un petit paradis sous-marin, assez peu fréquenté. Ici, débutants et confirmés sont immédiatement envoûtés par les richesses et beautés sauvages des fonds marins. De belles plongées palpitantes en perspective, avec un coup de cœur particulier pour le fameux *Sec-Pâté*, considéré par beaucoup comme le spot phare de toutes les Caraïbes mais réservé aux détenteurs du Niveau 2. La visibilité excellente est due au courant, qui oblige parfois à remettre la plongée à plus tard.

Clubs de plongée

■ **Pisquettes** *(plan B2, 50) : Anse du Bourg.* ☎ 05-90-99-88-80. ● plongee@ pisquettes.com ● pisquettes.fr ● *Baptême 56 €, plongée d'exploration 51 € ; forfaits dégressifs à partir de 3 plongées ; réduc enfants.* On aime bien l'atmosphère simple et tranquille de ce centre (FFESSM, ANMP, PADI). Vous êtes entre de bonnes mains ! Avec une équipe sérieuse, mais qui ne manque pas d'humour, Cédric encadre les formations jusqu'au Niveau 2. 2 bateaux rapides (un semi-rigide de 15 places et un de 20 places), qui assurent 2 sorties quotidiennes (vers 9h et 14h). Plongée de nuit et initiation enfants à partir de 8 ans. Hébergement possible.

■ **La Dive Bouteille** *(hors plan par A4,* *51) : plage de la Colline.* ☎ 05-90-99-54-25. ▯ 06-90-49-80-91. ● contact@ dive-bouteille.com ● dive-bouteille. com ● *Résa indispensable. Baptême 69 €, 2 plongées 110 € (même sortie) ; forfaits dégressifs à partir de 4 plongées.* Un centre (FFESSM, CMAS, PADI, ANMP) sympa, animé par Laurence et Philippe Broc, qui proposent des baptêmes, plongées enfants, plongées de nuit. Formations jusqu'au Niveau 3, PADI, *Nitrox* et *Trimix.* Et bien d'autres options. Plongées en comité restreint, à bord d'un bateau vaste et rapide. Également des sorties à la journée avec 2 plongées (accompagnants admis à titre gracieux dans la limite des places disponibles).

Nos meilleurs spots

● Carte Les Saintes p. 213

↘ **La pointe Cabrit** *(carte Les Saintes, 1) : juste à l'ouest de l'îlet Cabrit, à quelques encablures au large du bourg.* Abrité, il convient à tous les niveaux, idéal pour les baptêmes. Une plongée de rêve sur un fond rocailleux très riche (- 5 m maximum) et peuplé d'une multitude de poissons colorés. Et souvent des tortues curieuses qui s'approchent au point de vous frôler.

↘ **La pointe du Gouvernail** *(carte Les Saintes, 2) : à l'ouest de Terre-de-Bas.* Pour plongeurs de tous niveaux. Quel émerveillement le long de ce joli tombant (- 5 à - 20 m) ! Une plongée des plus appréciée aux Saintes, mais souvent du courant.

↘ **La Vierge** *(carte Les Saintes, 3) : à l'est de Terre-de-Bas. Au pied d'un îlet qui ressemble à une* madonna con bambino ! Pour plongeurs de tous niveaux. Par 12 m de fond, un bel enchaînement lumineux de canyons, arches et failles, une architecture sous-marine présentant de magnifiques couleurs dues aux éponges. Presque un tableau de maître ! Une très belle plongée.

↘ **L'Aquarium** *(carte Les Saintes, 4) : au pied de l'îlet de la Redonde, dans le sud immédiat de Terre-de-Haut.* Pour plongeurs Niveau 1 et confirmés. Encore une plongée extraordinaire (- 12 m maximum), débutant par une enfilade de larges canyons aux parois enrobées d'éponges, de gorgones, et dont les failles cachent murènes, langoustes, mérous, serpentines. Quelques coups de palmes encore, un très joli tunnel, et on débouche dans un grand cirque... Voici donc l'aquarium ! Luminosité exceptionnelle, mais attention, courant fort pour passer le canyon.

↘ **Le Sec-Pâté** *(hors carte Les Saintes, 5) : en pleine mer, entre les Saintes et Basse-Terre.* Pour plongeurs Niveau 2 ou PE40 minimum. C'est le spot phare de toutes les Caraïbes, et nombreux sont les plongeurs qui viennent aux Saintes uniquement pour lui. Immersion en eau limpide sur cette véritable montagne sous-marine remontée des abysses (200-300 m de fond maximum) et qui culmine à - 15 m. Au-dessus des trois beaux pitons rocheux formant son sommet, on assiste au manège des gros prédateurs : thazars, colas, pagres et carangues, alléchés par le menu fretin (poissons créoles, fusiliers...). Quelques carangues noires, espèce rare très curieuse. Et déjà, un peu plus bas (- 20 à - 40 m maximum), la silhouette majestueuse des gorgones de profondeur se dessine sur le bleu de l'océan, comme si la roche était sculptée façon dentelle. Dans les failles, on débusque une profusion de murènes tachetées, et parfois des murènes vertes énormes et très rares. Poissons-anges royaux et rencontre du troisième type avec des tortues géantes qui habitent les lieux. Plongée sauvage et d'une émotion extraordinaire. Attention, courant souvent très fort.

TERRE-DE-BAS   (97136)   1 100 hab.

Les bateaux accostent tous les jours à l'Anse des Mûriers, mais Terre-de-Bas ne connaît encore qu'un tourisme marginal. Les adresses de restauration et d'hébergement sont encore peu nombreuses. Idéal pour les allergiques à la foule ! Ici, la végétation est plus dense, l'isolement complet et la tranquillité totale. Le centre, plus vallonné et couvert d'une forêt de bois d'Inde tout là-haut, rivalise avec la route côtière qui relie les deux « pôles » : l'Anse des Mûriers (côté débarcadère) et Petites-Anses, à l'autre bout de l'île. Où que l'on soit, on profite de magnifiques points de vue sur la mer et les îles environnantes.

Une île verte, donc, qui se rêve en destination prisée par les amoureux de la nature et de randonnées. Elle est jalonnée de plusieurs traces balisées par l'ONF qui terminent presque toutes à la plage de Grande-Anse. Avec un peu de chance, vous apercevrez la perdrix croissant, rare dans les Petites Antilles, et la couresse des Saintes, l'unique serpent de Guadeloupe (inoffensif, on vous rassure), à moins d'aller compter les tortues molokoï et les iguanes sauteurs à Petites-Anses.

Noter que les plus beaux *salakos* sont fabriqués ici. Il reste une poignée de vieux fabricants, mais la relève semble difficile à assurer. Ces véritables œuvres d'art peuvent paraître chères, mais elles demandent, en vérité, beaucoup de travail et de savoir-faire.

SALAKO, KÉSACO ?

Le salako, *ce couvre-chef typique des Saintes, arrivé ici à la fin du XIXe s, serait originaire du Tonkin (nord du Vietnam actuel), à la suite de la déportation, en 1873, d'Annamites en rébellion contre la France. Condamnés à 5 ans de travail dans les îles de Guadeloupe, certains sont restés. Leur chapeau aussi.*

Adresses utiles

Office de tourisme : dans un ancien carbet sur le port, tt pimpant de couleurs pastel. ☎ 05-90-92-29-90. ● terredebas.com ● Tlj 8h-12h, 14h30-17h30. Carte gratuite de l'archipel, liste des hébergements, des restos, contact taxis collectifs, horaires des bateaux...

Exposition-vente permanente des produits artisanaux de l'île : liqueur à base de fruits sauvages, huiles essentielles, artisanat d'art, tourments d'amour, étonnantes sculptures avec des noix de coco et bien sûr l'incontournable *salako*, le chapeau traditionnel saintois

LES SAINTES

originaire de Terre-de-Bas, uniquement fabriqué ici.

⊠ **Poste :** à *Petites-Anses. Ouv ts les mat sf dim.* C'est le seul endroit où l'on peut espérer retirer de l'argent.

■ **Médecin :** Dr Colombani, 42, rue de Mapou, à *Petites-Anses,* sur la droite, un peu avant la descente sur la mer. ☎ 05-90-99-82-01. ▯ 06-90-34-13-16. *Consultations tlj sf mer, sam ap-m et dim. Autre médecin en montant à gauche direction la plage de Grande-Anse :* Dr Dorville, *en face du terrain de foot. Consultations l'ap-m mar et jeu.* **Infirmière :** Marilyne, ☎ 05-90-41-07-34, ▯ 06-90-67-82-81. *Sinon, appeler les* **pompiers :** ☎ 05-90-48-96-55.

■ **Association Mapou :** ☎ 05-90-99-85-47. ● gerard.beaujour-sebi@wana doo.fr ● *Résa indispensable min 24h avt.* Une association créée pour faire découvrir l'intérieur de l'île à travers de belles balades accompagnées. À faire absolument. Il y a quasiment toujours quelqu'un de l'association à l'arrivée des bateaux, à l'Anse des Mûriers, au petit point d'information où l'on trouve cartes et renseignements. C'est aussi ici que l'association vend ses produits agricoles bio fabriqués artisanalement sur l'île (visite de l'atelier et de la plantation possible).

Transports

⛴ **Navette entre Terre-de-Haut et Terre-de-Bas :** voir ci-avant à Terre-de-Haut la rubrique « Transports » dans les « Adresses et infos utiles ».

🚐 Des *minibus* font la navette entre l'embarcadère de l'Anse des Mûriers et le bourg de Petites-Anses. On les trouve à chaque arrivée de navette. Très pratiques et attentifs à vos demandes, ne pas hésiter à aller au-devant d'eux. Tarifs de surcroît peu élevés (env 2 € pour un trajet simple). Sinon, le stop fonctionne très bien.

■ **Iguana Location :** *après l'office de tourisme, à gauche.* ▯ 06-90-63-65-54. Location de scooters, mais attention il y en a très peu.

Où dormir ? Où manger ? Où boire un verre ?

Peu d'hébergements, le mieux est de réserver à l'avance ou de se renseigner sur les disponibilités avant de traverser. Pour ceux qui logent en meublés, il y a plusieurs possibilités de prendre des plats à emporter. Pratique !

Bon marché

|●| **Chez Eugénette :** *plage de Grande-Anse.* ☎ 05-90-99-81-83. *Dans la petite pente en arrivant, sur la gauche. Tlj, le midi slt. Formule déj 14 €. Menus 18-35 €. Café offert sur présentation de ce guide.* Face à la plage, un resto à l'ambiance typiquement créole et qui propose depuis des lustres une bonne cuisine familiale. Formules intéressantes avec acras, plat et dessert. Pour la langouste, téléphoner avant pour être sûr de goûter à la langouste grillée ou au poisson-coffre (nettement moins cher), si réputés aux Saintes.

|●| 🍷 Si la soif vous prend en arrivant, arrêtez-vous aux **Muriers,** sur le port. ☎ 05-90-81-69-28. *Tlj sf dim soir et lun 7h-22h. Plat du jour 12 €.* Petit bar-resto dans une case toute colorée (rouge, jaune et vert), tenu par les seuls Belges de l'île, qui proposent, entre autres, en accompagnement les inévitables frites et de bonnes bières... belges, ça change du rhum et du riz.

|●| Pour la petite restauration, on suggère aussi le *Débarcadère (pl. Saint-Nicolas à* **Grande-Anse***),* où l'on trouve des hamburgers les mercredi et vendredi soir. *Brigitte* propose des *bokits* le samedi soir et des poulets grillés le dimanche matin sur la même place, tandis que *Véronique* livre à domicile des plats préparés le soir, à des tarifs raisonnables (☎ 05-90-95-03-84 ; ▯ 06-90-53-46-64). Enfin, *Nana Pâtisserie,* quartier des Goyaviers, propose tartes salées, sucrées et tourments d'amour (☎ 05-90-86-44-53 ; ▯ 06-90-39-21-35).

|●| Du côté de Petite-Anse, aller au *P'tit Grill,* un bar-resto de spécialités locales. Goûter les filets de poisson-lion. ☎ 05-90-41-70-98. ▯ 06-90-61-81-10. Sinon, resto-pizzeria *Chez Katia.*

Prix moyens

🏠 *Rêve de Robinson : Grande-Anse.* ☎ 05-90-60-15-60, 05-90-32-12-93 ou 04-71-58-46-25 (métropole). 📱 06-90-48-31-19. ● reve-de-robinson@hotmail.fr ● reve-de-robinson-les-saintes.com ● *Dans le village, prendre la route du Nord : dernières constructions sur la gauche. Trajet en minibus (3-4 mn) depuis le port ; à pied, compter un bon quart d'heure, ça grimpe fort, mais quelle récompense à l'arrivée : la vue est magnifique ! Compter 60-75 €/ nuit pour 2, 110-130 €/nuit pour 4, dégressif dès la 2e nuit ; gîte 460 €/ sem pour 2 ; 750 € pour 4.* 📶 Chevriers en Auvergne et amoureux de Terre-de-Bas, Michelle et Jean-Louis Vincent ont réalisé ici un vieux rêve écolo : un ensemble d'hébergements toutes capacités, construits de leurs mains pour vivre sur cette île comme des Robinsons, mais bénéficiant de tout le confort. 2 jolies maisons créoles traditionnelles en bois rouge, mais également une hutte caraïbe avec douche extérieure, des chambres réparties dans la végétation auxquelles on accède par des passerelles... Balnéo avec jacuzzi, barbecue, bibliothèque et plein d'infos sur les randos notamment. Le tout présente un charme unique, enrichi des tableaux et sculptures de Jean-Louis, un sacré bonhomme!

🏠 |●| *À la Belle Étoile :* plage de *Grande-Anse,* à 10 mn à pied du débarcadère. ☎ 05-90-99-83-69. 📱 06-90-47-37-10. *Compter 50-60 €/ nuit pour 2-4 pers ; petit déj env 4 €. Au resto, menus à partir de 16 € ; menu langouste 36 €.* Directement sur la plage, charmante, avec vue sur Terre-de-Haut. Un studio et une maisonnette, case en bois blanc et jaune, très bien tenus. Simple, sans prétention mais lumineux et propre (salle d'eau, ventilo...). Fait aussi resto-bar de pêcheurs, avec des plats de la mer typiques. Accueil souriant de Luc et Maud.

🏠 *Gîtes Coco d'Îles : Grande-Anse.* ☎ 05-90-99-57-70. 📱 06-90-98-98-39 (Isabelle, sur place) ou 06-63-82-37-01 (Joëlle, en métropole). ● joellebaran

don@me.com ● locationlessaintes.fr ● *À 5 mn à pied du débarcadère. Studio, appart et villas 2-8 pers 320-1 800 €/ sem, nuitée possible.* 📶 Un ensemble constitué de 3 villas, d'un 2 pièces et d'une case créole indépendante. Les villas « Coco Mango », « Coco Fesses » et « Coco à l'Eau » ont chacune une grande terrasse avec vue à 180° sur le village et la baie des Saintes. Tout comme le 2 pièces « Ti Coco » et le studio « Ti Bambou ». Équipement parfait dans tous les hébergements avec meubles locaux en bois rouges. Les villas sont nichées au cœur d'un parc exotique luxuriant, dégageant des senteurs florales, à 300 m de la plage. Accueil efficace d'Isabelle.

🏠 |●| *Soleil Là :* en retrait de la route sur la gauche (route du Sud), à 5 mn du débarcadère. ☎ 05-90-92-30-93. ● soleil.la@wanadoo.fr ● soleil-la.fr ● *Tte l'année. Studio (jusqu'à 5 pers) 70 €/nuit sur la base de 2 pers (10 €/ pers supplémentaire) ; petit déj en sus. Repas 20-25 €, prudent de réserver.* 📶 Si vous cherchez une petite adresse moins courue que *Chez Eugénette* pour manger sur place, ce *Soleil Là* devrait vous réchauffer le cœur, d'autant que c'est le seul restaurant ouvert le soir. Cuisine du moment, simple et bonne. Joliment décoré et soigneusement entretenu, un studio avec mezzanine et piscine a été aménagé pour qui ne voudrait plus repartir.

🏠 *Résidence de la Chapelle :* contacter Lozanne Foy, 22, pl. Saint-Nicolas, *Grande-Anse.* ☎ 05-90-60-15-60. *À 15 mn à pied du port, un peu au-dessus de la place du village. Compter 300-700 €/sem.* 2 appartements et 1 studio parfaitement tenus dans une maison particulière sur les hauteurs. Vue en conséquence. Clim, kitchenette équipée, linge de maison fourni. Fonctionnel et impeccable.

🏠 *Résidence Le Soleil d'Éméry :* route de Grand-Trou, à *Petites-Anses.* ☎ 05-90-60-11-01. ● sole mery@orange.fr ● *Près du stade. Réception ouv 8h-11h, 15h-18h. Compter 80 €/nuit pour 2.* 📶 Pour ceux qui souhaiteraient quelque chose de plus conventionnel, une petite résidence hôtelière de 8 bungalows en

LES SAINTES

dur, aux noms d'oiseaux, pouvant accueillir jusqu'à 4 personnes. Kitchenette, belle salle de bains colorée. Chaque bungalow est pourvu d'un grand lit et d'un clic-clac. Terrasse. Le tout dans un environnement naturel et calme, agrémenté d'une belle piscine. Petit déj sur commande. Location de vélos.

Achats

⚜ **Atelier Crusoé de Rêve de Robinson :** *Grande-Anse.* ☎ 05-90-32-12-93. ● reve-de-robinson-les-saintes. com ● *Sur le site des hébergements de Rêve de Robinson (voir accès plus haut dans la rubrique « Où dormir ? Où manger ? Où boire un verre ? »).* Encore un rêve réalisé par Jean-Louis Vincent, qui ouvre son atelier. Avec la récup de palettes sur le port en fin de voyages et de bois flottés sur les îlots alentour, il a des supports providentiels pour sa peinture d'inspiration afro-caribéenne.

⚜ **Terre-de-Bas Saveurs :** *sur le port.* 🕾 06-90-54-89-44. *Tlj 9h45 (10h w-e)-12h, 13h-16h (15h30 w-e).* Boutique de produits locaux tenue par Gaby, un fan de fruits exotiques qu'il va cueillir lui-même. Liqueurs, confitures et gelées en vente, photos à l'appui. Délicieux et passionnant.

⚜ **Maison de l'artisanat :** *à Grande-Anse, dans le village, rue d'En-Fond.* ☎ 05-90-99-85-63. *Tlj 9h (9h30 dim)-12h, 12h45-16h.* Dans une bicoque tout en bois vert et jaune, un déluge de créations locales, colorées et soignées, qui vaut le coup d'œil.

⚜ **Lucio :** dans la même rue, jetez un œil aussi sur les noix de coco de Lucio (si l'on peut dire !), atelier de sculpteur hors norme. Des personnages, des animaux, tout un imaginaire artistique... Vous pouvez aussi aller lui rendre visite dans son atelier.

À voir. À faire

◿ **La plage de Grande-Anse :** *à 10 mn à pied du débarcadère.* Charmante petite plage de sable, quasiment l'unique de l'île. Très beau point de vue sur Terre-de-Haut.

◖◗ **La crique de Grande-Baie :** *à 10 mn à pied du débarcadère, vers la gauche, par la route du Sud. Accès libre.* Une crique magnifique et déserte. On croise des pêcheurs en matinée. À proximité, les ruines d'une ancienne poterie, classée Monument historique mais pas vraiment aménagée. Visite payante possible (☎ 05-90-38-25-97 ; 🕾 06-90-93-18-26).

◖◗◗ **Le belvédère de la route du Nord :** au départ de Grande-Anse, compter 20 mn de marche, et ça grimpe, pour atteindre ce point de vue unique sur Terre-de-Haut et tous ses îlets. Table d'orientation. De là partent les principales traces de l'île (voir plus loin « Randonnées »).

◿ **La plage de Petites-Anses :** c'est en fait un port, dont la jetée et le phare ont été détruits par un cyclone en 2001. Descente à pic pour y parvenir. La plage et les rochers grouillent d'iguanes que l'on peut approcher d'assez près. Pour la baignade, prendre plutôt la route de l'**Anse à Dos,** vers le nord. Très jolie crique, idéale pour une pause pique-nique. À Petites-Anses, on peut aussi grimper jusqu'à un calvaire pour la vue.

◖ **La mare de Grand-Trou :** devant le stade, à **Petites-Anses.** À voir : des iguanes, mais aussi des poules d'eau à bec rouge et des tortues d'eau douce, qui se dorent la pilule ou batifolent gentiment. Il faut voir les iguanes se jeter dans l'eau du haut de leurs branches. Ambiance un brin *Jurassic Park,* mais là, on n'a pas peur.

Randonnées

S'il y a une île où faire de la randonnée, c'est Terre-de-Bas, la bien mal nommée !
Ça grimpe dur, mais la végétation est dense, et on est récompensé par de splendides points de vue sur les îles alentour. Bon balisage par l'ONF.

🥾🥾 Quelques explications pour s'y retrouver : les traces rouge, bleue et jaune passent par la **route du Nord** (au départ de Grande-Anse) et permettent l'accès en premier lieu à la table d'orientation (vue panoramique sur la baie des Saintes). Les plus courageux pourront pousser jusqu'au plateau (forêt endémique de bois d'Inde). Puis deux possibilités : continuer la route qui descend en lacet sur Petites-Anses (30 mn) ou prendre à droite le chemin pédestre indiqué sur le panneau de l'ONF. C'est le début, à proprement parler, des trois traces rouge, bleue et jaune. Toutes cheminent en sous-bois (courbarils, gommiers, bois d'Inde...) et nécessitent de 45 mn à 1h. La rouge se termine dans le village, la bleue et la jaune finissent à la plage de Grande-Anse (avec baignade en récompense !). Il existe une autre trace, orange celle-ci, sur la gauche au départ des plateaux, qui rejoint Petites-Anses et aboutit à la mare de Grand-Trou.

🥾 **La trace du Morne-à-Coq :** *juste au-dessus de la plage de Grande-Baie.* Rando un peu difficile en fonction du débroussaillage, mais pas très longue (1h) et pas pentue. Beaux points de vue sur Terre-de-Haut et l'archipel saintois. Zone de nidification des pélicans (zone protégée), bien respecter les consignes de précaution pour ne pas effrayer les oiseaux. Mais on peut surtout observer des iguanes et, qui sait, des couleuvres !

🥾 **La route du Sud :** de l'Anse des Mûriers à Petites-Anses, compter 1h30 pour parcourir les 5 km, plutôt plats. Balade sympa, mais emporter de l'eau et un chapeau. Carbet en cours de route. Dans le sens du retour (venant de Petites-Anses), la route offre des vues intéressantes sur la Dominique et Terre-de-Haut.

MARIE-GALANTE

• Carte *p. 233*

ABC de Marie-Galante

❑ *Superficie :* 158 km².
❑ *Population :* 12 000 hab.
❑ *Statut :* collectivité dépendant de la Guadeloupe.
❑ *Points culminants :* morne Constant (204 m).
❑ *Hymne :* le chanteur Laurent Voulzy, de père guadeloupéen, a composé un véritable hymne à l'île dont les premières paroles sont : « Belle-Île-en-Mer, Marie-Galante... ».
❑ *Jumelage :* avec Belle-Île-en-Mer (depuis 2007).
❑ *Signes particuliers :* le rhum, qui titre ici à 59°, le sirop de batterie (concentré de jus de canne).

Cette île presque ronde est la troisième des Antilles françaises par sa superficie (158 km², sensiblement la taille et la forme de Paris). Avec son point culminant à 204 m, son relief, simplement harmonieux et nuancé, n'a pas donné naissance à des contrastes vraiment spectaculaires comme aux Saintes. Souvent appelée « la Grande Galette », l'île compte aujourd'hui

MARIE-GALANTE

12 000 habitants, répartis sur trois communes : Grand-Bourg, Saint-Louis et Capesterre, reliées entre elles par un petit réseau routier qui permet de circuler facilement le long de la route côtière, mais aussi à l'intérieur des terres. Marie-Galante, c'est l'île de la canne à sucre par excellence. Elle y consacre la moitié de ses terres cultivables, et il reste trois distilleries fameuses pour leur rhum, réputé pour être le meilleur et le plus fort de toute la Guadeloupe : 59°. Mais ce n'est pas son seul atout : elle est aussi entourée par quelques-unes des plus belles plages de l'archipel guadeloupéen, de Capesterre jusqu'au nord de Saint-Louis, et abrite des fonds marins à faire pâlir le plongeur averti (ou non) que vous êtes. Injustement oubliée des circuits touristiques, Marie-Galante s'anime cependant tous les ans à la Pentecôte – en mai ou juin – à l'occasion de son festival de musique créole, Terre de blues. Manu Dibango, Salif Keita ou encore Alpha Blondy ont déjà fait le déplacement. Il est alors fortement conseillé de prévoir son hébergement bien à l'avance.

Si encore trop peu de touristes font le voyage aux yeux des professionnels de l'île, ce n'est pas faute d'attraits de la part de Marie-Galante, mais d'une communication balbutiante, dans tous les sens du terme (seul accès possible en 45 mn de bateau, depuis que les liaisons en avion ont été supprimées). De quoi donner à ceux qui la visitent un sentiment d'exclusivité, de bonheur paisible, de découverte exceptionnelle. Un véritable voyage dans le temps et l'espace, puisque beaucoup voient pourtant en cette « île tranquille » la Guadeloupe d'il y a 20 ou 30 ans. Peu de voitures, un mode de vie quasi intact, une économie essentiellement rurale qui cherche à s'ouvrir péniblement au tourisme. Il n'y a pas d'hôtels qui poussent à tort et à travers : ici, on préfère un développement raisonné. Le niveau général de l'hôtellerie pourrait apparaître à certains de moindre standing, mais c'est à ce prix que charme et douceur authentiques sont préservés. Et, du coup, de délicieuses adresses à visage humain voient le jour. De plus, on trouve de très agréables sentiers, fort bien balisés et de longueur variable, adaptés à chaque durée de séjour...

Voilà une première esquisse, à vous d'aller voir de plus près. On aime bien cette île, dont le parfum reste entêtant, et l'on conseille vivement de passer au moins une ou deux nuits sur place afin de rencontrer les locaux et d'appréhender leur rythme de vie. Louer une voiture est indispensable pour en faire le tour (GPS tout à fait inutile !). Les mollets des cyclistes, quant à eux, apprécieront la route côtière, assez plate, peut-être moins le relief de l'intérieur !

UN PEU D'HISTOIRE

Pourquoi Marie-Galante aurait-elle échappé à Christophe Colomb ? Constatant qu'elle est occupée par les Indiens caraïbes, il s'en désintéresse mais la baptise néanmoins *Maria-Galanda,* du nom d'une de ses caravelles. 150 ans s'écoulent avant que l'île ne voie arriver les premiers colons français, en grande partie massacrés par les tribus caraïbes jusqu'en 1653 (1660 : signature d'un traité de paix entre autochtones et colons). Plus tard, en 1676, une flotte hollandaise de 700 hommes y débarque. Ils pillent les habitations, emmènent les esclaves et les bêtes, et ruinent les colons. Son premier gouverneur est le marquis d'Aubigné, dont la fille, Françoise, va devenir célèbre sous le nom de Mme de Maintenon. Elle fait ses premiers châteaux de sable à Marie-Galante, avant d'aller habiter à Versailles...

L'île représente aussi l'enjeu particulier des *guerres franco-anglaises.* Elle est occupée par la Perfide Albion en 1691, de 1703 à 1706, pendant la guerre de Sept ans (sous Louis XV), et de 1808 à 1816. À partir de cette époque, l'Angleterre s'en désintéresse complètement.

Un an après l'abolition de l'esclavage (1848), Marie-Galante est le théâtre d'affrontements, sans que l'on sache exactement à quel point ils sont meurtriers. Les 24 et 25 juin 1849 ont lieu les premières élections législatives pour lesquelles les anciens

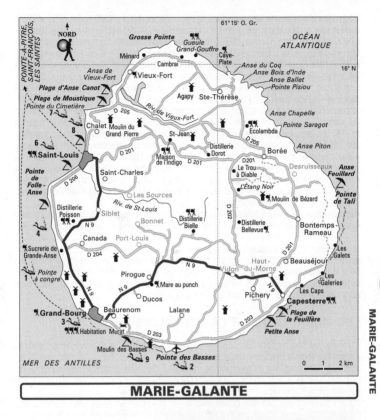

MARIE-GALANTE

esclaves, devenus citoyens, ont le droit de vote. Mais face à une tentative de fraude des planteurs qui ne l'entendent pas de cette oreille, les esclaves de l'habitation sucrière Pirogue se révoltent et pillent la distillerie locale. Cet épisode est resté célèbre sous le nom de la « *Mare au punch* ». L'endroit, qui a gardé son nom, est toujours visible au lieu-dit Pirogue, au nord de Grand-Bourg (voir « Dans les environs de Grand-Bourg »).

LA MARE AU PUNCH

Le soulèvement des anciens esclaves de l'habitation sucrière Pirogue, en 1849, donna lieu à une explosion de joie. Les nouveaux citoyens fêtèrent leur libération en déversant les réserves de sucre et de rhum de la distillerie dans la mare juste en face – ce gigantesque punch alimentant la joie et la frénésie de la fête pendant plusieurs jours.

LA GRANDE AVENTURE DU SUCRE

De la colonisation à nos jours, le destin de l'île est enchaîné à celui de la canne à sucre. Au XVIIᵉ s, il n'existe que quelques moulins à sucre. Le tabac domine alors. Puis, grâce aux connaissances techniques des Hollandais chassés du Brésil et réfugiés en Guadeloupe, les champs de canne et les sucreries se développent.

L'âge d'or de la canne se situe dans la seconde moitié du XVIIIe s. De 1759 à 1763, durant leur occupation, les Anglais « importent » 18 000 esclaves en Guadeloupe. Chiffre effarant : en 1790, sur 11 500 habitants, Marie-Galante compte 9 400 esclaves ! Cet « âge d'or » se prolonge dans la première moitié du XIXe s du fait du **rétablissement de l'esclavage en 1802**, grâce à la construction des grands moulins à vent à partir de 1808, et au protectionnisme assuré par la France pour défendre son sucre contre les autres producteurs de la Caraïbe. Marie-Galante est surnommée « **l'île aux cent moulins** ». Cependant, la révolution de 1848, l'abolition définitive de l'esclavage et la concurrence du sucre de betterave mettent un sérieux coup de frein à la production de canne. Dans la seconde moitié du XIXe s, les petites sucreries-moulins à vent cèdent la place aux grandes usines (en 1885, il y en a cinq). L'immigration d'Indiens et de Chinois venant remplacer les anciens esclaves enraye un peu le déclin. En 1920, une famille de mulâtres prend la direction d'une sucrerie, puis, en 1924, une famille de Noirs en rachète une. C'est la première fois que des gens de couleur deviennent propriétaires à Marie-Galante. Faillites et calamités diverses (cyclones, épidémies de choléra, incendies) provoquent cependant une nouvelle crise.

Aujourd'hui, il ne reste à Marie-Galante qu'**une seule sucrerie,** celle de Grande-Anse, et trois distilleries : *Bielle*, *Bellevue* et *Poisson* (ou *Père-Labat*). Sur les 106 moulins à sucre de « l'âge d'or », il n'en subsiste qu'environ 70, tous en ruine et enlacés par les « figuiers maudits », à de rares exceptions près. Certains ont été restaurés, comme celui de Bézard, perdu au milieu d'un lotissement. On ne peut le visiter mais sa vue permet de mieux comprendre l'utilisation que l'on faisait autrefois de ces gardiens fidèles de la tradition. Quant aux grandes sucreries, elles sont envahies par la nature, qui a repris ses droits.

LES CABROUETS DE LA NOSTALGIE

L'un des symboles forts de l'île fut longtemps le cabrouet (*kabwé* en créole), la **charrette locale** tirée par deux bœufs. Il assure encore, ici ou là, une partie du transport de la canne, et permet de maintenir de vieux métiers comme celui de charron. Même si, aujourd'hui, la « roue *Michelin* » gagne inévitablement du terrain, il reste encore une dizaine de charrons dans l'île.

Vous trouverez partout ces cabrouets, à l'arrêt le plus souvent, devant les plantations, mais vous aurez peut-être la chance d'en voir passer lentement sur la petite route ou sur le chemin, entre les champs de canne et sur fond de mer. Le dimanche avant Mardi gras, on peut assister à un véritable **défilé de cabrouets décorés**. Mais Max Rippon, poète marie-galantais, en parle mieux que personne : « Une charrette solitaire – roue gainée d'acier – avance – griffant la crête des roches – crac en avant – ami Saturnin – assis en tailleur – sur sa flèche lisse – polie par le temps – fouette la croupe galbée des bœufs – wach wach – Manmzelle Magritte – cousue de haillons – tire les bœufs par le nez – le zaganno s'allonge – et le bouva bave dans la trace – mheu mheu – un vieux chien nommé Kako – jappe les bêtes – waw waw waw. » (*Kabwétyé, Rékòt,* éditions Jasor.)

Arriver – Quitter

En bateau

Les bateaux en provenance de Pointe-à-Pitre débarquent à Grand-Bourg, avec une escale à Saint-Louis à l'heure du déjeuner pour *L'Express des Îles*. Mais Saint-Louis est plutôt une escale pour les bateaux en provenance de Saint-François sur la route des Saintes.

➢ **Gare maritime de Bergevin à Pointe-à-Pitre**

■ **L'Express des Îles :** ☎ 0825-359-000 depuis les Antilles (0,15 €/mn) ou ☎ 05-90-919-520. ● express-des-iles.com ● Cette compagnie assure des traversées dans les 2 sens. En général, 3 départs/j. : autour de 8h15, 13h15 (sf dim) avec escale de 10 mn à Saint-Louis, 17h15 et 18h30 (dim slt). Compter 45 mn-1h de traversée pour Grand-Bourg (ceux de 13h15 font escale à Saint-Louis, sf dim). Au retour, 6h, 12h (sf dim), 16h et 18h30 (dim slt). Tarif : env 43 € l'A/R ; réduc.

■ **Val'Ferry :** ☎ *05-90-91-45-15.* ● *valferry.fr* ● Départs de Pointe-à-Pitre à destination de Grand-Bourg tlj en sem à 7h45, 12h30 et 17h, dim à 7h45, 16h45 et 19h15 ; retours depuis Grand-Bourg tlj en sem à 6h20, 9h10 et 15h30, dim à 6h20, 15h30 et 18h. Attention, le mar, les traversées de 7h45 et 12h30 de Pointe-à-Pitre et celles de 9h10 et 15h30 de Grand-Bourg fonctionnent slt pdt vac scol. Pour les j. fériés, se renseigner. Env 42 € l'A/R.

➢ **Saint-François et les Saintes :** les bateaux de Saint-François aux Saintes desservent Saint-Louis très tôt le mat. à l'aller et l'ap-m au retour

des Saintes. Compter 45 mn de traversée Saint-François/Marie-Galante et également 45 mn Marie-Galante/les Saintes. Env 39 € la traversée A/R dans la journée (plus cher si retour un autre j.). Attention, ça peut secouer pas mal !

■ **Comatrile :** ☎ *05-90-22-26-31* ou *05-90-91-02-45* ; ▯ *06-90-50-05-10 ou 09* ; ● *comatrile@wanadoo.fr* ● Consulter la billetterie pour connaître les jours et heures de départ. Le planning est affiché à l'office de tourisme de Marie-Galante.

➢ **La Désirade :** avec le **Babou One.** ☎ *05-90-47-50-31.* ▯ *06-90-26-60-69 ou 06-90-63-46-39.* ● *contact@babouone.fr* ● *babouone.fr* ● Ou avec **Comatrile** (coordonnées plus haut). Embarquement à Saint-Louis et escale à Saint-François. Attention, les jours et horaires de départ sont sujets à changement.

Infos utiles

– **Randonnées pédestres :** Marie-Galante offre de nombreuses possibilités de randos tranquilles, sans dénivelées importantes et les pieds au sec le plus souvent. L'office de tourisme propose 8 sentiers de randonnées pédestres, de 1 à 6h (parcours visibles sur ● *ot-mariegalante.com* ●, rubriques « Planifier » puis « Sports et loisirs »). On peut aussi se procurer la carte IGN de l'île.
– **Vélo :** pas trop de côtes à Marie-Galante, sauf à l'intérieur des terres, mais le VTT s'y prête globalement bien.
– **Plongée sous-marine :** à cheval sur l'océan Atlantique et la mer des Caraïbes, Marie-Galante livre des fonds marins sauvages, d'une richesse inattendue. Peu de plongeurs le savent. En tout, une quinzaine de spots à découvrir. On en trouve quelques-uns devant Saint-Louis, mais aussi sur la côte sud, vers Grand-Bourg et

Capesterre. Selon la saison, on croise parfois des dauphins, et il arrive même que le chant des baleines résonne dans les profondeurs sur toute la côte... Nous indiquons dans les pages suivantes nos meilleurs spots de plongée.
– **Festival Terre de blues :** à la Pentecôte, en mai ou juin. ● *terredeblues. com* ● Festival de musique créole et de musiques du monde fréquenté par de grandes pointures. Fortement conseillé de prévoir son hébergement bien à l'avance.
– **Concours de bœufs tirants :** une tradition vivante à Marie-Galante et l'occasion de fêtes animées (podium, musique, stands de cuisine...). Généralement le dimanche, de juillet à janvier. *Rens auprès de l'office de tourisme de Marie-Galante :* ☎ *05-90-97-56-51.*

Location d'hébergements

■ **Kazamariegalante.com :** ▯ *06-90-62-03-38.* ● *contact@kazamarie galante.com* ● *kazamariegalante.*

com ● Ce site propose une trentaine d'hébergements allant de la « cabane de pêcheur » les pieds dans l'eau à la luxueuse villa avec piscine et vue sur mer, situés sur les 3 communes de Marie-Galante. Il y en a pour tous les goûts et tous les budgets. Propose également la prise en charge des transferts maritimes et la location de véhicule (avec des partenaires locaux).

GRAND-BOURG (97112) 5 670 hab.

● Plan *p. 237*

C'est la commune la plus importante de Marie-Galante, et le port princi-pal. Même si Grand-Bourg a brûlé au début du XXᵉ s, on est quand même sensible au charme tranquille de ses vieilles maisons créoles en bois, flir-tant avec les édifices bétonnés construits par l'architecte Ali Tur après le cyclone de 1928. Mais la ville est tellement assoupie que certains pourront trouver l'ambiance un peu molle. Et les touristes attardés sur la place de l'église ont parfois l'air de s'ennuyer, sauf les jours de marché ou quand les bateaux arrivent de Pointe-à-Pitre... Sachez que l'on trouve ici les principaux commerçants, services, banques, location de voitures. Un conseil en arri-vant : pourquoi ne pas commencer par une visite aux urgences de l'hôpital ? Du parking, vous bénéficierez d'une superbe vue à 180° sur Grand-Bourg et la Dominique.

Adresses utiles

fi *Office de tourisme* (plan A2) : ancien palais de justice, rue Pierre-Leroy. ☎ 05-90-97-56-51. ● info@ot-mariegalante.com ● ot-mariegalante. com ● *En saison : lun-ven 8h-12h et 13h-16h, sam 8h-12h et dim 7h30-12h30. Hors saison : lun-mar et jeu 8h-12h, 13h-16h ; mer 8h-14h ; ven 8h-16h.* Plan gratuit de l'île et de ses 3 communes, petit annuaire pra-tique gratuit des prestataires de tou-risme et curiosités. Se renseigner pour des randonnées pédestres organisées. Accueil charmant et très compétent.

✉ *Poste* (plan A2) : *à l'angle de la rue du Dr-Marcel-Etzol et de la rue F.-Tirolien (rue de l'église). Tlj sf mer ap-m, sam ap-m et dim 7h30-12h30, 14h-16h30.*

■ *Distributeurs de billets* (plan A2, 1) : *à la poste ; au LCL et à la BNP, face à face, rue F.-Tirolien (rue de l'église) ; au Crédit agricole, à l'angle de la rue du Dr-Selbonne et de la rue Beaurenon.*

+ *Santé : hôpital Sainte-Marie* (hors plan par B2), section *Ducos, par la N9.* ☎ 05-90-97-65-00 ou 01. Liste des médecins et pharmacies de garde affichée sur la porte de la gendarmerie.

■ *Station-service* (hors plan par A1, 2) : *sur la droite de la N9 en direction de Saint-Louis, un peu après le cimetière. Lun-sam 7h-20h, dim jusqu'à 15h.* L'île en compte seulement 2 autres, à l'entrée de Saint-Louis et vers Capes-terre. Attention, ne vous laissez pas surprendre (surtout une veille de grève !).

■ *Agence de voyages Riverain Tours* (plan A2, 3) : *3, rue F.-Tirolien (rue de l'église).* ☎ 05-90-97-94-00. ● rive raintours@rivtours.com ● *Sur la droite en venant du débarcadère. Tlj sf mer ap-m, sam ap-m et dim 8h-12h30, 14h30-16h.* Représente les principales compagnies aériennes et maritimes.

Transports

🚌 *Arrêts des bus :* 2 lignes de bus, Grand-Bourg/Capesterre et Grand-Bourg/Saint-Louis ; avec des liaisons en principe ttes les 15-20 mn le mat et ttes les heures l'ap-m (sf mer et sam ap-m et dim). Cela dit, les fréquences ne sont pas respectées. Également des bus et minibus au débarcadère de

(sidebar) MARIE-GALANTE

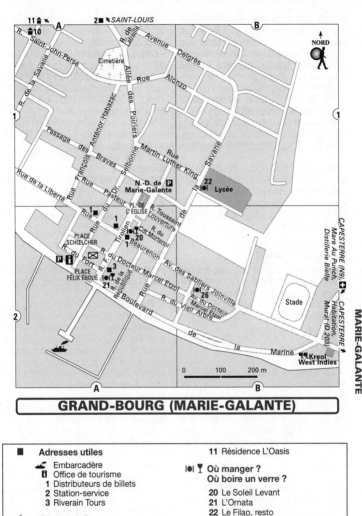

GRAND-BOURG (MARIE-GALANTE)

■	**Adresses utiles**
⚓	Embarcadère
ℹ	Office de tourisme
1	Distributeurs de billets
2	Station-service
3	Riverain Tours

⬢	**Où dormir ?**
10	Le Cerisier Créole

11 Résidence L'Oasis

|◉| **🍷 Où manger ?**
Où boire un verre ?

20 Le Soleil Levant
21 L'Ornata
22 Le Filao, resto
du lycée hôtelier
26 Calypso

Grand-Bourg pour des tours de l'île, à l'arrivée des bateaux de 9h et 9h30.
🚕 **Taxis : Alex Brute,** 📞 *06-90-50-87-41* ; **Étienne Léveille,** 📞 *06-90-49-28-18* ; **Élie Castanet,** 📞 *06-90-49-86-68.*
■ *Location de voitures et de scooters :* la plupart des loueurs sont présents au débarcadère ou dans le bourg. Attention, en période chargée, il arrive que le parc soit insuffisant : il est

prudent de réserver. Selon les loueurs, on vous demandera d'avoir 21 ou 23 ans minimum et 2 ou 3 ans de permis. Sachez qu'ici on livre le véhicule sans faire le plein de carburant, donc rendez-le au même niveau au retour. Compter à partir de 35 € pour 24h en haute saison selon le type de voiture. On peut toujours essayer de négocier un peu, surtout à la semaine. Certains louent des scooters (env 26-30 € la journée). Sachez enfin qu'il existe un tarif « journée touristique » pour une utilisation entre 9h et 16h seulement, pour ceux qui ne passent qu'une journée sur place (moins cher, évidemment). Enfin, vérifiez bien l'état du véhicule avant de partir et demandez à en changer s'il vous paraît trop juste.

– **Magauto :** sur le port. ☎ 05-90-97-98-75 ou 15-97 (à Grand-Bourg). ● magauto.sarl.location@wanadoo.fr ●

– **Magaloc :** sur le port. ☎ 05-90-89-90-59. 📱 06-90-72-91-33. ● magaloc@wanadoo.fr ● magaloc.com ●

– **Toto Location :** sur le port. ☎ 05-90-97-59-16. 📱 06-90-65-64-99. ● toto-location.com ●

– **MG Auto :** rue du Presbytère. ☎ 05-90-97-97-94. ● m-g.auto@orange.fr ● location-mg-auto.fr ●

– **Défaut Location :** ☎ 05-90-97-56-63. ● defautfelicien@wanadoo.fr ●

– **Auto-Moto-Location :** av. des Caraïbes, à **Saint-Louis.** ☎ 05-90-97-19-42. 📱 06-90-76-58-22. ● automoto-location@wanadoo.fr ●

– **Hertz :** rue du Fort (à côté de l'office de tourisme). ☎ 05-90-97-59-80. ● hertzantilles.com ●

– Et il y en a encore d'autres au débarcadère...

■ **Location de VTT :** avec notamment **Dingo Location.** 📱 06-90-63-94-93. ● jules.thebo@outlook.com ● Livraison des vélos à Grand-Bourg.

Où dormir ?

Peu d'adresses dans le bourg même, qui n'est pas il est vrai le lieu idéal pour poser ses bagages à Marie-Galante. Voici tout de même 2 adresses.

De prix moyens à plus chic

🏠 **Le Cerisier Créole, chez M. Guy Frenet** (plan A1, **10**) : lot. Grande-Savane, rue Saint-John-Perse. ☎ 05-90-97-93-54. 📱 06-90-50-24-85. ● guy.frenet@wanadoo.fr ● Prendre l'allée des Poiriers direction Saint-Louis, puis la route à gauche juste avt le cimetière (aller jusqu'au bout). Compter env 330 €/sem (env 60 €/nuit) pour 2 (min 2 nuits). Dans le quartier résidentiel de Grand-Bourg, au 1er étage de la maison des gentils proprios, voici 2 appartements F2 (2-4 personnes), impeccables, mansardés, spacieux, tout blancs et très propres. Bon confort (AC dans les chambres, cuisine équipée). Plage à 1 km.

🏠 **Résidence L'Oasis** (hors plan par A1, **11**) : 7, rue Sony-Rupaire, lot. Grande-Savane. ☎ 05-90-97-59-55. 📱 06-90-50-87-38. ● oasis.mg@wanadoo.fr ● oasis-mariegalante.monsite.orange.fr ● ♿ Prendre à gauche après le cimetière en face de la station-service, direction Saint-Louis, puis 1re à droite. Compter 80-120 €/nuit pour 2-5 pers ; dégressif. 3 confortables appartements (F1 ou F2) noyés dans la verdure. L'un est en duplex avec une superbe vue sur la mer, la Dominique et les Saintes, un autre possède une ravissante terrasse fleurie avec jacuzzi, et le dernier, à l'étage, un appartement en mezzanine avec cuisine américaine et terrasse, peut communiquer avec le duplex pour loger une grande famille. Prêt de palmes, masque et tuba.

Où dormir dans les environs ?

Très bon marché

🏠 **Kaz'hamac** (hors plan par B2) : 30, l'Hermitage, **les Hauts de Murat.** 📱 06-90-45-53-01. ● contact@kazhamac.com ● kazhamac.com ● À la sortie de Grand-Bourg, prendre à gauche direction Ducos, Capesterre. Puis, à Ducos, prendre à droite devant le magasin de carrelages, passer l'arche et entrer dans la résidence en suivant le sens giratoire (panneau). Hamacs 12-19 €/nuit ; réduc. 📶 Au sous-sol de la maison des propriétaires, un mode d'hébergement pas cher et original. 8 hamacs grand confort (160 cm de large) avec moustiquaire intégrée, drap individuel (sac à viande) et couverture légère, répartis dans un espace ouvert de 50 m². Sanitaires communs, kitchenette extérieure et grande table sous un carbet. Chaque hamac a son coffre de rangement verrouillable, équipé d'une prise électrique. Une pause insolite, conviviale et pas chère !

Prix moyens

🛏 *Village de Canada, chez M. Manicord* (hors plan par A1) : section Canada. ☎ 05-90-97-86-11. ● villa gedecanada@wanadoo.fr ● village decanada.com ● À 7 km au nord de Grand-Bourg. Prendre la N9 direction Saint-Louis, puis à droite à la hauteur de l'usine de Grande-Anse (panneau) ; parcourir 1,5 km. Attention, ne pas confondre avec le Domaine de Canada un peu avt... Villas et gîtes 70-99 €/ nuit pour 2 ; appart 4 pers 130-145 €/ nuit (2 nuits min). 📶 Réduc de 10 % sur présentation de ce guide, slt en hte saison. Au milieu des champs de canne à sucre, ce petit village propose 5 gîtes (2-4 personnes), ainsi que 3 bungalows (2-7 personnes) et 2 appartements (5-7 personnes) dotés de vues sur les Saintes et la Dominique. Superbes, tous impeccables et confortables, avec cuisine équipée, AC, barbecue et terrasse donnant sur un gentil jardin fleuri que Daniel Manicord entretient avec soin (on dirait de la moquette !). Déco bleu-blanc-vert. Belle piscine protégée avec solarium et carbet.

🛏 *Domaine Bambara, chez Mme Thérèse Tirolien* (hors plan par A1) : route de Latreille (C9), puis chemin d'accès difficile. ☎ 05-90-97-98-43. ● teresetirolien@yahoo.fr ● À 2 km au nord du bourg. Prendre la 1re à droite après le cimetière (direction Saint-Louis), puis petite pancarte à droite à env 1 km. Pour 2, studio 60 €/ nuit ou familiale 70-80 €/nuit. 📶 Réduc de 10 % pour un séjour de 1 sem min, sur présentation de ce guide. Le grand plus de cette adresse – une charmante villa dominant Grand-Bourg et la mer –, c'est son parc verdoyant et fleuri de

7 ha avec une vue superbe au coucher du soleil entre la Dominique et les Saintes. La gentille maîtresse des lieux est la femme de Guy Tirolien, célèbre poète marie-galantais aujourd'hui disparu. Les chambres (2-6 personnes) sont certes un peu désuètes. AC, vastes salle de bains. Terrasse et cuisine communes (cuisine privée pour le F3). On vient surtout ici pour la beauté des lieux et la gentillesse de l'accueil.

Plus chic

🛏 *Mahogany, chez Annick Mouget* (hors plan par B2) : section Beaurenom. ☎ 05-90-97-95-26. ● annick_mouget@yahoo.fr ● perso. orange.fr/bodiger/marie-galante ● À 3 km de Grand-Bourg. Prendre la D203 vers Capesterre, puis, après le club de plongée Ti'Bulles, à gauche par une petite route goudronnée ; tt droit au croisement ; la maison est presque au bout à gauche de ce chemin (entrée fleurie). Congés : sept.-oct. Min 3 nuits : studio 595 €/sem (dégressif), 270 € les 3 nuits ; chambre séparée indépendante 300 €/sem, 150 € les 3 nuits. 🛏 📶 Grande qualité de confort dans ce studio attenant à la très belle maison des propriétaires, au demeurant charmants. AC, bibliothèque, barbecue et agréable terrasse sur jardin fleuri avec vue sur la mer. Calme garanti. Lave-linge et congélateur en commun. Frigo garni à votre arrivée et accueil à l'aérodrome ou au bateau.

🛏 *Isola Verde, chez M. et Mme Massias* (hors plan par B2) : Les Hauts-des-Basses. ☎ 05-90-97-70-61. ☏ 06-90-32-87-09. ● isola-verde@ wanadoo.fr ● location-villa-mariega lante.com ● À 5 km à l'est de Grand-Bourg par la D203 ; prendre la route à gauche, vers Lalanne, puis 1re à droite. Bungalows pour couples slt, 1 sem min : 600-900 €/sem selon standing (piscine privée à débordement ou non). 📶 De beaux bungalows en dur et en bois exotique disséminés dans un parc sans vis-à-vis avec une vue magnifique à 180° sur les Saintes et la Dominique. Mobilier de style créole ancien, fabriqué sur place par Pascal

MARIE-GALANTE

Massias lui-même ! Et puis le calme... Accueil prévenant des propriétaires, sans compter les petites attentions qui font la qualité du séjour... Transfert depuis l'aéroport et location de voitures possible.

📍 **Les Balcons de Passiflora, chez Catherine et Charly Ragoust** (hors plan par B2) : chemin Lalane, *Les Hauts-des-Basses*, n° 2. ☎ 05-90-97-50-48. 📱 06-90-37-22-00. ● la-passiflora@orange.fr ● balcons-de-passiflora.com ● À 5 km à l'est de Grand-Bourg par la D203 vers Capesterre ; petite route sur la gauche, direction Lalane, puis à droite dans la montée (panneaux). Villas 2-8 pers 650-810 €/sem selon saison, sur la base d'un couple. 📶 (réception). Plantées sur la colline enrobée d'une végétation luxuriante, voici 2 splendides villas contiguës et construites en bois exotique par les propriétaires eux-mêmes. Magnifique mobilier et confort irréprochable. Barbecue commun et terrasse immense avec hamac, dominant les îles voisines. Très grand jacuzzi dans le patio séparant les 2 villas.

📍 **Villa Cycas, chez M. et Mme Thiery** (hors plan par B2) : habitation Bielle. ☎ 05-90-97-28-69. ● villa-cycas@wanadoo.fr ● elithiery@wanadoo.fr ● im-caraibes.com/cycas ● ♿ Sur la route de Capesterre, quasiment en face du resto La Charrette (entrée juste avt le petit pont). À la sem, studio 2 pers 660 €, villa 6-10 pers 2 150-2 600 €. 📶 1er repas (loc villa + studio slt) offert sur présentation de ce guide. Une villa un peu à l'écart de celle des propriétaires, les pieds dans l'eau, avec sa plage (quasiment) privée. Elle se compose de 2 chambres et d'une mezzanine pour 4 personnes. Service de ménage inclus. Également des studios avec AC. Transfert possible depuis le port ou l'aérodrome.

Où manger ? Où boire un verre ?

Bon marché

🍴🍷 **Le Soleil Levant** (plan A2, 20) : sur la petite place du marché. ☎ 05-90-97-71-72. Tlj sf l'ap-m sam-dim. Boulangerie-pâtisserie assez connue dans le centre-ville, où l'on papote en terrasse. Viennoiseries, sandwichs, petite collection de gâteaux exotiques (goûtez le bonbon sucre ou le *caca bœuf*, à base de sirop de batterie, qui ressemblent un peu au pain d'épice !) et jus de fruits locaux. Super accueil et cocktails pas mauvais non plus.

🍴🍷 **L'Ornata** (plan A2, 21) : pl. Félix-Éboué. ☎ 05-90-97-54-16. ● bbsouquet@wanadoo.fr ● Face au débarcadère. Tlj 8h-20h, mais resto slt 8h-15h30. Sandwichs et salades à prix doux et plats du jour 9,20 € sur place ou à emporter. 📶 Un snack installé dans une jolie maison créole en bois, avec une terrasse stratégique en face du débarcadère. Cuisine du jour sans prétention, mais de bons petits déj, des glaces et le must, des cocktails de fruits délicieux, fabriqués sur l'île. On vient avant tout ici pour se connecter à Internet et attendre le bateau.

🍴 **Le Filao, resto du lycée hôtelier** (plan B1, 22) : rue de la Savane. 📱 06-90-67-66-87. Au lycée même. Ouv le midi lun-ven (arriver à 12h15-12h45), plus le soir mar-jeu (19h-19h30). Fermé vac scol, périodes de stage et mer hors saison. Résa fortement conseillée. Formules env 9 € (hors boissons) le midi, 14-16 € le soir. CB refusées. Original : les repas des élèves hôteliers sont ouverts à tous les curieux (à condition d'arriver à l'heure). Menu affiché devant le lycée pour la semaine (cuisine française et antillaise).

Prix moyens

🍴 **Calypso** (plan B2, 26) : 65, rue Beaurenom. ☎ 05-90-97-14-38. ● nenes67@wanadoo.fr ● Fermé dim-lun. Congés : juil. Repas env 25 €. Digestif maison offert sur présentation de ce guide. Un restaurant en bordure d'une rue passante, mais l'environnement se révèle bien plaisant avec une terrasse ventilée, couverte et colorée, et un joli mobilier en teck. Spécialités de viandes et poissons en grillade, ainsi que des plats franchement créoles. Goûtez le fondant de lasagne à la daurade ou le poisson-lion, aussi dangereux dans son élément que délicieux quand il est bien cuisiné, comme ici. Les habitués de la ville ne s'y trompent pas et le réclament.

Où manger ? Où sortir dans les environs ?

|●| L'Îlet Gati : morne Lolo, **Grand-Bourg.** ☎ 05-90-97-83-05. À 6 km par la route de Capesterre (N9), sur le côté gauche, 500 m après la route qui mène à la distillerie Bielle. Tlj sf dim 16h-21h30. Plats 3-5 € ; menu express env 7 €. Une baraque qui ne paie pas de mine, proposant des spécialités de grillades à emporter ou à manger sur place. Un très bon plan pour les petits budgets.

|●| La Charrette : route des Basses, **Grand-Bourg.** ☎ 05-90-97-79-78. À 2 km par la route côtière vers Capesterre, côté gauche, près du stade. Tlj sf dim, le soir slt. Repas env 25-45 €. Digestif maison offert sur présentation de ce guide. Resto de bord de route à la déco mi-créole, mi-orientale. Une ambiance plutôt raffinée et cosy pour une cuisine du Sud-Ouest et des îles. Spécialités de viandes ou poissons en grillades et beaux accompagnements à base de légumes locaux.

|●| ▼ ♪ Sun 7 Beach (hors plan par B2) **:** à la sortie de Grand-Bourg, route des Basses, section Murat. ☎ 05-90-97-87-58. Tlj sf w-e. Congés : de mi-sept à mi-oct. Formule déj 19 €, repas 30-40 €. 🛜 Dans l'assiette, une cuisine d'une chef originale et délicieuse. Mais c'est aussi le lieu idéal pour prendre un verre le soir.

À voir. À faire

⌂ **Grand-Bourg-Plage** (hors plan par B2) **:** en direction de Capesterre. Bien pour ceux qui n'ont pas de véhicule et qui séjournent à Grand-Bourg. La plus proche du bourg, avec la Dominique en face, rien que pour vous. Douches et vestiaires, jeux pour enfants, terrain de beach-volley. Ambiance familiale. Éclairée la nuit.

🏃🏃 **Kreol West Indies** (plan B2) **:** rue Beaurenom prolongée (à la sortie du bourg, en direction de la plage et de Capesterre). ☎ 05-90-97-21-56. ● kreolwestindies.com ● Tlj 9h30-12h, 15h-18h. GRATUIT (don bienvenu !). Voir aussi à Saint-François sur Grande-Terre (Guadeloupe).
Cet espace des arts et du patrimoine, tout à la fois musée, boutique et lieu de vie incroyable, a été ouvert par Vincent Nicaudie, un collectionneur passionné et passionnant, ayant autant le sens de la muséographie que de la communication et du commerce. Il a mis en ligne la première base de données sur les objets du patrimoine antillais et propose aussi une galerie d'artistes. Quant au logo, vous n'y échapperez pas sur les différentes îles de la Guadeloupe, car Vincent Nicaudie et sa femme l'ont décliné aussi bien sur des vêtements que sur des sacs de sucre.
La visite de sa maison-musée vaut le détour car il a réussi là où les musées traditionnels peinent à attirer un public actuel. On passe de pièce en pièce en s'étonnant du soin apporté à la présentation d'un superbe polissoir, d'un pistolet à silex ou d'authentiques gravures datées de 1825. Après une pièce consacrée à la marine et aux voyages, on revient sur terre, avec le monde des békés et des traditions, avant de passer dans une pièce hors du temps, où l'on aurait envie de s'attarder. Un lit de corsaire du XVIIIᵉ s, une table prête pour le dîner, une porte grande ouverte sur la mer. Il faut laisser au guide le soin de vous

présenter les pièces rares cachées ici ou là, comme ces perles de traite, pacotille destinée aux roitelets africains. Un petit détour par les années 1940-1950, avec un superbe mobilier fonctionnaliste en poirier, et l'on revient au présent par la boutique.

Plongée sous-marine

Club de plongée

■ **Ti'Bulles :** *rue Beaurenom prolongée, plage du 3e pont, à la sortie de Grand-Bourg, direction Capesterre.* ▤ 06-90-67-70-60. ● *tibulles. plongee@gmail.com* ● *tibulles-plongee.com* ● *Plongée sur résa le mat et l'ap-m. Baptême 48 € (38 € moins de 12 ans), avec possibilité de* *photo-souvenir ; formules dégressives 3-10 plongées.* Petit club proposant des sorties avec 6 plongeurs maximum, tenu par Muriel et Stéphane. Formation jusqu'au Niveau 3. Sorties enfants possibles à partir de 8 ans. Pro et sympathique.

Nos meilleurs spots

● Carte Marie-Galante *p. 233*

↘ **L'Épave** (carte Marie-Galante, **4**) **:** *au sud-ouest de l'île.* Idéal pour les baptêmes. Déluge de couleurs et de vie sur l'épave de ce petit bateau coulé par seulement 6 m de fond. L'ensemble est tapissé de coraux, d'éponges et de gorgones majestueuses.

↘ **L'Anse Ballet** (carte Marie-Galante, **1**) **:** *au large de la sucrerie de Grande-Anse.* Pour plongeurs Niveau 1 et confirmés. « Troupeaux » de barracudas (pas de panique !) et tortues gracieuses dans ce jardin corallien tout à fait paradisiaque (- 14 à - 20 m de fond). Et puis – ô surprise ! – un couple de raies-léopards...

↘ **Grand Ancre** (carte Marie-Galante, **3**) **:** *face à l'hôpital Sainte-Marie de Grand-Bourg.* Pour plongeurs Niveau 1 et confirmés. De mignonnes petites murènes « tout sourire » dans les failles de ce plateau bordé d'un tombant (- 19 à - 27 m). Sur le sable, des aiguilles jardinières dardent leur tête comme de petits périscopes. Curieux, non ?

↘ **Le Tombant Ravine** (carte Marie-Galante, **2**) **:** *devant l'aérodrome, à mi-chemin entre Capesterre et Grand-Bourg.* Pour plongeurs Niveau 1 minimum. Encore plein d'éponges sur ce grand plateau bordé d'un joli tombant (- 20 à - 22 m). Attention, parfois, au courant.

↘ **Tico** (carte Marie-Galante, **9**) **:** *en face du club.* Pour plongeurs Niveau 1 et confirmés. Un des sites les plus riches en faune récifale. Caille d'environ 150 m posée sur le sable et parsemée d'éponges et de gorgones (- 14 et - 24 m). Ce site mériterait d'être rebaptisé « l'aquarium » vu l'abondance de poissons.

DANS LES ENVIRONS DE GRAND-BOURG

♣♣♣ **L'habitation Murat** (écomusée de Marie-Galante ; hors plan par B2) **:** à 1,5 km vers l'est, sur la route de Capesterre ; bien indiqué sur la gauche. ☎ 05-90-97-94-41 ou 48-48. Tlj sf j. fériés 9h-17h30 (13h w-e). GRATUIT. Parfois une visite guidée quand il y a un peu de monde... Ce fut, en 1839, l'une des exploitations sucrières les plus aisées de l'île (plus de 200 esclaves y travaillaient). Le château, ancienne maison de maître, date du début du XIXᵉ s et fut édifié dans un style néoclassique au milieu d'une immense pelouse. Il a été transformé en modeste *musée des Arts et Traditions populaires* présentant pour l'instant quelques panneaux historiques pour fixer dates et esprits. À voir surtout pour le beau parc, bien entretenu, où s'étalent les vestiges des anciennes cuisines, des magasins à vivres et de la sucrerie avec sa belle et grande cheminée. Jardin médicinal intéressant. Moulin à vent de 1814 construit en pierre de taille (noter l'écusson gravé au-dessus de la porte), plate-forme ronde d'un ancien moulin à bêtes, etc.

🎭🎭 **La Maison de l'indigo** : *section Murat à Grand-Bourg, sur la route du littoral vers Capesterre.* ☎ *05-90-84-56-49.* 📱 *06-90-74-98-76.* ● *maisondelin digo@orange.fr* ● *maisondelindigo.com* ● *GRATUIT (mais rien ne vous empêche de mettre une pièce dans le pot). Stages. Boutique.* On vient ici tout autant pour la case, cet atelier bizarrement foutu où sont organisés des stages pour tous les âges, que pour Anne-Murielle Brouard elle-même. Une « blonde aux yeux bleus, avec une queue-de-cheval, plutôt belge », ainsi qu'elle se décrit elle-même au téléphone. Une femme forcément haute en couleur, qui vous révèle les secrets des plantes à couleurs naturelles ainsi que l'histoire de l'indigo aux Antilles, tout en vous obligeant à jeter un œil différent sur son vieux jardin créole et sur votre vie en général. Joyeusement déstabilisant, et incroyablement rassurant, au fond.

🎭 **Randonnée pédestre sur le sentier Murat :** de l'habitation Murat, balade de 3h environ. Laisser sa voiture au parking. Comme la plupart des randonnées en Guadeloupe, à éviter quand il a plu, se renseigner à l'office de tourisme avant de partir. Début du sentier au niveau du moulin. Suivre le chemin sur la droite (les balises sont rouges) : on est dans la coulée Ouliée, qui s'enfonce dans les terres sur 2,3 km... et possiblement dans la boue quand il a plu ! Arrivée à Pirogue (voir ci-après « La Mare au punch »). Le retour peut se faire par le chemin du Morne-Rouge. De la Mare au punch, suivre la N9 vers Grand-Bourg, sur 100 m environ.

🎭 **La Mare au punch** *(hors plan par B2)* : à *Pirogue, à 4,5 km au nord-est de Grand-Bourg par la N9.* On peut toujours voir la mare où se serait déroulée, 1 an après l'abolition de l'esclavage en 1848, la fameuse *punch party* (voir « Un peu d'histoire » en introduction à Marie-Galante). Trois jours et trois nuits de fête, le rhum et le sucre ayant coulé à flots. Aujourd'hui, le coin a gagné en tranquillité ce qu'il a perdu en pittoresque. C'est la petite mare à droite en venant de Grand-Bourg, juste avant Pirogue. Le matin, en haute saison, longue cohorte de cabrouets venant faire peser leur chargement à la balance.

🎭🎭 **La distillerie Bielle** *(hors plan par B2)* : à *8 km au nord-est de Grand-Bourg par la N9, direction Capesterre (panneau sur la gauche, puis 2 km).* ☎ *05-90-97- 93-62.* ● *info@rhumbielle.com* ● *Lun-sam 9h30-13h, plus dim nov-mai et juil-août 10h-12h. GRATUIT (entrée et dégustation). Boutique.*
Au milieu des champs de canne, cette distillerie produit l'un des rhums les plus réputés de Guadeloupe. De plus, elle utilise un procédé original, écologique et économique à la fois, la phytorémédiation : un bassin naturel de 1,5 ha composé de jacinthes d'eau douce et de fougères, situé à proximité de la distillerie, agit comme une énorme éponge végétale en absorbant les matières organiques (la vinasse), ce qui évite d'autres procédés d'élimination polluants et plus coûteux. Sachez que la maison produit environ 2 000 hl d'alcool pur par an, soit 330 000 l à 50 et 59°...
Jetez donc un œil aux installations (surtout en fonctionnement entre mars et août), et notamment à l'ancienne *sucrotte*. La caféière du XVIIIᵉ s de la famille Bielle devint, en effet, une sucrerie au siècle suivant, avant de devenir la distillerie

actuelle. C'est ce système de cuves en batterie qui a donné son nom au fameux « sirop de batterie », qui adoucit avec tellement de talent le ti-punch du soir. Ne pas manquer non plus, à l'arrière, l'exposition de vieilles machines à vapeur et les pompes en tout genre, bien conservées. Enfin, évidemment, on peut déguster et s'offrir d'excellentes bouteilles à la boutique, dont un rhum blanc à 59°, rhum vieux vieilli en fût de chêne (dont le brut de fût 8 ans), liqueurs, chocolat, café, coco, Shrubb... Noter que les prix pratiqués ici sont plus abordables que dans les super-marchés de Guadeloupe.

– À côté, une poterie artisanale *(lun-sam 9h-13h)*. Et des vendeuses de *bokits*, sirops et autres douceurs, bienvenus quand on a faim et soif.

DE GRAND-BOURG À SAINT-LOUIS

🥾 Par la N9 (la route côtière), on longe d'abord l'ancienne **habitation Roussel,** une usine qui ferma en 1873. Notez les antiques canons plantés en terre et qui, à l'aide de cordages, permettaient de fixer les ailes quand on voulait arrêter le moulin. La restauration en cours devrait lui redonner belle allure.

🥾 À l'intersection de la N9 et de la D204 s'élève la **sucrerie de Grande-Anse,** l'ancêtre des sucreries de Guadeloupe. Elle fut construite en 1845 et survécut à tous les coups de l'Histoire (abolition de l'esclavage et révolution de 1848, grandes grèves) et vicissitudes de la météo (cyclones, incendies, etc.). Aujourd'hui, élément moteur de l'économie de l'île, elle bénéficie de l'aide des autorités régionales, emploie environ 80 personnes (plus une centaine de saisonniers) et traite entre 100 000 et 150 000 t de canne annuellement. De mars à début juillet, quand l'usine tourne pendant la récolte, on peut assister au spectacle des cabrouets et des camions lourdement chargés se mettant en ligne pour la pesée. Le transport par cabrouet représente aujourd'hui un faible pourcentage du tonnage total (environ 12 %). Pour des raisons de sécurité, la visite n'est pas possible pour l'heure.

🥾🥾 *Le domaine du Père-Labat (distillerie Poisson) : 4 km avt d'arriver à Saint-Louis, toujours sur la N9, sur la gauche.* ☎ 05-90-97-03-79. *Visite et dégustation 8h-13h (la distillerie fonctionne fév-mai).* Unité de production intéressante et vraiment authentique (chaudières, vieilles machines, etc.) qui fabrique le célèbre rhum du Père-Labat, titrant 59°. Le père en question était un moine dominicain qui vulgarisa l'utilisation de l'alambic dans les Antilles françaises à la fin du XVIIe s. Ah, ces moines ! Demandez l'intéressant dépliant expliquant le procédé de fabrication du rhum avec un schéma très bien fait. Buvette-boutique à l'ancienne avec sa baraque en bois et ses bouteilles alignées au fond. Mais profitez plutôt de l'opportunité qui vous est donnée de pouvoir visiter encore, sans guide, mais à vos risques et périls (faites attention où vous mettez les pieds, au sens propre, en grimpant aux échelles !), une distillerie restée dans son jus. S'il y a moins de monde à la buvette, en sortant, allez faire vos provisions de bouche. Mais ne faites pas comme ces touristes qui demandent une tournée complète et repartent, le pas hésitant, sans remercier ni rien acheter. Ce qui fait rire la vendeuse : « Ils auraient pu au moins me dire qu'ils avaient aimé ! »...

⌒ En reprenant la D206 qui longe la côte jusqu'à Saint-Louis, étroite **plage des Trois-Îlets,** puis, plus loin, la grande **plage de Folle-Anse,** sympa pour la trempette au coucher du soleil. Bordée d'une forêt littorale protégée et accueillant beaucoup d'oiseaux migrateurs (ainsi que de vicieux yens-yens), elle est plus agréable et plus sauvage vers Grand-Bourg. On conseille la balade romantique, les pieds dans l'eau, mais vers Saint-Louis, la plage devient plus sale par endroits. Et évitez le coin proche du port industriel...

SAINT-LOUIS   (97134)   2 670 hab.

• Plan *p. 247*

C'est la plus ancienne bourgade de l'île, berceau de la colonisation française à Marie-Galante... Saint-Louis s'étend en bordure d'une magnifique baie agréablement arrondie, que les marins affectionnent particulièrement pour faire escale. Son unique rue piétonne permet de se balader entre maisons créoles en bois et constructions en dur style Ali Tur. Ce village sympathique vit à son rythme indolent, un peu en dehors du temps. Rythme parfois troublé par les bateaux qui relient l'île à Pointe-à-Pitre, Saint-François ou les Saintes. Si les possibilités d'hébergement sont plutôt limitées, on trouve à Saint-Louis et dans ses environs proches de sympathiques restaurants avec des terrasses privilégiées face aux îles. Et en continuant vers le nord, vous découvrirez la partie de l'île la plus accidentée et la plus sauvage...

Adresses utiles

■ *Distributeurs de billets :* distributeur 24h/24 du *Crédit agricole (plan A1, 3)* et retrait possible au guichet de la poste *(plan B2)*, fermé les ap-m et dim.
🚌 *Arrêt des bus pour Grand-Bourg (plan B2) :* à côté de la poste.
■ *Station-service (hors plan par B2, 2) :* sur la droite de la N9 en direction de Grand-Bourg. Lun-sam 6h30-19h, dim 6h30-13h. L'île n'en compte que 2 autres, à Grand-Bourg et vers

Capesterre. Ne vous laissez pas surprendre.
■ *Location de VTT : chez Dingo Location.* 📱 06-90-63-94-93. • jules.thebo@outlook.com • Ou *Magaloc* (☎ 05-90-97-01-70 ; 📱 06-90-75-48-78 ; • magaloc@wanadoo.fr • magaloc.com •). Env 12 €/j. ; dégressif à la sem.
■ *Location de voitures et de scooters :* voir ci-avant « Adresses utiles. Transports » à Grand-Bourg.

Où manger ? Où boire un verre ? Où sortir ?

De bon marché à prix moyens

|●| 🍷 ♪ *Chez Henri (plan A2, 21) :* 8, av. des Caraïbes. ☎ 05-90-97-04-57. • resto@chezhenri.net • chezhenri.net • Fermé lun et mar midi. Formules à partir de 11 € ; repas env 25 €. 🛜 Ce resto-bistrot très « métro » est le rendez-vous des skippers en escale. Décor intime et élégant à la fois, surtout le soir avec son éclairage tamisé. Tables sous un amandier au bord de l'eau ou bar cosy à l'entrée. Expose les artistes locaux et propose parfois des petits concerts de musique jazz sur la plage. Spécialités d'omelette créole au colombo et

de banane « galante », recettes maison délicieuses. Service un peu long (c'est rien de le dire, parfois !). Et ça ne sert à rien de les presser, ça les fera juste rigoler. Henri, le patron cuistot, se fera un plaisir de venir discuter avec vous après le service (souvent avec sa bouteille de rhum réfrigéré « maison »).
|●| *La Baleine rouge (plan A-B1, 13) :* rue de l'Église, à la sortie du bourg sur la gauche, en allant vers Vieux-Fort. ☎ 05-90-48-57-87. • flopelisson@yahoo.fr • ♿ Tlj sf mar soir et mer. Plats 10-16 €. Digestif maison offert sur présentation de ce guide. On déjeune ou on dîne sur une grande et très agréable terrasse, en surplomb de la mer, balayée par les alizés. Dans

MARIE-GALANTE

l'assiette, une cuisine très réussie, concoctée avec habileté par un chef tout autant calé en desserts. En salle, sa femme réserve le meilleur accueil.

|●| **L'Assiette des Îles** (plan A2, **14**) : av. des Caraïbes. ☎ 05-90-97-03-39. ♿ Tlj. Plats 12-20 €. Structure en bois toute bleue qui ne détonne pas dans le paysage. Les jours d'ouverture sont un peu fantaisistes, mais on y sert des plats créoles très respectables. La carte fait la part belle aux produits de la mer, bien sûr. Le plus : une belle terrasse posée sur la plage et ouverte sur la grande bleue.

|●| **Caraïbes Plage** (**Chez Pierrot** ; plan A1, **11**) : 11B, rue Hégésippe-Légitimus. ☎ 05-90-97-03-61. ♿ Tlj sf mer soir. Congés : oct. Plats env 15-22 €. 🛜 Apéritif maison offert sur présentation de ce guide. Poisson au court-bouillon, fricassée locale, on mange local chez Pierrot en regardant le large et en écoutant ses voisins raconter leurs mésaventures sur terre comme sur mer. Éléonore ne perd pas le sourire, Pierrot est heureux, il a quitté la Mayenne au bout de 30 ans pour retourner au soleil. Cuisine simple, à l'image de l'accueil.

|●| **Eden Voile** (hors plan par B1, **10**) : route de Vieux-Fort, section **Chalet**. 📱 06-90-42-14-98. À 1,5 km au nord de Saint-Louis. Tlj. Plats env 15-18 €. Restaurant-bar accueillant, tenu par Jacqueline, bientôt relayée par son fils, une Marie-Galantaise qui a poussé les murs de sa maison, lovée dans un repli de côte. Déco bois et ton turquoise dans la salle en surplomb de la mer. Cuisine en fonction des arrivages et plats locaux qui raviront les amateurs... ainsi qu'un sympathique punch au miel si vous avez attrapé froid pendant la nuit (on plaisante !).

|●| **Le Wok** (hors plan par B1, **10**) : à 1,5 km au nord de Saint-Louis, sur la gauche, en contrebas de l'Eden Voile. ☎ 05-90-97-28-45. Repas env 15 €. Cuisine à dominante asiatique, simple et réussie. 2 terrasses posées sur la plage, face à la grande bleue. Mais l'originalité, ce sont les 2 terrasses flottantes, tables et bancs au milieu de l'eau, où l'on peut manger à 6 personnes, pour une expérience inédite !

|●| **Aux Plaisirs des marins** (hors plan par B1, **12**) : section **Chalet**. ☎ 05-90-97-08-11. À 1 km au nord du bourg, sur la route de Vieux-Fort, côté mer. Ouv le midi tlj sf lun, le soir sur résa. Repas env 25 €. En bord de plage, petit resto sympa tenu par une gentille famille de pêcheurs. Dans l'assiette, de bons plats typiques et copieux, les pieds posés sur le plancher ou enfoncés dans le sable. Service en dents de scie et longuet mais emplacement privilégié. Et rien ne vous empêche de piquer une tête avant de vous attabler.

Où dormir ? Où manger dans les environs ?

De prix moyens à plus chic

🏠 **Habitation Bioche** (Gîtes de France) : section **Saint-Charles**. ☎ 05-90-97-00-39. 📱 06-90-76-14-25. ● habitation bioche@orange.fr ● habitation-bioche. com ● À 2 km sur la N9, direction Grand-Bourg, tourner à gauche au niveau de l'épicerie La Dernière Minute (maison jaune) ; parcourir encore 1 km. Accès très, très pentu. Bungalows env 65-95 €/ nuit pour 2 ; compter 390-570 €/sem pour 2-6 pers selon saison. 3 charmants bungalows en bois traditionnel, isolés sur les hauteurs et offrant un beau point de vue sur la mer et les îles au loin. Aménagements assez coquets (couleurs vives), avec petite cuisine-séjour, chambre climatisée, terrasse en bois. Grand jardin fleuri avec piscinette. Paillote avec quelques jeux et bouquins. Location de voitures possible.

🏠 |●| **Au Village de Ménard** (hors plan par B1) : section **Vieux-Fort**. ☎ 05-90-97-09-45. ● magtour971@orange.fr ● villagedemenard.fr ● À 8 km au nord de Saint-Louis ; 1 km après le village de Ménard, tourner à gauche (indiqué). Compter 85-95 €/nuit pour 2. 🛜 Une petite résidence de vacances toujours aussi bien entretenue avec des studios et des villas de style créole aux couleurs

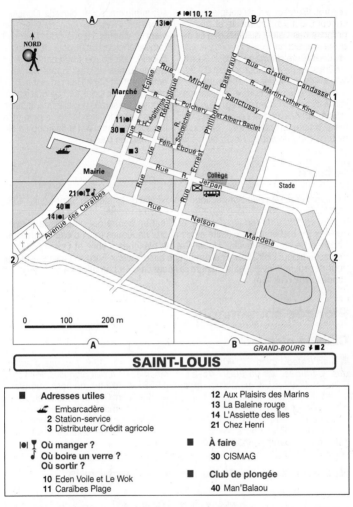

SAINT-LOUIS

MARIE-GALANTE

■	**Adresses utiles**
⚓	Embarcadère
2	Station-service
3	Distributeur Crédit agricole

	◉	▼	**Où manger ?**
♪	**Où boire un verre ?**
	Où sortir ?
10	Eden Voile et Le Wok
11	Caraïbes Plage

12	Aux Plaisirs des Marins
13	La Baleine rouge
14	L'Assiette des Îles
21	Chez Henri

■	**À faire**
30	CISMAG

■	**Club de plongée**
40	Man'Balaou

pimpantes pour certains, pour 2 à 7 personnes. Kitchenette, AC, piscine centrale ; le tout dans un agréable jardin. Tranquille et isolé, au pied d'un vieux moulin. Accueil très sympathique. Le restaurant se révèle une très bonne table. 🏠 |◉| *Location Bellevue :* section *Romain.* ☎ 05-90-97-00-57. ● *gîtes bellevue@wanadoo.fr* ● *location-bellevue.com* ● *À 3 km de Saint-Louis : prendre la N9 vers Grand-Bourg, puis à gauche après la station-service, direction Capesterre (D201) ; parcourir alors* 2,5 km. Doubles, familiales et 1 gîte : compter de 50-55 €/nuit en double à 280-595 €/sem pour 2-4 pers selon saison et confort ; petit déj 6,50 €. Table d'hôtes env 22 €. 📶 Comme le nom l'indique, on vient ici pour la vue exceptionnelle sur la Dominique, les Saintes et la Guadeloupe, surtout depuis le balcon d'accès aux 4 chambres du 1er étage. Également 2 gîtes (sans vue), dont un bungalow au confort simple. En somme, juste des chambres fonctionnelles, sans charme particulier mais propres. Bon accueil du couple d'agri-culteurs, qui produit vanille et miel et propose des visites guidées de l'île ou de sa production.

|●| Le Refuge Hulman : section **Saint-Charles,** route des Sources. ☎ 05-90-97-05-02. ● refugehulman@wanadoo.fr ● refugehulman.com ● À 2 km sur la N9, direction Grand-Bourg, tourner à gauche au niveau de l'épicerie La Der-nière Minute *(maison jaune)* ; parcourir encore 1 km (indiqué). Resto sur résa

slt ; fermé mer soir et dim soir. Congés : sept-oct. Plats du jour 16-19 €. On vient là depuis 20 ans pour l'accueil familial chaleureux et pour déguster le *bébélé,* une soupe traditionnelle avec des légumes et des tripes. Fortuna, autrement dit Mme Hulman, est appré-ciée dans l'île pour sa fine cuisine de terroir. Elle serait, par ailleurs, la seule à concocter le flan de fruit à pain et la liqueur de mangue. Le flan coco n'est pas mal non plus !

À faire

– Un petit **club de voile** sympathique à proximité de la jetée de Saint-Louis : **CIS-MAG** (plan A1, **30** ; ☎ 05-90-97-07-41 ; ● cismag@wanadoo.fr ● ; *loc à l'heure, stages et différents forfaits possibles).* C'est un centre qui pratique la réinser-tion par les métiers de proximité et les sports nautiques (plan d'eau bien venté). Location de canoës-kayaks, Hobie Cat 16, planches à voile et Optimist. Cours particuliers pour l'initiation. Également une base à Vieux-Fort, en face de la plage, pour découvrir la rivière et la mangrove (location d'embarcations à pédales et de canoës ; voir plus loin).

Plongée sous-marine

Club de plongée

■ **Man'Balaou** (plan A2, **40**) : 22, av. des Caraïbes. ☎ 05-90-97-75-24. 🖥 06-90-42-97-70. ● manbalaou.mga lante@wanadoo.fr ● plongee-marie-galante.com ● *Une case créole sur la plage de Saint-Louis, à droite du débarcadère. Résa conseillée la veille 19h-20h. Départs à 8h30 et 10h30.*

Baptême env 50 €, plongée d'explo-ration 42 € ; forfait plongées. Petit club (FFESSM, ANMP), où Jean-Luc Blanc et Christian Campillo assurent bap-têmes et formations jusqu'au Niveau 3, au large de Saint-Louis. Plongée de nuit et initiation enfants à partir de 8 ans.

Nos meilleurs spots au large de Saint-Louis

● Carte Marie-Galante p. 233

◁ **Tache à Cat** (carte Marie-Galante, **8**) : *au nord immédiat de Saint-Louis.* Idéal pour les baptêmes. Bienvenue dans l'aquarium de Saint-Louis, où les pois-sons des Caraïbes batifolent dans l'allégresse ! Mais aussi poulpes, langoustes, crevettes, gobies à tête bleue qui s'enfoncent dans le sable par la queue à la première alerte...

◁ **Le Petit Câble** (carte Marie-Galante, **6**) : *au nord-ouest de Saint-Louis.* Pour plongeurs Niveau 1 minimum. Mesdames les tortues font la sieste sur ce joli plateau (15 m) couvert d'éponges et peuplé de bancs de poissons-maniocs. Barracudas et thazars nagent en cercle... À proximité, un beau tombant corallien (jusqu'à - 45 m) pour plongeurs confirmés, où serpente un vieux câble, dans un méli-mélo d'éponges multicolores...

⚓ **Les Z'eling** *(carte Marie-Galante, 7) : au nord-ouest de Saint-Louis.* Pour plongeurs Niveau 1 et confirmés. Plongée sans souci sur cette pente douce (- 20 à - 40 m) très poissonneuse et couverte de jolis pâtés de corail, terrain de jeu favori des pagres et gorettes. Également pas mal de poissons coralliens classiques autour des belles éponges et des murènes tachetées dans les failles.

LA RÉGION NORD

Relief plus accidenté, nombreuses forêts, plages magnifiques, falaises abruptes, hameaux et routes de campagne pittoresques, chemins de randonnée... C'est ici que vous découvrirez la vraie Marie-Galante, au mode de vie hors du temps, mélange étrange d'âpreté et de douceur. Petit tour d'horizon, en partant de Saint-Louis et en se dirigeant vers Capesterre.

🏖 **La plage de Moustique :** *3-4 km après Saint-Louis, panneau « Anse de Mays ».* Belle plage de sable doré aux eaux cristallines, longée par la route, mais celle-ci est masquée par une épaisse végétation. Attention : beaucoup de mancenilliers (cerclés de rouge), prudence quand il pleut !

🏖 **L'Anse Canot :** *à 4,5 km de Saint-Louis ; à l'intersection, prendre à gauche vers Vieux-Fort.* Cette plage est très mignonne mais assez petite, et parfois un peu sale par périodes. C'est en tout cas la moins dangereuse du coin pour les enfants.

➤ De la plage de l'Anse Canot, charmant petit **sentier de randonnée** en boucle bien balisé. Durée : 3h pour 9 km de rando. Au programme : mangroves et plages, en passant par Trou-Massacre et la campagne.

🏖 **La plage de Vieux-Fort ou « Massacre » :** *1 km plus loin, panneau « Anse du Vieux-Fort ».* Longue plage bien dégagée, en arc de cercle. Sable blond, cocotiers et eaux turquoise. Parmi les plus belles cartes postales de l'île à notre goût, mais pour la baignade, gare aux grosses vagues !
– Juste en face de la plage, possibilité de louer canoës et embarcations à pédales pour **découvrir la mangrove** sur la *rivière de Vieux-Fort* (qui démarre là), avec *CISMAG (voir plus haut, à Saint-Louis, la rubrique « À faire » ; mar-sam 10h-15h ; résa préférable ; env 10 €/adulte).* Si vous ne craignez pas les moustiques ou si vous prenez vos précautions (il y a suffisamment d'affiches un peu partout pour expliquer comment affronter les épidémies de dengue ou de chikungunya), plongez dans cet univers préservé. En 1h, on fait l'aller-retour sur ce bout de rivière tranquille. Quelques animaux à observer : le *kio* (petit héron), la *tortue Molokoy* (facile à voir) et le *pipirit*, un oiseau de la taille d'un merle. Côté flore, palétuviers rouges, blancs et gris (mais pour nous ils sont tous verts !) et roseaux coupants. Un conseil de marin d'eau douce, ne touchez pas à ces derniers, car ils portent bien leur nom. Au retour, *lolo* pour se rafraîchir.

🍴 **Vieux-Fort :** *à 7 km de Saint-Louis.* C'est un hameau aux cases dispersées, qui fut autrefois le point de départ de la colonisation sur l'île. Quelques rares cases présentent encore l'architecture traditionnelle dite « en gaulette » : un treillis de branches qu'on remplissait de torchis. C'est ici, au milieu du XVIIᵉ s, que débarquèrent 30 colons envoyés par Charles Houël et qui se firent trucider en 1653 par les Indiens caraïbes, en représailles d'un assaut perpétré par des Blancs contre des Caraïbes en Dominique. La *plage de Massacre* ou *de Vieux-Fort* (voir plus haut) rappelle ce sinistre épisode de l'histoire de Marie-Galante.

⛏🥾 La Gueule Grand-Gouffre : *à moins de 5 km après Vieux-Fort, vers le nord, petite route qui part à gauche (indiqué).* On découvre une arche naturelle sculptée par les eaux et un gouffre gigantesque et sombre dans lequel se jette la mer, lumineuse. Vue privilégiée sur la Désirade et sa silhouette de bateau renversé.

🥾 Les falaises de Caye-Plate : *3 km plus loin, repérer une piste tte blanche et à peine carrossable.* Attention, on ne peut plus aller jusqu'au bout en voiture, le parking est fermé, risque d'effondrement... Prudence ! Joli panorama depuis de hautes falaises, avec la mer d'un beau bleu en contrebas.

🥾 Il existe une petite boucle de **randonnée** de 3 km (balisage ONF) qui mène de l'Anse du Coq à proximité à la chapelle Sainte-Thérèse.

🥾 On peut également faire tout le **sentier des Falaises** (mais ce n'est pas une boucle) qui mène de la chapelle Sainte-Thérèse au lieu-dit Borée, sur la D201 (route qui relie Capesterre à Saint-Louis par les terres). Environ 10 km aller, compter 3h. Très belle balade qui permet de longer pointes et anses battues par les alizés. Faire très attention : certaines parties du sentier surplombent les falaises et certains passages ne sont pas balisés.

🥾🥾 Écodécouverte de l'île : avec **Écolambda,** section **Saragot-les-Bas,** à hauteur de la ravine Bois-d'Inde, au nord-est de l'île. ☎ 06-90-29-29-09 *(laisser un message pour être rappelé).* ● a.ecolambda@orange.fr ● ecolambda.org ● À env 1,5 km de Caye-Plate. Depuis Saint-Louis, suivre la D205 vers Vieux-Fort et continuer sur 9 km après la plage ; au panneau « Écolambda », tourner 2 fois à gauche jusqu'au parking. De Capesterre, emprunter la D201 jusqu'au lieu-dit Borée, puis tourner à droite sur la D205 ; à Grand-Bassin, prendre direction Caye-Plate. Une association qui s'est donné pour ambition de faire connaître les secrets de la nature insulaire caraïbe : faune, flore (plantes médicinales) et géologie (n'oubliez pas que la terre peut trembler en Guadeloupe !). Voir la « mouina » (habitat traditionnel), avec une expo permanente, libre et gratuite sur la géologie régionale, l'héritage amérindien et la biodiversité. On peut continuer la visite par une balade indiquée à la Mouina, un raccourci vers l'itinéraire de randonnée des falaises (site classé). Également une rando découverte le dernier dimanche du mois (sauf juillet-août), sur inscription. Production de *rhum z'oliv,* qu'on vous conseillera de laisser bonifier 5 ans en cave. Enfin, c'est vous qui voyez...

🥾🥾 Si vous avez du temps, errez sur les petites routes du coin. C'est absolument charmant. Voir notamment le **moulin Agapy,** ruine magnifique. Une grande barre rocheuse découpe le tiers supérieur de l'île. Certaines portions de route livrent de beaux points de vue, notamment les D205 et D201. Il faut rouler suivant son inspiration.

🥾 ▮●▮ ⊛ À Borée, sur la D201, produits du terroir et repas possibles aux **Sentiers de la Canne :** *sur résa au ☎ 06-90-73-30-56. Repas complet 25-30 €.* Une exploitation agricole à qui Jean-Paul Rousseau a donné une nouvelle vie en proposant des visites guidées de la plantation, avec transport en charrette pour une nostalgie et repas dans la grande tradition des grands-mères de l'île, dans une construction rustique au milieu des champs. De Borée, petit chemin de randonnée permettant de rallier l'Anse Piton.

– Plus au sud, en arrivant sur Capesterre, à la section **Jacquelot,** visite possible de la **manioquerie FARIMAG** (☎ 06-90-42-26-56 ; mar-dim 10h-17h). C'est l'une des plus grandes de l'île. Confection et vente de produits à base de manioc.
– Et rien ne vous empêche d'aller voir ensuite tout à côté la *centrale éolienne de Petite-Place,* qui produit une partie de l'électricité consommée sur l'île.

🥾 Le moulin de Bézard : *sur la D201, à Tacy,* **Bontemps-Rameau,** *tourner à droite ; le moulin se trouve à env 3 km.* GRATUIT. Bézard, vous avez dit Bézard ?

Entièrement remis en état en 1994 mais à nouveau à l'abandon, ce superbe moulin du XIXe s a conservé ses ailes, sa machinerie à broyer la canne et sa charpente. À côté, des cases en gaulette reconstituées mais également abandonnées à leur triste sort. Pathétique mais intéressant pour qui veut comprendre le fonctionnement de ces derniers témoins d'un temps héroïque.

– Sur la D202, en continuant vers Capesterre, étonnant et vaste parc photovoltaïque à l'Étang-Noir. Il a été installé par la *distillerie Bellevue,* qui est elle aussi perdue en pleine nature (voir la rubrique « Dans les environs de Capesterre-de-Marie-Galante »). Si vous arrivez dans les parages l'après-midi, filez directement sur la côte et revenez pour la visite de la distillerie de bon matin.

CAPESTERRE-DE-MARIE-GALANTE

(97140)   3 430 hab.

• Plan *p. 253*

On aime bien ce petit bourg nonchalant et agréable où il fait bon se laisser vivre. En arrivant par les collines, on plonge littéralement sur Capesterre, son église, ses ruelles et ses jolies maisons, bordées par un lagon turquoise de toute beauté. À proximité immédiate, la splendide *plage de la Feuillère,* parmi nos préférées sur l'île, puis, en direction de Grand-Bourg, la *plage de Petite-Anse.*

MARIE-GALANTE

Adresses utiles

✉ **Poste** (plan A2) **:** rue C.-Rosemade. *Lun-sam, fermé l'ap-m.* Distributeur automatique.

🚍 **Arrêt des bus pour Grand-Bourg** (plan A1) **:** rue de la Marine, à l'angle de la rue du Presbytère.

■ **Station-service** (hors plan par A1, **1**) **:** bien en dehors de Capesterre, sur la droite de la N9 en direction de Grand-Bourg, au 2e croisement avec la D202.

Lun-sam 6h30-19h, dim 6h30-13h. L'île n'en compte que 2 autres, à Grand-Bourg et à Saint-Louis. Soyez prévoyant.

⊛ **Épicerie-supermarché Huit à Huit** (plan A2, **20**) **:** rue de la Marine, juste à côté du Soleil Levant (qui fait aussi épicerie). *Lun-sam 7h30-13h45, 15h15-19h30 ; dim et j. fériés 8h-12h.*

Où dormir à Capesterre et dans les environs ?

Ce n'est pas au centre du village même que vous trouverez forcément votre bonheur, mais sur les hauteurs et côté plage, dans des quartiers (des sections, comme on dit ici) qui abritent quelques jolies adresses de charme. Mieux vaut avoir une voiture, par ici, Capesterre étant une commune très étendue.

Prix moyens

🏠 **Gîtes Ti'Kaz** (hors plan par A2, **11**) **:** 4, Les Hauts-des-Basses, chez

Nathalie et Pascal, section **Cadet,** à l'ouest du village, par la route de la côte. En face de Tit'Anse. ☎ 05-90-97-30-96. 🖥 06-90-32-92-52. • *tizan tillais@wanadoo.fr* • *lagalette. net/ti_kaz* • *Compter 58-95 €/nuit pour 2.* 📶 3 adorables *kaz* colorées, situées dans la verdure à 500 m de la plage de Petite-Anse. Dans ce jardin luxuriant, petite *kaz bungalow* « Citron Vert » pour 2 personnes, avec une cuisine complète. Puis 2 minivillas pour 3 et 4 personnes, « Kaz Vanille » et « Kaz Cannelle », chacune avec une petite piscine. Toutes 2 super équipées également. Le tout superbement entretenu et au calme.

🛏 *Les Hibiscus* (hors plan par A2, 11) : *Les Hauts-des-Basses, chez Jeanlo et Alex, section* Cadet. ▦ 06-99-33-41-41. ● hibiscus.marie galante@gmail.com ● les-hibiscus. com ● *À l'ouest du village, par la route de la côte, après Ti'Kaz, continuer le chemin puis au bout à droite, c'est en montant sur la gauche. Compter 79-139 €/nuit pour 2-4 pers (min 2 nuits) ; dégressif au-delà de 4 nuits.* 📶 En adoptant une démarche bioclimatique, Jeanlo et Alex, les propriétaires, tirent parti de toutes les ressources naturelles de l'île. LED à l'extérieur, compost pour le potager, tri des déchets... Parmi les 4 logements, la « Case Marine », pour 2 personnes, en fait un container réhabilité, bardé de bois, composé d'une chambre et d'une kitchenette, et prolongé par un *deck* abritant une douche extérieure et un salon. La « Case Créole » quant à elle (4 personnes), tout en bois, est perchée avec 2 chambres, une cuisine et une salle de douche à l'italienne. Le tout donne sur une belle terrasse avec vue superbe sur la mer. Jolie déco recherchée, faite de matériaux naturels. VTT, PMT, pétanque, hamacs...

🛏 *Hôtel Le Soleil Levant* (plan A1, 17) : *sur les hauteurs du village, sur la N9.* ☎ 05-90-97-31-55. ● le-soleil-levant@wanadoo.fr ● hotel-marie-galante.com ● �️ *Résa possible à l'épicerie* Le Soleil Levant, *42, rue de la Marine. Double env 55 € ; apparts 5-8 pers et bungalows 4-5 pers 110-150 €/nuit selon saison.* 📶 *(à la réception).* Une résidence hôtelière avec une vue sublime sur le village de Capesterre et la mer turquoise depuis les belles piscines et leur élégant *deck* en bois... Côté confort, la résidence est moderne et bien équipée. Certes, les chambres sont petites et certaines proches des cuisines, mais elles sont plutôt bon marché. En fait, ce sont surtout les appartements qui présentent un rapport qualité-prix intéressant. Accueil décontracté.

🛏 *Les Brisants de l'Atlantique* (plan B1, 14) : *87, rue de la Marine.* ☎ 05-90-97-41-30. 🚾 *(1 studio).* Compter env 50-65 €/nuit pour 2-4 pers selon confort et saison (min 2 nuits). Dans une maison récente avec jardin face à la mer (il n'y a que la route à traverser), 1 appartement (4 personnes) de 2 chambres climatisées, avec cuisine équipée, salon... Également 2 studios climatisés, dont un avec mezzanine (2-4 personnes) au 1er étage, et balcon côté jardin ou côté mer. Bon rapport qualité-prix-tranquillité, à 300 m de la plage de la Feuillère.

🛏 *Le Repos, chez M. et Mme Montout* (hors plan par A2, 15) : *section* Pichery. ☎ 05-90-97-47-46. 🖥 06-90-41-50-24. ● le.repos@cari banet.com ● villa-lerepos-mariega lante.com ● 🚾 *À 5 km à l'ouest de Capesterre. En arrivant de Grand-Bourg par la route du littoral, grimper à gauche face au Touloulou et parcourir 2,4 km jusqu'à un chemin sur la droite (encore 500 m de piste). Congés : sept. Appart 2 pers 55 €/ nuit ; également F2 et F3.* 📶 Une de nos adresses préférées. Environnement très serein, avec une belle vue sur la campagne tropicale, les champs de canne, la mer et, au large, la Dominique. Le sentier de rando des Hauts-de-Capesterre passe à proximité. 2 grands bungalows en dur avec AC, cuisine, séjour et terrasse. 2 autres en bois, dont notre préféré, ne pouvant recevoir que 2 personnes, avec grande terrasse et spa. Enfin, 2 chaleureux appartements à l'étage de la maison des proprios. Le tout impeccable et plein de charme. Accueil familial adorable.

Plus chic

🛏 *Au Jardin Debeauséjour, chez M. Aubert Héron* (hors plan par A2, 13) : *section* Beauséjour ; *à 2 km au nord de Capesterre ; sur la N9 direction Grand-Bourg, prendre à droite la D201 et parcourir 1 km.* ☎ 05-90-97-34-22. ● debeausejour@wanadoo.fr ● au-jardin-debeausejour.com ● 🚾 *Studios 2 pers 80-90 €/nuit, petit déj compris ;*

MARIE-GALANTE

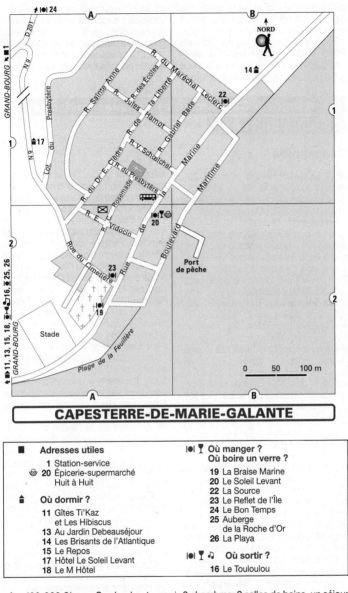

CAPESTERRE-DE-MARIE-GALANTE

MARIE-GALANTE

■	**Adresses utiles**
	1 Station-service
❀ 20	Épicerie-supermarché Huit à Huit

🛏	**Où dormir ?**
	11 Gîtes Ti'Kaz et Les Hibiscus
	13 Au Jardin Debeauséjour
	14 Les Brisants de l'Atlantique
	15 Le Repos
	17 Hôtel Le Soleil Levant
	18 Le M Hôtel

¦●¦ 🍷	**Où manger ?**
	Où boire un verre ?
	19 La Braise Marine
	20 Le Soleil Levant
	22 La Source
	23 Le Reflet de l'Île
	24 Le Bon Temps
	25 Auberge de la Roche d'Or
	26 La Playa

¦●¦ 🍷 🎵	**Où sortir ?**
	16 Le Touloulou

gîte 480-900 €/sem. Sur les hauteurs de Capesterre avec une jolie vue sur la campagne alentour, 5 grandes chambres à l'étage, doubles, triples ou quadruples, impeccables avec balcon. Également une belle villa isolée avec

3 chambres, 2 salles de bains, un séjour et une grande terrasse. Sans oublier les gîtes avec TV. Location de voitures possible. Bon accueil du volubile patron.

🛏 *Le M Hôtel (hors plan par A2, 18)* : section *Brumant*, à 2 km à l'ouest *de Capesterre, par la route de la côte (D203).* ☎ 05-90-97-32-95. ● *lem hotel.fr* ● *Doubles 85-135 €/nuit selon confort et saison ; petit déj non compris (cher).* 📶 Un lieu chaleureux et accueillant qui devient assez magique à la nuit tombée, Laetitia et Didier ayant joué

sur les lumières douces et les couleurs. Chambres décorées avec soin (matières naturelles), où il fait bon attendre la nuit, sur la terrasse. Du cocooning, du vrai. Et un restaurant sur place (spécialités de *planchas*) réservé aux hôtes.

Où manger à Capesterre et dans les environs ? Où boire un verre ?

Bon marché

|●| 🍸 *Le Soleil Levant (plan A2, 20) :* 42, rue de la Marine. ☎ 05-90-97-38-36. *Tlj sf dim ap-m 6h30-20h.* C'est la boulangerie-épicerie-bar du village. Viennoiseries le matin, sandwichs, colombos et poulets rôtis le midi (mais arriver tôt). Tous les produits de première nécessité également. Petite terrasse face à la mer à l'arrière, idéale pour le petit déj. Service à la fois drôle et indolent du personnel.

|●| *La Source, chez Rudy (plan B1, 22) :* rue de la Marine. ☎ 05-90-97-26-01. ● *rudy.960@hotmail.fr* ● *Tlj sf mar-mer. Congés : juin. Repas env 20-25 €,* sur place ou à emporter. Jolie case d'angle de rue, colorée et aérée. Une bonne cantine du midi, où les locaux aiment se retrouver autour de plats de cabri local, langouste, fricassée de lambis... Le soir, il y a plus de monde et plus d'ambiance quand la musique est de la partie.

Prix moyens

|●| *Le Reflet de l'île (plan A2, 23) :* 3, rue de la Marine. ☎ 05-90-97-41-30. *Sur la gauche à l'entrée du bourg. Tlj sf lun ; fermé le soir hors saison. Congés : 1er sept-10 oct. Repas complet env 20-30 €.* Dans la jolie salle ou dans l'agréable courette à l'arrière, poissons et fruits de mer, burgaux farcis (la spécialité de la maison), coquille farcie aux lambis et crèmes brûlées à tous les parfums. Très bonne cuisine. De plus, le patron se met parfois au piano après le service, bonne ambiance. Accueil chaleureux.

|●| *La Braise marine (plan A2, 19) :* face à la *plage de la Feuillère.* ☎ 05-90-48-72-41. 📱 06-90-11-21-08. ● *stella.abatan@hotmail.fr* ● *Tlj sf jeu.*

Formules déj 13-22 € ; carte autour de 20 €. Apéritif maison offert sur présentation de ce guide. Sur la droite de la résidence *Cap Reva,* une vraie case à l'ancienne, qui ouvre ses volets juste à l'heure du service. Cadre naturellement ventilé. Cuisine locale et familiale, à prix très abordable. On ne paie que le plat principal, l'entrée, avec les acras, est offerte. Le genre d'adresse authentique que l'on trouvait dans l'île il y a 25 ans.

|●| *Le Bon Temps, chez Constant (hors plan par A1, 24) :* section *Bontemps-Rameau.* ☎ 05-90-97-34-96. ♿ *Depuis le centre de Capesterre, prendre la N9, direction Grand-Bourg, puis à droite la D201 ; c'est indiqué sur la droite, à 3 km. Mar-sam midi et soir, plus dim midi. Plats env 12-20 €.* Petite maison perdue au beau milieu des champs de canne à sucre. Excellente cuisine créole. Connu aussi pour ses excellentes et copieuses pizzas, parmi les meilleures de l'île, mais servies le soir seulement.

|●| *Auberge de la Roche d'Or (hors plan par A2, 25) :* section *Roche d'Or.* ☎ 05-90-97-37-42 ou 43-85. *À 3 km avt Capesterre, sur la gauche, vers la plage de Petite-Anse, en venant de Grand-Bourg. Tlj sf dim soir. Sur résa slt. Repas à partir de 25 € tt compris. Apéritif maison offert sur présentation de ce guide.* Derrière un décor style auberge de campagne se cache depuis 20 ans une table d'hôtes très prisée. Excellente cuisine avec notamment le filet de vivaneau aux *ouassous* et la fameuse langouste coco. Accueil très gentil de la charmante propriétaire.

Plus chic

|●| *La Playa (hors plan par A2, 26) :* plage de la Feuillère.

☎ 05-90-93-66-10. À 1,5 km, direction Grand-Bourg par la côte. Ouv ts les soirs en saison (slt mer-dim soirs hors saison). Congés : 2 sem en juin et 2 sem en sept. Plats 20-30 €. Élégante maison en bois bleu et blanc, en bord de route, avec une terrasse bien accueillante et des nappes délicieusement turquoise. Les prix sont élevés, mais les produits de qualité. Offrez-vous une zarzuela créole ou une trilogie de poissons, pour voir la vie en couleurs.

Où sortir ?

IOI ▼ ♫ **Le Touloulou** (hors plan par A2, **16**) : à 2,5 km à l'ouest de Capesterre. ☎ 05-90-97-32-63. Tlj le midi, plus le soir ven-sam, et les autres soirs sur résa slt. Plats env 12-25 € ; menu langouste. Un resto presque les pieds dans l'eau le jour, idéal pour grignoter entre deux baignades une délicieuse cuisine créole et marie-galantaise. Les vendredis et samedis, les lieux se transforment en bar-discothèque avec soirées à thème et concerts. Également des cours de salsa le vendredi soir.

Plages

⌲ **La plage de la Feuillère** (plan A2) : à l'entrée de Capesterre en venant de Grand-Bourg. D'une longueur impressionnante, c'est incontestablement l'une des plus belles plages de l'île et sans doute de la Guadeloupe. Cocotiers, eau turquoise, sable blanc de blanc et barrière de corail. Une vraie carte postale ! Et puis, après la baignade, on peut s'ouvrir une noix de coco comme Robinson ou aller boire un jus bien frais au Dantana Café.

⌲ **La plage de Petite-Anse** (hors plan par A2) : plus loin, direction Grand-Bourg. Surnommée par les locaux « la plage des enfants » en raison de son faible fond.

DANS LES ENVIRONS DE CAPESTERRE-DE-MARIE-GALANTE

↖ **La côte, à l'est de Capesterre :** prendre d'abord la route qui passe par la pointe du Gros-Cap et les Galeries. Très beau point de vue en plongée sur la mer et la végétation ! Quelques accès à la plage, sauvage et rocheuse (attention aux courants !). Passer par une autre plage bordée de végétation dense où viennent pondre les tortues (indiqué), à environ 2,5 km de Capesterre. Puis, 1,5 km plus loin, la route s'arrête. Les plus courageux pourront alors marcher jusqu'à une plage sauvage de sable clair, bordée de palétuviers, avec lagon et barrière de corail toute proche. Mais la balade est franchement longue et éprouvante !

↖ **La distillerie Bellevue :** à quelques km au nord de Capesterre par la N9, puis la D202 vers Étang-Noir. ☎ 05-90-97-26-50. ● infos@distillerie-bellevue.com ● distillerie-bellevue.com ● Visite et dégustation gratuites tlj 9h30-13h. Fermé 1er janv, 27 mai et 26 déc. Le domaine fut fondé au XVIIe s, puis une sucrerie vit le jour grâce à un moulin à traction animale devenu moulin à vent en 1821 et produisant de l'eau-de-vie de canne. Celui-ci a été rénové et tourne presque tous les jours. En 1924, Gabriel Godefroy rentre des Indes et rachète la plantation ainsi que les deux alambics, puis, en 2001, la famille Godefroy s'associe au groupe Bardinet. Aujourd'hui, la distillerie produit plus de 1,2 million de litres de rhum chaque année. Elle est la plus grosse distillerie de Marie-Galante et le plus gros exportateur de la Guadeloupe. Au milieu des champs de canne, visite des installations anciennes et modernes qui, désormais, fonctionnent selon les procédés écologiques. Il s'agit,

MARIE-GALANTE

là encore, d'une démarche pilote dans ce domaine. Voir d'ailleurs l'impressionnante installation de panneaux solaires à proximité, le domaine étant ainsi écopositif.
☙ Dégustation à la *Ti'boutik,* une accueillante maison traditionnelle en bois.

LA DÉSIRADE (97127)

● Carte *p. 257*

ABC de la Désirade

❏ *Superficie :* 22 km².
❏ *Population :* 1 700 hab.
❏ *Point culminant :* la Grande Montagne (276 m).
❏ *Statut :* commune de la Guadeloupe.
❏ *Signe particulier :* deux réserves nationales (les îles de Petite-Terre et la réserve géologique).
❏ *Personnalités issues de l'île :* le footballeur Thierry Henry et l'écrivain Maryse Condé.
❏ *Spécialités culinaires :* le cajou de la Désirade, les burgaux, le punch aux olives, le colombo de cabri.

Une île de 11 km de long sur à peine 2 km de large, à l'aspect de bateau renversé. Voici la plus authentique et la plus naturelle des îles composant la Guadeloupe, restée longtemps à l'écart du développement et du tourisme, encore sauvage et toujours autant battue par les vents de l'océan Atlantique.
Une seule route goudronnée court d'est en ouest, au pied d'une barrière rocheuse. Une autre, praticable seulement en 4x4, grimpe jusqu'à la crête et traverse l'intérieur de l'île en sillonnant son plateau haut perché, d'où l'on a une vue magnifique. De très belles plages, quelques hébergements attachants et une douce ambiance de farniente à goûter en famille...
Ici, ce n'est pas à l'hôtel qu'il faut séjourner, l'offre ne s'y prêtant pas, mais chez l'habitant, dans des gîtes où le désir de Désirade se fera chaque jour plus fort, si vous rêvez de calme, de retour à la nature, de simplicité dans l'art de vivre... Les habitants, vivant surtout de la pêche, sont citoyens d'une seule commune divisée en plusieurs sections : *Beauséjour,* le bourg où accostent les bateaux ; *les Galets* à la pointe ouest ; *le Souffleur* sur la route (D207) vers l'est ; et *Baie-Mahault,* encore plus loin, en guise de bout du monde.

UNE BONNE NATURE

Atmosphère décontractée, population accueillante, peu ou pas de béton, pas de normalisation touristique. Voilà pourquoi on adore la Désirade. Le développement durable est même un choix de la municipalité car adapté à ce site exceptionnel. On pense évidemment à sa flore protégée et à sa faune, mais la collectivité a reçu en 2013 la Marianne d'or pour ses actions entreprises pour soigner les petits détails du quotidien (protection des vieilles cases, bords de route...), même si, pour la gestion des déchets, des efforts sont encore à mener dans les gestes du quotidien.

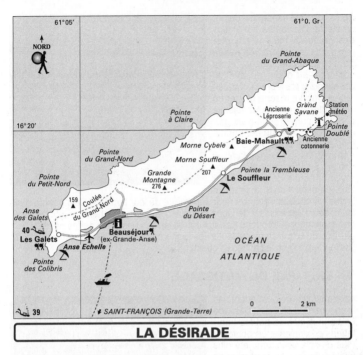

LA DÉSIRADE

Profitez-en, mais dans le bon sens ! À la Désirade, on ne ramasse pas les pierres, on n'introduit ni ne prélève faune ou flore. Laissez donc en paix les « têtes à l'Anglais » et autres cactées. Ici, les cabris mangent les plantes que les visiteurs ont eu le bon goût de laisser pousser... mais donner du cabri de l'île à manger à un Désiradien pur souche est plus difficile. Même lors de la *Fet a kabrit* célébrée dans toute l'île le week-end de Pâques. Les visiteurs non végétariens se régaleront quant à eux avec le goût présalé de ces cabris vivant ici en semi-liberté.

Les cabris ne font pas partie de la faune protégée, mais vous aurez le temps de faire connaissance avec les agoutis, petits mammifères à la fourrure dorée, ou encore avec les rois de l'île, les iguanes, avant de monter en 4x4 sur le plateau où personne ne vit. Une forêt de gaïacs, de mapous gris, de bois de fer et d'anarcadiers. Ces derniers, originaires du Brésil, produisent les fameuses pommes de cajou. Cuites plusieurs jours dans le sucre de canne, elles constituent une friandise assez unique. Et, surtout, si vous êtes gourmand, ne manquez pas l'étonnant punch aux olives confectionné dans certains coins de l'île.

UN PEU D'HISTOIRE

À la Désirade, première île émergente de l'arc antillais, on trouve les minéraux les plus anciens de la Caraïbe. Des pierres datées de plus de 145 millions d'années qui font de cette île incroyable – première réserve géologique de l'outre-mer – un « petit bout du Pacifique dans l'océan Atlantique ».

Arawaks puis Caraïbes quelque peu anthropophagiques sont, bien sûr, passés par là, tout comme Christophe Colomb, qui lui suivait un régime à base d'œuf, c'est bien connu...

Après avoir été espagnole durant un siècle, l'île tomba aux mains des Français, mais elle n'intéressa pas les colons, en raison de son manque d'eau. On se contenta, au début du XVIIIe s, d'y expédier les lépreux « indésirables » (la léproserie n'a fermé ses portes qu'en 1952 !), rejoints plus tard par les « mauvais garçons » de la grande île, parfois même de France (le plus souvent « enfants terribles » des familles nobles). En effet, une ordonnance royale autorisa de 1763 à 1765 l'exil de ceux « dont la conduite

PAS DE QUOI PIQUER UN FAR

Ne vous étonnez pas de voir apparaître un jour un far breton sur la table du petit déjeuner, dans les gîtes de la Désirade. Même si l'île a des liens forts avec la Bretagne (nombreux descendants de Normands et Bretons arrivés bon gré mal gré), n'allez pas croire qu'elle a piqué la recette aux Bretons ! Ce far-là n'a pas à rougir, on remplace les pruneaux par du cajou confit, spécialité désiradienne préparée par les grands-mères, et il est tout aussi délicieux.

risquait d'exposer l'honneur et la tranquillité de leur famille ». Cela permit, d'ailleurs, de se débarrasser de façon pratique d'encombrants héritiers (contre espèces sonnantes et trébuchantes aux autorités). Les uns et les autres ne risquaient pas trop de se mélanger puisqu'on les avait « parqués » à chaque extrémité de l'île (les lépreux à l'est, les autres à l'ouest).

UN EXEMPLE DE MÉTISSAGE

La sécheresse ne permettant pas la culture de la canne, la Désirade ne connut que de petites habitations cotonnières. Le pourcentage d'esclaves a donc été plus faible qu'ailleurs, et le nombre de « Petits Blancs » plus élevé.

Si les clivages sociaux sont réels dans les autres îles, ils semblent pratiquement absents ici. Ils existaient pourtant jusqu'en 1848 (entre Grands Blancs, Petits Blancs et Noirs), date de leur éclatement. Comment les habitants, prati-

L'ÎLE DE LA TENTATION

Christophe Colomb atteignit l'île le 3 novembre 1493, lors de son deuxième voyage au Nouveau Monde. Première île en avancée sur l'Europe, ce fut tout naturellement celle qui apparut aux marins épuisés et assoiffés après 2 mois de navigation. D'où son joli nom de « Desirada », la « Désirée ». Pourtant, faute d'eau, c'est vers la Guadeloupe que, toujours assoiffés, ils poursuivirent leur route.

quement tous pêcheurs, isolés sur la même île, auraient-ils pu raisonnablement continuer à se haïr ? Nombre de Grands Blancs propriétaires ont quitté l'île, et les autres partageaient les mêmes conditions de vie : élevage et cultures vivrières de subsistance, en dehors de la pêche. Blancs, Noirs, Indiens ont réalisé un exemple assez unique de métissage réussi en créant, après moult difficultés au départ, les premiers couples « dominos ». Depuis plusieurs dizaines d'années, il y a environ 80 % d'unions mixtes à la Désirade. Dans une même famille, on découvre toutes les nuances de couleurs possibles ; même chose à l'école.

Le plus étonnant c'est d'entendre le *gwo-ka* venu d'Afrique et les chants marins chers aux Bretons se rejoindre dans la nuit pour inciter les visiteurs à se donner la main et à danser, sur la place du village, les soirs bien arrosés (on ne parle pas de la pluie, évidemment !).

IDÉES DE LECTURE

La Désirade – Gibraltar des îles du vent, par Marianne Bosshard (préface de Maryse Condé et de René Noël), aux éditions Jasor. *La Désirade*, par le père

Maurice Barbotin, réédité par la Société historique de la Guadeloupe. Ou, si vous préférez les polars locaux dans une langue savoureuse : *Désirade, ô serpente*, par Fortuné Chalumeau, aux éditions Hoëbeke, dans la collection « Étonnants Voyageurs » (2006).

Arriver – Quitter

En bateau

⚓ *Du port de commerce de Saint-François :* liaison 2 fois/j. et c'est le meilleur moyen de gagner l'île de façon régulière depuis que les liaisons en avion ont été supprimées (des avions privés assurent le service au départ des aérodromes de Saint-François et du Raizet à Pointe-à-Pitre). Billets en vente à la gare maritime de Saint-François, près du port de pêche. Compter 30-45 mn de traversée. Ça peut secouer pas mal parfois, autant le savoir !

■ *Archipel 1 :* ☎ 05-90-53-84-14. 🖳 06-90-50-05-10 ou 06-90-30-86-07. Depuis Saint-François à 16h45 et depuis la Désirade à 6h15. Liaisons supplémentaires le w-e et tlj pdt vac scol : à 8h de Saint-François et à 15h45 de la Désirade. A/R env 30 €.

Adresses et infos utiles

À Beauséjour

🛈 *Office de tourisme :* dans le bâtiment de la capitainerie, sur le quai de débarquement, la bâtisse jaune aux volets bleus. ☎ 05-90-84-61-39. 🖳 06-90-64-14-54. ● omt.desirade@gmail.com ● mairie-ladesirade.fr ● Lun-ven 8h-12h, 14h-17h ; sam et j. fériés 8h-12h. Un accueil vraiment compétent et souriant. Propose toutes sortes de prestations. Vente de produits à l'effigie de la commune.

✉ *Poste :* à gauche de l'église, près de la pl. du Maire-Mendiant. Lun-mar et jeu 7h30-12h, 14h-16h ; mer et ven-sam 7h30-12h30 (12h sam).

■ *Distributeur de billets :* à la poste. Mais prenez quand même vos précautions avant d'embarquer à Saint-François...

■ *Location de vélos (pour les très sportifs), de scooters et de voitures :* au débarcadère. Plusieurs prestataires : *Location Marcellin Pioche,* ☎ 05-90-83-53-72 ; 🖳 06-90-75-80-75. Toujours de bon conseil, très prévenant. *Villeneuve Location,* ☎ 05-90-20-04-26 ou 02-65 ; ● carib-location.com ● compter 16 €/j. *Idéal Location,* ☎ 05-90-20-08-45 ; 🖳 06-90-59-62-11 ; ● ideal-location@live.com ● *Location 2000,* ☎ 05-90-20-03-74. *Désirade Cycles,* 🖳 06-90-75-27-40.

Les 29, 🖳 06-90-32-97-07. Loc de VTT 12 €/j. ; vélo env 10 €/j. ; scooter env 20 €/j. Loc de 4x4 env 30-35 €/j., arrivée et départ bateau. Vélos électriques avec *JM,* 🖳 06-90-72-07-60.
Attention à l'état du véhicule proposé chez certains loueurs. Bien vérifier l'état général, le freinage et le niveau d'essence. Penser à réserver.
– Pour les visites de l'île en minibus, plus de détails un peu plus loin dans la rubrique « À voir. À faire ».

■ *Pharmacie :* dans la rue parallèle à la mer, face au Carrefour Express.

■ *Médecin :* cabinet médical dans l'ancien collège, face à la cantine scolaire (et son iguane peint sur le mur). ☎ 05-90-20-01-93. 🖳 06-90-58-23-55.

🛞 *Ravitaillement :* supérette *Carrefour Express* dans la rue principale (tlj sf dim ap-m). Également *Addy Printemps,* aux *Galets* (tlj). Sinon, quelques épiceries sur la route qui traverse l'île et le *Casino VIVAL,* situé au quartier du désert (tlj sf dim ap-m). Également l'*épicerie Pioche,* au *Souffleur.*

– *Wifi et téléphone portable :* seul le réseau téléphonique Orange couvre toute l'île. Wifi gratuit sur le port et la marina de Beauséjour, sur la plage à Fifi, à la mairie et le centre-ville... en attendant les extensions ailleurs sur l'île.

LA DÉSIRADE

Où dormir ? Où manger ? Où sortir ?

D'ouest en est, juste assez d'hébergements pour être tranquille, à tous les prix, pour tous les styles. Et des restos de plage qui vous inciteront à profiter de la vie, du soleil tout autant que des spécialités locales...

Aux Galets

🏠 Pli Bel Vie La, chez Mireille et Patrick Porchon : ☎ 05-90-20-04-01. ● mireille.patrick3@wanadoo.fr ● plibelviela.free.fr ● ♿ Du débarcadère, prendre à gauche et faire env 2,5 km ; c'est au bout de la route sur la gauche. Compter 420 €/sem pour 2. 📶 Attenant à la maison de gentils proprios et partagent le site avec une famille d'iguanes, un bungalow pour 6 personnes maximum. Un espace qui reste bien frais avec ses murs en lambris. 2 chambres spacieuses à la déco raffinée, avec 2 salles de bains. Barbecue et autres attentions (comme le prêt de palmes et tuba). Frigo rempli pour les arrivées tardives.

À Beauséjour

🍴 Pour manger sur le pouce, à l'arrivée des bateaux : Désirade Food, un point chaud, où l'on sert petits déj et sandwichs dès 5h du mat. Une case toute colorée... Le midi, un petit resto, ou plutôt une roulotte, Les Pieds dans le Sable (menu poulet 10 €), sur la plage à Fifi, juste à côté de La Payotte. Également Ti Chodié, chez Christiane et Éric, très bien aussi.

🍴 La Sablette : plage à Fifi, près de la cantine. ☎ 05-90-20-00-77. 📱 06-90-71-23-95. Tlj sf mar et jeu, le soir slt. Plats à partir de 8 € sur commande slt ; bokits 3-4 €. Un snack-bar sympathique, tout simple, tout bon et où l'on est bien servi. Bokits variés, grillades, etc.

🍴 La Payotte : du débarcadère, prendre à droite, c'est à 200 m sur la plage à Fifi. ☎ 05-90-20-01-29. Tlj sf dim soir 8h-20h (ou plus tard en saison). Résa conseillée le soir. Repas 20-25 €, menu langouste. Dans cette coquette cabane en bois aux couleurs pimpantes, jaune et bleu, avec terrasse sur la plage, on

sert une excellente cuisine antillaise, relevée de quelques saveurs délicates. Commandez une assiette, prenez un transat pour profiter de la plage, un planteur pour vous mettre l'eau ou plutôt les saveurs de l'île en bouche... Service efficace.

🏠 Hôtel de l'Oasis : quartier Désert-Salines. ☎ 05-90-20-01-00. ● jacques. zamia@wanadoo.fr ● oasisladesirade. com ● Du débarcadère, prendre à droite en direction du Souffleur, puis à gauche vers le stade. Congés : sept. Double 52 €, triple 57 €, petit déj compris ; studio 4 pers env 62 €/nuit. Possibilité de ½ pens à partir de 3 j. Un hôtel simple mais propre et bien tenu. Fait également resto mais pas sur place : voir ci-après.

🍴 Lagranlag : du débarcadère, à droite direction Baie-Mahault, c'est à gauche avt la plage à Fifi. Mêmes coordonnées que l'Hôtel de l'Oasis. ♿ Ouv le midi tlj sf lun, le soir slt marmer et ven-sam. Congés : sept. Repas 15-25 €. Café offert sur présentation de ce guide. Une case blanche colorée de jaune et bleu, servant une bonne cuisine créole relevée comme il faut, régulière en qualité. Fruits de mer frais toute l'année. Comme toujours dans les îles, ne comptez pas être servi dans les minutes qui suivront votre arrivée, il faut savoir donner du temps au temps.

🏠 🍴 Chambres et tables d'hôtes La Luzarchoise, chez Yves Mimiette : Grand-Bois-Neuf. 📱 06-90-75-12-49. ● privat.mimiette@orange.fr ● Prendre le chemin du Calvaire (croisement face au débarcadère), puis à 300 m la 1re à droite ; la maison est sur la gauche. Compter 60 €/nuit, petit déj compris. Repas complet env 15 €. 4 chambres de 3 places chacune et de tailles différentes. Simples et sans grande coquetterie mais confortables et bien tenues. Le tout à deux pas du débarcadère. Accueil chaleureux et bonne ambiance familiale. Tout ce que l'on attend de chambres d'hôtes dans les îles, lorsque l'on n'est que de passage.

🏠 Gîtes de la Grande Ravine, chez René et Josie : quartier Désert-Salines. ☎ 05-90-20-02-71.

● gitesdelagranderavine@msn.com ●
gitesdelagranderavine.com ● Direction Baie-Mahault, puis à gauche vers le stade, puis montée à gauche au niveau d'un puits ; c'est l'une des dernières maisons en haut à droite, on la reconnaît à ses volets bleus. À partir de 335 €/sem (65 €/nuit) pour 2. Repas sur commande. 🛜 2 studios pouvant accueillir jusqu'à 7 personnes. Équipés chacun d'une chambre, d'un séjour, d'une kitchenette et d'une terrasse. Vue imprenable sur la mer. Le tout confortable, bien aménagé (chambres climatisées la nuit), joliment décoré et bien tenu. Sans compter l'accueil charmant de Josie et le jardin fleuri.

📍 **Black & White :** dans la rue principale, en quittant le débarcadère, c'est à 2 mn sur la gauche. ☎ 05-90-83-11-37. Tlj sf mer soir et dim soir. Menu complet 18,50 € ; repas à partir de 13 €. Apéritif maison offert sur présentation de ce guide. Petit resto qui ne paie pas de mine, tenu depuis une quinzaine d'années par un pêcheur qui cuisine lui-même ses poissons tout frais, pêchés du matin. Tarte de poisson délicieuse.

Au Souffleur

📍 **Club Caravelles, chez Ketty et Patrick Gauberti :** quartier du Souffleur. ☎ 05-90-200-400. ● clubcaravelles@desiradoo.com ● desiradoo.com ● À 400 m à droite après la plage du Souffleur en allant vers Baie-Mahault. Compter 450 €/sem (75-95 €/nuit) pour 2. Jardin verdoyant où sont plantées 3 maisonnettes – « Niña », « Pinta » (♿) et « Santa-Maria » (évidemment !) – comptant chacune 2 studios avec mezzanine, pour 2 à 5 personnes. Confortablement aménagées : kitchenette sous la belle véranda privative, ventilos. Grande terrasse commune ventilée, devant le bar et au-dessus de la piscine. Accès direct à la mer sur une charmante petite crique de sable clair. Accueil possible dès Pointe-à-Pitre et location de véhicules (uniquement pour les hôtes). Les propriétaires vous feront découvrir l'île hors des sentiers battus...

📍 **Gîtes Alizéa, chez Vivianne et**

Patrice Carré : quartier du Souffleur. ☎ 05-90-20-06-14. ● vividus97@gmail.com ● gite-alizea.web.ool.fr ● À 200 m à gauche après la plage du Souffleur en allant vers Baie-Mahault (panneau). Compter 420 €/sem (60-65 €/nuit) pour 2 ; petit déj à la demande. 🛜 4 bungalows en bois peint pour 2 personnes, à flanc de colline, avec jolie vue sur l'océan et perdus dans la végétation. Bon confort : kitchenette équipée sur l'agréable terrasse, ventilo, clim et barbecue. Petits mais très mignons, pleins de charme et au calme. Très bon accueil.

📍 **Chez Francine et Fabrice :** ☎ 05-90-20-07-25. ● desirade.pioche@gmail.com ● À 600 m à droite après la plage du Souffleur, derrière l'épicerie en allant vers Baie-Mahault (panneau). Compter 75 €/nuit pour 2. 2 grands gîtes (jusqu'à 7 et 8 personnes) très propres, au calme et face à la mer... Des hôtes accueillants (leur maison est à 30 m). Ils peuvent vous préparer des petits plats traditionnels ou vous faire découvrir l'île à pied ou en 4x4. Location de vélos. Et visite d'iguanes dans le jardin.

📍 **La Roulotte :** sur la plage du Souffleur. ☎ 05-90-20-02-33. ♿ Tlj sf lun, le midi slt. Congés : juil. Repas 15-25 €. Formule visite de l'île en bus climatisé + déj. Portion d'acras offerte sur présentation de ce guide. Petit resto sympathique pour déjeuner sans façons, directement sur la plage, dans un cadre privilégié. Passez donc commande avant d'aller vous baigner, pour déguster des plats simples et bons, les pieds dans le sable.

📍 🍷 🎵 **Chez Rose Ita :** à l'entrée du Souffleur. 📞 06-90-71-98-26. ● suzie97127@hotmail.fr ● Ouv le midi tlj sf jeu, plus le soir ven-lun. Congés : juin. Formules 15-35 €. Digestif maison offert sur présentation de ce guide. Karaoké et point de vue remarquable sur un lagon turquoise sont les 2 atouts de ce resto en plein air où l'on voit la vie en rose, sur les murs comme dans l'assiette. Plutôt des grillades, arrosées de bière locale et suivies d'une dégustation de punchs maison fameux. Farid et sa femme sont franchement sympathiques, tout comme le lieu qu'ils ont créé. On peut simplement y boire un verre en écoutant de la musique. Et on y danse aussi, bien sûr.

À Baie-Mahault

Attention : vérifiez bien l'adresse de votre location, certains confondent cette section de la Désirade avec la ville du même nom en Guadeloupe.

🏠 |O| **Gîtes de la Grande Source, chez Mme Françoise Pioche :** rue du Souffleur, ravine à Colette. ☎ 05-90-20-03-88. Prendre la route de la Montagne, puis 1re à droite ; c'est un peu plus loin à gauche en descendant. À partir de 65 €/nuit pour 2 ; 420 €/sem pour 2-4 pers. Table d'hôtes sur résa 25 €. À 200 m de la plage de Petite-Rivière, des gîtes (2-5 personnes) tout confort (4 épis) avec cuisine moderne, tenus par une patronne sympa, qui possède aussi une petite épicerie sur le bord de la route, au Souffleur. Joli jardin (avec 75 plantes médicinales). Randonnées dans la montagne avec guide possibles. Accueil chaleureux. Et quel calme !

|O| **La Providence, chez Nounoune :** Anse Petite-Rivière, sur la plage, section Baie-Mahault. ☎ 05-90-20-03-59. 📱 06-90-74-62-15. Tlj le midi sur résa slt (avt 11h). Congés : sept. Formule env 15 € ; menus lambis ou langouste. CB refusées. Un petit moment de plaisir tout simple vous attend. Terrasse donnant sur la plage (la plus belle de la Désirade) et les cocotiers. Dans l'ordre : commande, baignade et... à table ! Accueil charmant du fils et de la belle-fille de Nounoune. Même si elle est toujours présente, ils ont repris le flambeau. La fricassée de langouste servie avec un gratin d'ignames reste toujours le plat fétiche de la maison, qui a fêté ses 60 ans. Quant à la déco marine, on la doit au fils, ancien marin au long court, cousin éloigné du capitaine Haddock qui anime les cuisines autant que le bar.

🏠 **Gîte des Remparts :** route du Phare. ☎ 05-90-20-08-01. 📱 06-90-38-61-72. ● gite.remparts@wanadoo.fr ● location-vacances-antilles.com ● Dernier gîte à droite à la sortie du hameau en direction de l'ancienne station météo. Compter 50-75 €/nuit pour 2-4 pers selon saison. Dans un jardin verdoyant avec vue sur la mer, 3 bungalows (2-3 personnes, dont 2 avec clim en supplément) et un appartement (4 personnes). Spacieux, bien tenus et confortables. Lave-linge et barbecue communs. À proximité, jolie petite crique sauvage protégée par une barrière de corail.

🏠 **Gîtes Bord de Mer :** face à la plage de Petite-Rivière, suivre la pancarte « Chez Nounoune ». 📱 06-90-48-47-02. ● pflalanne@mac.com ● gitesdesirade.com ● Compter 500-600 €/sem pour 2, clim incluse. 📶 (à l'accueil). 3 gîtes (de 2 à 5 personnes) bien séparés les uns des autres, ventilés, tout confort et chaleureux, dans un grand jardin au calme et très bien entretenu. Bel accueil de Mme Lalanne.

🏠 |O| **Bungalows Les Flots bleus :** rue Siméon-Pioche. ☎ 05-90-83-53-72. 📱 06-90-75-80-75. ● m.pioche@wanadoo.fr ● lesflotsbleus-desirade.com ● À côté de la chapelle (pas de cloches !). Compter env 490 €/sem (env 85 €/nuit) pour 2 ; petits déj en sus. Repas délicieux sur commande. 📶 (réception). Une de nos adresses préférées sur l'île. 8 studios aussi agréables que fonctionnels de 55 m² pour 2 adultes et 2 enfants. Certains en rez-de-chaussée de la maison des proprios, d'autres en contrebas, mais tous face à la mer, dans une ambiance de bout du monde. Et surtout une vue exceptionnelle, en particulier depuis la cuisine des studios ! Une retraite confortable. Madame, qui est réunionnaise, cuisine pour les habitués. Marcelin, son mari, s'occupe entre autres des locations de voitures ou de vélos.

Où acheter de bons (ou de beaux) produits ?

🔯 **Desi Jaspe :** rue Philippe-Pain, à Beauséjour, près de la bibliothèque. 📱 06-90-68-82-81. Visite de l'atelier de fabrication de bijoux en pierres semi-précieuses (quartz, jaspe, radiolarite). Stage et initiation.

⊛ *Nic Service :* à *Beauséjour, près de la bibliothèque.* Produits artisanaux et journaux.
⊛ *Les Ateliers :* à *Beauséjour.* Bijoux

et savonnerie.
⊛ *La Vie en bleu :* à *Beauséjour.* Des spécialistes de la teinture végétale et de l'indigo.

À voir. À faire

⊿ Étonnante *plage des Colibris,* aux *Galets,* quasi à l'extrémité ouest de l'île. Couverte exclusivement de coquillages et de coraux, baignade difficile. C'est ici qu'étaient reclus au XVIIIᵉ s les fils de famille indignes... dont la conduite troublait l'honneur de leur nom. Et c'est ici qu'arrive la canalisation d'eau potable en provenance de la Guadeloupe, depuis 1991.

🎥🎥 *Beauséjour* (le bourg) : pas vraiment de charme en soi, mais on s'y sent bien et il a conservé tout son naturel. Voir le *cimetière,* en direction des Galets (vers l'ouest, après le pont de pierre). Un des plus beaux qu'on connaisse, avec ses modestes sépultures à faïence bicolore ou encadrées de lambis. Dans l'*église du Bon-Secours,* au bourg, noter l'amusante position des bancs, en biais, et l'autel creusé dans un tronc de poirier. À côté, remarquer le presbytère de style créole. La place du maire mendiant doit son nom au maire Joseph Daney de Marcillac, qui se rendit en Guadeloupe pour récolter des fonds à la suite de l'incendie qui ravagea le bourg.
On peut également monter à pied par le chemin du calvaire jusqu'à la *chapelle du Calvaire,* sur les hauteurs. De couleur bleu et blanc, elle rappelle la Grèce. Splendide *point de vue* (surtout le matin) et table d'orientation, mais ça grimpe sec !

🎥🎥 *Le jardin botanique du Désert* (Association Cactophiles des Antilles) : à *Beauséjour.* ☎ 06-90-81-29-95. ● cactophilesdesantilles@orange.fr ● jardinbotaniqueladesirade.com ● ♿ *En allant vers le Souffleur, suivre la direction du collège, c'est juste avt le collège à droite. Visites sur rdv. Entrée : 10 € ; 6 € 4-18 ans.* Grand jardin botanique dédié aux cactus. Ouvert par deux collectionneurs de cactacées qui partagent dorénavant leur passion. Sur le terrain familial de 5 000 m², on peut découvrir plus de 3 500 cactus issus de 800 espèces différentes et provenant de tous les continents. Possibilité également de randonnée au départ du jardin pour découvrir la flore et la faune locale (environ 2h). Vente de plantes.

⊿ *Les plages de Beauséjour :* plage à Fifi à droite de l'embarcadère et plage à Fanfan derrière le cimetière. Vraiment tranquilles et très agréables car bien ombragée pour la plage à Fifi, à la sortie de Beauséjour, vers le Souffleur.

⊿ *Le Souffleur :* section située entre Beauséjour et Baie-Mahault. Plage admirable avec sable blond et beaux cocotiers, idéale pour le *snorkelling.* Tables pour pique-niquer avec vue sur la barrière de récifs. C'est le coin des pêcheurs de l'île ; on peut les apercevoir au retour de la pêche dans leurs barques colorées. Un chemin mène en 1h sur les hauteurs, à la ferme éolienne qui fournit une partie des besoins électriques locaux.

➢ 🎥🎥 *Balade vers la vallée de la Rivière :* à partir du Souffleur. Pour ce parcours, il est préférable d'être guidé même s'il est balisé. Un sentier part dans la montagne et accède au « plateau », puis s'en va vers le nord, dans la vallée de la Rivière. Accès à la mer côté nord. Paysages sauvages. Peut-être verrez-vous, en cours de route, des agoutis (ou lièvres dorés), animal typique de la Désirade, ou encore des orchidées sauvages (attention, espèces protégées). Compter 4h aller-retour.

🎭🎭🎭 *Baie-Mahault :* *village à 8 km à l'est de Beauséjour.* Sur presque toute la longueur, la mer est peu accessible hormis la belle *plage de Petite-Rivière* (où débarqua Christophe Colomb). Douche publique sur le chemin de la plage de la Petite-Rivière. Dans le hameau même, quelques maisons disséminées.

Les commerces ne sont pas légion : en plus des restos (voir « Où dormir ? Où manger ? Où sortir ? »), une épicerie ouverte tous les jours. On trouve à l'est du village (direction le phare) les ruines d'une *cotonnerie* qui fonctionna de 1918 à 1928. Sur le même chemin, ancien *cimetière marin* en bord de mer, où sont enterrés prêtres et religieuses qui se dévouèrent aux lépreux. Voir la tombe à la fois originale et émouvante d'un jeune surfeur. Tout au bout de la route, le *phare* et la *station météo,* beau bâtiment tout blanc construit par Ali Tur en 1934, délaissé après le passage du cyclone Hugo en 1989 en attendant une prochaine rénovation. Paysages sauvages, dignes de la Bretagne. Quant à la *léproserie,* il n'en reste que la chapelle, en allant tout droit au croisement (ne pas prendre la direction du phare, donc).

– 🏇 *Mini Ranch :* à l'entrée de Baie-Mahault. ☎ 06-90-75-15-24. Cours, stages et randonnées (pdt vac scol) à partir de 12 €/h ; baptême à dos de poney pour les petits 4 €. Un ranch qui surplombe la mer avec un manège et des chevaux pour petits et grands. Balades, stages encadrés par Marco, un moniteur diplômé... Quelques animaux de la ferme pour les plus petits. Vraiment très sympa.

➤ 🎭🎭 *Le sentier de randonnée Montana :* départ à l'école maternelle à Baie-Mahault. Boucle de 1h30 (tracé jaune). Accessible à tous, dénivelée de 110 m par des chemins ruraux et la route départementale en passant par la Maison météo, le phare de Baie-Mahault et la réserve géologique. Table d'orientation et carbet au démarrage. De jolis points de vue en perspective.

Excursions

➤ 🎭🎭🎭 *Le tour de l'île :* à faire en 4x4, en minibus avec chauffeur/guide ou à pied si l'on est très bon marcheur (une petite vingtaine de kilomètres, environ 5h à pied ; ne pas oublier d'emporter son couvre-chef, beaucoup d'eau, de bonnes chaussures et un portable qui passe). À entreprendre s'il n'a pas beaucoup plu les jours précédents (le chemin devient vite impraticable).

Longer la côte vers la pointe des Colibris à l'ouest. Au bout de cette route, on arrive aux Galets (voir plus haut) ; ici, en contrebas, face aux flots, iguanes se faisant dorer la pilule sur les mancenilliers. De là, un chemin grimpe vers le nord ; c'est le départ de la route de la Montagne, complètement défoncée, rejoignant Baie-Mahault par la crête. Végétation dépouillée et superbes points de vue, notamment celui aménagé au-dessus de Beauséjour (et accessible depuis le bourg par une bonne grimpette) avec sa table d'orientation à côté d'une petite chapelle bleu et blanc. Surtout, ne pas manquer le spectacle qui s'offre au-dessus du Souffleur, au niveau des éoliennes, assez imposantes et jolies, dressées dans le ciel au milieu de nulle part. Vous remarquerez, à côté d'elles, un petit bloc EDF en dur. Y aller : juste derrière, panorama splendide, l'un des plus beaux des Caraïbes. On doit être à 280 m au-dessus de tout ; on n'entend que le vent, et le précipice verse sur les plages, sur les maisonnettes de la côte sud et l'océan immense. Évidemment, ne pas s'approcher plus que de raison, surtout si l'on est sujet au vertige. Seuls s'y aventurent chèvres et cabris en liberté.

On continue. Quelques sentiers sur la gauche, difficiles et mal tracés, donnent sur des criques secrètes de la côte nord. Ne pas s'y engager à la légère, il faut vraiment connaître.

Enfin, on redescend sur Baie-Mahault. Là, on rejoint Beauséjour en longeant les plages. On se baigne un peu, et la boucle est bouclée.

■ *Dési-Rando :* ☎ 06-90-62-33-76. ● contact@desi-rando.com ● Maurice | est animateur de randonnée breveté et propose des promenades familiales en 4x4, des randonnées ou des treks sportifs avec repas sur la plage en fin de parcours. Très bonne ambiance, sur la piste des agoutis, des iguanes ou des frégates. S'il n'est pas disponible, on peut également s'adresser à *Claude Tonton* (☎ 06-90-35-23-57) ou encore *Serge et Christiane Remblière* (☎ 06-90-35-71-38 ; ● *desiradesergerembliere@ orange.fr* ●).

➤ 🎿 *Visite guidée de l'île en minibus :* à partir du quai de débarquement, plusieurs guides proposent leurs services. Parmi eux, *Max* ou *Jean-Edouard Saint-Auret* (☎ 06-90-38-54-08) jouissent d'une bonne réputation, leurs anecdotes sont appréciées. Également *Transport Dinane* (☎ 06-90-67-97-30 ou 06-90-75-38-35 ; ● *transportdinane@orange.fr* ●), équipe dynamique et professionnelle.

➤ 🎿🎿🎿 *Visite de la Petite-Terre :* au large de la Désirade, deux îlets étonnants, véritable réserve naturelle rattachée administrativement à l'île (voir plus haut « Escapades dans les îles voisines » à Saint-François dans « La Guadeloupe. Grande-Terre »). On ne peut débarquer que sur Terre-de-Bas.

Plongée sous-marine

« Plonger avec les gros ! » : voici toute l'ambition de vos aventures sous-marines à la Désirade, où les poissons affichent la taille XXL. La vigueur de l'océan Atlantique garantit ici des spots particulièrement vierges, sauvages et d'une richesse absolue. Vraiment un must en Guadeloupe mais réservé aux seuls plongeurs confirmés (Niveau 1 minimum). S'adresser aussi aux clubs basés sur Karukéra.
De janvier à mai, vous aurez peut-être la chance d'assister au chant des baleines à bosse qui passent avec leurs petits tout près des côtes...

Club de plongée

■ *L'Îlot Plongée Désirade :* rdv au resto La Payotte, *sur la plage à Fifi, à Beauséjour.* ☎ 06-90-85-06-76. ● *lilot plongee.desirade@gmail.com* ● *Baptême 55 €, plongée d'exploration 45 € ; forfait dégressif 10 plongées. Tour de l'île 65 €.* Petit centre de plongée qui propose des randonnées aquatiques et des plongées classiques (ANMP) en petits groupes (6 personnes maximum), mais également des plongées à 40-60 m pour les plus expérimentés. Sans oublier les formations jusqu'au Niveau 3.

Nos meilleurs spots

● Carte La Désirade *p. 257* et Grande-Terre *p. 68-69*

🤿 *La Grotte Désirade* (carte La Désirade et Grande-Terre, 39) : *au sud de la pointe des Colibris (1h de Saint-François).* Pour plongeurs Niveau 2 minimum. Plongée spectaculaire sous cette grande arche perdue par 22 m de fond.

🤿 *Le Chaos* (carte La Désirade et Grande-Terre, 40) : *à l'ouest de l'Anse des Galets (1h de Saint-François).* Pour plongeurs Niveau 1 aguerris. Magnifiques tranches de vie sous-marine dans ce dédale de roches (de 15 à 20 m de fond) riche et très sauvage. Également de vieilles ancres de bateaux.

Fêtes et manifestations

– *Fet a kabrit (fête du Cabri) :* le w-e de Pâques, sur la plage à Fifi à *Beauséjour.* Dégustation à base de cabris, artisanat, concours caprin, animations et course à pied.
– *Guada Run :* départ des étapes à Pâques.

– *Fêtes des quartiers : de mi-juil à mi-août, ts les w-e.*

– *Vwal Ô Van : 1ᵉʳ w-e d'août.* Course de canots à voile traditionnelle, concours de pêche, animation plage, vente de produits de la mer.

– *Fête des Marins : 16 août, à Beauséjour.* Les Désiradiens portent une statue de la Vierge et la maquette d'un quatre-mâts lors d'une procession guidée par monsieur le curé. Une fête aux allures de pardon breton, qui rend un vibrant hommage aux marins disparus en mer...

– *Les Chanté Nwel : à partir du 1ᵉʳ dim de l'Avent.* Chants de Noël en public. Apportez votre voix, votre cantique et une collation.

– *Fête de l'Île de la Tortue (fête des Pirates) :* expos, conférences d'archéologues, films, spectacles de rue et concerts... Se renseigner pour les dates.

SAINT-MARTIN

• Carte *p. 269*

ABC de Saint-Martin

❑ *Superficie :* 90 km^2 (dont Saint-Martin, 56 km^2, et Sint Maarten, 34 km^2).

❑ *Population :* 85 000 hab. (39 500 hab. + 45 500 hab.).

❑ *Densité :* 922 hab./km^2 (huit fois la moyenne française) !

❑ *Point culminant :* pic Paradis (424 m).

❑ *Capitales :* Marigot et Philipsburg.

❑ *Monnaie :* l'euro, le florin antillais (guilder) et le dollar US.

❑ *Langues :* français, néerlandais, anglais, puis espagnol, créole guadeloupéen et haïtien, papiamento.

❑ *Statut :* collectivité d'outre-mer de la République française depuis juin 2007 pour la partie nord (préfet commun avec Saint-Barthélemy) et entité composante du royaume des Pays-Bas depuis octobre 2010 pour la partie sud.

❑ *Signes particuliers :* le seul territoire français où l'on parle à la fois anglais et français ; entre 100 et 115 nationalités représentées sur l'île.

❑ *Spécialité :* le guavaberry (liqueur à base de rhum fabriquée avec cette baie typique de l'île).

❑ *Décalage horaire :* heure de Paris - 5h en hiver et - 6h en été.

Saint-Martin, une île surprenante à plus d'un titre. Sur cette terre partagée entre Français et Néerlandais, la langue la plus utilisée par les locaux est... l'anglais. De quoi déconcerter ceux qui penseraient trouver une île semblable à celles de la Guadeloupe. Vous croiserez ici quelques retraités français, des croisiéristes en escale et beaucoup d'amoureux de la voile, qui regardent d'un œil blasé les bouchons rythmant la vie quotidienne des habitants. Les familles américaines ou canadiennes adorent venir ici pour la *French touch* dans l'assiette et les avantages multiples d'une économie favorable au dollar qui leur permet de passer un séjour au soleil à moindre coût.

Car Saint-Martin est aussi – et avant tout, diront certains – un port franc. Les voitures ne consomment que du carburant détaxé, on y est exonéré de TVA et de tout droit de douane. En plus d'être une île aux plages paradisiaques, Saint-Martin est, vous l'aurez deviné, un paradis fiscal.

Dans la partie néerlandaise (Sint Maarten), qui booste l'économie de l'île, l'influence anglo-américaine est naturellement prépondérante. Les plages sont moins nombreuses que dans la partie française, et les hôtels-*resorts* ont envahi le bord de mer encore disponible. Rien de très glamour, dans tout ça. Les paquebots débarquent quotidiennement leur cargaison de touristes (1,5 million de croisiéristes par an !), en majorité américains, qui se répandent dans les deux rues principales de Philipsburg où se succèdent les boutiques

SCHENGEN AVANT L'HEURE

Saint-Martin, célèbre pour son sable et sa mer limpide, est avant tout remarquable pour son extraordinaire situation politique. La France et les Pays-Bas y cohabitent, en effet, depuis 1648 dans la plus parfaite harmonie, à tel point qu'il n'y a jamais eu de douaniers ou de contrôles policiers à la frontière. L'espace Schengen bien avant l'heure...

hors taxes tenues, pour la plupart, par des Indiens.

Il faut aller sur la côte nord, dans la partie française, pour trouver un peu de l'ambiance propre aux îles cerclées de plages paradisiaques. Beaucoup de lotissements et d'aménagements touristiques plutôt réussis attirent ceux qui cherchent le repos et les plaisirs balnéaires. Au centre de l'île, où peu de touristes s'aventurent, vit une population qui a gardé quelques traditions fortement identitaires et une vie sociale solidaire axée sur la communauté religieuse. On peut assister à une messe gospel ou fréquenter le « gallodrome ». Vous l'aurez compris, on a une petite préférence pour la partie française, qui a gardé un peu plus d'authenticité. Mais gare à la circulation et aux bouchons aux heures de pointe !

Adresse utile

🛈 *Office de tourisme de Saint-Martin :* 54, rue de Varenne, 75007 Paris. ☎ 01-53-29-99-99. • paris@ iledesaintmartin.org • iledesaintmartin. org •

Formalités

Pour les Français arrivant à l'aéroport international de Juliana (côté hollandais), se munir d'un passeport (pas de visa) et présenter un billet de retour ou de continuation de voyage. En cas d'arrivée à l'aéroport régional de Saint-Martin Grand-Case, côté français, la carte d'identité suffit. Attention, si l'on n'est pas prévoyant, on peut éventuellement arriver à Saint-Martin avec une simple carte d'identité et ne pas pouvoir en repartir faute de passeport si l'on change d'aéroport !

Les autres ressortissants de l'Union européenne et ceux du Canada doivent se munir de leur passeport (toujours sans visa). Noter que pour les arrivées à l'aéroport international Princess Juliana, une carte d'immigration généralement remise dans l'avion doit être complétée.

Arriver – Quitter... et liaisons interîles

Saint-Martin peut constituer un point de départ pour la visite des îles environnantes, en panachant les différents moyens de déplacement. Les vols régionaux se font de l'aéroport de Saint-Martin Grand-Case, en zone française, ou de Princess Juliana International Airport, en partie néerlandaise (mais vérifiez si vous devez régler la taxe d'aéroport de 35 $, ou euros, dans ce dernier cas).

– Aucun transport en commun ne dessert les aéroports. Les taxis vous demanderont de 10 à 30 $ suivant la zone (tarifs fixes, affichés dans les halls d'accueil). Mais renseignez-vous

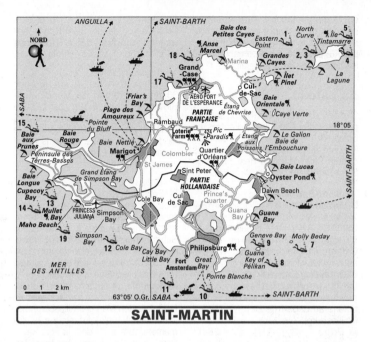

SAINT-MARTIN

auprès de votre hôtel : certains assurent les transferts.
– Un grand nombre de loueurs de voitures ont un bureau aux aéroports (Avis, Hertz, Golfe Car Rental, Nono Car Rental, First Class Cars...). Ouverts surtout au moment des arrivées et des départs.

En avion

✈ **Princess Juliana International Airport** : situé en zone néerlandaise. ☎ (1721) 546-7777 ou 7542. ● sxmairport.com ● Atterrissage spectaculaire sur une piste construite sur une étroite langue de terre. Nombreux vols avec l'Europe (Air France KLM, Corsair, Air Caraïbes), l'Amérique du Nord et la zone Caraïbe.
– À savoir : au départ de l'aéroport, taxe de départ obligatoire de 35 $ ou 35 €, payable uniquement pour les vols charters et en espèces. Vérifiez donc si elle est incluse à l'achat de votre billet d'avion.

✈ **Aéroport de Saint-Martin Grand-Case** : situé en zone française, à Grand-Case. ☎ 05-90-27-11-00.

● aeroport-saintmartin.com ● Petits avions pour les îles environnantes. Un aéroport encore dans son jus, à taille humaine. La zone Caraïbe est desservie par de nombreuses compagnies, dont :

■ **Air Caraïbes :** ☎ 05-90-52-05-10. ● aircaraibes.com ●
■ **Air Antilles Express :** ☎ 05-90-87-35-03. ● airantilles.com ●
■ **Saint-Barth Commuter :** ☎ 05-90-87-80-73. ● stbarthcommuter.com ●

En hélicoptère

■ **Corail Hélicoptères Caraïbes :** aéroport de Grand-Case (accès pratique, parking privé). ☎ 05-90-69-81-81. ● info@corailhelico-sxm.com ● corailhelico-sxm.com ● Réduc de 5 % par couple sur ts les vols sur présentation de ce guide. Cette société dispose de 2 hélicoptères (5 places et 2 places) assurant visibilité et confort. Pilotes professionnels et 3 types de vols panoramiques : « Discovery Tour », vol de découverte de 12 mn ; « French Touch Tour », survol du côté français

SAINT-MARTIN

en 18 mn ; « Luxury Tour », survol d'une partie de Saint-Martin et Anguilla en 25 mn. Effectue également du transport de passagers à la demande entre les différentes îles des Caraïbes.

En bateau

Certains abordent Saint-Martin sur leur propre voilier – le rêve –, d'autres en bateau de croisière ou de location. Mais il existe aussi des liaisons régulières depuis Saint-Martin à destination de Saint-Barthélemy, d'Anguilla et de Saba.

➤ *Saint-Barthélemy*
■ *Voyager :* ☎ 05-90-87-10-68. • reservations@voy12.com • voy12.com • Tte l'année, 2-3 départs/j. depuis la marina d'Oyster Pond (9h15, 16h45, 18h45). Catamarans hydrofoil très rapides (30 mn) et confortables. Résa conseillée.
■ *Great Bay Express :* ☎ (1721) 542-00-32. • info@greatbayferry.com • greatbayferry.com • Plusieurs A/R quotidiens au départ de Bobby's Marina (Philipsburg).
■ *Edge :* ☎ (1721) 544-2640. • stmaarten-activities.com/en/edge-saba • Départ de Pelican Marina à

Simpson Bay à 9h mar, jeu et sam (retour à 16h depuis Saint-Barth). Traversée 45 mn. Env 76 € l'A/R (boissons offertes à bord) ; réduc enfants.

➤ *Anguilla (Blowing Point)*
Traversée ttes les 45 mn (durée : 30 mn). Au départ de Marigot vers Blowing Point 8h15-19h ; dans l'autre sens 7h30-18h15. Compter env 30 $ l'A/R (on prend le ticket à bord). Taxe de départ : 5 $. Arriver au moins 15 mn avant le départ. Passeport obligatoire. Infos à l'office de tourisme.

➤ *Saba*
■ *Edge :* ☎ (1721) 544-2640. • stmaarten-activities.com/en/edge-saba • Départ de Pelican Marina à Simpson Bay à 9h (retour à 15h30 depuis Saba). Enregistrement 30 mn avt. Traversée 1h30, prévoir, en plus du prix du billet, 15 $ de taxe portuaire et 5 $/bagage. Formules avec visite et déjeuner.
■ *Dawn II :* • sabactransport@gmail.com • sabactransport.com • Départ de Dock Maarten Marina (Philipsburg) mar, jeu et sam à 16h30. Le retour a lieu les mêmes jours à 7h depuis Fort Bay à Saba. Résa 24h à l'avance très conseillée. 2h de traversée. Se munir du passeport.

ACHATS

L'artisanat traditionnel n'est vraiment pas le point fort de Saint-Martin, mais l'île reste le *paradis du shopping* avec un taux de TGCA (taxe générale sur le chiffre d'affaires) à 4 % appliqué du côté français et d'autres taxes similaires du côté néerlandais. Côté néerlandais justement, les vendeurs de photo-hifi-vidéo, parfums et bijoux n'offrent plus de véritables avantages. Mais côté français, les produits cités sont proposés en principe autour de 20 % de moins qu'en métropole. Un conseil cependant : renseignez-vous bien sur les prix avant de partir, car ce n'est plus toujours aussi intéressant.

ACTIVITÉS

Bien entendu, la grande majorité des activités à Saint-Martin tourne *autour de la plage.* Baignade, mais aussi planche à voile, jet-ski, croisières, parachute ascensionnel, kitesurf, kayak de mer font partie des possibilités offertes (voir également plus loin la rubrique « Plongée sous-marine »).
L'occasion également de faire du *cheval* ou un peu de *randonnée.* Une quinzaine de sentiers de rando ont été balisés à l'intérieur de l'île, notamment autour du pic Paradis. Cela vous permettra de faire le tour des hauteurs, d'apprécier la végétation et de découvrir divers points de vue sur l'île, tout en bénéficiant d'un peu de fraîcheur ! On trouve également de nombreux sentiers sur le littoral, de 10 km grand maximum... • sxm.rando.free.fr/sentiers-liste.html •

ARGENT

L'euro est bien la monnaie officielle, mais le dollar US est la monnaie la plus couramment utilisée. Contrairement aux chèques de voyage, les chèques de métropole sont rarement acceptés. Côté français, les distributeurs automatiques permettent de retirer des euros (et parfois des dollars) ; côté néerlandais, des dollars (et parfois des euros, mais le taux de conversion n'est pas très avantageux dans ce cas).

BUDGET

Saint-Martin reste dans l'ensemble une destination onéreuse (la différence est nette dans les restaurants par rapport à la Guadeloupe ou à la Martinique). Cependant, malgré le développement de grands complexes hôteliers, il existe toujours quelques petits hôtels et restaurants à prix plus raisonnables. Évidemment, en basse saison (de mi-avril à mi-décembre), le prix de l'hébergement chute de façon significative. Attention, les prix affichés ne comprennent pas toujours les 5 % de taxe de séjour que l'on doit acquitter.

ÉLECTRICITÉ

– 220 volts (60 hertz) dans la partie française.
– 110 volts (50 hertz) dans la partie néerlandaise. Vérifier que les chargeurs des téléphones et ordinateurs portables sont prévus pour absorber ces variations. Sinon, un adaptateur sera nécessaire.

ENVIRONNEMENT ET RÉSERVE NATURELLE

Il faut savoir que *l'eau est rare,* faute de sources naturelles, et que l'eau potable est obtenue par dessalement de l'eau de mer. Cet état de fait contribue grandement à sculpter l'identité paysagère unique de l'île.

Saint-Martin s'est dotée en 1998 d'une *réserve naturelle nationale* de 2 900 ha en zone maritime et de 160 ha en façade littorale (avec deux étangs), située dans la partie nord-est de l'île. Elle est destinée à préserver trois écosystèmes essentiels : la mangrove, les herbiers de phanérogames marines et le récif corallien, ainsi que les différentes espèces qui les composent. Son personnel a également la gestion d'autres zones naturelles protégées telles qu'une douzaine d'étangs de la partie française, propriétés du Conservatoire du littoral.

La *mangrove* de Saint-Martin se localise principalement autour de ces rares zones humides littorales. Elle est essentiellement constituée de palétuviers rouges et noirs, mais près de quatre espèces différentes sont présentes sur l'île. C'est dans ce milieu protégé que les alevins de nombreuses espèces résidentes ou migratrices se reposent, se reproduisent et s'alimentent. L'activité de chasse étant localement peu pratiquée, un grand nombre d'oiseaux se laissent facilement photographier. L'observation des oiseaux *(birdwatching)* et les équipements dédiés ne cessent de se développer autour de ces zones ainsi mises en valeur. Cette mangrove est aussi, par son effet de filtre, le meilleur rempart contre l'érosion des sols, la diffusion des polluants en mer mais aussi les dégâts des tempêtes marines.

Protéger le *récif corallien* et les *herbiers marins* contribue à la reproduction des espèces de poissons, des crustacés et des tortues marines. Ils participent à leur alimentation en abritant de nombreux invertébrés et constituent pour les plages une protection contre l'érosion en contribuant à dissiper l'énergie de la houle et des tempêtes. Ces plages sont le lieu privilégié d'observation de la ponte annuelle des tortues marines (de mars à novembre).

SAINT-MARTIN

Enfin, les **rivages protégés** de la réserve font office de garde-fou face à l'expansion de la construction immobilière tout en tenant lieu de sanctuaire à quelques espèces animales et végétales menacées, dont certaines endémiques.

Quinze ans après la création de la réserve, **cet équilibre reste encore fragile.** Les responsables doivent se battre pour faire comprendre le lien ténu entre le respect des plages et la ponte des tortues, voire le repos des oiseaux migrateurs, l'absence de nuisance sonore étant par ailleurs essentielle pour la mise bas des jeunes baleines à bosse... Car le maintien de chacune des composantes de ces écosystèmes assure un grand nombre de services gratuits (nourriture, épuration, lutte contre l'érosion) pour tous, mais assure également le maintien d'un cadre de vie favorable au tourisme, moteur de l'économie locale.

Les clubs de plongée, les loueurs de bateaux et les clubs de sports nautiques et terrestres partenaires de la réserve naturelle nationale de Saint-Martin, premiers bénéficiaires de la présence de ces territoires préservés, proposent des activités encadrées sur de nombreux sites. Ces dernières sont chargées de diffuser un message de prévention et de collecter une redevance de 2 € par client et par jour, reversée à la réserve pour financer la conservation de ce patrimoine naturel. Les sociétés partenaires arborent un **logo bleu « Société partenaire ».** Sachez les reconnaître et contribuez vous aussi à l'effort de préservation de ces milieux.

IMPORTANT : un portail d'entrée et de découverte de la réserve naturelle de Saint-Martin devrait prochainement voir le jour à Cul-de-Sac, l'*Institut caribéen de la biodiversité insulaire*. Il proposera des expositions temporaires et permanentes permettant de découvrir un condensé du patrimoine naturel de Saint-Martin, notamment au travers d'aquariums et d'un jardin tropical.

● *reservenaturelle-saint-martin.com* ●

FAUNE ET FLORE

La partie terrestre de la réserve de Saint-Martin s'étend tout au long des côtes rocheuses nord et de la majorité des îlets. Les falaises et plages hébergent de nombreuses espèces d'**oiseaux marins** : frégates, pélicans bruns, sternes et fous de Bassan. Des hérons et aigrettes nichent dans les palétuviers des mangroves. On peut également observer deux espèces d'**iguanes** se dorant au soleil sur les rochers ou se nourrissant dans les forêts. Côté mammifères, on note le **singe vert,** le **racoon** et la **mangouste,** espèces introduites se nourrissant d'œufs, de crabes et de petits poissons des mangroves.

La partie maritime est composée d'**herbiers de phanérogames** marines et de formations coralliennes. Les herbiers sont d'une importance essentielle pour les hauts-fonds sablonneux. Comme oxygénateurs de l'eau de mer, ils freinent les courants et contribuent à la clarté de l'eau. Tout comme les fonds coralliens, ils servent d'habitat et de garde-manger aux nombreuses espèces d'invertébrés et de mollusques ainsi qu'à des tas de poissons. Au large, il n'est pas rare d'observer des **baleines à bosse** durant la période de reproduction, de janvier à mai, ainsi que de grands **dauphins.**

FÊTES ET ÉVÉNEMENTS

Le grand moment de l'année est évidemment le **carnaval** – ou les carnavals : côté français, il se déroule en février, comme en Guadeloupe, et se termine avec le mercredi des Cendres (festivités le mardi soir à Grand-Case notamment) ; côté néerlandais, il dure 17 jours pendant la seconde moitié du mois d'avril, la parade principale coïncidant habituellement avec l'anniversaire de la reine Béatrice (le 30 avril) et devant désormais s'adapter avec celui du roi, qui eut la bonne idée de naître le 27 avril 1967.

En dehors de ce sommet festif de l'année, la grande attraction hivernale, qui attire une foule bigarrée venue de toute l'île dès 17h, occasionnant des bouchons monstres sur la route (évitez de prendre votre voiture et privilégiez le taxi), ce sont les *Mardis de Grand-Case.*

Autres jours de fête en tout genre : la *régate Heineken* (début mars), l'*Emancipation Day* (1er juillet, côté néerlandais), ainsi que les jours fériés républicains côté français.

HISTOIRE

Christophe Colomb a croisé cette île en passant au large le 11 novembre 1493, jour de la Saint-Martin... Le hasard fait bien les choses, car on se souvient de l'histoire de saint Martin de Tours qui coupa en deux son manteau pour réchauffer un mendiant. Or, à partir de 1648, Français et Néerlandais se partageront l'île. Au départ, l'île est peuplée d'Indiens arawaks qui la nomment Soualiga (« l'île au sel »). Les Espagnols ne s'intéressent pas vraiment à cette île pauvre en eau douce, mais Français et Hollandais, au début du XVIIe s, commencent à en découdre pour prendre le contrôle d'une terre qui, avec ses salines, offre tout de même quelques perspectives économiques intéressantes.

Comme un peu partout dans l'arc caraïbe, l'économie de l'époque se développe ensuite autour du coton et du sucre. Mais les salines, nombreuses du côté français, contribuent à la prospérité des insulaires.

Du sel pour les uns...

Les Hollandais convoitent ce sel en raison de leur industrie du hareng. Le sel était également utilisé dans l'industrie du beurre et du fromage en Hollande et pour saler les vivres en vue de leur utilisation lors des longues traversées en mer. L'agriculture, elle, démarre dès 1664 lorsque 14 Français fuyant Saint-Christophe s'installent sur la côte nord-est de l'île dans la région connue sous le nom de Quartier d'Orléans (une déformation en fait de... quartier d'Orient, comme souvent pour indiquer l'est !).

Ils se mettent à y cultiver du tabac. Saint-Martin en produit plus que toutes les autres îles des environs pour l'exporter aux Pays-Bas, dans les pays baltes et en Scandinavie. Au lieu de s'engager dans un conflit long et coûteux, Français et Hollandais signèrent, en mars 1648, un traité de partage de l'île, le traité de Concordia. En 1658, la population de l'île ne compte toujours que 300 personnes.

Le coton commence à être cultivé à partir de 1700 et devient le produit dominant jusqu'à ce qu'il soit supplanté par la canne

MAIS QUE FAIT L'ARBITRE ?

Pour fixer la frontière, à la suite de la signature du traité de Concordia en 1648, la petite histoire raconte qu'on fit partir d'Oyster Pond un coureur de chacune des deux nationalités. Le Français prit la direction du nord, le Hollandais celle du sud. Lorsqu'ils se retrouvèrent, le Français avait parcouru un itinéraire plus long. Selon la légende toujours, le Français, dopé au vin rouge, n'aurait pas hésité à prendre des raccourcis. Une stratégie payante puisque la partie française occupe les deux tiers de l'île !

à sucre dans les années 1780, sans disparaître pour autant. En plus du coton, on fait aussi pousser des vivres, telles que cassave, patate douce, malanga, igname, pois de bois et banane.

Un autre produit lucratif mais de courte durée fut la culture d'un arbuste réputé pour sa teinture bleue : l'indigo, très demandé en Europe par l'industrie du vêtement militaire et de la marine.

... du sucre pour les autres

L'introduction de la canne à sucre a lieu en 1763. En 1772, on compte deux sucreries et la canne occupe 170 ha. La plus grande plantation de canne emploie 31 esclaves. En 1786, un rapport recense 24 sucreries, et la canne à sucre est devenue la ressource principale dans la partie française. Le sucre s'exporte surtout en Amérique du Nord, dans les colonies françaises et en France, et le rhum en Guadeloupe. Résultat, le nombre de Noirs arrivés comme esclaves augmente considérable-

UNE NOUVELLE GUERRE DE RELIGION

La culture du pastel, tenue par les protestants, enrichit les alentours de Toulouse et d'Albi. C'était le fabuleux pays de Cocagne. Au XVIIIe s, cette plante fut détrônée par l'indigo, provenant d'un arbuste des Antilles bien moins cher à produire que le pastel. Cette guerre économique fut d'autant plus violente que les planteurs antillais étaient catholiques.

ment (on en dénombre 2 572), tandis que le nombre de Blancs diminue jusqu'à 431. Ainsi, dès 1770, Saint-Martin est une île à prédominance noire. À partir de 1800, l'instabilité politique des guerres napoléoniennes provoque la diminution des sucreries. L'esclavage n'est aboli qu'en 1863 dans la partie néerlandaise, soit 15 ans après la partie française. Pour devenir libre, il suffit alors de franchir la frontière, déjà symbolique. Une fois l'esclavage aboli, la disparition des plantations modifie totalement l'économie de l'île : beaucoup d'habitants émigrent dans les îles proches pour trouver du travail. La dernière sucrerie cesse ses activités en 1895.

Il faut attendre la Seconde Guerre mondiale pour que Saint-Martin redécolle, entraînée par la partie néerlandaise où les Américains créent l'actuel aéroport international, désenclavant ainsi l'île. Des commerçants se constituent des fortunes avec le marché américain. On va même parler de colonisation US. L'électricité est installée en 1960. L'ère du tourisme de masse peut commencer...

La partie française doit attendre la promulgation de la loi Pons en 1986 sur la défiscalisation (exonération d'impôts pendant 5 ans pour les investisseurs) pour prendre le train de la prospérité en marche. Train qui va connaître un arrêt brutal quelques décennies plus tard.

Le vent tourne

Saint-Martin, qui n'a jamais eu l'impression, côté français, d'être véritablement aidée par la Guadeloupe, a choisi de s'en éloigner le 7 décembre 2003. C'était également la marque visible d'un particularisme évident (paiements en dollar, langue anglaise, etc.) qui n'avait fait que s'accentuer avec le temps, celle d'une crise identitaire qui n'est toujours pas résolue. Tandis que les Guadeloupéens et les Martiniquais répondaient « non » au référendum, les habitants de Saint-Barthélemy, tout comme ceux de Saint-Martin, décidèrent de vivre un changement important dans leurs relations avec la métropole.

Ce nouveau statut de collectivité d'outre-mer de la République française permettant à Saint-Martin et à Saint-Barthélemy de préserver les avantages fiscaux de fait, hérités de l'Histoire, est avalisé depuis 2007. Les deux îles ont un préfet commun.

Côté sud, Sint Maarten a acquis le statut d'entité composante du royaume des Pays-Bas depuis le 10 octobre 2010 (le 10-10-10), suite également à un référendum.

PLONGÉE SOUS-MARINE

Les cyclones Luis (1995) et Lenny (1999) ont durement secoué les fonds marins et beaucoup de coraux ont été arrachés. Patience, les coraux repoussent lentement mais sûrement, et depuis, les cyclones ont épargné la région. Éviter cependant de programmer un séjour plongée pendant la saison cyclonique (septembre-octobre) et se méfier de la période de mi-décembre à fin janvier. Les vents sont alors assez soutenus et les conditions d'immersion parfois un peu sportives, surtout sur les sites exposés. Mais, sinon, la visibilité est excellente, les fonds superbes, et les photographes trouveront des conditions optimales.

Avec environ 55 spots de plongée, Saint-Martin et les îles voisines présentent des paysages bien différents de ceux de Martinique et de Guadeloupe. Bénéficiant d'une activité de pêche localement moins développée, ces îles abritent des populations de poissons plus importantes, et il est beaucoup plus fréquent d'y observer en toute sécurité requins et raies. Les amateurs d'épaves pourront visiter avec plaisir le *Roro, The Bridge,* le *Grégory II,* le *Fuh Sheng,* la *Renée,* la *Porpoise,* l'*Isabelle,* le remorqueur à Tintamarre et de nouvelles épaves immergées au fil des ans. Saint-Martin est aussi un bon point de départ pour plonger autour d'autres îles : Saba, sa réserve marine et ses pinacles (plongées profondes) ; Saint-Barthélemy, sa réserve et ses nombreux îlets ; Saint-Eustache, sa réserve et ses nombreuses épaves, dont le *Charlie Brown* (100 m de long) ; Anguilla, populaire en raison de ses îlets et des trois galions engloutis dans une zone houleuse, qui font rêver en raison d'hypothétiques pièces d'or.

Pour plonger malin, il est intéressant de se procurer la carte marine du coin auprès du **Service hydrographique et océanographique de la Marine** *(CS 92803, 29228 Brest Cedex 2 ;* ☎ *02-98-22-17-47 ;* ● shom.fr ●).

POPULATION

Les plus anciens habitants de l'île étaient les Indiens arawaks. Ils construisaient des bateaux de pêche, cultivaient maïs, manioc et tabac, et étaient d'habiles fabricants de paniers. Ils ont complètement disparu, décimés par les maladies importées par les conquistadors.

Au XXe s, Saint-Martin a connu – et elle connaît encore – une véritable explosion démographique. En 1980, l'île ne comptait guère plus de 21 000 habitants (8 000 côté français, 13 000 côté néerlandais). Quarante ans plus tard, on atteint 85 000 habitants pour l'ensemble de l'île. Métropolitains vivant du tourisme ou venus couler une retraite ensoleillée, Haïtiens fuyant la misère, Dominicains (de Saint-Domingue), Dominiquais (de la Dominique) à la recherche d'une vie plus facile... ils sont nombreux à avoir choisi Saint-Martin. L'île compterait au total entre 100 et

L'ESPERANTO DES ANTILLES

Environ 320 000 personnes parlent actuellement le papiamento aux Antilles. Au large du Venezuela (îles d'Aruba, Bonaire et Curaçao) ou encore à Saint-Martin et même Porto Rico, on peut entendre ce créole des Antilles néerlandaises, résultat de leur passé bien mélangé. Le papiamento trouve ses origines au XVIe s, dans un dialecte portugais utilisé par les esclaves africains. Mais on y reconnaît également des mots d'espagnol, de néerlandais, de français, d'anglais et de langues africaines.

115 nationalités, et on y entend donc parler pas mal de langues. Il ne faut tout de même pas s'imaginer que l'île est un eldorado aux richesses inépuisables... De nombreux quartiers accueillent les nouvelles populations immigrées, par exemple dans la Middle Region, à Sandy-Ground ou à Quartier d'Orléans, contrastent fortement par leur pauvreté avec les résidences défiscalisées.

Si l'on évoque parfois un climat tendu sur l'île, c'est avant tout la manifestation d'une misère sociale rampante au sein d'une population jeune dont les perspectives d'avenir restent désespérément bouchées (30 % de chômage chez les moins de 25 ans), à moins de se résoudre à un exil vers les autres îles Caraïbes (dont ils partagent la langue) ou vers les banlieues des villes américaines (dont ils partagent la culture). Ne vous étonnez donc pas de voir des vigiles veiller sur vos agapes lors des Mardis de Grand-Case. C'est le prix de la sécurité que les commerçants ont choisi de payer afin de ne pas faire fuir la clientèle anglo-saxonne, notamment.

SITES INTERNET

- *st-martin.org* ● Site officiel de l'office de tourisme côté français. Toutes les infos pratiques sur l'île : transports, hébergement, restauration, activités...
- *st-maarten.com* ● Site sur Saint-Martin, mais côté néerlandais (en anglais).
- *edm.sxm.free.fr* ● Un site intelligent et ludique exclusivement consacré à l'environnement naturel de l'île de Saint-Martin : sa faune, sa flore et l'ensemble de l'écosystème. Liste des randos sur l'île.

TÉLÉPHONE

Ne pas oublier que les appels entre les deux parties de l'île sont des appels internationaux. Il est conseillé de passer son téléphone portable en mode sélection manuelle du réseau.
– *Partie française → partie néerlandaise :* composer le ☎ 00-1721-54 vers les postes fixes et le ☎ 00-1721-55 ou 52 vers les mobiles, puis le numéro du correspondant à cinq chiffres (selon le fournisseur d'accès).
– *Partie néerlandaise → partie française :* composer le ☎ 00-59, puis les 10 chiffres du numéro de votre correspondant, fixe (commençant avec 05-90) ou portable (en 06-90).
- *teledom.fr* ● Assez pratique pour trouver un numéro de téléphone ou une adresse à Saint-Martin (côté français ou néerlandais).

Numéros d'urgence

– *Partie française :* gendarmerie, ☎ 17 ; *pompiers* (caserne à Grand-Case), ☎ 18 ; *SAMU,* ☎ 15 ; *médecins de garde,* ☎ 05-90-90-13-13 ; *hôpital* (quartier Concordia, à Marigot), ☎ 05-90-52-25-25.
– *Partie néerlandaise :* urgences, ☎ 911 ; *police,* ☎ 111 ; *hôpital,* ☎ (1721) 543-1111.

TIME-SHARE : ATTENTION, ARNAQUE !

Saint-Martin serait la deuxième destination pratiquant le *time-share* (temps partagé ; bref, la multipropriété) au monde. Malgré des déconvenues cuisantes, comme des frais d'entretien faramineux (en plus du coût de la mise de départ) ou l'impossibilité de revendre sa part tant que le contrat est en cours, certains se laissent encore prendre au jeu. Expression on ne peut plus juste puisque les méthodes employées avec les touristes, en 20 ans, ont peu changé. Refusez catégoriquement toute proposition que l'on vous fait dans la rue, voire des jeux de grattage factices que vous auriez gagnés. Surtout sur Front Street à Philipsburg, des démarcheurs ou des kiosques qui s'intitulent *Tourist Information* proposent notamment, contre une « visite d'information », des remises parfois substantielles sur diverses activités dans l'île. Ce sont des manœuvres pour vous faire signer, malgré vous, des contrats de *time-share*. Notez que tout engagement contracté sur la partie néerlandaise ne permet pas de faire appel aux autorités françaises en cas de litige.

TRANSPORTS INTÉRIEURS

Les distances sont courtes, mais la densité démesurée de voitures et l'état des routes rendent la circulation dense, voire très dense, sur la N7, qui dessine plus ou moins le contour de l'île. Surtout en semaine, bien sûr, aux heures des bureaux, des magasins et des écoles. Et la signalétique reste encore souvent problématique, conduisez zen !

En bus

Dans la journée, des liaisons en bus (en fait, des minibus avec, sur le pare-brise, la destination indiquée) sont assurées entre les villes et villages de Quartier d'Orléans, Philipsburg, Marigot et Grand-Case. Les arrêts de bus sont plus ou moins bien signalés. On continue de se mettre sur le bord de la route et faire signe quand ceux-ci arrivent. Compter de 1 à 2 $ selon la destination. Derniers bus entre 18h et 19h.

En taxi

Les taxis sont identifiables avec un logo et ont mis en place un système de tarifs fixes selon les zones desservies (affichés dans les aéroports).

En véhicule de location

Beaucoup de voyageurs optent pour cette solution. Compter environ 40 € par jour pour une voiture économique.

– *Attention :* il est impératif de ne rien laisser de visible dans les voitures, au risque pour celles-ci d'être « visitées ».

– *Soyez prudent :* les routes sont étroites et jalonnées de très nombreux ralentisseurs, la plupart du temps peu ou pas signalés. Certains sont vraiment redoutables. Et la priorité à droite n'existe pas du côté néerlandais.

– *Embouteillages :* une vraie plaie dans cette petite île présentant une densité de population assez vertigineuse. Du coup, la circulation aux heures de bureau du côté de Marigot, Grand-Case ou Philipsburg peut s'avérer cauchemardesque.

– *Ponts :* pratiques, certes, mais il est préférable d'éviter les abords de Simpson Bay Lagoon à certaines heures. En effet, les ponts se lèvent pour laisser sortir ou entrer les bateaux. À Marigot, côté Sandy-Ground, cela se passe à 8h15, 14h30 (sauf dimanche) et 17h30. Dans la partie néerlandaise (après l'aéroport), à 9h, 9h30, 11h, 11h30, 16h30 et 17h30.

■ *Location de voitures :* les grandes compagnies internationales (*Avis, Budget, Europcar, Hertz, Golfe Car Rental,* etc.) se trouvent aux 2 aéroports de l'île. Vous trouverez aussi une multitude de loueurs plus locaux comme **Caraïbes Car Rental** (*Howell Center, lot. 89 ;* ☎ *05-90-29-64-26*) ou **Esperance Car Rental** (*3, rue de la République, Marigot ;* ☎ *05-90-87-51-09*).

■ *Voitures des Îles :* ☎ *05-90-89-22-10.* ● *voituresdesiles.com* ● Spécialiste de la location de voitures dans les îles, ce central de réservation propose les plus grands loueurs aux meilleurs prix. Qualité du service et assistance 24h/24. Réservation facile en ligne ou par téléphone. Confirmation immédiate. Annulation sans frais.

SAINT-MARTIN

À vélo

À éviter si l'on n'est pas un habitué. Le relief de l'île et la densité de circulation ne sont pas très favorables... sauf pour les passionnés qui se régalent en se lançant à l'attaque des reliefs de l'île. Il existe plusieurs loueurs de VTT.

En stop

Fonctionne assez bien. La preuve, de nombreux autochtones l'utilisent.

MARIGOT (97150)

• Plan p. 279

C'est la capitale de la partie française, mais de langue... anglaise. La marina Royale et l'agréable bord de mer sont les deux zones particulièrement fréquentées, avec boutiques et nombreux restaurants. Entre les deux, il existe un quartier plus authentique, où vous trouverez des maisons en bois de style caraïbe, mais où il vaut mieux éviter de se promener le soir. D'ailleurs, si vous arrivez en fin de journée, vous risquez d'être un peu perdu. Pas de centre visible, des embouteillages, un sens de circulation assez difficile à saisir d'emblée... Même le front de mer semble peiner ici à retenir les visiteurs, qui se contentent de laisser leurs voitures face à la mer, mais qui ne marchent pas, ou si peu. Ne manquez pas d'aller faire un tour, de bon matin, au marché, pour profiter d'une vie qui renaît, avec les *lolos*, les marchands de tout et parfois de rien...

Adresses utiles

🛈 *Office de tourisme* (hors plan par A3) : *route de Sandy-Ground.* ☎ 05-90-87-57-21. • contact@ilede saintmartin.org • st-martin.org • Lun-ven 9h-17h. Élégant édifice de style créole bleu et blanc, avec une spectaculaire fresque au plafond.
✉ *Poste* (plan A2) : *rue de la Liberté. Lun-ven 7h (8h mer)-18h, sam 7h30-12h30.* Distributeur automatique de billets.
■ *Banques avec distributeurs* (plan B1-2) : *sur la rue de la République, on en trouve 3* (BRED, Crédit mutuel, BDAF).

■ *Gendarmerie* : *7, rue de Spring, Concordia.* ☎ 17.
🚗 *Taxis* (plan B2) : *sur le parking devant l'embarcadère. Si les chauffeurs ne sont pas dans leur véhicule, on les trouve dans la petite case au milieu du parking, au risque de les déranger en pleine partie de cartes ou de dés !*
■ *Air Caraïbes* (hors plan par A3) : *rue du Morne-Ronde,* Sandy-Ground, *à côté de l'office de tourisme.* ☎ 05-90-52-05-10. • aircaraibes.com •

Où dormir ?

🏠 *Beach Hôtel* (hors plan par A3, 11) : *route de Sandy-Ground, à droite après l'office de tourisme en venant du centre-ville.* ☎ 05-90-87-87-00. • reservation@lebeachxm. com • lebeachboutiquehotel.com • ⚒ *Doubles 135-270 €. Promos sur Internet.* 🛜 Coup de jeune pour ce classique du tourisme à Saint-Martin, en pleine mutation. Un hôtel-boutique en passe de devenir un des lieux incontournables où il fait bon se poser, se rencontrer, boire un verre au bar, sur la baie de Marigot. Classe, mais pas prétentieux. Piscine, plage privée. Accueil sympa, pro. Selon l'humeur, on peut grignoter au bar, le soir, en profitant de la musique (live ou non) ou côté resto.
🏠 *Hôtel Mercure* (hors plan par A3, 12) : *baie Nettlé (à 2,5 km après le pont, à gauche en venant du centre-ville).*

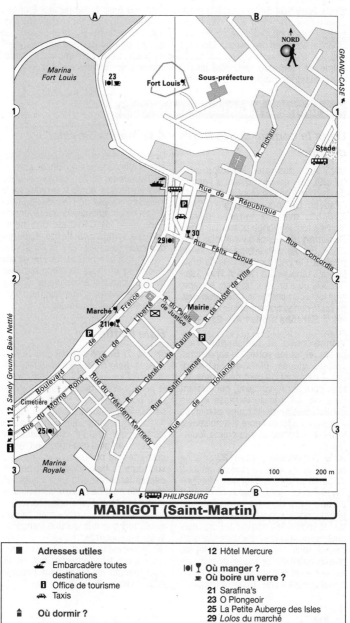

MARIGOT (Saint-Martin)

SAINT-MARTIN

Adresses utiles

- ⏚ Embarcadère toutes destinations
- ℹ Office de tourisme
- 🚕 Taxis

Où dormir ?

- 11 Beach Hôtel
- 12 Hôtel Mercure

🍽 ⚓ Où manger ?
Où boire un verre ?

- 21 Sarafina's
- 23 O Plongeoir
- 25 La Petite Auberge des Isles
- 29 *Lolos* du marché
- 30 Arh A Wak

☎ 05-90-87-54-54. ● h1100@accor.com ● mercure.com ● ♨ Dans un quartier résidentiel, qui s'étire face au lagon, à deux pas des plages. Doubles 130-250 €. Promos sur Internet. 🛜 Au calme, et même au vert, côté jardin, avec piscine, plage privée, centre nautique (voir la rubrique « Plongée sous-marine ») et un restaurant proposant, côté plage, une cuisine de qualité. Une vraie bonne surprise, dans un design créole contemporain. Accueil impeccable, ambiance plutôt cool.

Où manger ? Où boire un verre ?

Dans le centre, sur le front de mer

|●| 🍷 À ne pas rater, les **lolos** (plan A2, **29**), très couleur locale, à l'ombre du marché (l'ombre étant parfois toute relative). Un incontournable : **Chez Enoch's**, avec sa terrasse devant laquelle tout le monde passe. Ou **Chez Rosemary**, un des plus vieux lolos de la place. Encore plus sympa les jours de marché. On peut boire un jus de fruits sur des tabourets à l'**Arh À Wak** (plan B2, **30**), ou s'en jeter un juste en face, plus local certainement, **Chez Bernard**, un rasta connu comme le loup blanc.

|●| 🍷 **Sarafina's** (plan A2, **21**) : face au port. Tlj 6h-19h30. Plat env 11 €. Viennoiseries et pâtisseries françaises, et toutes sortes de sandwichs, crêpes, glaces, plats de fast-food, etc. À déguster du petit déj au soir. Le rêve pour les Américains, qui adorent l'endroit, sa grande terrasse et ses confortables fauteuils rouge pétant. Ils y mangent à toute heure viennoiseries, tartes aux fraises et à la crème fouettée. Faites comme eux !

|●| 🍴 **O Plongeoir** (plan A1, **23**) : marina de Fort-Louis, face au port de Marigot. ☎ 05-90-87-94-71. Tlj sf dim. Plats env 14-18 € selon faim. Maison créole tout en bois peint dans les tons gris, avec une immense terrasse en teck. Jolie vue sur les yachts de la marina de Fort-Louis pour mieux apprécier une carte standard de poissons, viandes, pâtes et tapas, que les habitués continuent de plébisciter, ce qui est bon signe. Un peu plus au calme que les autres. Bonne musique.

À la marina Royale

Des brasseries et restos au nom français et à la carte internationale, comme **Le Tropicana**, où l'on vient vous chercher sur le quai en vous promettant la meilleure cuisine de l'île, idéales pour les touristes américains qui rêvent de Paris dans les Caraïbes. Une petite adresse sympa : **La Petite Auberge des Isles** (plan A3, **25** ; ☎ 05-90-87-56-31 ; tlj sf sam midi et dim ; repas env 25 €). Pour un repas sans trop se ruiner, avec les bateaux à vos pieds. Cuisine française relevée d'une touche d'exotisme et spécialités créoles.

Baie Nettlé

|●| **Ma Ti Beach** : route des Terres-Basses, baie Nettlé. ☎ 05-90-87-01-30. À 2,5 km vers le sud-ouest, après le pont, c'est le dernier resto à droite tt au bout de la baie Nettlé en venant de Marigot. Situé au bout de l'hôtel Nettlé Bay Beach Club. Plats pour les budgets 10-25 €. Succession de terrasses en bois avec grandes tables couvertes de paillotes. Très belle vue sur toute la baie et Marigot au loin depuis la terrasse la plus haute, en forme de pont de bateau, comme arrimée à la plage. Carte orientée vers la mer, d'inspiration créole mais faisant aussi honneur à la cuisine française. Vivier à langoustes.

|●| Si tout est complet ou l'attente trop longue, une autre adresse, tout à côté, pour manger les pieds dans l'eau, le midi : **Layla's**. ☎ 05-90-51-00-93.

À voir

Pas grand-chose, hormis, vers le port, ces maisons en bois couvertes de toits rouges et le fort Louis, qui domine la baie.

🍴 **Le marché aux fruits et légumes** *(plan A2) : surtout mer et sam, dans un style créole récent. Ouv 8h-15h.*
Les bananes plantains, les melons et divers produits tropicaux sont étalés sous vos yeux. Les vieilles Antillaises surveillent leurs étals tout en papotant. Beaux poissons également. Vente de rhums arrangés, aux fruits, aux épices, etc., de fabrication familiale, vendus dans des bouteilles adaptées au transport en avion. Tarif beaucoup plus attractif que dans les boutiques de l'île et dégustation obligatoire !
Malheureusement, le marché a connu des jours meilleurs et plus d'achalandage. Le nouvel aménagement peine à retenir un public qui poursuit sa route et traverse la rue pour aller retrouver les marchands de vêtements et souvenirs en tout genre. Cherchez Nicole. Vingt années passées à travailler la fibre de coco et une gouaille certaine ont fait d'elle la reine du marché. Elle vous aidera à repérer les vrais créateurs, perdus au milieu de pacotilles d'importation sans grand intérêt ni authenticité. Si vous avez envie d'un jus de fruits local ou d'un cadeau original, demandez-lui. En revanche, si vous avez faim, contournez le marché, beaucoup plus d'ambiance, en temps normal, dans les *lolos* (voir « Où manger ? Où boire un verre ? »)...

🍴 **Le vieux fort Louis** *(plan A-B1) : se garer derrière l'église et le centre médico-social, puis petite grimpette à pied. GRATUIT.* Achevé en 1789 par le chevalier de Durat (l'une des dernières réalisations de l'Ancien Régime !). Seulement quelques murs et des canons, mais il domine la ville de Marigot, offrant une très belle vue sur la baie Nettlé et la péninsule de Terres-Basses. Les photographes et les plus courageux y monteront le matin.

Plongée sous-marine

Club de plongée

■ **Blue Odyssey Diving :** *hôtel* Mercure, *baie Nettlé.* ☎ 06-90-64-35-87. ● contact@blue-odyssey-diving.com ● blue-odyssey-diving.com ● *Hôtel situé 2,5 km après le pont, sur la gauche en venant de Marigot. Se garer dans le parking de l'hôtel. École au sein d'une base nautique. Snorkelling 70 € ; baptême 100 €, plongées doubles 100 € ;* forfaits 6 et 10 plongées (prix dégressifs). Formations FFESSM et PADI. Plongée baptême à partir de 8 ans, plongée de nuit et formation à partir de Niveau 1. Sorties à 8h sur un Zodiac de 8,50 m. Excursions en bateau, *snorkelling* et plongées vers Saint-Barth, Anguilla et Tintamarre.

Meilleur spot

> ● Carte Saint-Martin *p. 269*

🐚 **La Renée** *(carte Saint-Martin, 15) :* épave de cargo d'une centaine de mètres faisant partie des rares plongées profondes autour de Saint-Martin. Pour plongeurs de Niveau 2 minimum. Il repose à - 43 m, parallèlement à un tombant éloigné de 120 m environ. Visibilité exceptionnelle. Rencontre avec raies-léopards et requins.

DANS LES ENVIRONS DE MARIGOT

🍴 **Le pic Paradis :** *au niveau du hameau de* **Rambaud,** *en allant vers Grand-Case, prendre à droite la petite route indiquée « pic Paradis ». Montée de 4 km sur une route étroite en mauvais état. Attention, ne laissez rien dans la voiture, ici*

SAINT-MARTIN

encore moins qu'ailleurs ! De nombreux vols ont été signalés malgré les rondes régulières de la gendarmerie. La route pentue se termine aux installations de France Télécom. Puis, en moins de 10 mn d'une bonne grimpette, vous serez au point culminant de l'île, le pic Paradis (424 m). Évitez, évidemment, les tongs, même si la balade n'est pas très difficile. Contourner l'enclos au niveau du panneau explicatif pour gagner le promontoire en rocher. Vue sur Marigot et la baie Nettlé.

🏃🏃🏃 🚶 Loterie Farm : *103, route du Pic-Paradis, à* **Rambaud**. ☎ *05-90-87-86-16. ● loteriefarm.net ● Au début de la route pour le pic, avt la grande montée. Mar-dim 9h-16h. Entrée : 5 € pour la balade individuelle ; 25 € avec guide et transfert en bus ; accrobranche 35-55 €, réduc enfants.* Entre montagne et forêt tropicale, loin des plages et de l'activité, on pénètre ici dans un lieu certes un peu en dehors du temps, mais où vous avez peu de chances de vous retrouver seul au milieu de la jungle, le week-end. La *Loterie Farm,* une ancienne plantation de canne à sucre, recense des milliers d'espèces végétales (manguiers, papayers, goyaviers, acajou...). Les animaux ne sont pas en reste : iguanes, colibris, singes, mangoustes et perroquets. Le maître des lieux est américain, une grande partie de sa clientèle aussi. Même si beaucoup se contentent d'y déjeuner, on vient aussi ici pour randonner ou voler de branche en branche. Également des cours de yoga, des massages et une grande piscine d'eau de source.

📍 Les restos de la Loterie Farm : *à l'entrée du domaine. Mar-dim. Compter 10-20 € l'assiette de tapas dans le lounge ; plats 10-23 € le midi, 15-28 € le soir dans les 2 restos.* Ambiance tropicale et canopée dans le *Tree Lounge* et dans les 2 restaurants dissimulés dans la végétation. De la classe et reposant. Le soir, c'est encore plus intime avec les loupiotes comme des lucioles et les bruits mystérieux de la nature. Cuisine française, créole et américaine, ou les trois à la fois, revue et modulée selon l'endroit que vous choisirez. Un melting-pot de sucré-salé ou de chaud-froid aussi original que ce lieu en dehors des sentiers battus.

Les plages

Sur les 37 plages de l'île, les plus belles ne sont pas dans les proches environs de Marigot, mais sans s'éloigner trop, on en trouve tout de même qui feront très bien l'affaire.

À l'ouest, en direction de l'aéroport

⛱ **La baie Rouge :** *tt au bout de la ligne droite de la baie Nettlé et bordée de belles villas. Très facile d'accès depuis la route et très populaire.* Petits restos créoles sympas, les pieds dans le sable. Faire attention, en revanche, à fermer sa voiture et à ne pas laisser d'objets de valeur en vue.

⛱ **La baie aux Prunes (Plum Bay) :** *péninsule des Terres-Basses, entre la pointe du Canonnier et la falaise aux Oiseaux. De la baie Rouge, en continuant vers l'aéroport, prendre sur 2,5 km une route qui serpente à travers une zone résidentielle très chic.* Mer agitée, appréciée des surfeurs. Les bons nageurs peuvent s'aventurer jusqu'aux rochers de la pointe Plum, au nord.

⛱ **La baie Longue (Long Bay) :** *depuis la baie aux Prunes, continuer la route sur 1,5 km (prendre à droite à la fourche), puis encore 1 km le long du grand étang avt de se garer.* C'est la plus longue plage de l'île, elle s'étend de la pointe du Canonnier jusqu'à la Sammana. Pas mal de rochers.

Au nord de la ville

◿ **La plage des Amoureux :** un mouchoir de poche près de la pointe Arago. Accès par le port de commerce de Marigot ou depuis l'Anse des Pères.

◿ **Friar's Bay :** *au nord de Marigot. Sur la route de Grand-Case, à 2 km de Marigot, prendre à gauche en direction de l'ancienne sucrerie (indiquée). 2 km de route, puis une piste carrossable.* Plage familiale. Deux restos de plage, dont *Kali's,* célèbre pour ses soirées les nuits de pleine lune *(full moon party),* et *Friar's Bay Beach Café.* De là, suivre le sentier qui part du nord de la plage (10 mn de marche) pour découvrir le petit paradis tropical de **Happy Bay.**

GRAND-CASE
(97150)

● Plan *p. 285*

La deuxième bourgade française de l'île et la plus pittoresque. C'est par ici que semblent s'être installés les premiers habitants de l'île, sur le site de Hope Estate, dans la plaine de l'étang, derrière le village (traces d'occupation humaine remontant à 1800 av. J.-C.). De superbes maisons en bois entourées d'hibiscus bordent l'unique rue. Jolie plage de sable fin, bizarrement assez peu fréquentée, alors que la mer, d'un bleu turquoise intense, est plutôt calme. Pour tout dire, notre endroit préféré à Saint-Martin, même si les restaurants chic ont envahi ce village de poupées, lui valant la réputation de « Gourmet Capital of the Caribbean ». Rien que ça ! Ce qui n'empêche pas la plus grande partie des visiteurs de faire la queue pour des *ribs* ou des sandwichs auprès des *lolos.* Surtout lors des fameux Mardis de Grand-Case, de mi-janvier à mi-avril, quand la grande rue, devenue piétonne pour un soir, se donne des airs de carnaval.

Choisir de dîner ici et profiter de l'animation du village le soir, car le midi, quasiment tous les restos sont fermés. En revanche, c'est vraiment galère pour se garer. Ne pas hésiter à s'éloigner un peu de la rue principale et marcher. Une rue semi-piétonne, ici, serait en pourparlers. Parlons-en... ce serait une belle idée.

Où dormir ?

De prix moyens à plus chic

🛏 **Hévéa** (plan A2, **11**) *: 163, bd de Grand-Case.* 🕿 *06-90-29-36-71.* ● *hevea.hotel@orange.fr* ● *hotelhevea. com* ● *Congés : de mi-sept à mi-oct. Doubles 95-110 € ; apparts 4 pers également. Petit parking privé.* 🛜 Beau petit établissement coloré (rose et blanc), zen, rassurant, proposant tout un choix d'hébergements, de la chambre double à l'appartement de style colonial, le tout agencé autour d'une cour intérieure réaménagée. Sinon, chambre agréable avec vue sur petit jardin, de plain-pied. Accueil sympathique. Parasols, chaises sur la plage et possibilité de massages.

🛏 **Love Hôtel** *(plan A2, **10**) : 140, bd de Grand-Case.* 🕿 *06-90-222-742.* ● *contact@love-sxm.com* ● *love-sxm.com* ● *Doubles 100-165 € ; familiales et duplex également.* 🛜 *Charmante adresse en bord de mer avec sa poignée de très grandes chambres, tout confort et à la déco épurée, dans le style colonial. Terrasse ou non. Les jolis carrelages* noir et blanc ont été judicieusement conservés. Notre préférence va pour l'appartement pour 4 personnes à l'étage, face à l'île d'Anguilla. Restaurant et bar *lounge* au rez-de-chaussée (voir « Où manger ? Où boire un verre ? Où écouter de la musique ? »).

🛏 *Love Résidence* (plan A2, **10**) : 136, bd de Grand-Case. *Mêmes coordonnées. Doubles 95-175 €.* 📶 Tout à côté de leur hôtel-restaurant, les créateurs du *Love* ont racheté cette maison à 2 étages pour en faire la résidence la plus glamour de l'île. 12 chambres, dont 2 duplex, tout en noir et blanc, avec des touches de couleur originales (les produits estampillés *Love* !) et surtout une vue imprenable sur la mer.

Très chic

🛏 *Le Temps des cerises* (plan A2, **12**) : 158, bd de Grand-Case. ☎ 05-90-51-36-27. ● sxm.letempsdescerises.hotel@gmail.com ● letempsdescериseshotel.com ● *Doubles 230-340 € (surveiller les promos !).* 📶 Boutique-hôtel au design contemporain relax très réussi. Une dizaine de chambres d'un confort total, avec vue sur la mer et le soleil couchant. Il a tout pour plaire, cet hôtel, avec son jardin tropical, son café-resto tenu par une femme-chef, son bar à cocktails... L'équipe, très pro et aux petits soins, vient en partie du sud de la France, ce qui n'a rien de surprenant puisque l'aventure de la marque de vêtements, propriétaire de ces lieux, a commencé à Marseille, à la fin du siècle dernier.

Où manger ? Où boire un verre ? Où écouter de la musique ?

Manger n'est pas un problème à Grand-Case. On y trouve sûrement la plus grande concentration de restaurants de l'île, du *lolo* à l'adresse gastronomique. Ils forment une chaîne de 1 km le long de la côte et ne sont, pour la plupart, ouverts que le soir.

De bon marché à prix moyens

🍴 Incontournables, les *lolos* (plan B1, **20**) situés face à la mer à côté du ponton, comme **The Talk of the Town,** le plus connu certainement. Ou **Le Coin des Amis,** en français dans le texte. Voisins, concurrents et tenus par des *mamas* qui ne s'en laissent pas conter. Grillades (brochettes, *ribs*, etc.) entre 8 et 14 €. Très sympa, surtout pour l'ambiance. On aime bien aussi **Sky in the Limit.**

🍴 *La Case de Mama* (plan A2, **29**) : 183, bd de Grand-Case. ☎ 05-90-52-01-62. ♿ À la fourche sud de Grand-Case, là où la route se sépare en 2. *Tlj 6h-20h. Petits déj 6-8 € ; formule déj env 12 €.* Un dépôt de pain qui propose aussi viennoiseries, petits déj ainsi que sandwichs,

burgers, omelettes ou encore crêpes le midi. Et une terrasse toute simple avec chaises de jardin et nappes en plastique.

🍴 🍷 *Love Beach* (plan A2, **10**) : 140, bd de Grand-Case. ☎ 05-90-29-87-14. ● contact@love-sxm.com ● *Tlj sf jeu soir. Tapas 10 €, club-sandwich 12 €, assiette 15 €.* Charmant hôtel en bord de mer dans le style colonial (voir « Où dormir ? »). Au rez-de-chaussée, tapas, sandwichs, verrines et des assiettes de fromages ou de charcuterie. Le tout à prix raisonnables. Également un bar éphémère donnant sur la plage, les pieds dans le sable si la marée le permet...

🍴 🍷 🎵 *Le Calmos Café* (plan B1, **27**) : 40, bd de Grand-Case. ☎ 05-90-29-01-85. ● lecalmoscafe.com ● *Tlj midi et soir en continu. Résa conseillée les soirs de concert. Tapas 4-7 €, plats 12-22 €.* Reconnaissable à ses couleurs jaune et rouge, une case à la déco originale qui tranche avec les restos gastronomiques. Cuisine simple mais tout à fait correcte. Ce qui fait la différence, c'est l'ambiance vraiment décontractée et la clientèle plutôt jeune ! On mange les pieds dans le sable, voire dans l'eau... Concerts

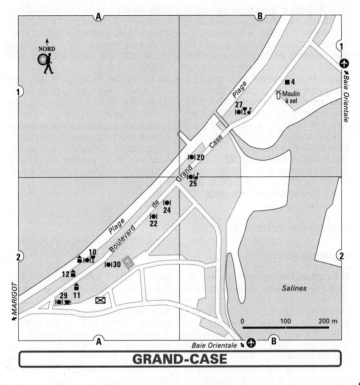

GRAND-CASE

SAINT-MARTIN

⌂ Où dormir ?	20 *Lolos*
	22 Le Cottage
10 Love Hôtel et Love Résidence	24 L'Auberge Gourmande
11 Hévéa	25 Blue Martini
12 Le Temps des Cerises	27 Le Calmos Café
	29 La Case de Mama
|◉| ⚲ Où manger ?	30 La Petite Table
▼ ♪ Où boire un verre ?	
Où écouter de la musique ?	■ Club de plongée
10 Love Beach	4 Octopus Diving

de salsa, reggae, jazz, etc. les jeudi soir et dimanche soir. Très sympa également pour boire un verre en fin de journée.

|◉| ♪ ***Blue Martini*** (plan B1-2, **25**) : 63, bd de Grand-Case. ☎ 06-90-56-24-34. *Tlj sf dim, le soir slt. Congés : de mi-août à mi-sept. Formule complète env 30 €. Digestif offert aux porteurs de ce guide.* Déco assez classe pour qui aime voir la vie en bleu et s'offrir une cuisine locale dans les 3 belles salles donnant sur la rue. Également

des tables à l'extérieur dans un jardin bien agréable. Des concerts de reggae, disco, salsa... sont organisés régulièrement.

Très chic, en soirée

Luxe, calme relatif et émerveillement des papilles. Laissez votre voiture au parking, près des *lolos*. Et descendez la grande rue jusqu'au *Love*. Voilà quelques adresses qui ont fait leurs preuves.

|●| **L'Auberge gourmande** (plan A2, **24**) : 89, bd de Grand-Case. ☎ 05-90-87-17-74. ● laubergegourmande@outlook.com ● Tlj à partir de 18h. Congés : de sept à mi-oct. Plats 25-40 €. Ajouter 15 % de service aux prix affichés. Apéritif maison offert sur présentation de ce guide. Dans les plus chers, mais ce resto, situé dans une superbe demeure ancienne en bois, mérite de s'y attabler. S'il n'y a plus de place, testez en face **Le Tastevin** ou **Océan 82**.

|●| **Le Cottage** (plan A2, **22**) : 97, bd de Grand-Case. ☎ 05-90-29-03-30. Le soir slt. Plats 20-30 €. Déco intérieure forcément de bon goût. On s'installe sur une jolie terrasse en bois dominant la rue. Cuisine française de gourmets, parfumée de toutes les épices du monde. S'il n'y a plus de place, rattrapez-vous avec **La Villa** voisine.

|●| **La Petite Table** (plan A2, **30**) : 139, bd de Grand-Case. ☎ 05-90-00-25. Mar-dim à partir de 18h. Plats 20-30 € ; repas à partir de 35 €. Ici, l'ambiance est résolument chic avec des couleurs reposantes. La cuisine, d'inspiration française, joue sur les cuissons, les contrastes, les légumes d'ici et d'ailleurs, dans un joyeux mélange de saveurs.

Plongée sous-marine

Club de plongée

■ **Octopus Diving** (plan B1, **4**) : 15, bd de Grand-Case. 🖥 06-90-88-53-39. ● info@octopusdiving.com ● octopusdiving.com ● Baptêmes 99-164 $ (1 ou 2 sites), plongées 110-120 $ (2 sites) ; forfaits. Snorkelling 55 $ (2 sites). Des tarifs élevés, mais une équipe sérieuse (FFESSM, PADI, CMAS, etc.) et très impliquée dans la protection de la réserve naturelle de Saint-Martin. 2 bateaux à disposition. Plongées au Nitrox, de nuit et sur 2 sites en général. Et qui sait, peut-être repérerez-vous l'une des rascasses volantes que le club contribue à recenser ? Ce beau poisson-lion (son autre nom) est en fait une vraie menace pour l'écosystème marin et commence à envahir les eaux de Saint-Martin.

Nos meilleurs spots

● Carte Saint-Martin p. 269

🐚 **Le Sec de Grand-Case** (carte Saint-Martin, **17**) : sec en trois parties qui s'emboîtent presque les unes dans les autres, séparées par des couloirs de sable à - 6 m. Au-dessus de ces récif, toutes sortes de relief et même un semblant de piste de bobsleigh ! Poissons-chirurgiens bleu foncé, poissons-trompettes, tortues sédentaires, gros banc de gorettes dans un décor de gorgones. Joli coin pour les débutants. Idéal aussi pour une plongée de nuit.

🐚 **Le Rocher créole** (carte Saint-Martin, **18**) : gros rocher hors de l'eau à la pointe d'un cap séparant Anse-Marcel de la baie de Grand-Case. Site de ralliement de tous les randonneurs à la palme et des plongeurs néophytes de passage à Saint-Martin. Les premiers nagent dans 50 cm d'eau pour aller jusqu'à une piscine enclavée dans le rocher. Passage large de 2 m indiqué par le flux de poissons-aiguillettes. Les seconds se baladent à - 3 m, en slalomant entre les gros rochers classés en réserve naturelle (débarquement interdit) qui forment tantôt des éboulis, tantôt des piliers colonisés par coraux, gorgones et éponges. Tortues, raies-léopards, gorettes, pagres, poissons-anges, coffres, diodons et sergents-majors en bancs importants.

CUL-DE-SAC et ANSE-MARCEL (97150)

Hameau au nord-est de l'île entre le nord de Baie-Orientale et Anse-Marcel, il s'est fait voler la vedette par cette dernière, qui concentre toute la vie dans ce secteur. Cul-de-Sac, c'est surtout le point de départ pour une escapade à l'îlet Pinel (en 5 mn !), cette petite île de charme fermant la baie, ou encore à l'île déserte de Tintamarre, qui ne mérite pas son nom.

Adresses utiles

■ Cul-de-Sac a le mérite de proposer un centre commercial avec **pharmacie, cabinet médical** (☎ 05-90-52-98-62) et **distributeur de billets.**

■ **La réserve naturelle nationale de Saint-Martin :** 803, résidence Les Acacias, **Anse-Marcel.** ☎ 05-90-29-09-72. ● reservenaturelle@domaccess. com ● reservenaturelle-saint-martin. com ● Siège de la réserve. 11 km de côtes, 14 étangs et presque 3 000 ha de zone maritime : la tâche est grande pour faire respecter et mieux connaître cette réserve auprès des 400 000 usagers annuels. Demander la liste des structures partenaires (activités sportives, dont les clubs de plongée).

Où dormir ? Où manger dans le secteur ?

De prix moyens à chic

|●| **Chez Stachey :** route de Cul-de-Sac, en face du centre commercial. ▤ 06-90-57-41-30. Carte 18-25 €. L'endroit le plus étonnant qu'on puisse trouver par ici, aux antipodes des établissements chic d'Anse-Marcel. Sympa, typique, idéal en famille, entre copains, surtout les soirs de concert. Cuisine locale, ambiance chaleureuse. Faut aimer le reggae plus que le classique, mais on vient rarement par ici pour écouter du Schubert.

|●| **Le Taïtu :** 65, Mont-Vernon. ☎ 05-90-87-43-23. ● taitusxm@gmail. com ● Sur la route de la plage, prendre une route à droite qui mène à une zone résidentielle. Tlj sf dim et en sept. Formule déj env 15 €, formule dîner 22 € ; carte 25-30 €. Apéritif maison offert sur présentation de ce guide. Très bonne cuisine traditionnelle française et créole. Dans une maison au cadre chaleureux avec sa grande salle ouverte, balayée par les alizés. Une atmosphère tranquille et un joli cadre pour méditer sur Taïtu, cette impératrice abyssinienne qui eut 12 maris...

|●| **Karibuni :** sur l'îlet Pinel. ▤ 06-90-39-67-00. Accès par la navette depuis Cul-de-Sac. Tlj 12h-17h (16h avr-nov). Repas complet 25-30 €. Un petit coin de paradis. Plage de sable blanc bordée de cocotiers, eau turquoise et limpide, et restaurant les pieds dans l'eau dont le nom signifie « bienvenue » en swahili, hommage à l'escale africaine du fondateur. Petites paillotes en bois flotté coiffées de palmes, barque transformée en bar au-dessus de l'eau bleue translucide. Sur des tables vernies et vitrifiées, on déguste des poissons grillés ou des langoustes tout juste extraites de leur casier.

Très, très chic

⌂ **Anse Marcel Beach Resort :** 26, rue de Lonvillier, **Anse-Marcel.** ▤ 06-90-61-61-34. ● info@ansemar celbeach.com ● ansemarcelbeach. com ● Face à la baie. Doubles 180-300 €/nuit ; compter 1 120-1 540 €/ sem pour 2. ☏ Dans un grand parc planté d'arbres du voyageur, de flamboyants, de palmiers royaux, un ensemble de petits pavillons de type colonial avec des studios et appartements bien aménagés. Un hôtel plein de charme, dans un des coins les plus préservés de l'île. Rénovation intelligente que l'on doit à un propriétaire ayant fait fortune dans la pub en France, ce qui explique la clientèle hexagonale, l'atmosphère, la décontraction des serveurs... Belle carte au resto.

🏠 **Le Marquis :** *Pigeon Pea Hill,* **Anse-Marcel.** ☎ 05-90-29-42-30. ● *info@ hotel-marquis.com* ● *hotel-marquis. com* ● *Doubles à partir de 240 $, petit déj inclus ; également des chambres et suites pour 4.* 📶 *Un joli boutique-hôtel avec tout ce que cela implique de convivialité (moins de 20 chambres et suites), de confort et de respect de l'environnement (structure tout en bois). L'hôtel se mérite, perché tout là-haut en surplomb d'Anse-Marcel.*

Petite piscine, tennis, spa et navette pour la plage du *Radisson.* Les chambres sont très spacieuses, décorées avec raffinement et dotées d'un grand balcon pour mieux apprécier la vue sur Anguilla.

🏠 **Karibuni Lodge :** *lot. 29, sur la colline surplombant la baie de Cul-de-Sac.* 📱 *06-90-64-38-58.* ● *karibunilodge@ gmail.com* ● *lekaribuni.com* ● *Doubles 220-300 €.* 📶 *Un autre boutique-hôtel de charme, avec piscines privées. Pour ceux qui voudraient s'offrir une petite folie, les propriétaires du célébrissime resto de l'îlet Pinel (après avoir passé une partie de leur vie au Kenya, d'où le nom) ont ouvert à Cul-de-Sac un* lodge *composé de 6 suites luxueuses. Beaux bois, superbes objets chinés ici ou là. Inutile de vous conseiller de profiter des promos !*

À voir. À faire à Cul-de-Sac, Anse-Marcel et dans les environs

🚶 🔼 **Anse-Marcel :** *à 2 km de Cul-de-Sac, prendre la route sur la gauche 500 m avt d'arriver à l'embarcadère.* Grimpette sur une route très raide, avant que ne surgisse l'oasis d'Anse-Marcel. Même si une barrière en contrôle l'entrée, elle n'enlève aucun charme à ce lieu où des hôtels de luxe ont compris tout le potentiel de ce site abrité (transat 10 €, si ça vous tente !). Admirez au passage les somptueux jardins avant d'atteindre cette charmante baie, dont la plage artificielle est celle du **Beach Resort** (voir plus haut) et du *Riu* (hôtel *all inclusive).* L'eau peu profonde convient bien aux enfants. Un petit chemin accessible à tous y mène, entre les deux hôtels. En cas de fringale, le bar *Le Calypso,* sur la droite en arrivant au parking, sert de très bons sandwichs.

➤ **La baie des Petites-Cayes :** randonnée bien agréable sur un sentier partant d'Anse-Marcel pour s'y rendre. Le départ du sentier se trouve à droite dans le dernier virage, juste au-dessus du parking principal. Forêt sèche intacte sous la houlette de la réserve naturelle et du Conservatoire du littoral. Compter 1h30 aller-retour. Au-delà, le chemin avance en terrain découvert (cactus) et, plus loin, rejoint Grandes-Cayes, qui a beaucoup moins d'intérêt (compter 2h30 de marche en tout) : décharge à proximité !

🔼 **Grandes-Cayes :** familiale et aisée d'accès, en face de Tintamarre.

🚶 🔼 **L'îlet Pinel :** à l'extrémité de la route, au ponton, un bateau-taxi vous conduira au sein de la réserve sur cet îlet magique. Compter 10 € l'aller-retour dans des conditions parfois précaires (on est entassé mais ça ne dure que... 5 mn !). Bateau toutes les 30 mn 10h-12h (toutes les heures ensuite) ; au retour, dernier bateau à 17h. Probablement la plus belle plage de Saint-Martin. L'eau est turquoise et limpide, le sable blanc immaculé, mais l'endroit n'est pas vraiment désert et les hordes de touristes en saison gâchent un peu le paysage. Intéressant pour la plongée de surface, notamment avec ● gopinel.com ● À l'arrivée sur l'îlet, deux restos pour grignoter une belle salade : les pieds (et les tables !) dans l'eau au *Yellow Beach ;* mais le plus sympa à nos yeux est le dernier, un peu à l'écart, *Karibuni* (voir plus haut « Où dormir ? Où manger dans le secteur ? »).

🍴 ⚓ *L'île de Tintamarre :* prestataires à la journée au ponton de Cul-de-Sac (catamarans, navettes...), mais rien de vraiment régulier et organisé. Sinon, s'arranger pour louer un bateau. Compter une journée pour découvrir ces 100 ha de végétation encore vierge au cœur de la réserve. Penser à emporter pique-nique, boissons et chaussures de marche. Plage face à l'ouest.

Plongée sous-marine

Club de plongée

■ *Scuba Zen : Anse-Marcel, Radisson Marina.* 📱 *06-90-72-87-50 ou 06-90-77-84-44.* ● *contact@scubazensxm.com* ● *scubazensxm.com* ● *Locaux à droite, sur la marina. Sorties tlj à 9h et 13h30. Baptême 80 €, plongée 48 € ; forfaits 3-10 plongées.* Snorkelling trip 38 €. *Scuba Zen est un PADI 5 Star Instructor Development* *Dive Resort* et centre TEC. Formations FFESSM/CMAS du Niveau 1 au Niveau 3 et PADI jusqu'au niveau instructeur. Salle de cours avec TV et lecteur DVD. Conditions de sécurité et de confort optimales. Plongée de nuit pour plongeurs confirmés. Et sorties barbecue à Tintamarre le dimanche sur résa. Une excellente référence.

Nos meilleurs spots

> ● Carte Saint-Martin *p. 269*

🤿 *La Basse-Espagnole (carte Saint-Martin, 1) :* haut-fond à - 3 m, non loin de l'île de Tintamarre. Pour plongeurs à partir du Niveau 1. Canyon interrompu par des éboulis à plusieurs endroits. S'achève par un cul-de-sac sous une arche à - 15 m. Requins-nourrices, murènes vertes, tortues... Passer dans trois vasques successives. Attention à la houle sur ce haut-fond ! Courant moyen à fort. Grands dauphins en hiver.

🤿 *Le Remorqueur et le Récif (carte Saint-Martin, 2 et 3) :* ancien caboteur de 20 m qui repose sur un lit de sable à - 15 m, sur le côté de l'île le plus exposé au vent. Monter absolument au poste de pilotage ! Pour plongeurs à partir du Niveau 1. Gagner le rivage de l'île pour explorer les fonds composés tantôt d'éboulis, tantôt de canyons à - 5 m dans le récif.

🤿 *Circus (carte Saint-Martin, 4) :* pour plongeurs de Niveau 1 expérimentés. Circus est la partie comprise à l'intérieur des deux pointes de la fourche formées par l'île de Tintamarre dans sa partie nord-est. Plongée à dérive exclusivement et, en général, bateau non mouillé. Souvent de la houle et du courant moyen à fort. Sous l'eau, vision lunaire. Grand cratère sablonneux à - 15 m. Spot de raies pastenagues, de requins-nourrices et, pendant l'hiver, de dauphins-tursiops. Zone de migration de langoustes avançant à la queue leu leu, à certaines périodes de l'année. Non loin du bord du récif, l'entrée d'un grand tunnel à - 12 m avec une lumière de cathédrale.

🤿 *Jimmy's wall (carte Saint-Martin, 5) :* partie externe de l'île de Tintamarre à explorer, bien exposée à la houle. Pour plongeurs de Niveau 1 minimum. Platier de - 16 m formé de sable. Raies-aigles et requins-nourrices. Une grotte sert de nursery aux juvéniles anges-royaux. En se rapprochant du rivage, deux plateaux avec des coraux et des gorgones en éventail. Entre côte et plateaux, succession de reliefs intéressants du nord au sud ; canyon, arche de 1,50 m de large, boyau. Relief mouvementé, travaillé par la houle.

SAINT-MARTIN

LA BAIE-ORIENTALE (ORIENT BAY) (97150)

Une baie investie par les résidences secondaires, locations et hôtels. Il faut traverser ce quartier protégé avant d'atteindre la plage et ses 2 km de sable blanc, d'une finesse incomparable. La plage par excellence, donc l'une des plus fréquentées de l'île. Le Saint-Trop' de la Caraïbe a ses nudistes (le *Club Orient...*) et ses lieux mythiques où il faut se montrer comme le *Waïkiki Beach,* le restaurant le plus cher de la baie mais aussi le plus jet-set de l'île, les pieds dans le sable. Orient Bay reste néanmoins une plage familiale, très agréable pour nager, mais attention tout de même aux vagues, parfois un peu fortes pour les plus petits ! Location de chaises longues et parasols. Au large, l'îlet désert de Caye-Verte.

Info utile

■ ⛲ *Supermarché* (dans une mignonne... église !) et *marchand de journaux,* près de la plage.

Où dormir ? Où manger ? Où boire un verre ?

Une vraie vie de village. Enfin, façon de parler ! Ici, le stress, on ne connaît pas, à moins d'être allergique aux barrières de sécurité. Beaucoup de monde sur la plage en journée, en terrasse en soirée, pour jouir d'une vie plutôt agréable. Le long de la plage, un grand nombre de cabanes en bois assez jolies abritent des restaurants dont le fameux *Waïkiki Beach,* l'adresse jet-set de l'île. Côté tarifs, c'est parfois limite prohibitif, et les pulsations de la techno secouent quelquefois toute la plage. Mais on ne vient pas là pour relire Proust. Surtout les vendredis soir.

Prix moyens

|●| *Le Piment :* pl. du Village. ☎ 05-90-52-43-12. Compter 14-18 €. Des pizzas délicieuses dont la pâte est très fine. Également quelques spécialités de pâtes, crêpes ou salades. Parmi les meilleurs rapports qualité-prix de la baie, où tout est assez cher. Accueil extra, de surcroît !

|●| ☕ 🍸 *Bikini Beach :* sur la gauche de la plage. ☎ 05-90-87-43-25. ⚓ Tlj, bar ouv jusqu'à 23h. Salades et plats env 9-23 €. L'endroit est agréable, aéré et les pieds dans le sable. Un peu cher pour un resto de plage (mais il y a *Au Ti*

Bikini à côté). Bons produits de la mer, mais aussi des salades et des plats thaïs. Côté musique, des concerts organisés parfois en fin de semaine, comme partout par ici.

Très chic

🏠 *La Playa Orient Bay :* 116, parc de la Baie-Orientale. ☎ 05-90-87-42-08. ● contact@laplayaorientbay.com ● laplayaorientbay.com ● Prendre à gauche au dernier rond-point avt la plage. Doubles à partir de 170 €, petit déj inclus. Promos intéressantes. 📶 Cet ensemble de bâtiments aux couleurs guillerettes abrite une soixantaine de junior suites (45 m²), soigneusement décorées avec coin salon, terrasse, clim et kitchenette. Agréable piscine et restaurant sur place (le midi seulement). Il ne manque que la vue, la mer est un peu plus loin, mais plage privée.
🏠 *Palm Court :* parc de la Baie-Orientale. ☎ 05-90-87-41-94. ● reservation@sxm-palm-court.com ● sxm-palm-court.com ● Avt d'arriver à la plage, c'est le bâtiment rouge à gauche au dernier rond-point. Doubles 150-240 €. 📶 Un boutique-hôtel de charme avec 20 très belles chambres, spacieuses et décorées avec beaucoup

de goût. Toutes ont une terrasse ou un balcon donnant sur le jardin et la piscine, et la plupart un lit *king size*. Petit déj au bord de la piscine. Une adresse qui reste conviviale.

|●| ♟ *La Plantation Café : parc de la Baie-Orientale.* ☎ 05-90-29-58-05. ♿ *Sur la droite sur la route d'accès à la plage, dans la zone résidentielle. Tlj sf dim. Dîner 40-55 €.* Cadre romantique avec petites tables et bougies disposées autour de la piscine du *lobby* de l'*Hôtel de la Plantation.* Cuisine fusion savoureuse qui répond sans accroc aux attentes d'une clientèle internationale, tout en parsemant ses plats de petites touches exotiques. On peut aussi venir y prendre un petit déj ou siroter un cocktail dans l'après-midi.

À voir

🦋 🚶 *La ferme des Papillons :* à 1,5 km après Baie-Orientale, un peu avt d'arriver à Quartier d'Orléans, prendre à gauche vers la plage du Galion. ☎ 05-90-87-31-21. ● thebutterflyfarm.com ● *Tlj 9h-15h30. Entrée : env 12 € (visite guidée succincte incluse et conseillée) ; ½ tarif enfants.* Une belle panoplie d'espèces de papillons du monde entier, dans un jardin tropical. Également des bassins habités par des poissons japonais. Entrée franchement chère, pour une activité quelque peu en marge de la légalité par rapport à la proximité de la réserve, mais un lieu apprécié des bambins.

🏖 En continuant après la ferme des Papillons, on arrive sur la petite **plage du Galion**, située dans la réserve, protégée de la houle par une barrière corallienne et précédée de salines. Charmante et fréquentée par la population locale le dimanche et pendant les vacances scolaires, elle est considérée comme l'un des meilleurs spots par les véliplanchistes et les surfeurs. Attention, pas de kitesurf à la plage du Galion, pour la sécurité des baigneurs (la pratique n'est autorisée qu'en dehors de la baie). Sur la gauche, une autre plage, plus familiale.
– Petit resto de plage, le *Tropical Wave,* pour grignoter ou se désaltérer sous la pergola. Service sympa. Loueur de planches à voile, qui propose également des chaises longues et des parasols. Également location de planches à voile chez *Windyreef* (● windyreef.com ●).
– Juste avant la plage en venant de la ferme des Papillons, club hippique reconnu qui organise des balades sur la plage.

OYSTER POND

(97150)

Port de plaisance situé au fond d'une baie partagée par la frontière administrative de l'île. Côté français, la marina de *Captain Oliver's* a dû avoir fière allure, à sa création. Quelques restos sur les pontons accueillent toujours les équipages en polo pastel et *Docksides.* Les constructions, côté hollandais, sont déjà moins flatteuses.
Pour vous occuper aux heures chaudes, lisez *Pizza créole,* un savoureux polar écrit ici même, sur son balcon de l'hôtel *Oyster Pond,* par Anthony Bourdain (éd. Folio, 2013), restaurateur reconverti dans l'écriture.

Où dormir ?

⌂ *Villa Glory Morning :* lot. Le Coralita n° 11, rue de la Flibuste. | 📱 06-90-22-21-13. ● orientbayimmobilier@gmail.com ● Compter 350-560 €/

SAINT-MARTIN

sem pour 2. La belle surprise d'Oyster Pond à 2 mn de la plage. 4 appartements pour 2, 4 et 6 personnes, bien aérés, avec cuisine. Calme et reposant. Une location simple, propre, familiale. Corinne et Alain savent accueillir sans se forcer et faire aimer leur île aux plus stressés. Piscine avec jacuzzi et vue sur mer. Location de voitures.

🏠 **Villa Najro :** 96, av. du Lagon. ☎ 05-90-87-83-69. ● najro@caraibes-evasion.com ● caraibes-evasion.com ● À partir de 460 €/sem en saison pour 2 (2 600 € tte la villa pour 12 pers). 📶 Situation idyllique en surplomb de la route qui contourne la marina. Propriétaires bretons très accueillants. Repérer où flotte un drapeau breton en haut à gauche de la pizzeria *Mama Pizza*, c'est là ! Villa située dans une propriété de 1 400 m².

Superbe terrasse couverte, avec piscine. L'ensemble est modulable et se compose de 6 chambres, 4 salles d'eau, 3 cuisines aménagées et 4 barbecues. Mobilier style marin, lits *king size*, TV avec Canal+. Accueil à l'aéroport et location de voitures.

🏠 **Les Balcons d'Oyster Pond :** 15, av. du Lagon. ☎ 05-90-29-43-39. ● lesbalcons@lesbalcons.com ● lesbalcons.com ● ♿ Tte l'année. Doubles 70-125 €. CB acceptées. 📶 (dans les parties communes). Copropriété gérée par un couple de métros. Au milieu d'un cadre très fleuri, une vingtaine de studios pour 2 à 5 personnes, meublés avec beaucoup de goût et super équipés. Terrasse avec barbecue et vue exceptionnelle sur la baie, accès direct à la marina. Petite piscine agréablement située.

Où manger ? Où boire un verre ?

De prix moyens à chic

|●| **Mama Pizza :** 94, av. du Lagon. ☎ 05-90-29-63-32. Face à la marina, quasiment à la « frontière ». Slt le soir. Appeler avt pour ne pas se casser le nez. Pizzas et salades 10-20 € ; repas env 25 €. Indémodable, cette *Mama*-là. Délicieuses pizzas et plats à emporter ou à consommer sur place. Ils livrent dans le coin : très pratique quand on n'a pas le courage de se faire à dîner ou d'aller au resto.

|●| **Mr Busby's :** à droite sur la plage de Dawn Beach, côté néerlandais. ☎ (1721) 54-360-88. Tlj 7h30-22h30.

Happy hours 16h-18h. Plats 15-25 $. À la carte, des sandwichs, du poulet, des hamburgers, des salades... Loue également tout le matériel nécessaire pour la plage et la baignade.

|●| **L'Oasis :** 63, résidence Les Rochers. ☎ 06-90-39-70-87. En venant du Quartier d'Orléans, c'est sur la gauche en face de l'épicerie, en arrivant à Oyster Pond. En saison, tlj sf le midi sam-dim. Carte 25-30 €. Le restaurant est installé au rez-de-chaussée d'un petit bâtiment moderne, avec une grande terrasse extérieure ombragée. Tenu par Martine, une vraie personnalité, qui vous sert une excellente cuisine. Spécialités de gambas au curry lait de coco.

À voir

🌿 **Les îlets de la baie de l'Embouchure :** au sein de la réserve naturelle et à proximité de la baie Lucas, quelques îlets que vous pouvez atteindre à pied (eau jusqu'aux genoux maximum). Personne, seuls quelques cactus « têtes à l'Anglais » au sommet du plus grand de ces cailloux, et les vagues à vos pieds. À découvrir aussi depuis l'observatoire des baleines, un aménagement commun réserve naturelle et Conservatoire du littoral.

🏖 **Dawn Beach :** au sud d'Oyster Pond. Bordée par un énorme complexe hôtelier avec immense piscine à débordement qui donne directement sur la plage, devenue beaucoup moins sauvage ! Mais la couleur turquoise de l'eau est toujours aussi belle.

PHILIPSBURG

IND. TÉL. : 1721

● Plan p. 294-295

C'est la capitale de la partie néerlandaise de l'île. La ville s'étend tout en longueur entre Salt Pond (une ancienne saline) et le front de mer. À l'est de la baie, le port de Pointe-Blanche où viennent s'amarrer les grands bateaux de croisière. Pour visiter le centre-ville, garez-vous à l'extérieur, le long de l'étang, car la circulation n'est pas simple. Dans le centre justement, deux artères principales : Front Street et Back Street, où se regroupent des magasins très colorés, des hôtels modernes et des demeures familiales. Balade agréable à faire le long de la plage fort bien aménagée, à la fraîche de préférence. La mer, très calme dans la baie et peu profonde, est idéale pour les petits. Assez animé dans la journée ; le soir, c'est plutôt calme avec un beau coucher de soleil, mais les restos sont alors, pour la plupart, fermés. Rien à voir avec les casinos et la multitude de restos de Simpson Bay, notamment ceux de Maho, très animés le soir !

Pour l'hébergement, comme pour la restauration, cela dit sans chauvinisme, mieux vaut aller côté français. La plupart des hôtels néerlandais situés sur la côte sont des complexes abritant jusqu'à 500 chambres et vous n'aurez qu'une envie : fuir les embouteillages en profitant du nouveau pont illuminé, qui permet d'éviter le coin des Simpson (difficile de ne pas penser à cette célèbre famille de dessin animé américain en longeant la baie !).

Adresses utiles

🛈 **Office de tourisme :** ☎ (1721) 542-23-37. ● visitstmaarten.com ● Kiosques à l'aéroport Juliana et à l'arrivée des bateaux de croisière. Sans intérêt pour la clientèle française.

@ **Axum** (plan D2, **2**) : Front St, 7. ☎ (1721) 54-205-47. Cybercafé qui fait également *Art Gallery*. À l'étage d'une belle maison ancienne. Grande pièce aérée par les alizés. Très joli cadre chaleureux, comptoir ancien en bois et canapés confortables.

✚ **St Maarten Hospital :** ☎ (1721) 543-1111.

Où dormir ? Où manger ? Où boire un verre ?

Vous ne passerez que quelques heures ici, à comparer les prix dans les boutiques. Quelques restos gastronomiques (assez chic) proposent une cuisine internationale (française, italienne, asiatique, etc.). Sinon, on trouve de nombreux fast-foods et quelques bars sur la plage à prix corrects.

Très, très chic

🏠 |●| 🍸 *Pasanggrahan Boutique Hotel* (plan D2, **13**) : Front St, 19, PO Box 151. ☎ (1721) 54-235-88. ● info@pasanhotel.net ● pasanhotel.net ● *Doubles 100-290 $ selon confort et saison. Plats 15-30 $. Petit parking.* 🛜 Hôtel royal et historique plein de charme qui reçut, entre autres, la reine Wilhelmine des Pays-Bas. Les vastes chambres sont réparties dans la partie ancienne ou dans l'aile moderne et présentent tout le confort attendu. Beau mobilier en bois exotique, lits *queen size* décorés de patchworks et balcons donnant sur la baie. Côté resto, cuisine de bonne tenue, plutôt classique. Belle et grande terrasse directement sur la plage.

SAINT-MARTIN

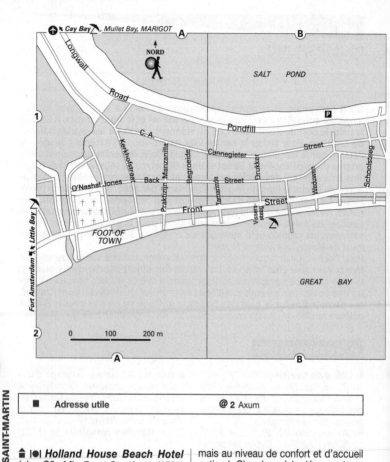

| ■ Adresse utile | @ 2 Axum |

🏨 ❙●❙ **Holland House Beach Hotel** (plan C2, **14**) : Front St, 43. ☎ (1721) 54-225-72. ● reservations@hollandhousehotel.com ● HHBH.com ● Doubles à partir de 250 $ selon confort et saison (+ charges !). Réduc et packages sur Internet. Pas de parking. 📶 Établissement moderne sans trop d'âme

mais au niveau de confort et d'accueil optimal. Chambres à la déco contemporaine, dans les tons pastel, avec vue sur la mer ou sur la rue. Ambiance lounge au rez-de-chaussée, spacieux et ouvert sur la plage, avec un bar-restaurant et des fauteuils en rotin pour siroter un cocktail.

À voir. À faire

Dans le centre et dans les environs immédiats

🍴 **Le palais de justice** (Courthouse ; plan C1) : Front St, 58. L'une des plus belles façades sur Front Street. Notez le toit orné d'un ananas !

🍴 **Old Street** (plan D1-2) : reconstitution d'un quartier à la hollandaise bordé de façades à pignon et de couleurs pastel. Joli mais un peu artificiel (rien de le dire !).

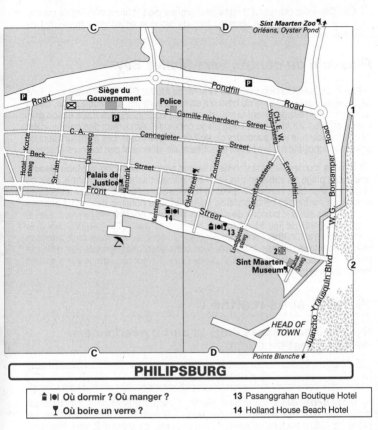

PHILIPSBURG

| ⌂ ⏹ Où dormir ? Où manger ? | 13 Pasanggrahan Boutique Hotel |
| 🍸 Où boire un verre ? | 14 Holland House Beach Hotel |

🎯 **Sint Maarten Museum** *(plan D2)* **:** *Front St, 7.* ☎ *(1721) 54-249-17. Lun-ven 10h-16h. GRATUIT (mais donations bienvenues).* Retrace l'histoire de l'île dans un joyeux fourre-tout, des objets amérindiens à la porcelaine hollandaise. Très nombreuses cartes d'époque.

🎯 🚶 **Sint Maarten Zoo** *(hors plan par D1)* **:** *Arch Rd, Madame Estate.* ☎ *(1721) 54-320-30.* ♿ *Sortir de Philipsburg en direction d'Oyster Pond et tourner à gauche pour Madame Estate. Tlj 9h-17h. Entrée : env 10 $; ½ tarif 3-12 ans.* Animaux de la jungle amazonienne et des forêts tropicales essentiellement. Pas géantissime, mais ça jacasse fort ! Le zoo a été repris en 2017 par des Français, des améliorations devraient être perceptibles à l'avenir.

🎯 **Fort Amsterdam** *(hors plan par A2)* **:** *situé sur la presqu'île à l'ouest de Philipsburg (1,5 km), au bout de la pointe ; il faut traverser un complexe hôtelier pour y accéder.* Quelques ruines et canons sans grand charme. Seule la vue sur Philipsburg est intéressante.

⛱ **Little Bay** *(hors plan par A2)* **:** *au-delà de Fort Amsterdam, une plage protégée. Ses plantations en font un sanctuaire pour les oiseaux, hélas envahi par d'énormes* resorts.

⚐ *Cay Bay* *(hors plan par A1)* : difficile d'accès à pied ; compter 20 mn de marche depuis le col de Cole Bay. Mais les fans de plongée en apnée y trouveront de superbes fonds marins.

Plus loin du centre, vers Mullet Bay

À l'ouest de l'aéroport international, l'intérêt de *Mullet Bay* réside avant tout dans sa superbe plage, sa houle du nord qui attire les surfeurs, son autre plage, où les avions à l'atterrissage frisent la moustache des vacanciers, ses *malls* et son golf. Plusieurs *lolos* sur la gauche de la plage principale. Amoureux des greens, c'est ici que se trouve le seul *parcours de golf* de l'île (18 trous). Les alentours sont en voie de reconquête par les hôtels et autres *malls,* géants et pas toujours gracieux.

⚐ Dans la journée, les passionnés d'avions peuvent se rendre à *Maho Beach,* une petite plage de sable fin pas vraiment intime et sans grand charme, mais où la mer est d'un bleu incroyable, avec sa buvette *Sunset Grill Bar* située à quelques mètres de l'extrémité de la piste de l'aéroport. Les horaires des vols à l'arrivée sont affichés sur une planche de surf. Idéal pour des photos chic (la mer bleue) et choc (les géants de l'air à l'approche). Moment de choix : l'arrivée des plus gros porteurs (entre 10h30 et 15h30, en général). Un spectacle unique, mais attention tout de même de ne pas imiter ces fous qui s'accrochent parfois aux grilles et prennent le souffle des réacteurs en pleine poire ! Il n'est pas rare de voir s'envoler les parasols et les serviettes.

Plongée sous-marine

Nos meilleurs spots dans la partie néerlandaise de l'île (d'est en ouest)

> ● Carte Saint-Martin *p. 269*

⚓ *Molly Beday Island* (carte Saint-Martin, 7) : la partie nord de l'îlot rocheux est la plus intéressante à visiter. Pour plongeurs de Niveau 1 confirmés. Le bateau est mouillé à - 16 m sur fond sableux. Rivage immergé, en forme d'escalier très raide (- 6 m, et fond à - 15 m). Blocs rocheux alignés. Partir jusqu'à la pointe est de Molly Beday délimitée par deux gros rochers, dont *The Maze.* Barracudas. Cirque de 2 m de diamètre. Au fond, petit boyau remontant en cheminée, longue de 1,50 m.

⚓ *Poussins et Poulets* (Hens and Chickens ; carte Saint-Martin, 8) : trois îlets rocheux à la queue leu leu, le plus grand à + 7 m au-dessus de la surface, les deux plus petits à + 4 m. Pour plongeurs de Niveau 1 confirmés. Platier sous-marin le long de la face nord. Exploration à la limite du récif et du sable, à - 15 m. Long surplomb à - 4 m dans la roche. Petits coraux laminés par la houle. Dauphins et requins gris. Ne pas jouer aux kamikazes : on ne passe pas entre les îlets à - 3 m, le courant s'y engouffre violemment.

⚓ *Pelikan Reef* (carte Saint-Martin, 9) : explo en dérive de la partie nord-est. Pour plongeurs de Niveau 1 minimum. Îlot rocheux de 10 m au-dessus des flots. Paysage déchiqueté avec des aiguilles tranchantes. Nursery de poissons juvéniles.

⚓ *Proselyte Reef* (carte Saint-Martin, 10) : au sud de Saint-Martin. Pour plongeurs de Niveau 1. Grand récif remontant de - 22 m jusqu'à - 4 m à son sommet le plus haut. Le plus beau récif de Saint-Martin, tant au niveau des couleurs qu'au niveau de l'histoire. En effet, une frégate anglaise y coula en 1801 et laissa trois ancres figées pour l'éternité dans le corail, ainsi que 13 canons. Endroit si fréquenté par les bateaux de plongée que trois mouillages sont installés à 30 m de distance les uns des autres, sur - 16 m. Multitude de plumets blancs. Petits requins-nourrices dans les trous. Courant faible, visibilité de 30 m. Jolie vision des ancres piquées, comme des piolets, dans le corail.

Le Roro (carte Saint-Martin, 11) : épave d'un porte-conteneurs de 70 m à - 20 m sur un fond de sable. Pour plongeurs de Niveau 1 minimum. L'arrière du bateau est tourné vers l'est. Deux tourelles donnent accès au puits de chaîne et à la salle de travail. Au pied du château arrière, deux panneaux permettent l'accès aux moteurs, dans le noir. De la timonerie, superbe vue. Tout autour du *Roro*, raies pastenagues dans le sable, certaines de 2 m à 2,50 m d'envergure, requins et langoustes.

The Bridge (carte Saint-Martin, 12) : vestiges de l'ancien pont de Simpson Bay jetés en ce lieu. Pour plongeurs de Niveau 1. Cet amas de béton représente 10 m de poutrelles et de blocs enchevêtrés. Récif artificiel de 2 m de haut concentrant sergents-majors, diodons, colas. Quelques murènes noir et beige. « Gros-yeux » tout rouges. Flore abondante sur cet espace. Éviter de plonger lorsqu'il y a du courant, la visibilité devenant nulle. On se perd entre trois épaves de bateaux.

Le Gregory II (carte Saint-Martin, 13) : barge d'environ 40 m de long qui gît retournée vers le sable. Pour plongeurs de Niveau 1 minimum. Mouillage préinstallé fixé à l'avant du navire à - 16 m, un autre installé sur l'arbre d'hélice. Très joli point de vue à quelques mètres en arrière du bateau, face aux deux hélices et au gouvernail. Attention : bien tenir compte des indications du moniteur, car l'épave oscille avec la mer houleuse, et le château peut alors s'effondrer. Visite de 15 mn. Le reste de la balade permet de parcourir l'immense récif. Éponges-cratères de 80 cm de diamètre et de 1 m de haut, gorgones-plumets, éponges-cierges jaune et mauve. Faune hétéroclite.

Le Fuh Sheng (carte Saint-Martin, 14) : cargo transporteur réfrigéré, long de 80 m et large de 15 m sur la vase à - 35 m. Compter 20 mn de balade. Pour plongeurs de Niveau 2 ou *advanced*. Le *Fuh Sheng* est plus enfoncé dans le sable à l'arrière qu'à l'avant, ce qui donne l'impression qu'il navigue encore. Lorsque la mer est houleuse, le château oscille seul, comme ivre. Avec du recul, admirer le galbe du bateau. Ancre encore à poste sur la coque.

Le Porpoise (carte Saint-Martin, 19) : remorqueur de 40 m de long coulé en 2004, sur un fond de sable à environ - 30 m. Pour tous les niveaux de formation PADI et sorties débutants ou confirmés. Très belle épave préparée pour les plongeurs, on peut pénétrer dans toute la superstructure. Un grand trou a été ouvert à l'arrière pour se glisser dans la cale moteur. Tout autour, sur le sable, des raies pastenagues et des gorettes, carangues bleues, coffres, diodons, chirurgiens...

SAINT-MARTIN

SAINT-BARTHÉLEMY

- Carte *p. 299*

ABC de Saint-Barthélemy

❑ **Superficie :** 25 km², en incluant les îlets.
❑ **Population :** env 9 417 hab.
❑ **Les habitants :** les Saint-Barthinois, les Barthéloméens,
  les Barthélémois ou plus familièrement les Saint-Barths.
❑ **Densité :** env 448 hab./km² (trois fois la moyenne française).
❑ **Point culminant :** le morne Vitet (286 m) et 32 km de côtes.
❑ **Capitale :** Gustavia.
❑ **Monnaie :** l'euro.
❑ **Langues :** français, anglais, créole.
❑ **Statut :** collectivité d'outre-mer de la République française depuis
  juin 2007 (préfet commun avec Saint-Martin).
❑ **Décalage horaire :** heure de Paris - 5h en hiver et - 6h en été.

 Saint-Barthélemy, Saint-Barth pour les intimes, ne ressemble à aucune autre île des Caraïbes. Terre française, nichée entre mer des Caraïbes et océan Atlantique, son petit territoire allie modernité et tradition. Les habitants résidant sur l'île depuis plus de 5 ans ne paient pas d'impôts. En revanche, ils paient des taxes élevées, notamment sur les produits de consommation qui sont importés. La monnaie est l'euro, mais le dollar américain est accepté en principe partout. L'île résiste à toutes les tentations du tourisme de masse. Pas d'immeubles, interdiction de bâtir une maison plus haute qu'un palmier, prix très élevés. Pour le moment, le choix d'une clientèle fortunée porte ses fruits. Devenue un véritable paradis pour milliardaires (depuis qu'un certain Rockefeller a débarqué en 1956), l'île ne fait aucune concession. Pour le plus grand bonheur d'un petit nombre de privilégiés (300 000 touristes par an, en majorité américains), amateurs de calme, de sieste et d'une nature jalousement préservée.
Le tour de l'île est bouclé rapidement : forcément, elle ne fait que 21 km² (25 km² avec les nombreux îlets qui l'entourent) ! Rien à voir, à l'exception d'un ou deux petits musées. Ici, on se repose. On fait quelques achats (de luxe, mais *duty free*). Un programme qui en vaut bien d'autres quand la nature est aussi belle.

Arriver – Quitter

À 24 km au sud-est de Saint-Martin (10 mn de vol) et à 230 km au nord-ouest de la Guadeloupe (env 50 mn de vol), l'île de Saint-Barthélemy

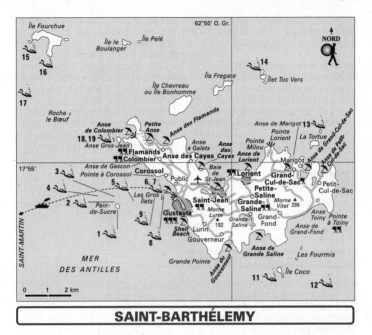

SAINT-BARTHÉLEMY

est bien desservie par air comme par mer. On peut donc combiner, selon son budget, les différents moyens de transport.

En avion

✈ **Aéroport de Saint-Barthélemy :** ☎ 05-90-27-65-41.
Les gros porteurs ne pouvant atterrir à Saint-Barth, pour y accéder en avion depuis la métropole, il faut donc faire Paris/Saint-Martin, puis prendre un petit avion (8-18 places, nombreuses rotations) ; ou alors faire Paris/Pointe-à-Pitre, puis Pointe-à-Pitre/Saint-Barth. À Saint-Barth, les avions n'atterrissent qu'entre le lever et le coucher du soleil. L'arrivée est spectaculaire. On passe en rase-mottes entre deux collines, à 10 m au-dessus d'un carrefour routier (la Tourmente !), pour piquer ensuite sur la piste d'atterrissage, longue seulement de 650 m (par 18 de large) avec tout au bout... la plage. Petites émotions par grand vent, mais soyez sans crainte, les pilotes sont bien aguerris.

➢ **Au départ de Saint-Martin :** nombreux vols au départ des aéroports Princess Juliana (partie néerlandaise) ou de Saint-Martin Grand-Case (partie française).
■ **Winair :** ☎ 05-90-27-61-01. ● flywinair.com ●
■ **St-Barth Commuter :** ☎ 05-90-27-54-54. ● stbarthcommuter.com ●

➢ **Au départ de Pointe-à-Pitre :** avec *Air Antilles Express.* ☎ 0890-648-648 *(prix d'un appel local).* À l'aéroport de Saint-Barth ☎ 05-90-29-62-79. ● airantilles.com ● Assure env 2-3 vols/j. de et vers Saint-Barthélemy et jusqu'à 5 vols/j. en très hte saison.

➢ **Au départ de Saint-Barth,** on peut également se rendre à Antigua (2 vols/sem déc-avr) avec *Saint-Barth Commuter* ; et Saba avec *Winair* (départ ven et retour dim).

En bateau

Des liaisons régulières relient Saint-Martin et Saint-Barth, plus économiques que l'avion. Si vous arrivez en avion par Saint-Martin, navette (env 10 €) de l'aéroport *Princess Juliana* à la gare maritime de *Philipsburg*.

➤ *De et vers Saint-Martin :*

■ *Voyager :* ☎ 05-90-87-10-68. ● *reservations@voy12.com* ● *voy12. com* ● Tte l'année, 1-3 départs/j. dans les 2 sens. De la gare maritime de Marigot (dès 8h50) et de la marina d'Oyster Pond (dès 9h15). Tarifs à partir de 72 € l'A/R (47 € 2-11 ans) avec boissons offertes à bord. Catamarans hydrofoil très rapides (30 mn) et confortables. Résa conseillée.

■ *Great Bay Express.* ☎ 05-90-52-45-06. ● *info@greatbayferry.com* ● *greatbayferry.com* ● Tte l'année, 3-5 départs/j. dans les 2 sens. De Bobby's Marina (Philipsburg), à partir de 7h15. Tarifs à partir de 56 € en réservant à l'avance. Traversée 45 mn. Voir aussi la rubrique « En bateau », au début du chapitre sur Saint-Martin.

Formalités

Pour les ressortissants de l'UE, la carte d'identité ou le passeport valide suffit. Passeport obligatoire si l'on transite par l'aéroport international Princess Juliana de Saint-Martin.

Adresses et infos utiles

Attention, certains établissements sont fermés le mercredi après-midi. En effet, c'est congé pour les enfants, et les parents en profitent pour être avec eux. Charmant, non ?

Infos touristiques

🛈 *Comité du tourisme* (plan Gustavia B1) : *quai du Général-de-Gaulle, à* **Gustavia**. ☎ 05-90-27-87-27. ● *saintbarth-tourisme.com* ● Lun-ven 8h30-12h30, 14h-17h30 (17h ven). Infos et documentation variée sur l'île.

■ *Agences de voyages :* si vous rencontrez des difficultés sur place, ou si vous cherchez des tuyaux pour voyager et combiner plusieurs îles, adressez-vous aux agences ci-après.

– *ATA, Acée Travel Agency :* à **Saint-Jean**, *centre commercial* La Savane, *juste en face de l'aéroport.* ☎ 05-90-87-03-58. ● *acee@atasbh. com* ● *À côté du resto* Le Jardin. *Lun-ven 8h30-18h30, sam 8h30-14h.* En plus de son accueil adorable, Acée est super pro. Un avantage de taille à passer par *ATA* pour vos billets d'avion : elle recherche les meilleures promos et reste à l'affût jusqu'au dernier moment ; vous n'achetez votre billet que lorsque vous êtes sûr à 100 %. Sur le Net, on paie tout de suite !

– *Saint-Barth Évasion :* à **Saint-Jean**, galeries du Commerce, *à 150 m à gauche en sortant de l'aéroport (vers la station essence).* ☎ 05-90-27-77-43. ● *sbevasion@gmail.com* ● Lun-ven 9h-12h, 13h30-17h30.

■ *Location de bateaux : Jicky Marine Service, à la pointe de Gustavia.* ☎ 05-90-27-70-34. ● *jickymarine. com* ● *Tlj 8h-19h.* Toute la gamme des activités nautiques, charters privés, ou excursions en groupe. Notamment les sorties à la voile au coucher du soleil (mercredi et vendredi), à la journée avec pique-nique ou encore pour la matinée à Colombier.

Argent, banques, poste

✉ *Bureaux de poste :*

– *À Gustavia* (plan Gustavia B2) : *à l'angle de la rue Jeanne-d'Arc et de la rue Samuel-Fahlberg.* Lun-mar et jeu-ven 8h-15h ; mer et sam 8h-12h. Distributeur de billets.

– *À Saint-Jean :* au centre des Mangliers, 200 m derrière la station-service de l'aéroport. Lun-mar et jeu-ven 8h-14h ; mer et sam 8h-11h.

– *À Lorient :* après l'école, en venant de Gustavia. Lun-ven 7h-11h ; sam 8h-10h.

■ *DHL Express :* Gustavia, ☎ 05-90-27-60-33. ● *gustavia@smta-sbtt.com* ● Lun-ven 8h-12h, 14h-17h, et sam mat.

■ Banques et distributeurs :
Les banques sont fermées mer ap-m et w-e. Certaines également ven ap-m.
– LCL : à Gustavia (rue du Général-de-Gaulle) et à Saint-Jean (galeries du Commerce).
– BNP : à Gustavia, rue du Bord-de-Mer.
– Crédit agricole : à Gustavia, 9, rue Jeanne-d'Arc (près de la poste). Bureau de change.
– BRED : à Saint-Jean, centre commercial La Savane, en face de l'aéroport.
– Distributeurs 24h/24 : à Lorient, centre commercial de l'Oasis, à côté du resto Le Bouchon.

Santé, urgences

■ Pharmacies :
– À Gustavia (hors plan Gustavia par A1, **2**) : rue de la République. ☎ 05-90-27-61-82. Lun-sam 8h-19h30 (19h sam) ; dim 9h-12h, 16h-19h.
– À Saint-Jean : centre commercial La Savane (pharmacie de l'aéroport), en face de l'aéroport. ☎ 05-90-27-66-61. Lun-sam 8h-20h ; dim et j. fériés 9h-13h, 15h30-19h. Et centre Vaval (Island Pharmacie) : ☎ 05-90-29-02-12. Lun-sam 8h-20h, dim 10h-13h, 16h-19h.
✚ Hôpital De Bruyn (plan Gustavia A2) : à Gustavia. ☎ 05-90-27-60-35.
■ Médecin de garde : ☎ 15 ou 05-90-90-13-13.
■ Gendarmerie : ☎ 05-90-27-11-70.
■ Police territoriale : ☎ 05-90-27-66-66.
■ Pompiers : ☎ 18 ou 05-90-27-66-13.
– Radio Saint-Barth : 98.7/103,7 FM.
– Radio Transat (Saint-Martin) : 95,5/103.1 FM.

Transports

■ Location de voitures : plusieurs agences ont un comptoir à l'aéroport. Les prix sont relativement alignés, mais rien ne vous empêche de comparer (voir aussi « Transports intérieurs » un peu plus loin). En haute saison, il est impératif de réserver son véhicule, sous peine de ne rien trouver sur place en arrivant !
– Avis : ☎ 05-90-27-71-43. ● avis. sbca@wanadoo.fr ●
– Budget : ☎ 05-90-27-66-30 ou 05-90-29-62-40. ● reservation@budgetstbarth.com ● Tlj 7h30-18h.
– Europcar : ☎ 05-90-29-41-86. ● info@europcar-stbarth.com ●
– Hertz : ☎ 05-90-27-71-14. ● hertz. stbarth@wanadoo.fr ●
– Gumbs Car Rental : ☎ 05-90-27-75-32. ● gumbs.car.rental@wanadoo. fr ●
– Maurice Car Rental : ☎ 05-90-27-73-22. ▤ 06-90-41-21-30 ou 06-90-81-90-91. ● info@mauricecarrental.com ● mauricecarrental.com ●
– Soleil Caraïbes : ☎ 05-90-27-67-18. ● soleil.caraibe@wanadoo.fr ●
– Welcome Car Rental : ☎ 05-90-51-16-40. ● info@welcomesbh.com ●

Divers

■ Stations-service
– À l'aéroport : tlj sf dim 8h-12h, 15h-18h. Distribution par carte de paiement 24h/24.
– À Lorient : tlj sf dim et l'ap-m jeu et sam 7h30-12h, 13h30-17h.
☺ Supermarchés et supérettes : le moyen le plus économique, pour ne pas se ruiner en resto midi et soir.
– À Gustavia : **Le Libre Service** (plan B1), rue de la République. Lun-ven 7h-20h, sam 7h-19h. **Américan Gourmet** (plan B1), rue du Général-de-Gaulle. Tlj 7h-20h. Une épicerie fine où l'on trouve de rares et superbes produits. Pour les vins et spiritueux, **Le Cellier du Gouverneur** (plan B1), rue de la République (lun-sam 10h-12h30, 15h-19h30) ; ou encore la **Cave du Port Franc** (hors plan par B1), à **Public** (Z.I. de Gustavia ; lun-sam 9h-12h30, 16h-19h30).
– À Saint-Jean : **Marché U,** en face de l'aéroport. Lun-sam 8h-20h ; dim 9h-13h. **AMC superette de l'aéroport,** en face de l'aéroport, sur la gauche à 150 m. Lun-sam 8h-19h ; dim 8h30-12h30.
– À Lorient : **Le Marché de l'Oasis,** centre commercial de l'Oasis, tlj 9h-21h. **Le Minimart** (lun-sam 7h-20h ;

SAINT-BARTHÉLEMY

dim 8h-12h, 15h-20h) et *Chez Jojo* (lun-sam 8h-20h, dim 9h-12h30).
– Ailleurs : *El Bravo* à *l'Anse des* | *Cayes,* l'*Épicerie Sainte-Hélène* à *Flamands* et l'*épicerie* de *Corossol.*

ACHATS

Dotée du statut de port franc par les Suédois en 1875, Gustavia est naturellement devenue le paradis du shopping... plutôt haut de gamme. Pour les amateurs de griffes prestigieuses, on trouve, un peu en vrac, *Cartier, Hermès, Canovas, Bvlgari, Chopard, Louis Vuitton, Lauren Effel, Ralph Lauren,* etc. Elles affichent toutes des prix inférieurs de 15-20 % environ à ceux pratiqués en métropole. C'est le moment ou jamais de craquer. Cela dit, même avec la TVA en moins, ça reste des produits de luxe.

ARGENT

La monnaie officielle de l'île est l'euro, mais le dollar US est accepté partout. On peut également payer presque partout par carte. En revanche, les chèques domiciliés en métropole ne sont que très rarement acceptés.

CUISINE

Les restos de l'île sont surtout tenus par des métropolitains branchés qui vivent avec une clientèle hype ayant les moyens. Il existe cependant des adresses abordables, que nous vous indiquons. Sinon, on peut toujours acheter sa nourriture dans les supérettes (plutôt bien approvisionnées) de Gustavia, de l'aéroport Saint-Jean ou de Lorient (beaucoup de studios ou bungalows possèdent une kitchenette). On trouve également quelques traiteurs et de nombreux restos font des plats à emporter.
Bon plan : se procurer tous les jours le journal *Menu St-Barth* qui recense les plats du jour d'une petite vingtaine de restaurants. Sur ● *alacarte-stbarth.com* ● ou ● *saintbarth-guestbook.com* ●, on peut connaître les menus en temps réel, des restaurants de l'île. Pratique !
Un livre de cuisine avec les recettes d'antan doit être réédité par l'office de tourisme en collaboration avec la collectivité (en trois langues), intéressant pour remettre à l'honneur la cuisine locale, comme la galette Saint-Barth. À vos fourneaux !

DANGER

– Rien à signaler au niveau de la *sécurité,* les policiers ne sont pas surmenés, et certains voient même leur affectation à Saint-Barth comme une bénédiction !
– En revanche, il existe, notamment près des plages, quelques *mancenilliers,* des arbustes assez banals mais dont la sève contient un acide pouvant provoquer de graves brûlures (les fruits sont également dangereux), surtout quand il pleut. Il peut donc être prudent de demander conseil avant de s'abriter sous un arbre qui ressemble plus à un pommier qu'à un cocotier. On les reconnaît à l'anneau de peinture rouge tracé sur le tronc.

EAU

Ni rivière, ni fleuve, ni ruisseau sur l'île... L'eau potable étant importée ou venant du dessalement de l'eau de mer (ou de la récupération des eaux de pluie), c'est donc une denrée rare... et très chère ! C'est pourquoi vous ne verrez que rarement une baignoire dans les hôtels. Alors, un petit effort de civisme s'impose : évitez de laisser couler l'eau en abondance lors de votre douche et du brossage de vos ratiches. À noter que Saint-Barth s'est doté d'une usine d'incinération ayant la particularité d'utiliser l'énergie dégagée pour produire de l'eau potable.

FAUNE ET FLORE

La faune d'origine est quasiment intacte, contrairement aux autres îles des Antilles. C'est l'une des rares îles où il y a encore des couleuvres par exemple ! On l'appelle la « couleuvre à Bon Dieu » car elle est inoffensive. En dehors des nombreux iguanes, l'île est dotée d'une très grande variété d'oiseaux, en particulier le pélican, dont les Saint-Barths ont fait leur mascotte, mais aussi les canards colverts et surtout les pailles-en-queue qui viennent sur l'île en période de nidification. Mentionnons encore les chèvres (cabris) partout sur l'île, les salamandres et les lézards (appelés *anolis*), les tortues terrestres molocoy ou marines (les *carrettes*), faciles à repérer dans le port de Gustavia ou en *snorkelling* (par exemple à la plage de Saint-Jean). Une grande partie de l'année, il est possible de voir des baleines à bosse qui passent dans les eaux chaudes. Enfin, noter qu'une lutte est menée contre le poisson-lion qui détruit la faune marine et est toxique.

Côté flore, pratiquement toutes les forêts d'origine ont été détruites pour l'élevage des caprins et remplacées par une végétation secondaire. Ne pas s'attendre à une végétation tropicale luxuriante, mais l'île n'est pas aride pour autant, après les pluies de « l'automne », elle est même bien verte. On a planté un peu partout, et les nombreuses propriétés sont souvent nichées dans de beaux jardins. Plantes grasses (aloès), cactées (cactus cierges, appelés localement « torches », des « têtes à l'Anglais ») ne manquent pas. Sur certaines plages, on trouve des raisiniers bord de mer *(Coccoloba)*. Et aussi des lataniers, de la famille des palmiers, qui ne sont pas originaires de l'île (un religieux, le père Morvan, est à l'origine de leur introduction à Saint-Barth en 1890) : on en utilise d'ailleurs les palmes pour la fabrication de chapeaux, de balais et de corbeilles.

Plusieurs mangroves au mélange d'eau douce et salée offrent une grande biodiversité, riche pour la faune (lieu de reproduction pour les poissons, crustacés et aussi les oiseaux). Elles jouent aussi le rôle de filtre naturel, pour l'eau de mer.

FÊTES ET FESTIVALS

Bien que l'île soit assez calme, de nombreux festivals et manifs à caractère culturel, sportif ou nautique (comme la fameuse *Transat Concarneau – Saint-Barth,* les années paires) ponctuent l'année.

– *Janvier :* festival de musique (classique surtout).

– *Février :* carnaval (à Gustavia). Animations les dimanches qui précèdent le Mardi gras.

– *Mars :* Bucket Regatta, à la fin du mois. Une régate de plusieurs jours rassemblant de superbes voiliers du monde entier, dont le célèbre *Falcon*. Également, dans la foulée, le festival du Livre.

– *Avril :* Voiles de Saint-Barth, au début du mois, pour répondre un peu aux *Voiles de Saint-Tropez*. À la fin du mois se tient le festival du Film caraïbe. Également à la fin du mois, la *West Indies Regatta* réunit de petits bateaux de plusieurs îles des Caraïbes avec marché artisanal.

– *Juillet-août :* nombreuses fêtes dans les différents « quartiers » de l'île. Notamment la fête de la Saint-Barthélemy.

– *Novembre :* marathon suédois Gustavialoppet (« marathon » miniature, de 10-12 km seulement, l'île est trop petite !).

– *Décembre :* si vous êtes là pour le **31 décembre,** le port de Gustavia est envahi de yachts de milliardaires venant de partout uniquement pour le soir de la Saint-Sylvestre. Ils rivalisent les uns les autres, et, à minuit, c'est l'explosion des feux d'artifice et bouteilles de champagne. Également un marché de Noël (ouvert le soir) à Gustavia avec nombre d'artisans locaux exposés.

GÉOGRAPHIE

Située à 24 km au sud-est de Saint-Martin et à 230 km au nord-ouest de la Guadeloupe, Saint-Barthélemy est incroyablement vallonnée sans avoir, par ailleurs, des massifs dépassant 300 m d'altitude. À ce propos, les marchands de vélos n'y ont jamais fait fortune. La sismicité y est forte, Saint-Barth est « à cheval » sur deux plaques tectoniques, ce qui explique également la formation géologique de l'île, et de manière générale, celle des Petites Antilles.

La courte piste d'aéroport occupe l'un des rares endroits plats de l'île ! On peut avoir une pensée émue pour les ânes qui constituaient le seul moyen de locomotion jusqu'en 1951, date de l'arrivée de la première voiture sur l'île.

Sur un sol aussi ingrat, essentiellement des roches volcaniques, les habitants ont vite compris que le tourisme serait bien plus rentable que l'agriculture. Fait significatif : aucune parcelle de terrain n'est aujourd'hui cultivée, sauf quelques jardins de particuliers ! Les murets de pierre, tradition irlandaise, ne délimitent que des arpents d'herbes sauvages. La prospérité est désormais assurée par ce sable si doux, si blanc qui recouvre les plages.

– Une carte au 1/25 000, référence 4606GT, est éditée par l'IGN *(Institut géographique national : 8, av. Pasteur, 94160 Saint-Mandé ; ☎ 01-43-98-80-00 ; lun-ven 10h-18h)*. Elle couvre les îles de Saint-Barthélemy et de Saint-Martin.

– Les excursions avec un guide sont un bon moyen de découvrir l'île. Seul, deux balades possibles : depuis Petite-Anse jusqu'à Colombier (30 mn) et, s'il n'a pas plu (terrain glissant), pour aller aux piscines naturelles de Grand-Fond en longeant la plage de galets (prendre le chemin en terre bien visible et le suivre le long de la côte droite de Grand-Fond).

HÉBERGEMENT

Vous vous en doutez, le routard n'est pas le premier client ciblé à Saint-Barth. Les hôtels sont presque tous chers, et une taxe de 5 % par jour est à ajouter au prix de la chambre. Les hôteliers sont tenus de l'inclure dans les tarifs, mais certains l'oublient ! Pour éviter les mauvaises surprises, demander si la taxe est en sus ou non. L'île n'a ni gîte rural ni camping (le camping sauvage est interdit), mais de nombreux hôtels... pour la plupart de rêve, de 4 et 5 étoiles, le plus souvent de petites unités. La solution la moins onéreuse, indépendamment des quelques hôtels et maisons d'hôtes plus accessibles cités plus loin, c'est la location, via certains sites internet, de cottages, bungalows, chambres... auprès de particuliers. Important : les prix varient grandement selon la saison (jusqu'à 50 %), la saison haute se situant entre décembre et avril, avec un pic entre le 15 décembre et le 5 janvier (là, ça devient carrément inabordable !). Possibilité également de louer des villas, fort cher aussi, mais on peut partager à deux ou trois familles. Se renseigner, par exemple, auprès de :

■ *Sibarth : BP 55, La Maison Suédoise, rue Samuel-Falhberg, à* **Gustavia.** ☎ *05-90-29-88-90.* ● *sibarth.com* ● *Également présent à l'aéroport. De la villa de luxe à louer au terrain à bâtir.*

■ *Sprimbarth :* 6, *Les Jardins de Saint-Jean, à* **Saint-Jean.** ☎ *05-90-27-70-19.* ● *st-barths.com/ sprimbarth* ●

HISTOIRE

« Découverte » par **Christophe Colomb** en 1493, l'île porte le nom de son frère. Les Amérindiens, qui l'avaient occupée épisodiquement, comme en témoignent une quinzaine de sites précolombiens, l'appelaient « Ouanalao ». Longtemps refuge des corsaires, elle accueille au XVIIe siècle une *garnison française,* envoyée depuis Saint-Christophe (l'actuelle Saint-Kitts, alors base des colons français). Des Normands et des Bretons

> ### AFFAIRE DE FAMILLE
>
> *Necker, ministre des Finances de Louis XVI, accepta de vendre Saint-Barthélemy à la Suède pour un prix abordable, en 1784. En échange, il demanda au roi Gustave III le poste d'ambassadeur à Paris pour son futur gendre, le baron de Staël-Holstein. Sitôt dit, sitôt fait. Le Canard enchaîné n'existait malheureusement pas à l'époque !*

particulièrement courageux s'y établissent, mais en 1656, les Indiens caraïbes massacrent les Français. L'entêtement a toujours été la principale caractéristique du monde rural, et d'autres colons prennent la place des précédents. L'île n'a pas de ressources propres, son sol est pauvre, son climat très sec, elle n'offre aucun potentiel économique. Les habitants vivent de la pêche, l'élevage de chèvres, la récolte de sel et quelques cultures de coton et d'indigo. Alors les butins pris par les corsaires sur les galions espagnols et les navires de Sa Majesté pendant la guerre d'Indépendance américaine apportent un complément de ressource non négligeable. En 1784, Necker, ministre de Louis XVI, vend l'île à **Gustave III,** le roi de Suède. Pour développer le commerce, le nouveau propriétaire – qui a bien compris que ce port de *Gustavia,* naturellement protégé, possède un atout stratégique dans les petites Antilles du Nord – déclare qu'il sera franc de toute taxe. Saint-Barthélemy connaît une première prospérité (en 1800, l'île compte presque autant d'habitants qu'aujourd'hui), avant d'entamer un lent déclin.

En effet, l'île subit une *série de catastrophes* : épidémies, cyclone, tremblement de terre... sans parler des revers d'ordre économique (avec la machine à vapeur, les bateaux n'ont plus besoin de faire escale dans l'île, et parallèlement, la concurrence des îles Vierges fait de l'ombre à Saint-Barthélemy). Elle devient alors un gouffre financier pour la couronne suédoise et, à la suite d'un référendum, repasse à la France en 1878, à la condition de conserver son statut de port franc. Ce qui est toujours le cas aujourd'hui.

Les habitants sont français et fiers de l'être. Partout flotte le drapeau tricolore, mais les rues de Gustavia portent encore, en plus de leurs noms français, leurs anciens noms suédois. En revanche, ils se sentent différents de la Guadeloupe, dont ils ont toujours été un peu à l'écart, même si leurs approvisionnements transitent par elle. En 1945, M. de Haënen ouvre Saint-Barth au monde en se posant pour la première fois en avion, dans la plaine de Saint-Jean. Et, en 1956,

Rockfeller s'y fait construire une maison... Depuis les années 1960, le tourisme de luxe s'est invité tranquillement, et depuis les années 1980 l'île connaît un essor grandissant, l'activité touristique étant le moteur économique de l'île.

Le 7 décembre **2003,** les habitants de Saint-Barthélemy sont consultés par **référendum** sur l'évolution statutaire de l'île, tout comme les habitants de la partie française de Saint-Martin. Le « oui » l'emporte à 95 % à Saint-Barth et 76 % à Saint-Martin. Ainsi, ce nouveau statut de collectivité d'outre-mer (COM) de la République française, permettant à Saint-Barth et Saint-Martin de préserver les avantages fiscaux de fait, hérités de l'Histoire, est avalisé depuis 2007. Les deux îles ont un préfet commun. Saint-Barthélemy est dotée de l'autonomie et se substitue, pour son administration, à la commune, au département et à la région de Guadeloupe. Elle peut donc adapter les lois et règlements en vigueur localement et fixer des règles dans certains domaines de compétences comme le tourisme. Depuis janvier 2012, Saint-Barth ne fait pas partie intégrante de l'UE, elle y est seulement « associée », devenue **« PTOM »** (Pays et Territoire d'Outre-Mer), au contraire de Saint-Martin qui est resté une « COM ». Mais elle conserve les droits relatifs à la société européenne et à l'utilisation de l'euro comme monnaie.

La campagne pour les **élections territoriales de 2017** à Saint-Barth a peiné à se lancer, à l'image de candidats bien longs à dévoiler leurs intentions et leurs programmes. Pour autant, à l'issue des deux tours qui se sont déroulés en mars, 19 représentants sont sortis des listes pour siéger au Conseil territorial et Bruno Magras a été réélu président de la Collectivité pour un troisième mandat consécutif, avec 53 % des suffrages exprimés.

Dans ce contexte électoral, les **enjeux pour Saint-Barth** semblaient toutefois faire consensus auprès des candidats : la défense des intérêts historiques, patrimoniaux, culturels et la question environnementale furent les maîtres mots de cette campagne.

Dans un désir de **préserver l'identité et l'authenticité de l'île,** l'accent fut mis sur une politique adaptée aux préoccupations des Saint-Barths, visant notamment à freiner la course à l'urbanisation instaurée depuis ces dernières années au profit du respect du cadre de vie. Dans le même temps, la mission des élus sera de développer l'attractivité de l'île pour y maintenir un tourisme durable et de qualité pour ses privilégiés.

PLAGES

Sur 32 km de côtes s'étendent 16 plages, toutes plus belles les unes que les autres. Leur accès est public, et le nudisme interdit (mais toléré sur les plages de Salines et de Gouverneur). En arrivant sur certaines de ces plages, vous verrez des canettes recyclées en cendriers, pour y déposer vos mégots : c'est qu'ici on pense à la préservation de l'environnement depuis pas mal de temps déjà ! On distingue les plages au vent, à l'est, et les plages sous le vent, donc abritées, à l'ouest. Évidemment, de nombreuses activités nautiques sont possibles à Saint-Barthélemy. La plongée de surface est sûrement l'une des plus accessibles avec des lieux comme l'Anse de Colombier, Shell Beach, à quelques centaines de mètres de Gustavia, Saint-Jean également, ou encore Marigot, qui se trouve dans la réserve marine. On peut y voir notamment des langoustes, des poissons-coffres, des requins-nourrices (inoffensifs mais parfois imposants).

PLONGÉE SOUS-MARINE ET PROTECTION DE LA NATURE

Avant 1960, Saint-Barthélemy coulait des jours paisibles. À partir de cette époque, plus précisément après l'**acquisition par David Rockefeller d'une partie de** l'île en 1957, Saint-Barth a commencé à être appréciée des plaisanciers et, peu à peu, est devenue la destination touristique pour vacanciers fortunés que l'on sait.

En parallèle, la pêche, disposant de moyens plus sophistiqués, s'est intensifiée et, en 1988, une fondation américaine, *New England Biolabs,* finit par attirer l'attention sur la fragilité et les risques d'une dégradation rapide des fonds marins de Saint-Barth.

La réaction des pouvoirs publics ne se fait pas attendre : des moyens de protection sont mis en œuvre (à l'instar de certaines autres îles caribéennes, comme Saba, dont les fonds sont préservés de façon exemplaire) et, **en 1996, une réserve marine voit le jour.** Découpée en cinq zones, elle couvre environ 1 200 ha de mer tout autour de l'île, dans un périmètre de 500 m autour de l'île Fourchue, de l'île Frégate, de l'île Toc-Vers, autour des Gros-Îlets, de Pain-de-Sucre, de Colombier et de Petit-Jean. Dans certaines parties (autour des Grenadins et de l'île Tortue), il est même interdit de plonger. Ailleurs, une taxe de 2 € par plongée est perçue pour aider à la préservation des fonds.

Sont interdits dans la réserve toute forme de pêche, la collecte de coquillages et de coraux, le mouillage de bateaux, la pratique du ski nautique, du jet-ski et du scooter des mers. On applaudit ! Les plaisanciers n'ont pas le droit non plus de ramasser des lambis ou de pêcher des langoustes.

Deux types de milieux font l'objet d'une attention particulière :
– les **récifs coralliens,** de type frangeant (qui bordent les côtes) ;
– les **herbiers de phanérogames marines,** que l'on observe sur les fonds sableux et au large des récifs. Ces herbiers constituent des zones de nurserie pour les juvéniles de nombreuses espèces. Ils doivent être préservés des dégâts provoqués par les ancres des bateaux, principalement dans la baie de Colombier.

En outre, une *charte* a été élaborée : ne pas nourrir ni toucher la faune ; limiter l'utilisation des éclairages sous-marins ; gilet de stabilisation obligatoire afin d'éviter le palmage dévastateur ; ramasser les détritus quand on en rencontre ; ne pas utiliser de gants en plongée ; ne pas utiliser de propulseur sous-marin sans encadrement par un moniteur breveté ; utiliser obligatoirement les bouées de mouillage préinstallées. Toute observation effectuée lors d'une plongée (manquement à la réglementation, casiers perdus, présence de filets, prolifération ou diminution de certaines variétés de la faune ou de la flore) doit être signalée à la réserve. À terme, la réserve ne sera accessible qu'aux plongeurs titulaires du Niveau 1 (le diplôme étant, en principe, un gage de comportement responsable) et aux bateaux de moins de 15 m embarquant un maximum de 10 plongeurs. Seuls les moniteurs brevetés d'État ont le droit d'officier sur les sites de plongée faisant partie de ces zones protégées.

À savoir aussi : la détention de tout objet dérivé de la tortue est interdite, et il est nécessaire d'obtenir un permis pour exporter les conques vides.

Pour plus d'infos :

■ **Association Grenat :** *réserve naturelle de Saint-Barthélemy, BP 683,* **Gustavia.** Contacter **Jean-Claude Plassais,** ☎ 05-90-27-88-18. • *reservenaturellestbarth.com/la-gestion-de-la-reserve/l-association-grenat* • C'est l'association qui gère la réserve.
– La réserve dispose également d'un petit bureau sur le port de Gustavia, près du comité du tourisme *(lun-ven 8h30-12h30).*
■ *Coral Restoration St Barth :* organisme de préservation du corail qui fait beaucoup pour la réserve naturelle. 🖥 06-90-35-31-49. • *coral-restoration-stbarth.com* •

La meilleure période pour plonger à Saint-Barth va de mi-avril à fin août, avant que ne commence la période cyclonique. Heureux plongeurs, cela correspond à la basse saison... Les touristes affluent en effet plutôt en hiver, pendant la saison « sèche », mais, à cette période, les alizés atteignent souvent force 4 ou 5, ce qui, parallèlement aux fronts froids, a tendance à perturber la houle et à agiter les fonds sableux (réduisant ainsi la visibilité sous-marine). À partir d'avril, on observe moins ces phénomènes.

POPULATION

Autre originalité de l'île : ses quelque 9 420 habitants sont essentiellement des descendants des Normands, des Bretons et des Vendéens qui s'installèrent ici sous l'Ancien Régime. Si les Suédois y furent présents durant près d'un siècle, ils n'ont laissé que peu de traces dans les mœurs et dans les gènes des Saint-Barths. L'île s'est retrouvée en 1878 avec les mêmes grandes familles aux patronymes inchangés : les Gréaux, les Bernier, les Aubin, les Laplace, les Magras... De leur région d'origine, en tout cas, les colons ont gardé la langue (avec des touches créoles) et la blondeur des cheveux. Naguère, les femmes revêtaient la *quichenotte,* coiffe portée autrefois en Vendée, sur l'île d'Yeu et à l'île de Ré (Charente-Maritime). De longs rebords cachaient les joues afin de tenir les hommes entreprenants à distance (d'où son nom, issu de l'anglais : « *kiss me not* »). Aujourd'hui, avec leurs bermudas, les jeunes ont plutôt le look des surfeurs californiens ! Et si les habitants de Saint-Barth sont, depuis des générations, des descendants des colons français, ils viennent également d'îles aux alentours, des États-Unis, de Grande-Bretagne et, depuis quelques années, du Portugal.

Ni chômage, ni syndicats, ni tensions raciales ne perturbent la vie sociale. Excepté Gustavia, les habitants n'ont pas d'adresse postale : anonymat garanti !

Saint-Barth est vraiment différente des autres îles antillaises. Noter toutefois qu'aujourd'hui les ex-métropolitains sont devenus petit à petit plus nombreux que les Saint-Barths de souche (la population a quadruplé depuis le début des années 1970 !).

POURQUOI SI PEU DE NOIRS À SAINT-BARTHÉLEMY ?

La taille et le relief de l'île, couplés à l'aridité du climat, empêchèrent tout développement agricole d'envergure, tel que l'industrie sucrière. Les petites exploitations agricoles n'exigeaient pas de main-d'œuvre supplémentaire et la pauvreté des paysans ne permettait guère l'importation d'esclaves...

SITES INTERNET

● *saintbarth-tourisme.com* ● Le site officiel du comité du tourisme avec des infos à jour sur les hébergements, locations de voitures, taxis, restaurants, événements, histoire de l'île, description des plages, activités, idées de séjour, etc.

● *alacarte-stbarth.com* ● Les menus de tous les restos de l'île (avec tarifs) et coordonnées des établissements !

● *journaldesaintbarth.com* ● Le site du journal local : politique, environnement, sports, événementiels... On y parle aussi des îles voisines.

● *news-sbh.com* ● Site de l'autre quotidien, *Le News,* intéressant pour repérer les événements sur l'île (expos, menus spéciaux, soirées à thème, spectacles musicaux, etc.).

● *st-barths.com* ● Site généraliste incontournable pour découvrir l'île : hébergement, gastronomie, nature, activités, etc.

TRANSPORTS INTÉRIEURS

Il n'y a pas de transports en commun à Saint-Barth. La voiture et le scooter sont donc les seuls moyens de locomotion, indépendamment de la marche à pied. Pour le scooter, il faut impérativement être à l'aise sur deux roues : les pentes sont raides, et en cas de pluie, les routes sont vite glissantes. Le stop fonctionne assez bien également. Il n'est pas inutile de savoir que la circulation sur l'île est particulièrement dense. Les routes sont étroites, et on n'est pas loin de la saturation. La Smart a bien fait son apparition, de même que les « GEM », ces petites voitures électriques, mais on en voit beaucoup moins que des 4x4.

À Gustavia, en haute saison, les embouteillages sont fréquents, mais le reste de l'année, sauf heures de pointe près de la ville, le trafic est fluide. Il faut bien une petite demi-heure pour s'habituer aux routes qui montent et qui descendent souvent, mais il est agréable de conduire à Saint-Barth. À savoir, la limitation de vitesse est de 30 km/h sur la plupart des routes arrivant dans les quartiers (Saint-Jean, Gustavia, Lorient).

■ **Location de deux-roues :**
– **Fun Motors JPF :** à **Saint-Jean** (galeries du Commerce). ☎ 05-90-27-54-83 ou 70-59. Presque en face de la fin de la piste d'atterrissage, à côté de la station-service. Lun-sam 9h-12h30, 15h-18h (fermé sam ap-m et dim). À partir de 20-35 €/j. selon cylindrée et saison.
– **BARTH'LOC** (plan Gustavia B1, 3) : rue de France, à **Gustavia.** ☎ 05-90-27-52-81. 📠 06-90-31-36-40. ● barthloc.com ● Tlj 8h-18h30, dim 8h-12h, 16h-18h. Loue scooters et vélos à assistance électrique. Compter 26-80 €/j. selon cylindrée et saison. Également des voitures, quads et voitures électriques (45-150 €/j.). Bon accueil et livraison du véhicule incluse.
– **Béranger** (plan B1, 4) : 21, rue du Général-de-Gaulle, à **Gustavia.** ☎ 05-90-27-89-00. 📠 06-90-31-40-43. ● beranger-rental.com ● Lun-sam 8h30-12h30 (13h mar-jeu), 15h-17h30 (18h mar-jeu) ; dim 10h-12h. Compter 18-45 €/j. selon cylindrée et saison. Également des voitures à partir de 30 €/j.
■ **Location de voitures :** plusieurs loueurs ont un comptoir à l'aéroport (voir plus haut « Adresses utiles »).
– **Welcome Car Rental :** ☎ 05-90-51-16-40. 📠 06-90-65-07-57. ● info@welcomesbh.com ● welcomesbh.com ●

Compter 38-159 €/j. selon catégorie et saison. Réduc de 15 % pour tte résa passée directement sur le site. Ils n'ont pas de bureau à l'aéroport, mais ils vous attendront avec la voiture. Toutes sortes de services appréciables. Si toutefois ils n'avaient plus de voiture disponible, nous vous recommandons les 2 loueurs ci-après, qui ont un comptoir à l'aéroport, l'un en face de l'autre.
– **Soleil Caraïbes :** ☎ 05-90-27-67-18. ● contact@soleilcaraibe.com ● Compter 30-95 € selon catégorie et saison. Une des seules agences sur Saint-Barth à inclure l'assurance CDW dans les tarifs de base et à proposer un rachat de franchise total !
– **Maurice Car Rental :** aéroport de Saint-Jean. ☎ 05-90-27-73-22. 📠 06-90-41-21-30 ou 06-90-81-90-91. ● info@mauricecarrental.com ● mauricecarrental.com ● À partir de 38 €/j.
🚕 **Taxis :** ils se trouvent à l'aéroport de Saint-Jean (☎ 05-90-27-75-81) ou au port de Gustavia (☎ 05-90-27-66-31). Certains proposent des circuits pour découvrir l'île : 50 € pour la moitié nord-est de Saint-Barth (30 mn), Gustavia, Corossol, Colombier, Flamands, Anse des Cayes), 70 € pour le reste de l'île (1h), et 90 € pour le tour complet (1h30). Tarifs par taxi (jusqu'à 8 personnes).

GUSTAVIA
(97133)

● Plan p. 311

Un port naturel d'une qualité exceptionnelle sur la côte Sous-le-Vent, donc à l'abri des tempêtes. Pas étonnant que depuis les corsaires, tant de nations se soient intéressées à cet endroit. En haute saison, on peut y voir ancrés au bord à bord les plus beaux yachts, venus du monde entier.

Siège de la mairie et de la sous-préfecture, il reste encore quelques jolies maisons en bois dans le style caraïbe, mais pas vraiment de monuments spectaculaires. Quelques vestiges de l'époque suédoise, comme le vieux clocher et le Wall House. Toutefois, sous les noms de rue français, on a mis les anciennes plaques suédoises. Un jardin botanique autour du phare, près des vestiges du fort, devrait voir le jour pour marquer l'amitié franco-suédoise. Juste devant la station météo, deux canons d'époque et deux autres reconstitués en fibre de verre.

Adresse utile

Voir les « Adresses et infos utiles » au début du chapitre.

■ *Toilettes et douches publiques* (plan B1, **1**) *: à côté de l'office de tourisme.*

Où dormir ?

🛏 *Sunset Hotel* (hors plan par B1, **10**) *:* rue de la République. ☎ 05-90-27-77-21. ● sunset-hotel@orange.fr ● st-barths.com/sunset-hotel ● *En arrivant à Gustavia, quand on vient de l'aéroport, c'est sur la gauche après la pharmacie. Doubles 78-200 € selon confort, durée et saison ; petit déj 8 €.* 🛜 *Réduc à partir de 7 nuits.* Prix raisonnables pour Saint-Barth. 10 chambres (dont 3 avec vue) bien équipées avec une grande terrasse commune qui dispose d'une vue exceptionnelle sur le port. Très agréable pour prendre le petit déj... ou assister au coucher de soleil sompteux avec les bateaux amarrés juste devant.

🛏 *La Presqu'île* (plan A1, **11**) *: à la pointe de Gustavia.* ☎ 05-90-27-64-60. ● hotellapresquile@wanadoo.fr ● *Double env 85 €.* Hôtel très simple (mais bien tenu) face au port de plaisance, le moins cher de Saint-Barth. Pas vraiment le genre d'endroit où l'on voudrait passer sa lune de miel, mais vu les prix sur l'île, ceux pratiqués ici sont sans concurrence. C'est bien la seule raison de l'indiquer, sans oublier la vue privilégiée sur le port de Gustavia.

Où manger ?

Les restos ne manquent pas à Gustavia. Pour manger sur le pouce, on peut faire un saut à la *boulangerie-pâtisserie Choisy,* rue du Roi-Oscar-II *(plan B1,* **19***; tlj jusqu'à 13h).* Sandwichs, fougasses à prix modiques. Certains de ces restos proposent, au déjeuner, des plats du jour, des formules et parfois des sandwichs.

De bon marché à prix moyens

|●| *Crêperie de Gustavia* (plan B1, **20**) *: rue du Roi-Oscar-II.* ☎ 05-90-27-84-07. Tlj sf dim ; service continu 9h-22h. Plats 10-20 € ; formule crêpes ou galettes + dessert env 21 €. Les prix sont la principale qualité de cet endroit. Ce qui n'empêche pas le cadre d'être agréable aussi ! Parmi les plats, salades variées, croques, tartare de thon, entrecôte... mais aussi des glaces. Spécialité de crêpes et de galettes, évidemment !

|●| *Bistrot Joséphine* (plan B2, **21**) *: 10, rue Victor-Hugo.* ☎ 05-90-27-14-17. Tlj sf dim. Compter 15-30 €, menu déj 12 € en sem, 18 € sam. Adorable petit resto de cuisine créole ouvert par le traiteur *Island Flavor* juste à côté. Poissons de toute fraîcheur et produits en provenance de Guadeloupe. Indépendamment de la salle climatisée, à la déco moderne, on peut s'installer dans le charmant jardin à l'arrière, un havre de paix avec, en fond sonore, des musiques locales des années 1950.

|●| *L'Isoletta* (plan B1, **22**) *: rue du Roi-Oscar-II.* ☎ 05-90-52-02-02. Tlj non-stop 11h30-23h. Préférable de

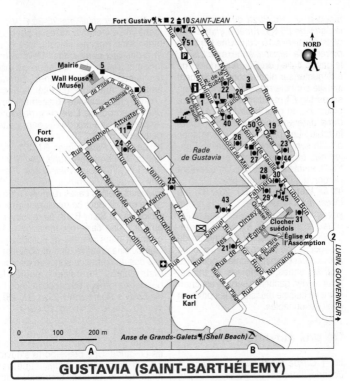

GUSTAVIA (SAINT-BARTHÉLEMY)

■ **Adresses utiles**

- 🛈 Comité du tourisme
- ⛴ Embarcadère
- 1 Toilettes et douches publiques
- 2 Pharmacie
- 3 BARTH'LOC
- 4 Béranger

🛏 **Où dormir ?**

- 10 Sunset Hotel
- 11 La Presqu'île

🍴 ☕ **Où manger ?**

- 19 Boulangerie-pâtisserie Choisy
- 20 Crêperie de Gustavia
- 21 Bistrot Joséphine
- 22 L'Isoletta
- 23 Le Vietnam
- 24 Carpe Diem
- 25 Côté Port
- 26 L'Entracte
- 27 Le Pipiri Palace
- 28 Eddy's Restaurant

- 29 Orega
- 30 Black Ginger
- 31 Le Bonito

🍷 🍴 **Où boire un verre**
🎵 **en mangeant ?**

- 40 Le Sélect
- 41 Bar de l'Oubli
- 42 Le Repaire... des Rebelles et des Émigrés
- 43 La Bête à Z'ailes
- 44 25 Quarter
- 45 Le Sky Bar

🍦 **Où déguster une glace ?**

- 50 Natural Delights
- 51 Le Petit Deauville

🎵 **Où danser ?**

- 45 Moni

■ **Clubs de plongée**

- 5 Saint-Barth Plongée
- 6 La Bulle

réserver le soir. Pizza du demi-mètre (à partir de 20 €) au mètre (max 55 €), plats et salades 10-18 €. Une véritable pizzeria *alla romana,* annexe de *L'Isola,* le gastro italien de l'île. À emporter ou à déguster sur place, confortablement installé sur la terrasse. Le principe : on se partage 1 m ou moins de pizza à plusieurs, on peut avoir jusqu'à 4 parfums différents pour contenter toute la table ! Les produits en provenance d'Italie sont de première qualité. Également quelques plats et desserts traditionnels de la Botte. Un excellent rapport qualité-quantité-prix.

|●| ***Le Vietnam*** *(plan B1,* ***23****) : 31, rue Oscar-II.* ☎ *05-90-27-81-37. Tlj sf dim soir et mar. Adorable petite case rouge et jaune à côté de* L'Isola. *Compter 20-35 € pour un repas.* Dépaysant de manger ici une bonne cuisine asiatique avec un décor en harmonie. Spécialités vietnamiennes, chinoises et thaïes. Pour ne rien gâcher, le service est charmant, la cuisine réussie, et les prix tout à fait raisonnables.

De prix moyens à chic

|●| 🍸 ***Carpe Diem*** *(plan A1,* ***24****) : rue Jeanne-d'Arc.* ☎ *05-90-27-15-05. Tlj sf dim midi et lun. Salades et entrées 14-18 €, pâtes 10-24 € selon quantité, grillades 22-26 €.* Audrey Ferrari, sommelière de formation, voulait partager son amour pour la gastronomie et le vin. Elle organise des dégustations tous les jours de 17h à 18h30. Sinon, dans l'assiette, une cuisine maison de bonne qualité avec notamment un large choix de pâtes fraîches. Également des viandes et poissons grillés. On peut aussi tout simplement s'installer sur la terrasse intérieure en soirée en savourant des tapas et cocktails.

|●| 🍸 ***Côté Port*** *(plan A-B1-2,* ***25****) : 6, rue Jeanne-d'Arc.* ☎ *05-90-87-79-54. Tlj midi et soir. Tapas 8-16 €, plats 16-39 €, formule 18 € le midi.* Avec sa grande terrasse ouverte sur le port, balayée par les alizés, c'est une des adresses préférées des locaux : la cuisine est bonne, le service sympa, le cadre agréable et les prix accessibles.

|●| ***L'Entracte*** *(plan B1,* ***26****) : rue du Bord-de-Mer.* ☎ *05-90-27-70-11.* ♿ *Tlj, le soir slt. Plats 20-30 €.* Vraiment une excellente adresse pour un dîner sans trop de chichis, très bon et à des prix compétitifs ! Devenu un incontournable de l'île, apprécié par les jeunes et moins jeunes, bonne ambiance. Autre particularité : la déco change chaque année ! Également des plats à emporter. L'un des meilleurs rapports qualité-prix de l'île dans cette gamme de prix.

|●| ***Le Pipiri Palace*** *(plan B1,* ***27****) : 14, rue du Général-de-Gaulle.* ☎ *05-90-27-53-20. Tlj sf dim, midi et soir. Plats env 24-36 €. Formules déj 17-21 €.* Plusieurs vieilles cases réunies en une seule grande pour ce restaurant où les résidents de Saint-Barth se retrouvent autour d'une carte qui mélange allègrement plats créoles et européens. Une cuisine créative, fine et copieuse. Les *ribs* au barbecue sont l'un de leurs plats phares. Au dessert, goûtez le délicieux moelleux au chocolat tiède !

|●| ***Eddy's Restaurant*** *(plan B1,* ***28****) : 12, rue Samuel-Fahlberg.* ☎ *05-90-27-54-17.* ♿ *Tlj sf dim, le soir slt. Congés : fin août-fin oct. Repas env 45-50 €. Digestif maison offert sur présentation de ce guide.* Une petite porte s'ouvre sur un somptueux jardin, superbement décoré. Le soir, l'ambiance y est assez magique. On est ici chez le fils de Marius, grande figure de l'île (voir ci-après *Le Sélect* dans « Où boire un verre en mangeant ? »). Courte carte d'inspiration créole avec quelques notes chinoises : poisson au gingembre, curry de crevettes sauvages... C'est bon et, surtout, pas trop cher. Service efficace.

De plus chic à beaucoup plus chic

|●| 🍸 ***Orega*** *(plan B2,* ***29****) : rue Samuel-Fahlberg.* ☎ *05-90-52-45-31. Tlj le soir slt, 19h-22h30. Résa très conseillée. Compter env 50-60 €.* Cuisine gastro-fusion, franco-japonaise. Une des récentes adresses de l'île, qui fait le buzz. Si vous ne trouvez pas de table, vous pouvez toujours vous rabattre sur le comptoir, face au chef qui concocte les plats japonais. La cuisine est délicieuse et raffinée, les

SAINT-BARTHÉLEMY

portions pas très généreuses, mais c'est du gastro ! Si vous êtes en fonds, ça vaut le coup. Accueil très hype.

|●| *Black Ginger* (plan B1, **30**) : rue Samuel-Fahlberg. ☎ 05-90-29-21-03. *Tlj sf mar, le soir slt à partir de 18h30. Résa conseillée. Repas env 50-60 €.* Un trio de chefs thaïlandais réalise ici une cuisine gastro aux tonalités thaïes hautes en couleur et en créativité. Les tables sont disposées dans un jardin intérieur, à la déco contemporaine dominée par le rouge et le noir. Juste à côté, *Thai To Go (tlj sf dim, 11h30-14h30, 17h-20h30)*, le traiteur de la maison dont les délicieux plats à emporter sortent de la même cuisine !

|●| ♀ *Le Bonito* (plan B2, **31**) : 4, rue Lubin-Brin. ☎ 05-90-27-96-96. *Tlj sf mer mai-août 18h30-minuit. Fermé sept-oct. Résa indispensable pour avoir la vue. Min 60 € ! Bonito* passe pour être la meilleure table de l'île. Il est vrai que le chef exécutif est passé, entre autres, chez Troisgros et maîtrise très bien son sujet. La cuisine allie savoir-faire français et ingrédients sud-américains. Spécialité de *ceviche*. Comme il se doit, le cadre est chic, on dîne sur une grande terrasse couverte d'où l'on jouit d'une vue superbe sur le port de Gustavia. Une belle expérience gustative mais qui risque de grever le budget. Si on veut profiter de la vue sans trop se ruiner, on peut toujours prendre un cocktail et un dessert au bar central qui bénéficie également de la vue.

Où boire un verre en mangeant ?

♀ |●| *Le Sélect* (plan B1, **40**) : rue de France. ☎ 05-90-27-86-87. ● le-select@yahoo.fr ● *Tlj sf dim 10h-22h. Hot dogs, burgers, salades ou petits plats.* La halte obligée de Saint-Barth. Bizarrement, l'un des rares endroits de l'île où la décoration n'est pas léchée et où rien n'a bougé depuis des années (c'est d'ailleurs le premier bar ouvert à Gustavia, en 1949 !). Et pourtant, à la tombée du jour, tout le monde s'y retrouve, dans un joyeux désordre. L'ancien patron, Marius Stakelborough, a contribué au renforcement des liens entre la Suède et Saint-Barth. On imagine un grand Scandinave à la crinière blonde... eh bien, non ! Marius est grand, certes, mais noir ! Aujourd'hui, c'est son fils Gary qui a repris le flambeau. Les Rockefeller des yachts voisins viennent volontiers y écluser un gorgeon, feignant d'ignorer les deux ou trois pochards accrochés au bar. Propose aussi une restauration rapide et à prix plancher pour l'île (goûter absolument au « Marius », le meilleur cheeseburger de Gustavia !). Parfois des musiciens le soir.

♀ ♦ *Bar de l'Oubli* (plan B1, **41**) : *dans le centre, en face du Sélect.* ☎ 05-90-27-70-06. *En saison, tlj 7h30-23h. CB refusées.* Un peu l'antithèse du *Sélect*, mais c'est un bon plan pour le petit déj. Beau choix de cocktails et...

bières pression ! Un bon endroit pour voir, être vu... et plus si affinités ! Animations musicales fréquentes en saison. Attention, les consommations sont assez chères.

♀ |●| *Le Repaire... des Rebelles et des Émigrés* (plan B1, **42**) : *quai de la République.* ☎ 05-90-27-72-48. ♿ *En face du port. Tlj 7h-23h ; petit déj 7h-11h. Plats et salades 16-28 €.* ☏ Adresse multiforme où l'on se donne volontiers rendez-vous, face aux bateaux de croisière tous plus luxueux les uns que les autres. L'adresse doit son nom à Victor Hugues, gouverneur de la Guadeloupe au XVIIIe s qui aurait qualifié Saint-Barth de « repaire des rebelles et des immigrés ». Au déjeuner, hamburgers, salades, suggestions du jour et spécialités de poisson. Dîner exotique, simple mais raffiné. Bar à cocktails, jus de fruits et glaces. Terrasse agréable sur le port.

♀ |●| ♪ *La Bête à z'ailes* (plan B2, **43**) : *sur le port, derrière la poste.* ☎ 05-90-29-74-09. *Tlj sf dim 16h-1h. Prix moyen d'un repas 45-55 €. Digestif maison offert sur présentation de ce guide.* Un peu à l'écart des autres. Pour boire un verre bien calé dans de jolis fauteuils balinais en bois, en regardant les marins s'affairer sur leurs bateaux. Mais aussi pour traîner un peu plus tard dans la soirée si l'on n'a

SAINT-BARTHÉLEMY

pas envie d'aller dormir immédiatement après le resto. Des groupes new-yorkais de jazz, rock, reggae... s'y produisent tous les jours à partir de 21h, faisant du *BAZ* une institution pour tous les amateurs de bonne musique (attention, prix des consos majorés !). C'est aussi un resto (de sushis notamment, qui sont délicieux), mais plutôt pour les routards à l'aise dans leur budget.

♥ |●| ♪ *25 Quarter* (plan B1, *44*) : 25, rue du Général-de-Gaulle. ☎ 05-90-27-51-82. Ouv lun-sam 12h (18h sam)-2h, sam 18h-2h. Concept *street food* et bar à cocktails et autres boissons. Tapas et plats légers pour accompagner tout cela. Parmi les 3 endroits de l'île à offrir de la bière pression. Déco originale et colorée.

♥ ♪ *Le Sky Bar* (plan B2, *45*) : rue Luben-Brun. ☎ 05-90-27-63-77. Juste avt le Bonito, à l'étage. Tlj 17h-2h. Happy hours tlj 17h-19h. De la terrasse, on bénéficie de la vue sur le port. Musique techno-*lounge*, DJs invités certains soirs.

Où déguster une glace ?

♥ *Natural Delights* (plan B1, *50*) : rue Oscar-II. ☎ 05-90-27-15-32. Tlj 11h-22h, dim 16h-19h. Gros succès pour les *gelati* au lait bio avec des ingrédients frais. Également de délicieux jus de fruits.

♥ *Le Petit Deauville* (plan B1, *51*) : rue de la République. ☎ 05-90-52-37-67. Tlj 8h-18h30. Glaces artisanales 100 % naturelles. À déguster sur place sur la toute petite terrasse où à emporter. Un régal.

Où danser ?

Les clubbers impénitents trouveront sans doute Saint-Barth un peu calme, mais il existe quand même quelques lieux pour les fêtards.

♪ *Moni* (plan B2, *45*) : rue Luben-Brun.

▯ 06-11-83-37-29. Tlj 23h-5h. Au rez-de-chaussée du *Sky Bar,* c'est la nouvelle boîte de nuit-bar *lounge* de Gustavia. Dans un décor tout blanc aux sons d'électro et de hip-hop.

À voir. À faire

On peut se balader en ville, où, même s'il ne reste pas beaucoup de témoignages historiques (une partie de la ville a brûlé en 1852), quelques traces du passé suédois subsistent, comme dans la rue Samuel-Fahlberg (plan B2). Jetez un œil à l'église anglicane (de 1855), que domine, à deux pas de là, l'*église Notre-Dame-de-l'Assomption* (plan B2). Cette dernière date de la première moitié du XIXe s et, comme à Lorient, possède un clocher construit un peu plus haut (pour que le son des cloches porte plus loin, et aussi pour éviter qu'en cas de cyclone celles-ci ne s'abattent sur des habitations). Autre trace de la période suédoise : rue de l'Église, le *clocher... suédois* (plan B2), repeint en vert et rouge, et qui appartenait à une ancienne église luthérienne détruite ; aux deux tiers en pierre, il a résisté à tous les cyclones. Pour vous orienter, n'hésitez pas à demander à l'office de tourisme la brochure *Gustavia en un jour*.

🏛 *Wall House* (plan A1) : à la pointe. ☎ 05-90-29-71-55. Lun-sam sf les ap-m du mer et sam, 9h-13h, 15h-18h. GRATUIT. Une belle bâtisse en pierre de style suédois, qui servait d'entrepôt. Elle abrite des expos temporaires en rapport avec l'histoire de Saint-Barth et, plus généralement, des Antilles ainsi que des expos d'art en général. Le conservateur, Eddy Galvani, est souvent sur place et se fera un plaisir de vous guider un peu.

🏃 *Balades :* au-dessus de l'hôpital, **petit jardin** aménagé *(plan A2)* en balade, point de vue superbe sur les îles (Saint-Kitts par temps clair), parfait pour assister au coucher du soleil.

Au **Fort Karl** – ou plutôt ce qu'il en reste, c'est-à-dire rien ! –, la petite balade permet d'accéder à un autre point de vue superbe, d'un côté sur Shell Beach et sur le port de l'autre. Le belvédère permet de se repérer. Explications intéressantes sur les nombreuses variétés d'oiseaux qui nichent sur les îlets à l'horizon. C'est également un bon endroit pour assister au coucher du soleil.

🏃 *Le fort Gustav (hors plan par A1) :* à la sortie de Gustavia, par la rue Nyman *(se garer au niveau des dernières maisons et monter par un chemin qui passe à gauche du phare).* De ce fort qui date des premiers temps de la colonisation, il ne reste aujourd'hui que quelques ruines et les reconstitutions de deux canons (également deux canons suédois authentiques, un peu plus loin que le fort). En 1961, un phare a été érigé sur ce site. On y vient avant tout pour la vue imprenable sur la rade de Gustavia (table d'orientation) et pour le coucher du soleil.

🏃 *L'Anse de Grands-Galets (plan B2) :* plus connue sous le nom de **Shell Beach,** c'est LA plage de Gustavia, à deux pas du port. De superbes voiliers viennent sans cesse y jeter l'ancre. Le **Shellona** (restaurant de plage du groupe Barrière) propose des chaises longues à la journée (50 €).

Plongée sous-marine

Clubs de plongée

■ *Saint-Barth Plongée (plan A1, 5) :* à la pointe, quai de la Collectivité, place 29. ☎ 06-90-41-96-66. ● contact@st-barth-plongee.com ● stbarthplongee.com ● Tlj. Plongées à 10h et 14h (ou 15h en été). Baptême 95 €, plongée d'exploration env 85 € ; forfaits. Plongée au Nitrox possible. Plongée de nuit sur demande. Centre PADI 5 Star Dive Centre tenu par Bertrand, qui s'investit beaucoup dans la protection du milieu marin. Plongées sur des sites extra, hors des sentiers battus, notamment au Boulanger (2 grottes, pour plongeurs confirmés) et à la Roche Rouge (tunnel), en plus des sites de la réserve marine. Entre janvier et juin, possibilité d'entendre le chant des baleines à bosse. Bateau 25 passagers (10 plongeurs maximum) avec protection contre le vent, la pluie et le soleil. Centre d'accueil ombragé et quai public. Organise des mariages sous-marins !

■ *La Bulle (plan A1, 6) :* à la pointe de Gustavia. ☎ 06-90-77-76-55. ● labul lesbh@gmail.com ● Baptême (longue durée) 95 €, forfait 5 plongées 400 € pour plongeurs certifiés. Sorties à la carte. Formations PADI et ANMP. On embarque sur un bateau semi-rigide de 9,50 m vers l'un des 22 sites de la réserve. Sortie de nuit à partir de 3 participants. Plongées enfants à partir de 8 ans. Le club se veut l'antithèse des « usines à plongeurs ».

Nos meilleurs spots à l'ouest de Gustavia

● Carte Saint-Barthélemy p. 299

🤿 *Pain-de-Sucre sud (carte Saint-Barthélemy, 1) :* grand îlot rocheux pointu qui semble crever le ciel. En hiver, pour plongeurs confirmés seulement. En été, pour plongeurs de Niveau 1 et *Open Water Divers.* Au sud du mouillage, piton qui remonte de - 27 à - 15 m, exposé au courant (grosse concentration de poissons).

🤿 *Pain-de-Sucre nord (carte Saint-Barthélemy, 2) :* un plateau, abrité du courant, dégringole en pente douce, du pied de l'îlet jusqu'à - 15 m. Pour plongeurs à partir du Niveau 1. Courant important : il arrive de part et d'autre de Pain-de-Sucre. Petit coin réservé à de superbes coraux en forme de chapeaux chinois.

Les Baleines de Pain-de-Sucre (carte Saint-Barthélemy, 3) : pour plongeurs de Niveau 1. Deux rochers émergent de la surface. Lorsque les vagues s'y brisent, le jet d'eau ressemble à celui produit par une baleine. Sur le versant sud, faille de 6 m de long et profonde de 3 m qui s'ouvre sur 80 cm de large, positionnée comme un nez... au milieu des deux Baleines !

L'épave du Kayali (carte Saint-Barthélemy, 4) : belle épave dont la proue est dirigée vers le nord et qui repose par - 30 m. À notre (humble) avis, la plus jolie épave de Saint-Barth, bien que la plus récente.

Les Cayes de Pain-de-Sucre (carte Saint-Barthélemy, 5) : gros massif coral-lien. Balade accessible aux plongeurs de Niveau 1, voire en formation. Courant parfois nul, mais qui peut aussi être si violent que le site devient alors impraticable. Très jolie colonie de coraux mauves en forme de chapeaux chinois. Sur la face nord, trois longues veines de sable reposent les unes à côté des autres, sem-blables à des pistes de ski. Belle épave datant d'une vingtaine d'années.

Le Marignan (carte Saint-Barthélemy, 6) : *à la sortie du port de Gustavia, aux abords de Gros-Îlets.* Balade idéale pour plongeurs débutants. Le cyclone Luis a traîné cet ancien chalutier jusqu'aux Gros-Îlets, où il s'échoua le 5 septembre 1995. En 1998, Georges l'a soulevé et fait tourner à 180°. Une petite partie du mât en forme de croix dépasse de l'eau. Il allonge ses 25 m à - 10 m. Ne pas entrer à l'intérieur de l'épave.

Le Dakar (carte Saint-Barthélemy, 7) : plongée pour plongeurs débutants. Le bateau a coulé au passage du cyclone Bertha, alors qu'il était au mouillage. Pour la petite histoire, son vaillant capitaine, accompagné de son fils, alla affronter durant 36h le cyclone en pleine mer, décidé à sauver son bateau. Lorsque l'équi-page exténué pénétra dans la rade de Saint-Barth, ce fut la liesse. Le capitaine prit tout de suite la direction du lagon de Saint-Martin pour se porter au secours des nombreuses victimes du cyclone.

Les Gros-Îlets (carte Saint-Barthélemy, 8) : peu profonds et abrités pour y accueillir des plongeurs débutants. Balade entre les deux Gros-Îlets les plus au sud. Grand plateau de 200 m de long recouvert de coraux. Raies pastenagues ou requins-nourrices. Vers l'îlet intermédiaire, le décor change : des roches de 10 m de haut se dressent tout autour par - 15 m.

Le Non-Stop (carte Saint-Barthélemy, 9) : ce yacht de luxe, équipé d'une piscine sur le pont, est l'une des rares victimes à Saint-Barth du cyclone Hugo (1989). Renfloué en 1990 mais mal arrimé, il dériva toute une nuit et coula à nou-veau ! Ne se visite plus. Suivre la longue coque d'où surgissent les hélices posées sur le sable. Langoustes dans les restes des débris aux alentours.

SAINT-JEAN (97133)

C'est ici que se trouve l'aéroport. Le quartier s'étend à l'est de la piste d'atterrissage. Le lieu est assez commercial, mais la plage, dans une baie bien plus calme que d'autres de la côte nord, est parfaite pour les enfants. Entre Gustavia et l'aéroport, le col de la Tourmente : l'endroit des sensations fortes, si l'on s'y trouve lorsqu'un avion approche de la piste... même si la route a été déviée de quelques mètres, pour ne plus passer juste sous le train d'atterrissage ! Le réflexe de baisser la tête lorsqu'un avion atterrit est systématique, que l'on soit à pied, en voiture ou à deux-roues ; la sensation que ces derniers vous rasent le haut du crâne en passant au-dessus de vous est très forte !

Où dormir ?

De plus chic à très chic

🛏 *Hôtel Le Village Saint-Barth :* ☎ 05-90-27-61-39. ● ● reservations@ levillagestbarth.com ● levillagest barth.com ● *Doubles 175-275 € (jusqu'à 700 € pdt vac de fin d'année) selon saison et confort, petit déj inclus.* 🖥 📶 Installé sur les hauteurs de la colline de Saint-Jean avec vue à 180° sur la baie (accès à pied à la plage) depuis la piscine de l'hôtel, *Le Village* associe tranquillité et douceur de vivre « à la Saint-Barth ». Construit et géré par la famille Charneau depuis 1969. Les chambres sont très réussies et les prix encore abordables pour l'île. Pour se détendre, piscine, fitness et service de massage. Et très bon accueil à la réception. Un des derniers bastions dans cette catégorie.

🛏 *Le Tom Beach Hôtel :* sur la route qui longe la plage à droite de la piste en regardant la mer. ☎ 05-90-27-53-13. ● contact@tombeach.com ● tom beach.com ● ♿ *Doubles 320-490 €/ nuit (hors vac de fin d'année), petit déj et transfert aéroport compris.* 📶 La réception s'apparente un peu à une galerie d'art, mais vous êtes bien dans un hôtel ! Une douzaine de chambres dans un jardin tropical, certaines donnant sur la piscine, le tout devant la magnifique plage. Elles sont décorées avec goût, dans des tons sobres avec salle de bains en pierre de lave, lit de style colonial, clim et terrasse. Les plus chères sont carrément face à la mer.

Spécial coup de folie

🛏 |●| 🍴 *L'Eden Rock :* un peu après l'hôtel Émeraude. ☎ 05-90-29-79-99. ● info@edenrockhotel.com ● eden rockhotel.com ● *À partir de 850 € pour 2 au bas mot... Petit déj et transfert VIP depuis l'aéroport (à deux pas...) inclus.* Le premier hôtel de l'île (1954), dont une partie est construite sur le rocher. Refait et agrandi au fil des années, il compte une bonne trentaine de chambres superbes et de styles variés, toutes personnalisées, mais aussi des suites et villas sur la plage. À priori pas une adresse pour les routards, on le signale pour nos lecteurs les plus à l'aise dans leur budget, qui seraient tentés de se laisser aller à une folie... pour une nuit. 2 restos, l'un pour le midi (salades, pizzas, burgers) et l'autre, accroché au rocher, plutôt pour le soir, dirigés par un chef français célèbre de Chicago à Tokyo. Avis aux amateurs !

Où manger ?

Plus d'endroits qu'à Gustavia pour dîner à prix raisonnable ici et à Lorient. Pour les adresses bon marché, ce sont des plats à emporter, même si 2 d'entre elles possèdent quelques tables.

Bon marché

|●| 🍜 *So'Cuisine :* à droite en venant de l'aéroport, entre le Tom Beach et l'Hôtel Emeraude, *descendre l'escalier, à gauche de l'agence immobilière (entrée discrète).* ☎ 05-90-52-06-64. 📱 06-90-67-82-88. *Tlj sf mar 10h-18h (16h le w-e). Plat du jour 12 €.* Une petite épicerie-traiteur bio. Sophie et Raphaël changent le menu tous les jours, mais il y a toujours un plat d'inspiration vietnamienne et des sushis le dimanche, en plus du reste (plats, salades, légumes, gâteaux crus, etc.). Un bon choix de jus aux propriétés spécifiques (énergisant, détoxifiant...). Tout est préparé avec des produits locaux et bio, sans lait, sans gluten et sans produits raffinés. Que du bon, original et sain,

bon marché en plus, alors pourquoi se priver !

🍽️ ➤ La Terrasse du Modjo : en face du Piment. Tlj 6h-19h. Sandwichs, paninis et plat du jour 6-12 €. C'est en fait le snack du *Modjo* (voir plus bas), qui dans la journée permet de se restaurer pour pas cher, confortablement installé dans des canapés sur la terrasse ouverte. Bière pression pour les amateurs. Fréquenté surtout par les résidents.

➤ Kiki é Mo : en face de la plage de Saint-Jean, devant le Niki Beach. ☎ 05-90-27-90-65. Tlj 7h-21h. Sandwichs et paninis 7-16 €. Plat du jour au déj 12 €. Pratique pour les sandwichs à emporter sur la plage ou le plat du jour à déguster sur place éventuellement. Le reste devient vite cher pour ce que c'est, et le service est un peu lent.

Prix moyens

🍽️ Le Jardin : en face de l'aéroport, dans le centre commercial La Savane. ☎ 05-90-27-73-62. Tlj sf dim à partir de 7h. Fermé le soir. Plat du jour 13 €, sinon max 20 €. Terrasse couverte colorée et très agréable pour déguster sandwichs, croques, salades, *ceviche* (poisson cru mariné), carpaccio, *tataki*, entrecôte ou encore l'excellent plat du jour. Probablement le meilleur rapport qualité-prix de l'île dans sa catégorie ! Service sympa et efficace. Parfait aussi pour un petit déj.

🍽️ Le Piment : sur la droite au début de la route de Salines. ☎ 05-90-27-53-88. Tlj env 8h-minuit. Sandwichs, salades, burgers et plats 12-26 €. Grand bar en longueur tout ouvert sur la rue. C'est le lieu de rendez-vous favori les soirs de match... l'écran géant est allumé et les hurlements à chaque but se font entendre presque jusqu'à l'aéroport ! Mais les autres jours, c'est

sympa aussi, et la cuisine est bonne, ce qui ne gâche rien. L'accueil aussi, du reste !

🍽️ Le Hideway : en face du Piment, sur la gauche au début de la route de Salines. ☎ 05-90-27-63-62. Fermé sam-dim midi et mer. Plat du jour au déj 12 €, salades 12-20 € (selon taille), pizzas (sur place ou à emporter) 10-16 €. Plats 18-28 €. Légèrement en retrait, grande terrasse couverte, balayée par les alizés. Cuisine française variée, portions généreuses et d'un bon rapport qualité-prix. Soirées karaoké.

🍽️ L'Ardoise : au milieu des boutiques de la Villa Créole. ☎ 05-90-77-41-97. Tlj sf dim. Plats 15-24 €, crêpes et galettes 5-20 €. Le contenu de l'assiette hésite entre cuisine du marché et galettes de sarrasin. Les enfants apprécient, et les parents trouvent aussi de quoi se satisfaire. Service agréable et prix accessibles.

Plus chic

🍽️ 🍷 La Plage : le resto du Tom Beach Hôtel (voir plus haut). ☎ 05-90-52-81-33. Ouv dès 7h30 pour le petit déj et jusqu'à 22h (23h sam). Fermé lun soir hors saison. Plats 18-35 € au déj, jusqu'à 42 € le soir. Menu tt langouste mar soir 65 €. Directement sur la plage : grande terrasse en teck abritée, pour ceux qui souhaitent de l'ombre, et tables posées directement sur le sable pour les autres. Déjeuners thématiques. Cher mais bon. En vedette, la langouste, avec notamment le menu du mardi soir ! Sinon, salades, carpaccio, tartares. On peut aussi y boire un verre à l'heure où le soleil tape un peu trop ou en fin de journée, les pieds dans le sable. Animations musicales certains jours. Dégustation de vin le samedi soir. Location de transats pour les accros de la bronzette.

Où boire un verre en grignotant ?
Où écouter de la musique en dansant ?

🍷 🍽️ Le Papillon ivre : les Amandiers, sur la gauche après Le Piment, au début de la route de Salines. ☎ 05-90-52-02-15. Lun-sam 17h-minuit. Idéal

pour l'apéro avec un bon verre de vin, conseillé par Sophie, en grignotant une planche de fromages et de charcuterie. Quelques tables en terrasse.

Sayolita : *au début de la route de Salines, perché plus haut sur la droite. Tlj 17h-1h.* Le bar de Saint-Jean où se donnent rendez-vous jeunes et moins jeunes de l'île. Planches de fromages et charcuterie à grignoter,

histoire de repartir debout. Bonne ambiance.

♪ ♫ **Le Modjo :** *en face du* Piment. ☎ 05-90-29-75-69. *Tlj sf mar 22h-5h.* Un lieu pour les night-clubbers impénitents. DJs certains soirs.

LORIENT (97133)

On adore cette bourgade le long d'une belle plage, là encore, avec ses maisons de poupée coiffées de toits rouges. Au centre, deux supérettes et deux jolis cimetières tout colorés qui n'ont rien de lugubre. Les tombes portent des bouquets en plastique, car les fleurs sont rares sur l'île en raison du manque d'eau. Dans un carré à part, des tombes de la famille suédoise des Norderling. Derrière le cimetière, une belle église (très fréquentée le dimanche) dont le clocher a été construit un peu plus haut. Et son école Saint-Joseph dont la cour se transforme en cinéma le temps d'une soirée en fin de semaine ! En général, c'est le vendredi vers 19h, facile à repérer, tellement la queue est longue devant l'école. À vivre absolument.
Ce Lorient-là n'a rien à voir avec la ville bretonne ni avec le point cardinal. Il s'agit d'une déformation d'« Orléans », venant de l'ancien découpage administratif de la ville.
On accède à la plage par un petit chemin juste avant le deuxième cimetière à gauche en venant de Saint-Jean.

Où dormir ?

Très chic

Les Mouettes : *en venant de Saint-Jean, à gauche face à la mer, juste avt la route de Salines.* ☎ 05-90-27-77-91. ● lesmouettes@domaccess.com ● lesmouetteshotel.com ● *Congés : sept. Studios 2 pers 150-290 € selon saison.* 📶 Probablement le meilleur rapport prix-situation de l'île. 7 petits bungalows très mignons, dont 4 (les plus chers) sont littéralement au bord de l'eau, avec une super vue sur les flots... depuis son lit ! Bon confort : kitchenette, salle de bains impeccable et terrasse. Plage familiale charmante et peu fréquentée. Un petit coup de cœur !

Où manger ?

Bon marché

La Petite Colombe : *à droite après le centre commercial de l'Oasis.* ☎ 05-90-27-88-62. *Tlj 6h-13h30 (12h30 w-e).* Quiches, salades ou sandwichs 3-7 € ; plat du jour + boisson env 10 €. Boulangerie qui propose plat du jour, quiches, salades et sandwichs ainsi qu'un service traiteur. Possibilité de manger sur place, excellents petits déj. Une dizaine de tables sur une petite terrasse avec gros ventilos.

Cré'age : *en face de l'école Saint-Joseph.* ☎ 05-90-29-65-40. *Mar-dim 8h30-14h, mar-sam 18h-21h. Bokits 6-10 €, plats cuisinés 14-16 €.* Cuisine créole, bonne et pas chère, à emporter. Rôtisserie et grillades le dimanche.

Jojo Burger : *à droite après* La Petite Colombe. ☎ 05-90-27-50-33. *Tlj 9h-minuit. Hamburgers et paninis 6-16 € ; plats et salades 12-20 €.* Ce snack-bar est le repaire des surfeurs. Idéal pour déguster un burger de daurade, un « veggie » burger, un panini ou le plat du jour, le tout à emporter. Quelques tables pour ceux qui veulent consommer sur place.

Le Bouchon : *centre commercial de l'Oasis.* ☎ 05-90-27-79-39. *Tlj*

10h-22h30. *Snacks et petits plats 13-22 €.* Pour manger vite fait et pas cher, pizzas, burgers, sandwichs, paninis, croques, kebabs, tartines, salades... le tout sans complication et à prix plutôt modiques. On emporte ou on se pose en terrasse, sous une grande toile, avec brumisateurs. Bon accueil, mais service parfois flottant.

Achats

⚜ *Ligne de cosmétiques, La Ligne Saint-Barth :* dans le village de Lorient, prendre la route de Salines ; l'atelier est juste à droite. ☎ 05-90-27-82-63. ● lignestbarth.com ● En hte saison, lun-sam 9h-19h ; d'avr à mi-oct, lun-ven 9h30-12h30 et 15h30-19h, sam 10h-12h30. Hervé Brin, descendant d'une des plus vieilles familles de l'île, laborantin de formation, est intarissable sur les vertus des plantes qui lui servent à fabriquer ses produits. Ses huiles, crèmes, shampooings et onguents se vendent dans le monde entier. À essayer : l'après-soleil mentholé qui a également des effets cicatrisants, et l'huile à bronzer à base de roucou (graines rouges utilisées par les Indiens caraïbes pour se protéger de tout : soleil, moustiques, etc.). Possibilité de commander des soins spa à domicile (mais pas donné).

⚜ *Ti-marché :* en face de l'école Saint-Joseph. ☎ 05-90-52-00-59. Lun, mar et sam 8h-12h, 15h-18h, jeu 11h-18h et ven 8h-18h. Marché de légumes et de fruits provenant de Guadeloupe.

DE LORIENT À GRAND-CUL-DE-SAC

🗡 À la sortie de Lorient, jetez un coup d'œil à l'école Saint-Joseph. Ne pas manquer non plus l'étal de poissons où l'on trouve, jusqu'à 12h, le produit de la pêche du petit matin. Le terrain de tennis de l'association AJOE se transforme à l'occasion, environ une fois par mois, en « salle obscure ». Y aller, car c'est vraiment unique. Fréquenté par la population locale essentiellement. Choisir sa chaise parmi toutes celles empilées et l'installer où l'on veut. Là, lever la tête... Moteur ! Ça tourne... Et si un grain vient troubler la séance, la chaise vous servira d'abri... Authentique ! Le festival du Cinéma caraïbe se déroule ici également, chaque année en avril.

🗡 Après Lorient, grimper à Camaruche. En haut, à droite, c'est le *morne Vitet,* le plus haut de l'île. Rien à voir, sauf la pépinière... Quartier très résidentiel, où l'on devine de belles villas cachées dans la végétation. Superbe vue sur l'île de la Tortue et le lagon de Grand-Cul-de-Sac.

🗡 Un peu plus loin, sur la gauche de Camaruche, la *pointe Milou,* l'un des quartiers les plus résidentiels de Saint-Barth. On peut y voir des maisons de rêve, accrochées à la falaise par on ne sait quelle prouesse technique.

I●I ♈ ∞ ♪ *Le Ti Saint-Barth :* à la pointe Milou. ☎ 05-90-51-15-80. Tlj sf lun 20h-2h (ferme plus tard s'il y a du monde). À la fois dîner-spectacle et bar branché qui se prolonge plus tard en boîte de nuit. LE lieu nocturne où tous les people se retrouvent le soir... Ouvert par Carole, ancienne patronne du *Yacht Club* et célébrité de la nuit locale !

🗡 Juste avant Grand-Cul-de-Sac, *Marigot,* belle anse qui fait partie de la réserve naturelle (pêche interdite), bordée d'une cocoteraie. Un peu plus haut sur la gauche, pénétrer dans la *Guanahani* ; au rond-point, aller en face et là, descendre l'escalier qui mène à l'*Anse Maréchal,* l'une des jolies plages de cette partie de l'île. Si vous n'avez pas encore commencé votre collection de coquillages, c'est le moment ou jamais. Attention toutefois, la baignade peut y être dangereuse à cause des courants.

GRAND-CUL-DE-SAC (97133)

Grande baie de sable blanc admirablement protégée, où se sont installés des complexes hôteliers. Sa barrière de corail en fait sans doute la plage la plus sûre pour les jeunes enfants et les débutants en planche à voile.

Où dormir ?

🏠 *Les Ondines :* sur la plage. ☎ 05-90-27-69-64. • les.ondines@orange.fr • st-barths.com/les-ondines • ♿ Congés : sept-oct. Chambres 270-1 200 € pour 3-5 pers selon taille, situation et saison ; petit déj et transfert depuis l'aéroport inclus. Promo en été. ⌨ 📶 Petit boutique-hôtel charmant, joliment décoré, situé directement sur la plage de Grand-Cul-de-Sac. Propose 7 suites (9 chambres 60-140 m²) spacieuses, disposant de lits *king size,* petit salon, cuisine super équipée et terrasse privée... face à la mer. Très bon accueil et tranquillité assurée. Piscine, transats, *paddle,* kayaks et salle de gym à disposition.

Où manger ? Où boire un verre ?

De prix moyens à plus chic

🍴 *Restaurant Beach Bar O'Corail :* plage de Grand-Cul-de-Sac. ☎ 05-90-29-33-27. • contact@ocorail.com • Tlj sf lun 9h-18h (déj 12h-15h30). Congés : sept-début oct. Snacks et plats 10-25 €. 📶 Les pieds quasi dans l'eau, dans une ambiance relax, *O'Corail* propose une cuisine simple et bonne avec, en vedette, poissons et fruits de mer (pêchés directement par le frère de la patronne) : cassolette de langouste, daube de poulpe, *tataki,* lambis (en saison), le tout à prix encore abordable. Mêmes proprios que le club de plongée à côté (voir ci-après).

🍴 *La Gloriette :* après Le Sereno ; petit parking sur la gauche pour les clients. ☎ 05-90-29-85-71. Tlj sf mer, midi et soir. Plats 16-26 € ; pizzas le soir 10-16 €. Ici encore, tables éparpillées sur le sable et balayées par les alizés, avec, en toile de fond, la baie protégée de Grand-Cul-de-Sac avec ses eaux turquoise. Un endroit bien agréable pour déjeuner. Pour la sieste, quelques transats sur la plage pour les clients du resto. Très bon accueil. Et pour les amateurs de rhum, petite boutique attenante proposant un beau choix dudit breuvage.

🍴 🍸 *Bar de l'hôtel Barthélemy :* tt au bout de la plage de Grand-Cul-de-Sac. ☎ 05-90-77-48-48. Env 55 €. Le bon plan pour s'offrir, sans trop se ruiner, une journée dans un cadre chic d'hôtel 5 étoiles, c'est le brunch hyper copieux du dimanche. Il inclut la journée sur les transats au bord de la piscine ou sur la plage. Le tout avec en point de mire le superbe panorama de la baie. Belle journée détente en perspective.

🍴 *Yo Sushi Mania :* juste après l'entrée du Guanahani, sur la droite, sous la Villa-Lodge. 📱 06-90-65-12-55. Tlj 12h-15h, 18h-22h. Compter min 20-30 €. Un resto de sushis-sashimis, où l'on peut, en étant raisonnable, grignoter sans trop grever son budget. Et ainsi profiter de la piscine à débordement avec vue magnifique, plongeante même, sur la baie de Grand-Cul-de-Sac.

À faire

– *Kitesurf & S.U.P :* sur la plage, à droite juste avt l'hôtel Barthélemy. 📱 06-90-69-26-90. Tlj 9h-17h. Compter 50-210 € la leçon particulière, matériel compris.

Enguerrand et son équipe proposent des cours de **stand up paddle** et de **kitesurf.** Du niveau débutant à expert.

– Pour le **kayak** et le **canoë,** s'adresser à *Ouanalao Dive* (voir ci-après « Plongée sous-marine. Club de plongée »).

Plongée sous-marine

Club de plongée

■ **Ouanalao Dive :** *plage de Grand-Cul-de-Sac.* ☎ 05-90-27-61-37. 06-90-63-74-34. ● *ouanalao.dive@gmail.com* ● *ouanalaodive.com* ● *Sorties tlj à 9h, 11h et 14h30 (de nuit ven). Baptême 95 €, plongées 85-95 €.* L'école de plongée est affiliée aux organismes FFESSM/CMAS, SSI et PADI et propose donc des formations fédérales, du baptême au Niveau 3, et des formations SSI et PADI du « Discover Scuba Diving » au « Dive Master ». Le patron, Turenne Laplace, est très sympa et saura vous proposer les plus belles plongées. Plongées à la demi-journée sur des sites plus éloignés mais peu fréquentés pour plongeurs certifiés. Également location de canoës transparents, *stand up paddle,* embarcations à pédales, palmes, masques, tubas.

Nos meilleurs spots

● Carte Saint-Barthélemy *p. 299*

🐚 **Les Grenadins** *(carte Saint-Barthélemy, 13) :* îlet rocheux tout en longueur. Plongeurs débutants et de Niveau 1. Corail à profusion en forme de boules, de doigts, de cerveaux piquetés à maints endroits par des plumets. Le côté nord des Grenadins est caractérisé par une succession de marches de 10 m de large. Très beau point de vue au pied vers le massif. Houle sur le haut de ces marches, à la base même des Grenadins.

🐚 **L'îlet Toc Vers** *(carte Saint-Barthélemy, 14) : au nord de Saint-Barth.* Pour plongeurs de tous niveaux selon le lieu du mouillage. Succession de rochers émergeant comme un chapelet de perles. Sous la surface, cela ressemble plutôt à une montagne avec des pics. Platier creusé par une succession de petits canyons. Visite autour des pâtés coralliens de 1 m de haut, eux-mêmes encerclés par un petit mur. À l'intérieur de l'enceinte : entrée des canyons et d'un tunnel de 7 m de long où deux plongeurs pénètrent de front. Fond pavé de galets.

DANS LES ENVIRONS DE GRAND-CUL-DE-SAC

🍴 Quitter Grand-Cul-de-Sac pour Grand-Fond, en passant par **Petit-Cul-de-Sac.** Coin très résidentiel assez sauvage, plusieurs beaux points de vue sur la mer. La route se rétrécit, et le paysage prend un aspect sauvage. On retrouve la mer, sur la côte sud. C'est par là, vers le bout de la pointe Toiny, que Rudolf Noureïev avait acquis une somptueuse demeure sur le côté gauche de la route, surplombant la mer.

🍴 **Grand-Fond :** image du Saint-Barthélemy d'autrefois. Cases typiques et murets de pierre délimitant la route et les propriétés... Ça ressemble drôlement à la Bretagne ! On est tout au bout de l'île et pourtant, Gustavia n'est qu'à 6 km... Les baignades y sont interdites, mais la balade est belle.

🎭🎭🎭 **Les piscines naturelles :** à l'Anse de Grand-Fond, laisser la voiture à côté de la plage de galets, traverser cette plage et aller en direction de Morne-Rouge. Peu après, la plage de **Washing Machine,** appelée ainsi par les enfants de l'île à cause des rouleaux (réservée aux bons nageurs). En continuant, après environ 30 mn de marche, vous trouverez les fameuses piscines naturelles ! On se prendrait presque pour Robinson... Prudence tout de même en cas de vent et de forte mer. Et attention également, tout le long de la balade : falaises, sols friables, chemin rocailleux, etc. Éviter donc de faire cette balade avec de jeunes enfants et prévoir de bonnes chaussures. Tongs à proscrire !

SALINES
(97133)

Partagée entre les hameaux de *Petite-Saline* **et de** *Grande-Saline,* **cette zone est l'une des plus sauvages de l'île. L'endroit commence toutefois à être fréquenté par des gens qui veulent être un peu au calme, loin de l'agitation (relative) de Gustavia. On a exploité la grande saline jusqu'en 1972, aujourd'hui rendue à ses occupants naturels, les oiseaux. C'est ici que l'on trouve quelques chambres d'hôtes.**

Où dormir ?

🏠 **Fleur de Lune :** à *Grande-Saline ;* sur la gauche après le Tamarin. ☎ 05-90-27-70-57. ● info@st-barth-fleurdelune.com ● st-barth-fleurdelune. com ● Min 2-4 nuits selon période. Chambres d'hôtes et cottages 150-220 € avec petit déj et voiture en basse saison, 190-350 € avec petit déj, voiture et/ou balade en catamaran. Également une très jolie villa (4 pers). Plus cher pdt vac de Noël. 🛜 5 chambres et cottages charmants, dans le jardin des propriétaires. Très belle déco où le blanc domine et se marie délicatement avec les meubles coloniaux en bois foncé, rachetés au fur et à mesure dans les hôtels chic de l'île. Superbes salles de bains dans les chambres avec lavabo en pierre. Terrasse et jacuzzi pour certaines. Espace commun super agréable avec un salon cosy, une grande table d'hôtes pour les petits déj et la petite piscine. Enfin, possibilité de goûter la cuisine créole de Maryse, un soir par semaine, sur réservation. Notre coup de cœur à Saint-Barth, sur tous les fronts : déco, prix, accueil et charme.

🏠 **Salines Garden Cottages :** à **Grande-Saline,** par un petit chemin, presque en face du Tamarin. ☎ 05-90-51-04-44. Doubles 110-250 € selon saison (hors vac de Noël), petit déj compris. 🛜 Les 5 chambres, posées au calme autour d'un jardin, disposent chacune d'une terrasse privative et pour certaines d'une kitchenette. Elles sont dotées d'un bon confort et d'une déco fraîche, moderne avec des touches antillaises. Petite piscine. Très bon rapport qualité-prix pour l'île.

Où manger ?

De prix moyens à plus chic

🍽 **Le Grain de Sel :** à gauche juste avt le parking de la plage de Grande-Saline. ☎ 05-90-52-46-05. Tlj sf dim soir et lun. Congés : sept. Plats 13-27 € le midi, 17-28 € le soir. Grande terrasse aérée, face à la Grande-Saline. Carte simple : salades, burgers, grillades, tartare de thon. Idéal pour se restaurer pendant une journée de plage, déguster une glace maison ou boire un verre aux heures trop chaudes. Le soir, spécialités créoles : *ouassous* rôtis à la bière, fricassée de lambi ou encore christophine farcie à la morue. Bon accueil.

🍽 **Santa-Fé :** sur la route de Lurin, entre Salines et Gustavia.

☎ 05-90-27-61-04. À 2 km de Salines, sur les hauteurs. Tlj sf mer et sam midi. Congés : de fin août à mi-oct. Carte 30-55 €. Digestif maison offert sur présentation de ce guide. Repris par David (anciennement au *Do Brasil-ex shellona*), cette table fait partie des restos historiques de l'île où il faut aller au moins une fois. De préférence le midi, c'est un peu moins cher (choix de salades, burgers et sandwichs), mais, surtout, on profite de la magnifique terrasse qui offre une vue époustouflante sur la mer et les îles au loin ! Ne pas hésiter à faire le détour, d'autant que la cuisine est réussie, même si les portions ne sont pas toujours très généreuses. En fin de semaine, traditionnelles moules-frites, selon arrivage.

|●| *Le Tamarin :* route de Saline. ☎ 05-90-29-27-74. Ouv en continu 11h-minuit, sf lun et mar midi. Carte 35-55 €. Julie et Paco, les récents propriétaires, se sont entourés d'une équipe de professionnels pour repenser cet univers unique. Le jardin, déjà naturellement beau, a été magnifié, tout en préservant le mythique tamarin qui donne depuis toujours son nom à ce restaurant. C'est au milieu de cet univers floral ou sur la grande terrasse semi-couverte aux allures chic et décontractées que l'on s'installe pour goûter la divine cuisine du chef.

|●| *L'Esprit :* route de Saline. ☎ 05-90-52-46-10. Ts les soirs 19h-23h (22h hors saison), sf mer. Fermé 2 sem juil. Résa conseillée. Carte env 40-60 €. Chef à Saint-Barth depuis une vingtaine d'années, Jean-Claude Dufour s'est installé à Saline dans un agréable jardin tropical. À travers une cuisine française enrichie de saveurs exotiques, il propose 2 cartes quotidiennes associant une belle sélection de produits frais de qualité.

À voir

⌓ **L'Anse de Grande-Saline :** après la saline, c'est la fin de la route. De là, vous atteindrez à pied (200 m) l'une des plages les plus sauvages de l'île. La plage principale est plutôt familiale ; celle qui se trouve au nord, après les rochers, est plus isolée et moins habillée. Prudence quand même, l'endroit est idéal pour cramer : aucun arbre pour se protéger.

🖈 Pour rejoindre Gustavia, prendre à droite avant l'étang, vers Lurin, et, à la hauteur du restaurant *Santa-Fé,* quitter la route principale pour descendre vers la **plage de Gouverneur.** Au passage, vue unique sur la baie de Saint-Jean et Salines. La descente sur Gouverneur, sur près de 2 km, a aussi un côté magique. On a l'impression de basculer dans un rêve, d'entrer dans la carte postale ! Ne pas se laisser impressionner par les panneaux disposés sur la route, il y a bien un parking à l'arrivée à la plage, mais il est petit. Plage moins familiale qu'à Salines (davantage de courant). Mais le site est superbe.

Plongée sous-marine

Nos meilleurs spots

> ● Carte Saint-Barthélemy *p. 299*

🐚 **L'île Coco** (carte Saint-Barthélemy, 11) : île rocheuse émergée comme un dôme minéral de 20 m de haut, à - 10 m à sa base, du côté sud-ouest. Pour plongeurs de Niveau 1 suffisamment amarinés pour résister à la houle de surface. Gros blocs rocheux au pied, créant ainsi beaucoup de volumes. Sorte d'île sous-marine, en parallèle avec l'île Coco. Semblable à une arête de 3 m de large qui s'arrête à - 5 m. L'île Coco abrite ce site de la houle et du vent.

🐚 *Les Roches-Rouges (carte Saint-Barthélemy, 12) :* pour plongeurs de Niveau 1 expérimentés. Deux roches émergeant d'environ 2 m au-dessus de la surface se trouvent au sud de Saint-Barth. Bateau mouillé sur - 12 m sur un tapis de coraux façonnés par la houle. Un autre canyon de 10 m de long.

L'ANSE DES FLAMANDS (97133)

À 2 km de l'aéroport et à 3 km de Gustavia, parmi les plus belles baies de l'île. Assez peu fréquentée, sinon par les clients des hôtels voisins. Plage de sable fin bordée de cocotiers, un avantage par rapport à Gouverneur et Salines, mais beaucoup plus ventée aussi. Sur la plage même, belle brochette de villas à louer, les pieds dans l'eau. Le long de la route qui passe derrière la plage, petit quartier assez populaire avec son *épicerie Sainte-Hélène* vraiment typique *(lun-mar et jeu-ven 6h30-13h, 14h30-18h ; mer slt le mat ; sam 7h-12h, 14h-16h).*

Où dormir ?

De prix moyens à plus chic

🛏 *Auberge de Terre Neuve :* à gauche, sur les hauteurs, avt d'attaquer la descente vers la baie des Flamands. Loc et résas auprès de l'agence Gumbs Car Rental à l'aéroport de Saint-Jean : ☎ 05-90-27-75-32. ● gumbs.car. rental@wanadoo.fr ● aubergedeterre neuve.com ● Forfait bungalow + voiture de loc 100-190 €/j. selon saison et vue. 📶 Une dizaine de bungalows tout confort avec kitchenette et terrasse. Le tout très bien tenu dans un jardin fleuri. Belle vue en prime. Une des adresses les moins chères de Saint-Barth.

🛏 *Auberge de la Petite Anse :* BP 153 ; sur le chemin qui mène à la plage de Colombier. ☎ 05-90-27-64-89. ● auberge-petite-anse.com ● Doubles 100-200 €/nuit selon saison. Forfait bungalow + voiture de loc. Min

2 nuits, voire 2 sem pdt fêtes de fin d'année. 8 petites bâtisses construites au bord de l'eau, dans un cul-de-sac. Tranquillité garantie. Au total, 16 studios avec chambre à lit double, clim, salle de bains privée et kitchenette. Terrasse surplombant la mer (réserve maritime). Plage isolée en contrebas, idéale pour les enfants.

🛏 *Baie des Anges Hôtel :* sur la plage de Flamands. ☎ 05-90-27-63-61. ● hotelbaiedesanges.fr ● Chambres vue mer 255-440 €/nuit selon saison. Forfait bungalow + voiture de loc hors saison. Min 7 nuits l'hiver, voire 2 sem pdt fêtes de fin d'année. 10 chambres dans ce joli petit hôtel, idéalement placé, au bord de la magnifique plage de Flamands. Les chambres, à la déco lumineuse, offrent tout le confort moderne nécessaire. Piscine et accès direct à la plage. Bon resto sur place (voir plus bas). Une excellente adresse... qui a son prix.

Où manger ?

De prix moyens à plus chic

🍽 *Spice of Saint-Barth :* route des Flamands. ☎ 05-90-29-50-15. 📱 06-90-54-41-42. En saison, tlj sf dim ap-m. Repas 15-25 €. Brunch le dim un peu plus cher. C'est quasiment

dans sa cuisine qu'Anne Brin concocte d'authentiques plats créoles. Le tout agrémenté par un accueil familial adorable. Voilà une adresse rare dans son genre à Saint-Barth.

🍽 *Chez Rolande :* dans la rue principale, après l'hôtel Cheval Blanc, en allant vers Petite-Anse. ☎ 05-90-27-51-42. ● chezrolande@hotmail.fr ●

🍴 *Tlj sf jeu (le soir sur résa). Fermé sept.-oct. Formule 12-15 € ; plats 19-25 €.* 🛈 *Apéritif maison offert sur présentation de ce guide.* C'est le petit resto vraiment typique des Antilles, comme il n'y en a plus beaucoup à Saint-Barth. Tables sous la tonnelle avec nappes en plastique imitation madras. Sur place ou à emporter, les plats sont simples mais bons. Les jus de fruits et les cocktails à base de fruits frais ne sont pas en reste. On peut aussi grignoter sandwichs, burgers ou paninis et profiter de la plage. Ambiance familiale mais pas uniquement. Petite aire de jeux pour les enfants. Excellent accueil. Le soir, le meilleur pizzaïolo de l'île propose une vingtaine de pizzas délicieuses *(9-16 €, sur place ou à emporter).*

🍴 *La Langouste :* resto de l'hôtel *Baie des Anges, qui donne sur la plage.* ☎ *05-90-27-63-61. Tlj sf mar hors saison. Repas complet env 40-50 €.* On mange au bord de la piscine, face à la baie d'un bleu profond, dans un cadre vraiment plaisant. Cuisine de qualité, en partie axée sur la langouste (sortie toute fraîche du vivier), mais pas uniquement. La carte variée allie cuisine française et créole. Après le déjeuner, on peut profiter de la magnifique plage de Flamands.

Balade à pied

🚶🚶🚶 Après l'*Auberge de la Petite Anse,* au bout de la route, un sentier longe la mer pour atteindre la **plage de Colombier.** Une balade agréable à flanc de falaise et au milieu des cactées. Compter 20 mn de marche pour atteindre cette superbe baie (intéressante pour la plongée de surface). Admirer également les voiliers au mouillage. Rien sur la plage, il faut donc penser à prendre de l'eau et éventuellement un pique-nique. Palmes, masque et tuba seront de bons alliés, tant il y a à voir, comme les nombreuses étoiles de mer.

COLOMBIER (97133)

Petit village qui s'étend sur les hauteurs. Au bout de la route qui continue vers le nord-ouest, après le village, une table d'orientation avec une vue inoubliable sur la côte nord et sur les îles Pelé, Le Boulanger, Chevreau, Saint-Martin...

Où dormir ? Où manger ?

🛏 **Le P'tit Morne :** *à 100 m avt le bout de la route, sur la gauche.* ☎ *05-90-52-95-50.* ● *info@timorne.com* ● *timorne.com* ● 🍴 *Studios 2 pers env 111-265 € (taxe 5 % incluse) selon confort et saison (min 2 nuits en hte saison). Appart 4 pers, 3 nuits min, 140-230 €/nuit ou 880-1 510 €/sem selon saison.* 🛈 *Une bouteille de vin rosé offerte sur présentation de ce guide.* 15 studios avec cuisine extérieure et terrasse, construits à flanc de colline, à 100 m au-dessus de la mer. Déco assez simple mais sympa. Vue splendide sur les petites îles. Piscine. Possibilité de location de voitures en basse saison. Excellent accueil. Également un appartement très bien équipé, à deux pas de la jolie plage de *Corossol,* bien tranquille.

🍴 **Les Bananiers :** ☎ *05-90-27-93-48. En face de l'école et sur le parking de l'atelier de la Petite Colombe. Tlj sf sam midi et dim. Pizzas 10-14 €. Au déj en sem, plat du jour 12 € et formule 18 €. Env 20-45 € à la carte, menu enfants 13 €.* 2 possibilités : un repas simple et bon marché ou plus gastro pour les plus aisées. Il y en a pour tout le monde ! La cuisine est d'un excellent rapport qualité-prix, quelle que soit la catégorie choisie. La grande terrasse ouverte aux alizés, avec sa très belle vue, est un vrai plus, surtout au déjeuner ! Les pizzas et burgers sont également à emporter.

|●| ☷ **Restaurant François Plantation :** *C'est le resto de l'hôtel* Villa Marie. ☎ 05-90-77-52-52. ● contact@ vm-saintbarth.com ● vm-saintbarth. com ● ☝ *Compter 28 € min pour un plat et 25 € pour une entrée.* Perché sur les hauteurs de Colombier, ce boutique-hôtel de charme, tout récent et très réussi, ne ressemble à aucun des autres hôtels de l'île. Même si vous ne pouvez vous offrir une chambre, rien que pour le cadre, offrez-vous un verre... Et si vous êtes en fonds, c'est l'endroit idéal pour vivre un déjeuner ou dîner romantique au bord de la piscine et du jardin tropical, ou dans la superbe salle à manger, ambiance chic et coloniale. La cuisine y est évidemment délicieuse.

À voir. À faire

⌂ **La plage de Colombier :** amateurs de plongée de surface, à vos masques ! Deux accès : le premier en passant par Flamands (voir plus haut), le second par Colombier, en empruntant le sentier que l'on trouve à gauche après la table d'orientation. Il descend assez sec à travers une végétation de sous-bois. Vous atteindrez en 20 mn la plage de Colombier. On se répète, rien sur place, pensez à emporter de l'eau et un pique-nique. Accessible seulement à pied ou en bateau, c'est dans ce lieu calme que David Rockefeller (le petit-fils de l'autre) avait construit son pied-à-terre. Tout ce qu'il y a de plus simple, bien entendu. Il accaparait toute une presqu'île !

Plongée sous-marine

Nos meilleurs spots

> ● Carte Saint-Barthélemy *p. 299*

● Carte Saint-Barthélemy *p. 299*

⌂ **Le Tombant de Colombier** *(carte Saint-Barthélemy, 18) :* tombant au pied d'un des trois îlots rocheux qui caractérisent l'Âne-Rouge. Seul véritable « mur » immergé plongeable autour de Saint-Barth. Réservé aux plongeurs confirmés. Bateau mouillé à - 13 m. Trois îlets rocheux minuscules posés sur ce plateau émergeant de l'eau. Deux pitons de 8 m de haut remontent d'un fond sableux, comme deux aiguilles. La paroi du tombant forme un mur superbe à admirer à contre-jour. Plus loin, roche culminant à - 24 m, hérissée de gorgones-éventail. La seconde grotte, plus petite, arbore moins de couleurs. Pour plongeurs à partir du Niveau 1 selon la profondeur et la météo.

⌂ **L'Âne-Rouge** *(carte Saint-Barthélemy, 19) : au sud-ouest de l'île Petit-Jean.* Départ de la balade au pied des deux îlots rocheux qui émergent respectivement à + 10 m et + 20 m. Bloc rocheux de - 13 à - 17 m, avec une grotte, laissant juste la place à un plongeur, et deux niches aux parois couvertes d'éponges encroûtantes. Niches de tortues carettas. Balade pour plongeurs débutants avec bateau mouillé sur - 5 m et pour confirmés lorsque la descente le long du bout de l'ancre s'effectue sur - 12 m.

Nos meilleurs spots au nord-ouest de Colombier

⌂ **L'île Fourchue – L'Îlette** *(carte Saint-Barthélemy, 15) :* explo des soubassements de cet îlet satellite. Zone d'une grande richesse corallienne. Une bande du platier de 60 m de large entoure l'îlet. Vers la sortie de la baie, amoncellements de blocs rocheux de 6 m de haut, créant des passages assez larges pour deux plongeurs de front. Entre - 18 et - 25 m, souvent du gros : requins et raies. Le tour de l'îlet peut s'effectuer en 10 mn en se laissant porter par le courant, sans palmer. Pour plongeurs à partir du Niveau 1.

L'île Fourchue – La Baleine (carte Saint-Barthélemy, 16) : plongeurs à partir du Niveau 1. Vue d'avion, elle ressemble à une baguette de sourcier, avec ses deux branches. Les deux extrémités sont à explorer. La pointe sud est constituée par la pente de l'îlet et s'enfonce directement jusqu'à - 12 m. Aspect lunaire à cet endroit, avec de gros blocs coralliens sur le sable et des requins-nourrices. Entre ces pics nichent les tortues. À faire par temps dégagé, car sans luminosité, l'aspect du fond est vraiment dépouillé.

Groopers (hors carte Saint-Barthélemy, 17) : poignée d'îlets rocheux perdus au nord-ouest de Saint-Barth. Plongeurs de Niveau 1. Seul *Petit Grooper* se visite sous la surface de l'eau. Trois îlets rocheux émergent de 4 à 5 m au-dessus de la mer. L'espacement entre eux crée un effet « Venturi », d'où un courant très important. Platier étendu uniquement vers le sud à - 15 m (où le bateau est mouillé) et parsemé de pâtés coralliens creusés à leur base par des anfractuosités. Zone suffisamment brassée pour servir de réserve de chasse aux requins. Passer le canyon entre les îlots à - 7 m.

L'ANSE DES CAYES   (97133)

Petite baie peu fréquentée, sauf par les surfeurs. Pourtant, exposée aux alizés, la plage possède cette beauté sauvage qu'on aime bien. On peut continuer par la route jusqu'à l'Anse des Lézards.

Où dormir ?

🏠 *Le Nid'Aigle :* Anse des Cayes, BP 532. ☎ 05-90-27-75-20. 📱 06-90-55-90-09. • lenidaigle@wanadoo.fr • saint-barths.com/niddaigle • En descendant vers l'Anse des Cayes, prendre à gauche au carrefour en T puis de nouveau à gauche après le dos-d'âne ; ensuite montez... c'est raide. Min 2 nuits : compter 700-1 050 €/sem selon saison. CB refusées. 📶 Jean-Louis (qui a pris la relève de Ginette, sa mère) propose 2 chambres d'hôtes et un studio dans leur maison, une grande villa au-dessus de l'Anse des Cayes. Les chambres, spacieuses et confortables, donnent chacune sur la grande terrasse avec une vue magnifique sur la mer, la baie de Lorient et la pointe Milou au loin. Toutes deux équipées d'un peu de vaisselle, d'un frigo et d'une machine à café. Également un studio, juste en dessous, pourvu d'une cuisine équipée et disposant du même style de vue. Ventilation naturelle grâce aux alizés. Petite piscine. Excellent accueil de Jean-Louis qui connaît l'île comme sa poche. Se fera un plaisir de vous faire découvrir des balades que lui seul connaît.

COROSSOL   (97133)

Ancien village de pêcheurs près de Gustavia, très tranquille, où la population s'apparente encore aux Normands qui débarquèrent il y a trois siècles. C'est aussi le quartier de l'île où la coiffe traditionnelle a été portée le plus longtemps. La plage, peu fréquentée, est l'une de nos préférées.
– Grande *fête patronale* le 25 août (régates, feux d'artifice). Messe au pied du rocher où trône la statue de Saint Louis.

Où manger ? Où acheter du punch ?

À Corossol, des adresses sans chichi aucun, aux antipodes de la branchitude gustavienne, fréquentées par les habitants du quartier et très bon marché.

|●| *Épicerie de Corossol :* *sur la gauche en venant de Gustavia, au croisement de la route vers Colombier.* ☎ *05-90-52-04-87. Tlj 6h30-19h30, dim 7h-12h30, 17h-19h30. Sandwichs et paninis 4-8 €. CB refusées.* 📶 *Grand choix de sandwichs et paninis à emporter ou à manger sur place. En réservant un peu avant, c'est prêt à votre arrivée !*

|●| 🦞 *Au Régal :* *à l'entrée du village sur la gauche en venant de Gustavia, un peu avt l'épicerie.* ☎ *05-90-27-85-26.* ♿ *Tlj sf dim et lun. Petits déj 4-10 € ; plats et snack 6-18 €.* 📶 Café-snack créole de quartier, simple et sympa. Bon accueil. Grillades, langoustes et assiettes créoles sont au menu. C'est le bar du village, temple du football (déco uniquement constituée de photos de joueurs, de bannières de clubs), idéal pour nouer des contacts.

|●| *La Saintoise :* *plage de Corossol, dans une rue à droite juste avt la plage.* ☎ *05-90-27-68-70. Tlj sf lun 18h-22h. Pizzas au feu de bois 10-16 €.* De bonnes pizzas à emporter, un moyen économique si l'on souhaite éviter le resto.

Achats

🍯 *Chez Ginette :* *prendre la route vers Colombier, en face de l'épicerie, c'est dans la montée sur la gauche.* ☎ *05-90-27-66-11.* ● *lespunchsde gig@gmail.com* ● *Tlj.* Sur la pancarte, on peut lire « le meilleur punch des Caraïbes chez Ginette ». Un personnage qui fabrique elle-même ses punchs et qui les exporte un peu partout. Pour les adeptes, un grand choix à rapporter dans tous les formats et pour tous les goûts.

À voir

🦌 *Saint Louis :* en arrivant à la mer, sur la droite, une statuette du bon vieux Saint Louis (patron de Corossol) trône sur un gros rocher. Faites-vous expliquer l'histoire par les anciens du village, ils en sont fiers.

SAINT-BARTHÉLEMY

HOMMES, CULTURE, ENVIRONNEMENT

ANTILLES, NOUS, VOUS, ÎLES

• Carte *p. 332-333*

Démythifier les Antilles, voir en elles autre chose qu'une bande de sable blanc frangée de cocotiers et surmontée d'un soleil accrocheur, ce n'est plus seulement un rêve de routards nostalgiques, mais une approche du tourisme dans le goût du temps, à la découverte de leur vraie personnalité. Une personnalité attachante et secrète, qui cache, sous les traits de l'insouciance, les traces d'une actualité parfois difficile.

Le charme des îles consiste à marier à tout instant l'inconciliable : sucre et rhum, grimaces et sourires, alizés et cyclones, volcans et végétation paradisiaque, souvenirs d'époques fastueuses et péché originel de l'esclavage... Mais aussi l'indolence, les klaxons de bienvenue en ville, la tchatche charmeuse et l'orgueil sourcilleux, les bouffées imprévisibles de violence, les rivalités mortelles entre communautés et le clan ressoudé en un instant face à l'incompréhension des « métros », c'est-à-dire les métropolitains.

À LA RECHERCHE DES Z'ANTILLES

Les Antilles, quel joli nom ! Pendant longtemps, on crut que Christophe Colomb débarqua sur les petites îles Caraïbes avant la grande île américaine et qu'il les nomma « avant l'île », soit ante insulae *en latin, devenu les « Antilles ». C'est l'explication la plus jolie mais, en réalité, le nom viendrait d'Antilia, une île que les cosmographes du Moyen Âge situaient dans l'Atlantique et dont on découvrit plus tard... qu'elle n'existait pas !*

Ceux-ci sont parfois frappés par la misère visible dès leur arrivée à Pointe-à-Pitre. Quartiers glauques et insalubres dans une fournaise saturée de gaz d'échappement. Patience, la Guadeloupe, pour y goûter vraiment, il va vous falloir attendre un jour ou deux.

Le mode de vie guadeloupéen ? Une façon de ne pas se presser, une espèce de détachement. Mais pourquoi voulez-vous vous presser, être préoccupé ? La nature, le climat vous prennent et les vieilles notions européennes sont oubliées. Le temps coule différemment. Vous cherchez votre route : « – Petit-Havre ? – C'est là, juste là... – Loin ? – Oh, non, là-bas, passé le morne (le mont). – Et je vais par où ? – Il faut suivre la route comme elle vient. – Merci ! » Bon, vous suivez la route qui se divise bientôt en deux ou trois routes « comme elles viennent », et des mornes, il y en a partout ! Mais *pani pwoblém,* « pas de problème », il sera toujours temps de trouver Petit-Havre. On redemandera...

Les Guadeloupéens, pour peu qu'on ne les regarde pas d'un œil méfiant ou irrespectueux – ce qui est trop souvent le cas –, se montrent les gens les plus naturellement doux. Ils vous indiqueront, vous accompagneront. Chemin faisant, on découvre un peuple aimable, digne et doué pour le bonheur, et on se dit qu'il a des raisons de l'être.

Et puis vous changez de pays, de latitude, de climat : cela pousse à l'indolence et à la sieste. Certes, il arrive (fréquemment) d'attendre longuement son plat au restaurant, mais on est en vacances, non ? Alors relax... allez piquer une tête dans la mer en attendant ou sirotez un ti-punch à l'ombre des cocotiers, chassez votre stress ! Apportez votre sourire, soyez courtois et on vous le rendra au centuple.

BOISSONS

L'empire du rhum

Attention : le rhum est un alcool auquel il faut s'habituer, surtout sous une chaleur tropicale. Les vieux Antillais en boivent une gorgée chaque matin à jeun. Ils appellent cela le « décollage » ou la « mise à feu » et c'est, disent-ils, très bon pour le sang. Certains avalent un verre d'eau dans la foulée, c'est « l'amortisseur ». À noter que les Guadeloupéens consomment 65 % du rhum fabriqué sur place.

Depuis que la betterave a pris le pas sur le sucre roux, le rhum demeure le seul débouché pour les plantations de canne à sucre, qui datent de l'époque coloniale et de la monoculture. Riches en arômes complexes, les rhums vieux des Antilles comptent pourtant parmi les meilleurs au monde. En les perdant, les îles perdraient leur âme.

– *La récolte de la canne à sucre :* dans les campagnes, c'est le moment le plus important de l'année agricole. Malgré les machines et les camions, on voit encore (surtout à Marie-Galante), de janvier à juin, les haies de coupeurs dans les champs et les cabrouets (charrettes) tirés par des bœufs vers les distilleries branlantes, qui dressent leurs toits rouillés dans la végétation. La canne y est pressée. Tandis que ses déchets (la *bagasse*) partent alimenter les chaudières, le jus *(vesou)* est tamisé, décanté, filtré et mis à fermenter. Deux jours après, les alambics entrent en action. À 68°, il en sort un rhum incolore. Un peu d'eau pour le ramener à 50° ou 55° (59° à Marie-Galante !), un petit repos de 3 mois en cuve d'inox, on le vendra alors sous l'appellation de *rhum blanc.* Dans le cas contraire, il part séjourner au moins 3 ans dans un fût de chêne et devient le *rhum vieux* dégusté en digestif. Pour obtenir l'appellation *rhum paille,* le rhum blanc passe également en foudre pendant un certain temps. Il prend alors une teinte dorée et des arômes vanillés. En jouant sur les levures, la pureté de l'eau et le maniement de l'alambic, chaque distillateur aura pu imposer sa griffe gustative.

– *Le rhum servi dans les bars :* c'est souvent la bouteille entière qu'on vous apporte, avec du sucre, quelques morceaux de citron vert coupé et un verre d'eau. Vous ne payez que ce que vous buvez. Le sucre et le citron vert servent à préparer le ti-punch. L'eau, c'est pour épargner à votre estomac les brûlures du rhum. Bien sûr, vu ainsi, on a un peu l'impression d'être à la maison. Mais au bout du troisième verre, la chaleur aidant, on sent bien que le retour va être difficile...

– *Rapporter du rhum de Guadeloupe :* il est possible d'acheter directement dans les distilleries des cartons très bien emballés. Vous y trouverez également de très vieux rhums assez chers mais fabuleux. Autre solution : le supermarché, peu romantique mais économique. Le choix est énorme, et le rhum est parfois moins cher que dans les distilleries. Attention néanmoins à la réglementation aérienne concernant les produits liquides en cabine. N'oubliez pas qu'il vous faudra mettre vos achats en soute, alors pensez à bien les emballer. Et faites attention à l'excédent de bagages... On ne peut officiellement rapporter en franchise douanière que 1 l par adulte (tolérance possible selon la nationalité, mais il faut en principe déclarer l'excédent à l'arrivée).

Ti-punch mode d'emploi

– *La préparation :* il n'y a pas une recette, mais autant de préparations que d'amateurs. Si vous êtes invité, le maître de maison mélange les composants selon le

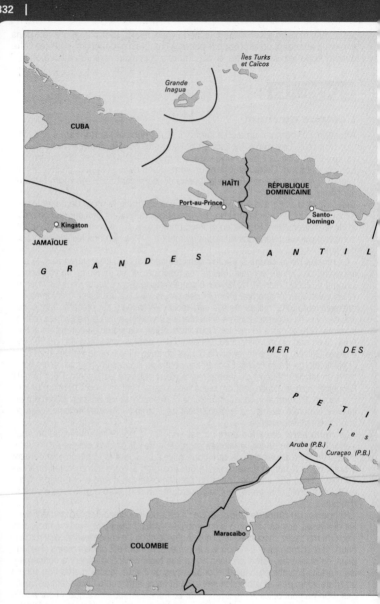

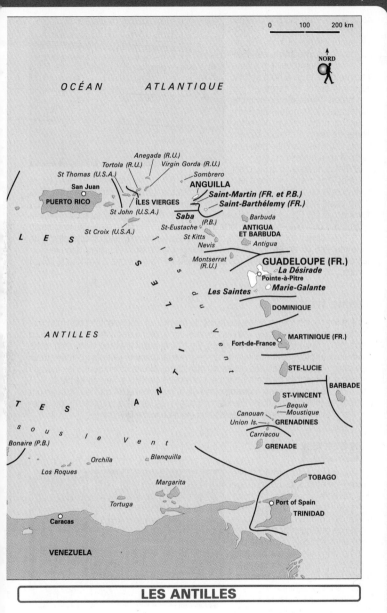

0   100   200 km

NORD

OCÉAN   ATLANTIQUE

Anegada (R.U.)
Tortola (R.U.)   Virgin Gorda (R.U.)
St Thomas (U.S.A.)   Sombrero
San Juan   **ANGUILLA**
PUERTO RICO   **ÎLES VIERGES**   **Saint-Martin (FR. et P.B.)**
St John (U.S.A.)   **Saint-Barthélemy (FR.)**
St Croix (U.S.A.)   **Saba**   Barbuda
St-Eustache   (P.B.)   **ANTIGUA**
St Kitts   **ET BARBUDA**
Nevis   Antigua

L E S

Montserrat   **GUADELOUPE (FR.)**
(R.U.)   *La Désirade*
Î l e s   Pointe-à-Pitre *Marie-Galante*
Les Saintes

DOMINIQUE

d u

ANTILLES

V   Fort-de-France   **MARTINIQUE (FR.)**
e
n   **STE-LUCIE**
t
ST-VINCENT   **BARBADE**
T E S   S
A   *Bequia*
Canouan *Moustique*
N   Union Is.   **GRENADINES**
s o u s   l e   V e n t
T   Carriacou
GRENADE

Bonaire (P.B.)
Orchila   *Blanquilla*
Los Roques   **TOBAGO**

Margarita
Tortuga   Port of Spain
TRINIDAD
Caracas

VENEZUELA

LES ANTILLES

goût de chacun de ses invités. Rhum blanc ou vieux ? Peu ou très sucré ? Glace ou non ? Citron ou pas ? Le mélange est réalisé avec la même cuillère à long manche pour tous. L'hôte se doit de commencer et terminer par son propre verre afin de montrer l'innocuité de la préparation. En revanche, dans les bars ou restos dignes de ce nom, chacun se sert. Ainsi, vous ne pourrez pas dire qu'on vous a forcé la main !

DE L'INDE AUX ANTILLES

L'histoire du ti-punch commence en Inde. Le mot est anglais, il vient du sanscrit panch *qui signifie « cinq ». Il désignait autrefois une boisson composée de cinq éléments : thé, citron vert, cannelle, sirop de sucre et alcool (en général, le jus fermenté de la canne à sucre). Au XVIIe s, les militaires français limitèrent les composantes à trois : citron vert, sucre de canne et rhum.*

– *Au fil des heures :* dès 5h, c'est le « décollage » (ou la « mise à feu »), suivi à 11h d'un *ti-lagoute*. Midi marque l'heure du *ti-punch* ou du *CRS* (citron, rhum, sucre) et, à 12h30, c'est au tour du *ti-5 %* (rhum blanc nature). Le *ti-pape* est consommé à 17h, à l'occasion de parties de dominos, et fait l'objet d'une tournée avec les amis. Le coucher se profile avec la « partante » ou « pété-pied », qui aide à passer une bonne nuit... jusqu'au lendemain 5h. Si vous commencez à sentir des brûlures d'estomac, n'insistez pas et allez-y de toute manière en douceur. Les amateurs éviteront de boire du rhum dans la journée et attendront plutôt la nuit tombée, quand ils n'auront pas à prendre le volant ensuite.

Jus de fruits

Les Antilles régalent leurs visiteurs de *jus de fruits* frais, succulents et bon marché : corossol, mangue, maracuja, canne, goyave, coco, prune de Cythère, etc., souvent pressés par des marchands ambulants. On trouve aussi d'extraordinaires punchs aux fruits (sapotille, carambole...) qu'on peut laisser macérer jusqu'à quelques mois (pas plus, n'en faites pas des objets de collection). Notez qu'on trouve les mêmes sur certains marchés de métropole, pour quelques centimes d'euros de plus.
Par curiosité, goûtez aussi le *mabi,* sorte de boisson gazeuse que les Antillais ont héritée des Indiens caraïbes. Elle est composée de liane, de gingembre, de muscade et d'anis, et est mélangée à des fruits et à du sucre de canne.

CUISINE

La cuisine créole prône à elle seule le métissage. Le mariage des saveurs africaines, des parfums de l'Inde et du savoir-faire hérité des grands-mères, ajouté à celui de quelques parents ayant vécu en métropole, a donné une cuisine originale, et les produits locaux – poissons, langouste, *ouassou* et légumes –, bien travaillés, sont excellents.
On parle d'une cuisine « musclée » : dans son volume (plats

LE PIMENT, CET INCONNU

Le « piquant » n'est pas une saveur car il n'agit pas sur les papilles mais sur les nerfs. La sensation est donc une douleur dont l'intensité est graduée de 1 à 10 selon l'échelle de Scoville. Il est fort utilisé dans les cuisines tropicales car c'est un bactéricide et il réduit les infections intestinales. Pour l'atténuer, ni eau ni pain mais... du lait.

souvent copieux) et dans ses goûts (sauces relevées). Il ne s'agit pas d'une cuisine raffinée. Sauf pour quelques restaurateurs qui jonglent avec les ingrédients locaux et créent de subtiles recettes façon « nouvelle cuisine créole » à prix choc (on les signale dans la rubrique « Plus chic »).

Poissons, fruits de la mer et des rivières

– *Le vivaneau :* poisson excellent en court-bouillon (au rocou, par exemple, délicieux condiment rouge orangé), en blaff (macéré au citron vert, puis juste saisi au court-bouillon) ou en grillade.

– *Le thazar, le marlin ou le requin :* ils se mangent plus volontiers en darnes grillées et steaks bien saisis qui révèlent toute leur saveur, ou encore fumés, voire en tartare (délicieux).

– *La langouste :* excellente ou sans saveur. Dans ce dernier cas, il s'agit bien souvent de langouste congelée. Mais les bons restaurateurs ne s'amusent pas (trop !) à cela.

– *Le chatrou (poulpe) :* souvent servi en fricassée. C'est plus ou moins bon selon la finesse de la préparation.

– *Les lambis (gros escargots de mer) :* également en fricassée. Excellents quand ils sont frais, mais d'une consistance un peu caoutchouteuse quand ils ont été congelés (ce qui arrive, hélas, très souvent).

– *Les palourdes :* délicieuses en gratin ou en salade.

– Enfin, zoom sur le *ouassou,* grosse crevette d'eau douce, appelée parfois « chevrette » ou « écrevisse » (ce qui ne facilite pas la compréhension !). Son nom est, en fait, la version créole de « roi des sources »... Lui aussi se fait rare dans les eaux intérieures guadeloupéennes, où il est aujourd'hui interdit de le pêcher. Il faut donc se consoler avec les *ouassous* d'élevage, par ailleurs très bons. Évitez, si vous le pouvez, les *ouassous* congelés, en provenance d'Asie ; seulement, on ne vous le dira pas. Sachez tout de même que les *ouassous* d'élevage ne couvrent qu'un très faible pourcentage de la consommation sur l'île...

De manière générale, ne fantasmez pas trop sur le cachet local des produits de la mer ; les fonds proches s'étant beaucoup épuisés, la plupart proviennent des îles voisines et des côtes sud-américaines (langoustes, lambis...).

L'ABC de la cuisine guadeloupéenne

– Quasiment tous les menus guadeloupéens proposent des *acras* en entrée, et souvent le *boudin créole...* délicieux avec le ti-punch !

– On trouve aussi des *crabes farcis,* en particulier les crabes blancs de terre (nourris 15 jours de mangue et de banane, ou de noix de coco et de piment si l'on souhaite qu'ils soient naturellement épicés).

– Autre grand classique des restaurants : le *colombo de poulet* (curry de poulet, recette en provenance d'Inde).

ACCROS AUX ACRAS

La morue, issue des mers froides et donc introuvable dans les eaux antillaises, était apportée par les marins bretons séchée et salée. Bien des poissons tropicaux sont en effet immangeables. Un peu de farine, des œufs, et le tour est joué pour d'excellentes boulettes frites dans l'huile, vieille recette africaine.

– Également le délicieux *calalou* (purée de légumes) originaire du Dahomey, le *féroce* (purée d'avocat à la morue hachée avec de la farine de manioc, le tout « férocement » pimenté) et le *bébélé,* une spécialité de Marie-Galante. Ce plat d'origine africaine consiste en une sorte de soupe épaisse dans laquelle on met du fruit à pain, des tripes, des légumes du pays, comme l'igname et le malanga, et des bananes-figues, dites *poyos.* Copieux et original !

– Quant au *matété,* c'est le plat traditionnel de la Pentecôte (un équivalent antillais de la paella, avec des crabes de terre accompagnés de riz). Un héritage des Espagnols.

– Certains refuseront, par principe, de goûter au *cabri,* qui ressemble à de l'agneau, cuisiné en ragoût, en fricassée ou servi en colombo. À la Désirade, c'est le plat le plus vendu.

– Maintenant qu'on vous a mis en appétit, si vous voulez simplement manger sur le pouce, laissez-vous tenter par un *bokit,* sandwich local bon marché, contenant au choix viande, poisson, crudités, etc., frit et ensuite fourré.

Les épices partout !

Elles prennent une place prépondérante dans la cuisine guadeloupéenne, mais elles ne viennent pas de l'île, pour la plupart (nombre de vendeurs prétendent le contraire, évidemment). Pour en acheter, les marchés de nuit de Saint-François et de Sainte-Anne, moins touristiques que celui de Pointe-à-Pitre, sont à préférer. Noter que les épices sont bien moins chères qu'en métropole, mais leur conditionnement laisse parfois à désirer : les sachets en plastique sont très fragiles et peuvent parfois se déchirer. Prévoir un emballage.

Deux bonnes raisons de s'attarder sur le sujet : la première étant de rappeler que le mot est féminin, la seconde étant la découverte des multiples déclinaisons de la cuisine antillaise. Bien qu'envoûtantes, captivantes, colorées, les épices peuvent dérouter si on ne les connaît pas : l'initiation passera alors par la case « marché », où les doudous s'empresseront de vous familiariser avec ces condiments tout aussi exotiques que leurs noms.

Florilège mâtiné de saveurs raffinées

– *L'anis étoilé, la badiane ou encore l'anis star :* puissamment parfumé, l'anis étoilé aromatise surtout les préparations de poisson. Évitez cependant de le mastiquer (fort goût de pastis) !

– *La cannelle :* prélevée deux fois par an sur l'écorce du cannelier, elle se roule en copeaux lorsqu'elle sèche au soleil. Il est aussi possible de l'acheter sous forme de poudre. Trop souvent cantonnée aux préparations sucrées (tartes, compotes, confitures), la cannelle embaume de façon discrète les recettes de porc ou de canard en sauce, le civet, le couscous ou la soupe de moules.

– *Le bois d'Inde :* une drôle d'épice, dont la saveur se rapproche de la cannelle. Et qui sert à tout, aussi bien à aromatiser les sorbets coco qu'à relever un plat mijoté (utilisée comme les feuilles de laurier-sauce). D'ailleurs, rien ne vous empêche de rapporter quelques feuilles cueillies au hasard d'un chemin pour épater vos invités lors d'un repas.

– *Les clous de girofle :* ces fameux clous sont en fait les boutons floraux séchés du giroflier.

– *Le colombo :* c'est un mélange d'épices broyées en poudre à base de coriandre, de cumin, de curcuma (qui lui donne sa couleur), de fenugrec, de piment et de gingembre, mais qui connaît de multiples variations. Les Antillais le doivent aux Indiens venus de Ceylan dans la seconde moitié du XIXe s. Par extension, « colombo » désigne aussi le plat de viande dans lequel il est utilisé pour le curry antillais.

– *La coriandre :* c'est elle qui, avec le genièvre, donne son goût au gin. Ses graines, enrobées de sucre, constituaient déjà une friandise de choix au Moyen Âge. Achetées en vrac, elles doivent être concassées avant d'être incorporées aux viandes en sauce, aux marinades, aux pâtés ou encore à la choucroute. Moulues, elles parfument délicatement les pâtisseries, à commencer par le pain (dit très justement) d'épice.

– *Le fenugrec :* présenté sous forme de graines écrasées, il libère un parfum amer qui se mêle aussi bien aux courts-bouillons qu'aux soupes de poisson.

– *Le gingembre :* ce rhizome blanchâtre, vendu frais ou déjà moulu, s'utilise le plus souvent combiné avec d'autres épices comme le safran (poulet au riz), le girofle (cakes) ou encore la cannelle (génoises). Idéal pour relever les marinades ou les poissons en sauce.

– *La noix de muscade :* c'est une amande issue d'une bogue fibreuse. L'île de Grenade, toute proche, en est le deuxième producteur mondial. Achetez-la de préférence entière, plus goûteuse que déjà moulue, pour parfumer omelettes, purées, sangrias, punchs, béchamel...

– *Le quatre-épices :* son parfum explique son nom puisqu'il réunit les arômes du clou de girofle, de la cannelle, du poivre et de la muscade. On l'utilise, entre autres, pour aromatiser les poissons.

– *Le safran :* celui vendu en Guadeloupe est du « safran pays » ou « péyi », du curcuma en fait, un rhizome orangé qui entre dans la composition des curries en Inde et des colombos aux Caraïbes. Rien à voir avec celui produit en métropole, issu du séchage des stigmates du crocus. Il ne s'agit pas d'une arnaque, simplement d'une appellation différente. Et le prix n'est pas le même, normalement !

Fruits et légumes

Faire son marché aux Antilles permet de découvrir avec délice près de 75 variétés de fruits et légumes. Voici quelques petits trucs pour apprendre à les reconnaître.

LE SECRET DE L'ANANAS

Ce fruit contient de la broméline, une enzyme qui attaque les protéines. Voilà pourquoi les récoltants sont obligés de porter des gants sinon la peau des mains (composé de chair donc de protéines) serait agressée.

– *Les gombos :* couleur verte, aspect de piment, en plus gros. Cuits, ils deviennent gluants.

– *L'igname :* tige grimpante dont on fait bouillir les racines. Il en existe diverses variétés. On la sert en purée ou en pain.

– *Le manioc :* grosses racines épluchées, râpées, pressées, séchées au four et broyées en farine dans les manioqueries communautaires des villages. Plus de goût que l'igname. On en fait de grosses crêpes appelées *kassav*. C'est le « pain » traditionnel guadeloupéen depuis les Indiens caraïbes. On en a tous consommé sous forme de tapioca, la fécule produite par le manioc.

– *La canne :* sucer la pulpe comme un bâton de réglisse. On trouve aussi sur les bords de route des étals où l'on propose du *jus de canne.*

– *La christophine :* sous l'aspect d'une poire un peu bosselée, jaune pâle ou vert clair, c'est un légume des plus délicat. Verte, elle se mange en salade ; mûre, en gratin. Délicieux. Également cultivée en métropole, elle y prend le nom de *chayotte* (son nom d'origine, sauf qu'aux Antilles un certain Christophe Colomb est passé par là...). À La Réunion, elle devient le *chouchou.* Certains seront heureux d'apprendre que ce légume est quasiment sans calories !

– *Le giraumon :* avec sa couleur laiteuse, il évoque une pita gonflée ayant un léger goût de potiron. Excellent en purée.

– *La carambole :* joli petit fruit jaune à la forme curieuse (cinq côtes saillantes ; quand on la coupe en largeur, on obtient ces fameuses étoiles à cinq branches longtemps à la mode en guise de déco dans les assiettes de dessert). Se consomme essentiellement en jus. Bon goût d'agrume, un peu acidulée quand elle est bien mûre.

– *La patate douce :* couleur rose ou orangée, goût légèrement sucré. Se mange en légume, bien sûr, mais sert aussi pour la préparation des desserts.

– *Le corossol :* une panse verte hérissée d'épines. La chair laiteuse est pleine de noyaux, mais aucun fruit n'est plus suave. On dit qu'il préserve de la grippe, et même des coups de soleil (en en glissant quelques feuilles sous son chapeau !). Comme la carambole, on le consomme surtout en jus.

– *La goyave :* petit fruit rose, au goût douceâtre et farineux. Excellent en jus. Très riche en vitamine C (deux fois plus que le kiwi, donc quatre fois plus que l'orange !).

– *Le fruit de la Passion ou maracuja :* fruit de la passiflore, ovoïde et lisse quand il est frais, qui renferme d'incroyables saveurs.

– Les nombreuses variétés de **bananes**. De la *banane-légume* (la *ti-nain* cuite à l'eau, et c'est alors l'équivalent d'une pomme de terre) à la *banane-fruit* (les figues-dessert, les figues-rose au petit format, ainsi nommées parce qu'aux Antilles on avait appelé les bananiers des « figuiers d'Adam »), avec des noms évocateurs : « rhabillez-vous, jeune homme », « passe encore », « Dieu m'en garde », « doigts de fée », etc.

– Et aussi : **papayes** (vertes, coupées en lamelles pour la salade

BIZARRE, LE BANANIER

D'abord, ce n'est pas un arbre mais une herbe. La preuve, si vous coupez le tronc, vous ne trouverez pas de bois. Cette plante contient 90 % d'eau. Donc, elle ne peut vivre que dans les zones tropicales. Quand le bananier aura fleuri une fois, il mourra comme toutes les herbacées. Souvent comparée au sexe masculin, la banane n'est pas un fruit proprement dit mais... un ovaire.

ou en gratin), **oranges** (décevantes, rien à voir avec celles consommées en métropole), **litchis, citrons verts, pamplemousses** (les *chadèques*), **fruits à pain, choux-pays, mangues** (riches en vitamines), **pommes-cannelle, sapotilles** (à goût de caramel, en salade de fruits ou en glace), **ananas, noix de coco,** etc.

Péchés de gourmandise

– **Les confitures :** les fruits tropicaux peuvent aussi se déguster par le biais des confitures, délicieusement sucrées (parfois trop) et parfumées : maracuja (fruit de la Passion), goyave, mangue, papaye, coco, banane...

– Difficile d'oublier les **sorbets coco,** vendus et préparés par des marchands ambulants. Les prix peuvent varier : de 2 à 4 € environ. Surveillez les familles, et faites comme les habitués, allez faire la queue à la sortie des plages ou de la messe. D'autres vous laisseront un moins joli souvenir : gare aux estomacs fragiles, risques d'intoxication alimentaire (les bactéries adorent les glaces).

– Enfin, les gourmands se délecteront des « **tourments d'amour** ». Ces merveilleux desserts originaires des Saintes sont en fait de savoureuses génoises à la confiture de coco (ou de goyaves, de bananes, etc.). Le nom évoque les pensées licencieuses des épouses qui attendent le retour de pêche de leur bien-aimé. S'ils sont secs, il y a du souci à se faire sur leur fraîcheur !

– Ah, la poésie des noms ! Ne faites pas la grimace devant du « *caca bœuf* », un gâteau typique de Marie-Galante, fait de pain d'épice et de sirop de jus de canne, fourré à la noix de coco.

CURIEUX, NON ?

– Le **pique-nique** est une tradition bien ancrée chez les Guadeloupéens, particulièrement le week-end et au moment des vacances, en famille ou entre amis.

De nombreuses aires ont été aménagées dans la forêt ou sur les plages. Faites la même chose mais n'oubliez pas le sono !

– À la **Toussaint,** les cimetières sont illuminés par des bougies placées autour des tombes fleuries sur lesquelles s'assoient et trinquent les familles en mémoire des morts.

ÉLEVER LES ENFANTS

Encore aujourd'hui, dans bien des familles antillaises, les enfants sont souvent élevés par les grands-parents. D'abord, les gamins d'une même fratrie sont fréquemment issus de plusieurs pères (plus qu'en métropole). Ensuite, les parents sont parfois très jeunes et ne peuvent assumer financièrement leur éducation.

– **Des remèdes antizombies mais pas antivampires :** de nos jours les marchés sont toujours bien fournis en philtres et les grands-mères préconisent encore le tulipier contre les zombies, les graines de bambou porte-bonheur, le ravet (cafard) cuit au lait et fourré dans l'oreille en cas d'otite. Leur jardin est une véritable pharmacie : feuilles de cacao contre les dermatoses, feuilles de corossol contre l'insomnie, vin de kola pour les estomacs chamboulés. Il n'y a que pour les « vampires », ces moustiques assoiffés de sang, qu'il n'y a toujours pas de remède efficace !

– Toute l'année, **le soleil est réglé comme une horloge.** Il se lève invariablement entre 5h et 6h, pour se coucher tôt, entre 17h30 et 18h30. C'est d'ailleurs au moment exact où disparaît le soleil à l'horizon que l'on peut parfois observer le fameux **rayon vert !**

– Si vous louez une voiture, un conseil qui risque bien de nous faire passer pour des cinglés (mais on assume) : **éviter de garer la voiture sous les arbres fruitiers, et particulièrement les... cocotiers !** Le fruit est bon... mais la chute est rude. Certains loueurs vous le signalent lors de la remise des clés. Faites-leur confiance pour compter les bosses à la restitution !

Coqs et bœufs : même combat !

La Guadeloupe se caractérise aussi par l'esprit du jeu : d'une île, d'un village ou d'une case à l'autre, il règne sur les Antilles. Matchs de foot ou courses de chevaux, de chars à bœufs (chargés), de vélos, les compétitions chauffent à blanc. Et si quelques vies sont en jeu, les paris deviennent hystériques.

– Mais le summum de la barbarie reste le **combat de coqs** (importé aux Antilles par les Espagnols). Des coqs sélectionnés, nourris avec, entre autres, des capsules d'huile de foie de morue, et dressés tout un mois à tuer. Comme à Bali ou au Mexique. Ces duels font rage le dimanche, de novembre à fin juillet, à raison d'une vingtaine par jour, dans les nombreux « gallodromes » (ou *pitts*) de Guadeloupe.

UN COMBAT POUR LES COQS

Après le pesage des coqs, la foule s'entasse sur l'arène en bois. Dans les vapeurs de punch, les parieurs jouent souvent beaucoup. Après leur avoir posé des ergots en métal, on lâche les volatiles. On les excite avec des clochettes, des jurons, et bientôt, œil révulsé et chair de poule, les deux champions se volent dans les plumes. La foule hurle : « Ouayayaye ! » Moins de 10 mn après, le sang coule. Un spectacle cruel et inadmissible à nos yeux.

– **Les concours de bœufs tirants :** moins cruel (encore que...), assez spectaculaire aussi. Des attelages doivent accomplir un parcours en pente raide sur de courtes distances, en portant une charge de 1 440 ou 1 680 kg. Certains voudraient faire évoluer les concours vers une formule qui se passerait de la bride et du fouet, pour réduire la violence et ainsi séduire davantage les métropolitains.

ÉCONOMIE POLITIQUE ET SOCIALE

Agriculture et pêche à bout de souffle

Jadis, la culture de la canne à sucre (transformée en rhum et en sucre) et de la banane faisait la richesse de la Guadeloupe. Aujourd'hui, ces deux filières traditionnelles – non compétitives sur les marchés mondiaux – sont à bout de souffle et continuellement perfusées par des subventions publiques.

La **canne à sucre** ne s'est jamais remise de la grande crise sucrière qui s'est soldée par la suprématie de la betterave à sucre.

On ne compte d'ailleurs plus que deux usines sucrières encore en activité : *Gardel* au Moule et *Grande-Anse* à Marie-Galante. Si la canne à sucre fait encore vivre 30 000 personnes en Guadeloupe, dont environ 4 000 planteurs, la filière doit faire face à une baisse d'un tiers du prix du sucre depuis 2009, conformément aux directives de l'OMC. Même constat pour le rhum. Une dizaine de distilleries subsistent

> ### UN MARCHÉ SUCRÉ !
>
> *En 1806, le blocus maritime imposé par les Anglais empêchait toute importation de sucre de canne vers la France. En 1811, l'ingénieur Delessert présenta à Napoléon des pains de sucre extraits de la betterave. Une découverte considérable qui fut à l'origine du déclin économique des Antilles.*

bon an, mal an, dont trois à Marie-Galante (où le rhum, rappelons-le, titre 59° !)...

Quant à la **banane**, elle semble perpétuellement en sursis face à la « banane-dollar » des compagnies américaines et les bananes bio qui grignotent peu à peu le marché (8 % des ventes en France en 2016) ; cela d'autant que la France métropolitaine est quasiment l'unique marché pour écouler sa production (à hauteur de 95 % !) et que le **scandale du chlordécone** n'a rien arrangé à l'affaire (voir la rubrique « Environnement et parc national »)... Pourtant la banane représente 10 % des terres agricoles cultivées de Guadeloupe (25 % à la Martinique) et 20 % de la production agricole de l'archipel en valeur.

Ce même chlordécone vaut aux *1 200 pêcheurs professionnels* de ne pouvoir jeter leurs filets à moins de 500 m du rivage est de Basse-Terre. Une activité mise encore à mal par le récent phénomène des *algues sargasses* qui se développent au large de l'archipel et par la construction d'un méga-terminal maritime à Pointe-à-Pitre. Celui-ci doit répondre d'ici 2025 à l'afflux de porte-conteneurs en mer des Caraïbes suite à la mise en œuvre de nouvelles écluses sur le canal de Panama. Avec les rejets de sédiments de dragage pollués en pleine mer, le déplacement de milliers de colonies de coraux et d'herbiers, l'impact sur les baleines à bosse et dauphins à certaines périodes, ce chantier colossal fait polémique, alors que la Martinique se dote déjà d'infrastructures semblables. Certains se demandent, non sans humour, s'il n'y aurait pas double emploi dans tout cela...

Tourisme et « argent-braguette »

Avec bon an mal an 400 000 visiteurs annuels, métropolitains à 80 %, puis italiens et belges, le tourisme demeure l'activité économique majeure de la Guadeloupe avec une moyenne de séjour de 16 jours selon l'observatoire régional du tourisme. Moyenne en légère hausse, ces derniers temps, la Guadeloupe retrouvant le sourire après une notable érosion durant les années 2000-2010.

Les retombées du secteur sont nombreuses (bâtiment, services, et même production agricole via la restauration), même si depuis le début du XXIe s, il cumule les handicaps : concurrence des îles voisines (Cuba, Saint-Domingue), saisons cycloniques de plus en plus longues, aléas de la nature comme les algues sargasses qui agacent... Sans parler du chikungunya en 2014, du virus zika en 2015-2016 et des chiffres liés à l'insécurité qui donnent mauvaise presse à l'île.

Le *chômage* dépasse 55 % chez les jeunes de moins de 25 ans et affecte d'abord les moins diplômés. Quand on sait qu'un quart de la population a moins de 20 ans et 60 % moins de 40 ans... Pour vivre, beaucoup se contentent du RSA. Cette allocation concerne plus de 20 % de la population guadeloupéenne (48 000 allocataires en 2015) qui s'en arrange... avec un travail au noir à côté ! De même, les allocations familiales, appelées ici « argent-braguette », alimentent les foyers... Bref, loin d'être autosuffisante, l'économie de la Guadeloupe se retrouve largement assistée par la métropole.

Contre la « pwofitasyon »

La Guadeloupe est régulièrement secouée par des mouvements de protestation, traduisant les maux non résolus de la société antillaise, contre la « profitation ». Ce mot métisse « profit » et « exploitation » et se réfère à la majeure partie des richesses commerciales de l'île détenue par un petit nombre seulement. Le problème racial et la question de l'indépendance ne sont jamais bien loin... Au centre des débats (et ils sont nombreux) : la vie chère. Les Antillais paient l'essence et les produits manufacturés en moyenne 30 % de plus qu'en métropole. Certains accusent les grands distributeurs de prendre la population en otage. Et puis cette « dépendance » des produits métropolitains est elle-même en question car certaines grandes familles locales, connectées à la métropole, tissent les fils et tiennent les réseaux du commerce antillais.

Question d'indépendance

Il peut paraître étrange que, contrairement à certaines îles de la région qui sont devenues indépendantes, comme Sainte-Lucie ou la Dominique, la Guadeloupe, elle, ne le soit pas. Mais le mouvement indépendantiste guadeloupéen, qui fut assez virulent dans les années 1980 (en se signalant par des attentats), semble avoir acquis une maturité et une sagesse nouvelles. L'indépendantisme se manifeste plutôt comme prise de conscience d'une identité guadeloupéenne qui cherche à s'affirmer sans rompre les amarres avec la France, amarres solides et vitales.

MAI 67 : LA RÉVOLUTION OUBLIÉE !

On a oublié les émeutes de « Mé 67 » dont la répression a été d'une violence inouïe. Huit morts seulement avaient été recensés à l'époque, avant que leur nombre ne soit réévalué à 87 ! Les partis de l'époque n'ayant jamais voulu se prononcer clairement sur ces troubles, la peur du « gendarme blanc », capable de tirer sur ordre, a fait beaucoup dans l'esprit revanchard des jeunes Guadeloupéens des années 1960... Mai 68 a moins marqué les esprits, ici du moins...

D'abord, l'État a habilement tissé un système de dépendance économique quasi totale avec la métropole, et instauré une politique d'assistanat qui aliène bon nombre de Guadeloupéens et les empêche de répondre aux sirènes indépendantistes. Face aux difficultés de la Dominique, la petite voisine indépendante, et de bien d'autres, voilà qui ne donne guère envie de s'émanciper pour de bon. Les résultats du référendum de décembre 2003 ont montré que les Guadeloupéens, dans leur grande majorité, ont choisi de laisser en l'état leur mode d'organisation territoriale.

Il y a là, entre l'Hexagone et ce petit bout de terre des Caraïbes, des siècles d'histoire commune, de haines, de passions, voire d'amour. Les Guadeloupéens parlent le français, ont tous de la famille en métropole. Ils sont patriotes aussi – voir les monuments aux morts qui rendent hommage aux 1 500 victimes guadeloupéennes de la guerre 1914-1918 ou la mobilisation massive des résistants guadeloupéens durant la Seconde Guerre mondiale. Non, la France et la Guadeloupe forment un trop vieux couple pour tirer facilement un trait.

ENVIRONNEMENT ET PARC NATIONAL

Le parc national de la Guadeloupe

Avec son parc national, la Guadeloupe dispose d'un argument majeur pour le développement raisonné d'un tourisme « intelligent », tourné vers les richesses du patrimoine, qu'elles soient naturelles ou mises en valeur par l'homme. Créé en 1989, le parc est longtemps resté le seul parc national français d'outre-mer. Quelques chiffres pour planter le décor. Le cœur du parc couvre environ **40 %** (soit 17 300 ha) **du massif forestier de Basse-Terre,** des Deux Mamelles au nord aux contreforts de la Soufrière au sud. Il englobe aussi **3 200 ha dans le parc national du Grand Cul-de-Sac Marin,** une zone de 981 ha couvrant les îlets Pigeon et la zone maritime alentour, ainsi que les parties terrestres des îlets Kahouanne et Tête à l'Anglais...

Les richesses naturelles du parc peuvent aussi s'énumérer en chiffres, soit **300 espèces d'arbres et d'arbustes,** 270 espèces de fougères, **une centaine d'espèces d'orchidées,** une quarantaine d'espèces nicheuses d'oiseaux, une dizaine d'espèces de chauves-souris, dont deux uniques au monde, sans oublier, pour partir à leur découverte, **plus de 200 km de « traces »,** les sentiers entretenus par le parc.

Le parc dispose d'ailleurs d'une vitrine pour familiariser les visiteurs à la forêt tropicale humide, la **Maison de la forêt,** à mi-chemin de la route de la Traversée. Mais plus que les indications précises fournies sur la faune et la flore, ce sont sans doute les conseils prodigués par les gardes qui en font une étape obligée pour les amateurs. Idéalement située, elle constitue par essence un très bon point de départ pour des randos dans la forêt.

Du coup, on peut s'étonner qu'un projet de téléphérique privé dans le parc (même pour se rendre au sommet de la Soufrière !) soit sérieusement à l'étude. Pour plus de détails, voir nos pages sur « Le volcan de la Soufrière » dans le chapitre « La Guadeloupe. Basse-Terre ».

Quant au **Grand Cul-de-Sac Marin,** il est classé en zone humide d'importance internationale pour les oiseaux d'eau (convention de Ramsar).

Les **zones protégées du Grand Cul-de-Sac** sont à la fois terrestres (1 622 ha) et marines (2 085 ha). Elles sont **au nombre de six,** bien délimitées, et représentent un quart de cette grande baie fermée par un long récif corallien. Plusieurs îlets sont concernés (tels que l'îlet à Christophe, l'îlet du Carénage, l'îlet de la Biche et l'îlet à Fajou), ainsi que l'estuaire de la Grande-Rivière à Goyave, entre Lamentin et Sainte-Rose, et des zones de mangrove aux Abymes. De nombreuses espèces d'algues, d'éponges, de phanérogames (herbiers marins) et de bien d'autres organismes y sont recensées, tout comme de nombreuses espèces animales.

Enfin, devant la plage de Malendure, à Bouillante, les îlets Pigeon, haut lieu de la plongée sous-marine, sont connus sous le nom de « **réserve Cousteau** ». C'est là que le célèbre commandant aurait tourné une partie de son film Le Monde du silence dans les années 1950. Fonds riches et magnifiques, dont la fréquentation est heureusement réglementée depuis qu'ils font partie du parc national (pêche et chasse sous-marine interdites, mouillage interdit en dehors des points prévus, etc.). En plus du travail de conservation du patrimoine naturel, le parc a aussi pour mission de mener des actions de sensibilisation à la protection de la nature afin de promouvoir l'écotourisme. Le parc accorde donc son label à un certain nombre d'adresses (hébergements, activités et sites) allant dans ce (bon) sens.

Réserves naturelles

– Les *îlets de Petite-Terre,* au sud-est de Saint-François, sont devenus réserve naturelle en 1998 et sont gérés par l'Office national des forêts. La superficie de la réserve est de 990 ha (dont seulement 148 ha terrestres). Les deux îles de Petite-Terre – Terre-de-Haut et Terre-de-Bas – ont été habitées autrefois (une trentaine de personnes au milieu du XIXᵉ s). Aujourd'hui, elles sont intéressantes pour leur biotope. Les *iguanes* – Iguana delicatissima – constituent la particularité de la faune de Petite-Terre, alors que la flore compte un arbre magnifique, le *gaïac,* dont il ne reste qu'une centaine de spécimens.

PRISE DE BEC

La frégate est l'un des plus grands oiseaux de mer, appelée malfini en créole. Ses ailes noires et anguleuses rappellent celles des bestioles préhistoriques. Gros handicap pour un oiseau vivant au-dessus des océans : il ne sait pas nager. Il vole donc les poissons dans le bec des autres espèces. Pas étonnant que les bateaux rapides des pirates s'appelaient aussi frégates : leur apparition à l'horizon annonçait en général un pillage en règle !

– On trouve également une réserve naturelle de 1 200 ha à *Saint-Barthélemy,* une autre de 3 060 ha à *Saint-Martin,* créée en 1998, et une *réserve biologique au nord de Grande-Terre* depuis 2015.

Ces classements imposent un certain nombre de contraintes comme le respect, pour les visiteurs, de la réglementation en vigueur (interdiction de pêcher et de chasser, de camper, de déranger les animaux, de faire du feu...). Tout professionnel du tourisme pénétrant avec des clients dans une zone classée Réserve doit aussi posséder une autorisation délivrée par l'autorité gestionnaire.

Le scandale du chlordécone (le bien nommé !)

Malheureusement, ce pesticide de « première génération » porte bien son nom. Élaboré aux États-Unis dans les années 1950, il y a finalement été interdit en 1976. Mais il fut hélas autorisé dans les Antilles françaises et largement utilisé entre 1972 et 1993 pour lutter contre le charançon du bananier alors que sa nocivité pour l'homme (il est cancérigène) était déjà établie... Il semblerait que les producteurs et les politiciens locaux aient tardé à interdire l'usage de ce produit afin de maintenir la production et les parts de marché de la banane antillaise : 250 000 t produites en 2011 dans les Antilles françaises, ce qui représentait 10 % de la surface agricole cultivée à la Guadeloupe (25 % à la Martinique), mais aussi en 2016, 300 millions d'euros de chiffre d'affaires et environ 7 000 emplois pour l'ensemble des Antilles françaises.

C'est finalement un député martiniquais, Philippe Edmond-Mariette, qui est allé porter un rapport parlementaire à l'Assemblée nationale en 2005, trouvant enfin un écho en France métropolitaine et dans les médias, jusque-là étonnamment muets. Aujourd'hui interdit, le chlordécone a néanmoins contaminé à cette époque 4 000 ha dans le sud de Basse-Terre, région de production des bananes, sans parler des rivières et de leurs habitants (*ouassous,* poissons...). Après un nouvel épisode d'épandage d'autres pesticides, par voie aérienne cette fois-ci, dans les années 2000 contre d'autres maladies, les producteurs semblent avoir enfin reçu le message et auraient réduit de 75 % l'usage de phytosanitaires. Mais le mal est fait : le chlordécone mettrait plus de 500 ans avant de disparaître complètement. Même problème en Martinique, évidemment.

Paradoxalement, le chlordécone ne se retrouve pas dans la banane que nous mangeons, mais contamine les fruits et légumes, les sols, les rivières et finalement la mer. En Basse-Terre, les pêcheurs ne peuvent plus lancer leurs filets à moins de 500 m du rivage pour cette raison ! Une des victimes collatérales de cet empoisonnement est le *ouassou,* qu'il soit sauvage ou d'élevage. La pauvre bestiole concentre 20 000 fois la dose de chlordécone mesurée dans l'eau ! De ce fait, la pêche est interdite dans les rivières de nombreuses communes. Seules quelques fermes sont encore autorisées à élever les fameuses crevettes, ce qui explique pourquoi près de 90 % de celles que l'on trouve à la carte des restaurants sont saines, mais importées d'Asie, et surgelées. Autant le savoir.

Environnement : « peut mieux faire »

– *Eau potable :* le réseau d'eau potable a atteint un alarmant degré d'obsolescence. Une cinquantaine d'usines de potabilisation, essentiellement sur Basse-Terre, acheminent l'eau vers le reste de l'archipel, jusqu'à la Désirade. Mais face au taux élevé de pertes, pics de consommation en période touristique, problèmes de pollution (voir précédemment) ou encore de sécurité des sources de captage, les collectivités estiment le coût du chantier à plusieurs centaines de millions d'euros, le tout sur fond de dissensions politiques. Pour l'heure, il arrive que certaines communes soient privées d'eau momentanément.

– *Plages et rivières :* l'eau de mer reste globalement de bonne qualité sur la plupart des côtes. En revanche, évitez les rivières proches des habitations, elles sont souvent polluées (particulièrement sur Basse-Terre) et polluent à leur tour la mer après de fortes pluies. Évitez également la baignade dans les ports et près des grands hôtels (en dehors des piscines, bien sûr !).

– *Déchets :* ce qui choque toujours beaucoup les visiteurs de passage, c'est une certaine négligence concernant les déchets. Sacs-poubelle éventrés par des chiens errants, vieux appareils électroménagers et carcasses de véhicules abandonnés le long des routes... Comme toute île qui se respecte, la Guadeloupe doit faire face à un insoluble problème de gestion de ses déchets qui doivent idéalement être traités sur place. Sans parler des négligences comportementales, mais là, on s'embarque dans de longs débats. Et quand une grève s'en mêle... L'abominable décharge de Baillif (près de Basse-Terre ville) est fermée mais continue à se déverser dans la mer. On parle d'un incinérateur, mais avec une implantation en Basse-Terre ou en Grande-Terre ? Les spéculations vont bon train, une histoire de gros sous avant tout ! Quant au tri sélectif, il en est fortement question même si, pour le moment, seuls certains gîtes privés et associations locales donnent l'exemple... en attendant sa généralisation aux professionnels, comme les agriculteurs par exemple (seulement 300 exploitants en moyenne sur 8 000 ont adopté une pratique agricole durable).

Sites et adresses utiles

■ *Parc national de la Guadeloupe :* ☎ 05-90-41-55-55. ● guadeloupe-parcnational.fr ●

■ *Association des Amis du parc national et de l'environnement :* BP 286, 97105 **Basse-Terre** Cedex. ● lesamisduparcguadeloupe.e-monsite.com ● Cette association n'a pas vocation à renseigner le grand public mais à rassembler les défenseurs du parc et de l'environnement en Guadeloupe.

■ *Guadeloupe Autrement :* domaine de Vanibel, Cousinière-Caféière, 97119 **Vieux-Habitants.** ☎ 05-90-00-00-00. ● guadeloupe-ecotourisme.fr ● Cette association a été fondée pour promouvoir l'écotourisme. Elle est habilitée à attribuer la marque de confiance du parc national, réservée aux prestataires touristiques qui se sont engagés dans une démarche de respect et de valorisation du patrimoine naturel et culturel de la Guadeloupe.

■ *Association Guadeloupe Écotourisme (AGE) :* ● contact@ecotourisme-guadeloupe.org ● ecotourisme-guadeloupe.org ● Association de petites structures familiales (hébergement, sites et prestations touristiques) proposant d'allier la découverte du patrimoine de l'île et le respect de son identité et de sa nature. Ses membres respectent les critères de l'écotourisme et du développement durable dans leur fonctionnement quotidien.

FAUNE ET FLORE

Les cocotiers, et après ? Après, il y a les petites routes enveloppées de flamboyants, l'océan argenté des cannes en fleur, les cases enfouies dans les hibiscus et les bougainvillées, les jardins créoles débordant de plantes utiles, enfin l'immense opéra végétal des forêts des tropiques. Si l'on devait trouver une bonne illustration du jardin d'Éden, ce serait à coup sûr en

LA VACHE BRAHMANE

Cette vache à la robe blanchâtre est issue d'un croisement avec le zébu indien. Particulièrement adaptée à la chaleur antillaise, sa bosse graisseuse sur le garrot lui permet de ne pas boire pendant plusieurs jours. Et sa peau résiste bien aux piqûres d'insectes.

Guadeloupe, et aux Antilles en général. Une terre volcanique, des pluies, du soleil : plantez un bout de canne dans le sol, le lendemain il prend racine. La nature donne jusqu'à plus faim, chacun peut se nourrir de fruits sauvages (évitez ceux tombés à terre pour vous épargner de mauvais souvenirs touristico-gastriques...). C'est pourquoi les colons ont fait de ces îles leurs sources nourricières. Chaque île a son cachet particulier, des montagnes volcaniques de Basse-Terre couvertes de sombres forêts aux bocages à zébus de Grande-Terre, des maquis tropicaux des Saintes aux champs de canne à sucre de Marie-Galante.

La mangrove, un « monument végétal »

Sur le littoral, depuis Port-Louis (en Grande-Terre) jusqu'à la pointe Latanier (en Basse-Terre), s'étend une frange végétale qu'on appelle la mangrove. Il s'agit d'une végétation apparemment impénétrable qui semble flotter sur l'eau. Celle-ci ressemble à un inextricable buisson d'arbustes emmêlés, où les mangliers, plus connus sous le nom de *palétuviers,* hissent leurs racines par-dessus la vase. Vase grinçante de crabes, grouillante de poissons venus frayer et bourdonnante de moustiques. La mangrove, monde végétal étrange, étalée comme une ceinture entre la terre et la mer, est soumise au rythme des marées. Les palétuviers, ces arbres qui semblent être montés sur échasses, y prospèrent : leurs racines aériennes, ou pneumatophores, plongent dans un sol gorgé d'eau salée. Par son aspect marécageux et insalubre, la mangrove a rebuté les premiers colons au XVIIᵉ s. C'était un terrain favorable aux maladies tropicales : le paludisme, la fièvre jaune. Au fil des siècles, l'intervention de l'homme a permis de drainer et d'exploiter les essences de cet écosystème particulier. Résultat : des espèces ornithologiques ont déserté, tels le flamant rose ou le petit héron bleu, qui a disparu.

Aujourd'hui, les mangroves, *haut lieu de reproduction pour la faune et la flore endémiques,* sont sans cesse plus polluées. On y retrouve de vieilles carcasses de voitures, des frigos, mais aussi – plus grave – des traces de plomb, de mercure, de nitrates et de pesticides. Il faut dire que des décharges ont été installées aux abords des mangroves et qu'avec l'action de la pluie de nombreux polluants s'infiltrent par les sols. *Certaines parties* de la mangrove de Grand Cul-de-Sac Marin bénéficient du *statut de parc national* et sont protégées. Tant mieux, au moins l'extension de Pointe-à-Pitre sera-t-elle bloquée de ce côté-là.

La forêt tropicale humide

Après la mangrove littorale vient l'étage des cultures. Puis la forêt, elle aussi étagée en fonction des précipitations, avec des arbres dont les plus grands spécimens peuvent atteindre les 45 m de hauteur, entortillés d'épiphytes (végétal fixé à un autre mais non parasite) et de lianes, et certains, comme le *mahogani* (autre nom de l'acajou) ou l'*acomat-boucan,* le gommier dans lequel on taillait autrefois les pirogues, des bois précieux comme le bois de rose ou le courbaril, 270 espèces de fougères (certaines sont de véritables arbres) et des fleurs irréelles, comme celles du balisier. Mille végétaux font corps et emplissent l'air moite. Hélas, comme tous les milieux naturels, la forêt est menacée.

À nos chers disparus

Rares sont les animaux du continent qui ont pu gagner la Guadeloupe, en sautant d'île en île. Plus rares encore sont ceux qui ont survécu aux flèches indiennes et aux fusils créoles, à l'instar du **lamantin** (ou *manati*), totalement exterminé et dont le souvenir survit au travers du nom d'une commune de l'île. L'*agouti* (petit rongeur) a, lui aussi, quasiment disparu, sauf à la Désirade, où on l'appelle « lièvre doré ».

CHANT D'ESPOIR POUR LE LAMENTIN

Les lamantins existent toujours en Floride, où ils ont été protégés. Mais en Guadeloupe, cette vache de mer bien dodue et facile à attraper – qu'Ulysse prit pour une sirène à cause de son chant mélodieux – n'a pas résisté au début du XXᵉ s aux hommes avides de ses 300 à 400 kg de viande. Sous l'égide du parc national de Guadeloupe, un programme de réintroduction a été entrepris en 2016 avec deux premiers spécimens venus de... Singapour ! Objectif : repeupler le Grand Cul-de-Sac Marin.

Une faune tropicale à observer

Mais il serait injuste de dire que la faune guadeloupéenne est pauvre. En effet, il n'y a pas beaucoup d'autres endroits au monde où vous verrez autant d'**iguanes**, charmants bestiaux qui peuvent atteindre, avec leur longue queue, jusqu'à 1,60 m de longueur. Pas besoin d'aller sur les îlets de Petite-Terre pour en voir (la colonie de 10 000 *Iguana delicatissima* qui s'y trouve, beaucoup plus rare que l'espèce commune *Iguana iguana,* reste quand même la plus importante des Caraïbes) ; on en rencontre à la Désirade, aux Saintes et dans le sud de Basse-Terre, notamment dans le secteur des monts Caraïbes. Il faut aussi mentionner des **chauves-souris,** des légions chantantes de crapauds « fofo », et l'**anoli**, un ravissant petit lézard vert (enfin, pas toujours car cet animal est mimétique, comme les caméléons) qui se trouve partout chez lui... À voir aussi, les **mabouyas** (petits geckos) et les **tortues Molokoy,** qui se dorent la pilule aux abords de certaines rivières.

Le *racoon* (ou petit raton laveur guadeloupéen), quant à lui, est sans doute arrivé par accident sur l'île à la suite du naufrage d'un navire américain au XVIIIᵉ s. Animal protégé, il est de moins en moins victime des braconniers. Mais compte tenu de ses origines peu locales, le rongeur pourrait bien céder sa place, en tant que symbole de la protection de l'environnement sur l'île et mascotte du parc national, au **pic de Guadeloupe,** encore appelé **tapeur,** une espèce 100 % du cru.

Les forêts luxuriantes sont assez calmes. De temps en temps, quelques oiseaux poussent la chansonnette et les grenouilles coassent dès la nuit tombée. En remplacement des perroquets décimés par la mangouste, **merles piailleurs, colibris** ou **oiseaux-mouches** et **sucriers** viendront se disputer les miettes de votre petit déjeuner, le matin sur la terrasse. Pour échapper au silence, il vous reste la stridulation des **grillons** dans les champs ou le crissement des **crabes à barbe,** dans la vase de la mangrove. L'un de ces crustacés porte une croix sur le dos et se frappe continûment de sa grosse pince ; on l'appelle ici « cé ma fôt »...

Le bon côté de la chose, c'est que les bêtes à bobos sont rares, elles aussi. Débusquer un **scorpion** ou une **scolopendre** n'est pas donné à tout le monde. Il arrive tout de même parfois qu'une scolopendre vous pique, et là, c'est très douloureux (voir « Dangers et enquiquinements » dans « Guadeloupe utile »). Fait notable, il n'y a guère de serpents (la **mangouste,** importée pour se débarrasser des rats qui décimaient les champs de canne, a bien rempli son contrat) sauf à Terre-de-Bas où la rare **couresse des Saintes** est sans danger. En revanche, les **moustiques** se portent bien, merci. Grands comme des moucherons – les **yens-yens** (qui sont presque invisibles et gâchent vos couchers de soleil romantiques !) – ou de taille respectable, ils sont chez eux dans la mangrove. Alors, vérifiez que la superbe plage de l'hôtel ne débouche pas sur des arbustes suspects...

Une riche faune marine

La faune marine présente un grand intérêt. Les plongeurs auront certainement la chance de rencontrer des **tortues,** sur la côte Sous-le-Vent ou dans le Grand Cul-de-Sac Marin, par exemple. Trois des cinq espèces recensées en Guadeloupe sont le plus fréquemment observées : la tortue verte *(Chelonia mydas),* la tortue imbriquée (*karet* en créole) et la tortue luth, plus rare. Il n'y a pas si longtemps, l'île comptait des dizaines de milliers de ces animaux marins, mais leur population a dramatiquement baissé au cours des 50 dernières années à cause de la chasse. Une prise de conscience générale a provoqué la mise en place d'un programme de protection de l'espèce.
On ignore assez souvent que les eaux de la Guadeloupe abritent une population relativement importante de **cétacés.** Au total, une bonne quinzaine d'espèces de mammifères marins ont été recensées dans les eaux guadeloupéennes.
– Un conseil aux **ornithos** : procurez-vous avant de partir le guide *A Guide of the Birds of the West Indies* de Norman Arlott (éd. Princeton University Press, en anglais uniquement), la bible de ceux qui s'intéressent aux oiseaux des Antilles. Sinon, il existe une version en français, *Les Oiseaux des Antilles* (éd. Michel Quintin, traduit de l'anglais par Philippe Blain).

Quelques conseils

Toute cristalline qu'elle soit, la mer a ses dangers. S'il y a vraiment très peu de risques qu'un requin vienne happer votre gambette, méfiez-vous des brûlures occasionnées par le **corail de feu** ou d'autres animaux marins, ainsi que des **piques d'oursins** (dans ce cas, le jus de citron vert aide à dissoudre le calcaire des épines). Pensez à vous procurer des Mika, chaussures en plastique qu'on trouve sur les marchés ou dans les bazars, si vous êtes dans une zone où ils sont en nombre.
Et gare aux **méduses** ! Un petit conseil pour soulager les brûlures : frottez-vous avec des feuilles d'olivier des Antilles, que l'on trouve souvent près des plages (ça tombe bien !). Un autre conseil : frottez-vous très doucement avec du sable fin ou une carte, genre carte de paiement, afin d'enlever les filaments urticants qui restent toujours, puis lavez-vous à grande eau, salée ou non. Enfin, **attention aux courants traîtres** et invisibles, surtout à marée basse.

GÉOGRAPHIE

La Guadeloupe comprend deux îles principales : Grande-Terre et Basse-Terre (sommet des Petites Antilles), qui, ensemble, dessinent les deux ailes immenses d'un papillon exotique. Ces deux terres peuvent sembler solidaires, mais elles sont en fait séparées par un très étroit bras de mer, la rivière Salée. Jusqu'au début du XIXe s, on passait d'une île à l'autre en gabare. Il y a des antagonismes entre les deux parties de la Guadeloupe dite « continentale ». Située sur Grande-Terre, presque à la conjonction de Basse-Terre, Pointe-à-Pitre a le titre de capitale économique de la Guadeloupe. La préfecture est la ville de Basse-Terre.

Petit lexique ad hoc

Rien de tel que des îles du bout du bout pour réviser son précis de marine... et éviter les sacs de nœuds.

– **Au vent :** exposé aux vents dominants. À l'est, concernant les Antilles.

– **Sous le vent :** à l'opposé des vents dominants. À l'ouest concernant les Antilles, d'où la « côte Sous-le-Vent » de Basse-Terre. Les Antilles sont elles-mêmes divisées en « îles au vent » et « îles sous le vent ».

– **Basse terre :** qualifie une terre « sous le vent », sans rapport avec le relief donc. D'ailleurs Basse-Terre en Guadeloupe et Terre-de-Bas aux Saintes sont tout sauf basses !

– **Capesterre :** qualifie un lieu exposé aux vents dominants, comme Capesterre-Belle-Eau (Basse-Terre) ou Capesterre-de-Marie-Galante.

– **Grande terre :** la partie orientale de la Guadeloupe a été ainsi nommée car elle semblait, à tort, être la plus étendue de l'archipel.

– **Terre de haut :** qualifie une île « au vent ». De fait, des deux îles constituant les Saintes, Terre-de-Haut est bien celle située le plus à l'est, alors que Terre-de-Bas se situe à... devinez !

Grande-Terre

Située à l'est, elle forme un triangle d'environ 40 km de côté. Mal nommée, Grande-Terre est en réalité une terre moins étendue (et moins haute) que Basse-Terre.

Au sud, du Gosier à Saint-François, la côte aligne des stations balnéaires et de belles plages. À l'extrême est, la pointe des Châteaux forme une avancée rocheuse battue par les flots de l'océan : on dirait parfois un coin de la côte bretonne.

Au nord, la campagne est occupée par les champs de canne à sucre et bordée par un littoral escarpé qui se termine par des falaises abruptes et quelques anses sableuses. Microrégion discrète et peu fréquentée dans l'arrière-pays de Sainte-Anne, les *Grands-Fonds* forment un labyrinthe étrange de mornes cultivés et de vallées encaissées. On dit que certaines vallées seraient au-dessous du niveau de la mer.

Basse-Terre

Située à l'ouest, c'est la partie montagneuse, boisée et volcanique de la Guadeloupe. Elle consiste en un massif ovale d'environ 45 km sur 20. L'activité volcanique se manifeste épisodiquement par les réveils du volcan de la Soufrière, qui culmine à 1 467 m. Cette île-montagne possède des volcans d'âges différents (de moins 25 millions d'années à 35 000 ans), alignés du nord au sud sur la crête montagneuse. En période de somnolence volcanique, seules quelques sources chaudes jaillissent dans la région de Bouillante, sur la côte Sous-le-Vent.

La forêt domaniale couvre Basse-Terre aux trois quarts, incluant le parc national dans sa moitié sud-ouest. Sur les versants des volcans, les paysans font pousser des arbres fruitiers, des bananes et un peu de café. Au sud et à l'ouest, la montagne couverte de forêts descend vers la mer où se trouvent quelques plages, dont l'une des plus belles – Grande-Anse – est située au nord de Deshaies.

Sur la Côte-au-Vent de Basse-Terre, du côté de Saint-Claude et de Trois-Rivières, il pleut souvent et plus qu'ailleurs. Les précipitations y sont bien plus importantes qu'en Grande-Terre, et augmentent considérablement avec l'altitude (jusqu'à 12 m par an au sommet de la Soufrière !).

Les îles satellites

Dans un rayon de 10 à 25 km et à 1h de traversée maximum avec les bateaux rapides, les *Saintes*, *Marie-Galante* et la *Désirade* sont rattachées administrativement à la Guadeloupe. Ces îles sont plus sèches et proposent des reliefs variés. La Désirade dessine une courte crête émergée. Marie-Galante consiste en un plateau circulaire bosselé. Les Saintes se présentent comme un petit chapelet d'îlets escarpés.

À 200 km au nord-ouest de la Guadeloupe se situent *Saint-Barthélemy* et *Saint-Martin,* îles indépendantes de la Guadeloupe depuis 2007 mais qui sont également traitées dans ce guide. Pour info, la Martinique se trouve à 150 km au sud de la Guadeloupe, séparée d'elle par la Dominique.

Enfin, sachez que l'arc caraïbe dessine une fracture entre deux plaques tectoniques et peut être sujet aux séismes dévastateurs, comme celui de janvier 2010, qui a ravagé Port-au-Prince en Haïti. Le dernier gros tremblement de terre à la Guadeloupe a eu lieu en 1843.

HABITAT

Les ***communes*** ont en général une superficie assez étendue, en dehors du bourg proprement dit ; on parle de ***sections,*** là où les métropolitains parlent de quartiers ou de hameau. En campagne, les lieux-dits sont souvent nommés d'après l'*habitation* qui, avant l'abolition de l'esclavage, était l'unité autour de laquelle se regroupaient toutes les activités.

Cases branlantes et crevassées de la Guadeloupe, églises rouillées aux rosaces d'acier, maisonnettes pastel des Saintes, sous ces tropiques humides, les architectures en bois font rarement belle figure. Et pourtant, les intérieurs sont toujours superbement astiqués. Un œil observateur aura tôt fait de remarquer les ***lambrequins,*** ces jolies frises finement ciselées qui ornent d'une délicate finition à la pente du toit des maisons traditionnelles.

À côté de l'habitat traditionnel privé, le plus souvent construit en bois, existe une infrastructure maçonnée des bâtiments publics. Le ***style Art déco*** s'est pleinement épanoui en Guadeloupe, répondant dans l'urgence aux reconstructions conséquentes aux différents cyclones qui ont frappé l'île au début du XXe s, notamment celui de 1928. Une révolution architecturale largement due à ***Ali Tur,*** architecte d'origine tunisienne, surnommé « l'architecte des colonies », qui a façonné un nouveau visage à la ville de Basse-Terre et à l'île de Marie-Galante. Ses réalisations avec l'***utilisation du béton*** sont marquées par de nombreuses références à l'architecture d'Auguste Perret (entre autres « rebâtisseur » du Havre après la Seconde Guerre mondiale).

Il arrive aussi que les îles se souviennent de leur splendeur. Ici et là, d'antiques ***maisons coloniales*** font encore assaut de balustrades, de vérandas et de pignons blancs aux persiennes ajourées. Quelques vieilles ***habitations*** en pierre, au centre d'une plantation, remémorent l'enfer de l'esclavage. Au fond, la maison du maître avec ses meubles coloniaux que quelque charpentier de vaisseau tailla, jadis, dans l'acajou. Ces *habitations* pour la plupart privées, parfois converties en musée ou en hôtel de luxe, constituent les seuls monuments des Antilles. Elles renferment leur mémoire. Dans les bourgs anciens et dans les campagnes, on apprécie, à travers l'évolution de la case antillaise, l'adaptation des gens du cru aux nouvelles façons de vivre. Case à deux pièces agrandie d'une terrasse, puis de deux, auxquelles on ajoute au fur et à mesure d'autres pièces. Si la plupart des maisons antillaises ont aujourd'hui une cuisine intérieure, à la campagne elles ont gardé l'habitude d'être extérieure, voyant mijoter des heures durant des petits plats sur des réchauds de charbon de bois.

HISTOIRE

Les origines amérindiennes de l'île Karukera

On situe aujourd'hui l'arrivée des premiers habitants en Guadeloupe, originaires du Venezuela, vers 3500 av. J.-C. Autour de 700 av. J.-C., viennent les ***Huécoïdes,*** en provenance des Andes précolombiennes. Ils importent le manioc dans l'île, puis partent vers Porto Rico. Entre 300 et 700 de notre ère arrive une nouvelle vague de migration, très importante en nombre, les *Arawaks,* en provenance du delta de l'Orénoque (auxquels se mêle, autour de 700, une autre migration venue du Surinam). Les Arawaks sont de nature paisible, vivent d'agriculture et de pêche, utilisent l'argile pour faire des poteries et gravent les rochers (le parc des Roches gravées à Trois-Rivières témoigne aujourd'hui de leur passage). Et puis arrivent à la fin du VIIIe s de nouveaux Indiens en provenance de la région amazonienne, les *Caraïbes* ou *Kalinas,* qui colonisent les Petites Antilles au XIVe s. Excellents navigateurs (ils viennent avec leurs embarcations, de longues pirogues de haute mer appelées *canoas,* qu'ils utilisent pour la pêche), fins chasseurs, vivant dans des villages de cases (carbets), ils sont également une civilisation guerrière, vivant dans une société très hiérarchisée, et ne font qu'une bouchée (dans tous les sens du terme, crut-on longtemps !) des Arawaks. Ils baptisent l'île du nom de *Karukera,* qui signifie « l'île aux belles eaux ».

4 novembre 1493 : Karukera devient Guadel(o)upe

À la recherche des Indes, *Christophe Colomb,* ayant traversé l'Atlantique, découvre les îles des Petites Antilles. Il débarque à Marie-Galante, qu'il baptise du nom de son navire amiral, passe aux Saintes un jour de... Toussaint (d'où le nom de l'archipel) puis le grand découvreur arrive le 4 novembre 1493 à Sainte-Marie (sur Basse-Terre, entre Goyave et Capesterre-Belle-Eau). Les Espagnols se trouvent face à des créatures d'aspect sauvage, entièrement peintes en rouge au *rocou* (plante actuellement utilisée plutôt pour la cuisine) et de sexe féminin. Les hommes sont absents. Farouches guerriers, ils ont fui le village pour préparer une attaque contre les envahisseurs blancs. Christophe Colomb nomme sa nouvelle découverte « Guadel(o)upe », en hommage au monastère de Santa María de Guadalupe en Estrémadure (sud-ouest de l'Espagne). Les Caraïbes combattent d'abord les Espagnols (qui quittent la Guadeloupe en 1604), puis ce sont les Français qui pointent le bout de leur nez.

L'AURIEZ-VOUS CRU ?

En débarquant à la Guadeloupe, Christophe Colomb et ses sbires espagnols tombèrent nez à nez avec un peuple grégaire que les Taïnos appelaient Canibas. La présence d'ossements humains au fond de jarres suggérait qu'ils avaient peut-être affaire à des anthropophages. Cette rumeur forgea le mot « cannibale », qui perdure dans le vocabulaire courant.

Les Français débarquent en 1635

Saint-Christophe (à l'est de Porto Rico) constitue la base d'où partent les colons pour la Martinique et la Guadeloupe. Sous contrat avec la Compagnie des isles d'Amérique, *Charles Liénard de l'Olive* et *Jean Duplessis d'Ossonville* débarquent en 1635. Le second meurt rapidement, mais le premier s'attaque sans ménagement aux Indiens caraïbes. Ceux-ci sont soit exterminés, soit chassés de l'île. En 1660, un traité de « paix » est signé entre Français, Anglais et Caraïbes, lequel attribue à ces derniers la Dominique et Saint-Vincent, mais les Français ont déjà fait couler beaucoup de sang.

Charles Houël, un Normand, est nommé gouverneur de la Compagnie des isles d'Amérique, de 1643 à 1656. Celle-ci aura une brève existence, car elle ne tarde pas à faire faillite et doit vendre la Guadeloupe pour éponger ses dettes. Houël en devient alors propriétaire, ainsi que de ses îles satellites. Il se partage le pouvoir avec son beau-frère.

Canne à sucre et début de l'esclavage

Soucieux du développement économique engendré principalement par la canne à sucre, Houël fait venir en 1654 des colons hollandais chassés du Brésil par les Portugais, qui présentent l'avantage de connaître les techniques de raffinage du sucre. Mais il faut de la main-d'œuvre. Aussi Houël profite-t-il du **commerce triangulaire** (entre l'Europe, l'Afrique et le continent américain) pour fournir des esclaves africains aux planteurs blancs. Ce commerce consiste à échanger des marchandises locales contre du bois d'ébène. Les esclaves sont cap-

LE CODE NOIR

Créé par Louis XIV, ce texte abject réglementait la vie des esclaves dans les « îles à sucre ». Il s'agissait notamment d'éviter le métissage. En effet, les enfants nés de l'union d'une esclave avec un maître blanc sortaient de leur statut d'esclave pour devenir libres. Aucun mariage entre esclaves ne pouvait se faire sans le consentement du maître. Ils étaient considérés comme des « biens meubles » : on se répartissait les esclaves lors des successions comme n'importe quel objet.

turés de force ou livrés comme prisonniers par des tribus ennemies, puis vendus par des négriers qui remplissent les bateaux en partance pour les Antilles. Beaucoup d'esclaves meurent dans les cales des navires négriers durant les épouvantables traversées (la Traversée du Milieu, c'est-à-dire de l'océan Atlantique). Une première « livraison » se fait en Martinique, mais pour les autres le voyage n'est pas encore fini. Certains captifs affamés se suicident à l'arrivée en Guadeloupe en mangeant de la terre ! En 1656, on compte déjà 3 000 esclaves en Guadeloupe sur une population de 15 000 personnes. En 1664, l'île passe sous la tutelle de la Compagnie des Indes occidentales, créée par Colbert, qui veut que les Antilles françaises *(French West Indies)* soient contrôlées d'une manière plus stricte par la métropole. Elle est par la suite rattachée, en 1676, au pouvoir royal et devient colonie du royaume.

Au XVIIIe s, flibustiers du roy contre Anglais

Dès cette époque, la Guadeloupe souffre, aux yeux des Français, d'un déficit d'image par rapport à la Martinique. Siège du gouvernement général du Vent (joli nom !), cette dernière concentre l'essentiel du trafic maritime et, dit-on même, s'accapare les esclaves de meilleure qualité. La réputation qu'a la Guadeloupe d'être un repaire de flibustiers n'incite pas à venir s'y établir.

Sa réussite économique, toutefois, attire la convoitise des Anglais, qui passent à l'attaque dès 1693, et reviennent par la suite régulièrement à la charge. La guerre de Sept ans (de 1756 à 1763) leur permet d'occuper l'île de 1759 à 1763 et d'y importer 18 000 esclaves pour sa mise en valeur. Pendant ce temps, les **flibustiers** (ou « preneurs de butin » en allemand – d'ailleurs, le mot *butin* signifie « propriété » en

COQUETS, LES PIRATES ?

Ce n'est pas une légende, les pirates portaient bien des boucles d'oreilles. Ces anneaux avaient la réputation d'éviter la noyade et d'améliorer la vue. De plus, si les matelots mouraient loin de chez eux, ces boucles en or étaient destinées au prêtre, afin de payer leurs funérailles.

créole !) organisent des « chasse-parties » pour bouter les ennemis hors de France « au nom du roy ». Quelques dissidents en profitent pour s'enrichir en changeant leur pavillon contre le *Jolly Roger* : vous savez, le pavillon pirate avec la tête de mort entre deux tibias... C'est bien tentant de ramener à terre or, femmes et rhum.

La Guadeloupe redevient française de 1763 à 1794 (administrativement détachée de la Martinique qui, elle, reste anglaise) et se dote, en 1787, d'une assemblée coloniale. À cette époque, on recense environ 90 000 esclaves pour... 14 000 Blancs, les affranchis et « libres de couleur » dépassant à peine les 3 000.

Napoléon rétablit l'esclavage !

La Révolution française éclate. L'abolition de l'esclavage est décrétée par la Convention le 4 février 1794. Profitant du désordre causé par une révolte d'esclaves et du refus de la part de certains membres de l'assemblée coloniale de se rallier à la République, les Anglais occupent à nouveau la Guadeloupe – oui, encore ! – en avril 1794, et en sont chassés en décembre de la même année par le conventionnel pur et dur *Victor Hugues,* marseillais d'origine et ancien corsaire. Un régime de terreur s'installe avec l'arrivée de la guillotine. Les colons français qui se sont attribué des origines aristocratiques prennent la poudre d'escampette vers la Martinique (toujours anglaise), et leurs descendants, les fameux békés, y sont encore bien plus nombreux à l'heure actuelle qu'en Guadeloupe.

À la fin de la Terreur, Napoléon Bonaparte dirige la France et veille sur l'empire colonial. Influencé par son épouse Joséphine de Beauharnais (originaire de Martinique et favorable à l'esclavage), il nomme en 1802 le gouverneur Lacrosse. Celui-ci est un bon réactionnaire : il cherche à faire quitter l'île aux officiers de couleur intégrés dans l'armée après l'abolition de l'esclavage. L'un d'entre eux,

NAPOLÉON ESCLAVAGISTE !

En 1792, la Révolution française abolit l'esclavage. Mais les beaux-parents de Bonaparte étaient de riches planteurs qui exploitaient 300 esclaves. En 1802, il décida de rétablir l'esclavage afin de reconquérir le cœur de sa femme, Joséphine de Beauharnais. Il était cocu. Il le resta.

Louis Delgrès, fomente une révolte contre ce retour de l'ordre ancien. Vaincu à Matouba (commune de Saint-Claude), il se suicide avec 300 de ses fidèles. Bonaparte triomphe : l'esclavage est rétabli. La Guadeloupe perd alors le statut de département que lui avait donné la République. Les colons reprennent leurs habitations et leurs plantations. Les anciens (et nouveaux) esclaves sont pourchassés. De 1808 à 1810, les Anglais (pas fous !) s'emparent de Grande-Terre, de Marie-Galante, des Saintes et de la Désirade, jusqu'en 1814. Le traité de Paris les rend à la France, qui ne les récupère vraiment qu'en 1816.

27 avril 1848 : l'abolition définitive de l'esclavage

Par ses écrits et son action, l'Alsacien *Victor Schœlcher,* homme riche et néanmoins militant antiesclavagiste, lutte pour la liberté et les Droits de l'homme aux Antilles. Il parvient à convaincre le gouvernement français d'abolir l'esclavage dans les colonies françaises le 27 avril 1848. Élu à l'Assemblée législative, il devient député de la Guadeloupe en 1849 et continuera à se battre contre la peine de mort. À propos, saviez-vous que ses cendres ne furent transférées au Panthéon qu'en 1949 ?

ET ON INDEMNISA... LES ESCLAVAGISTES

En 1848, l'État indemnisa les planteurs qui perdaient leurs esclaves avec l'abolition. Avec cette nouvelle fortune, les propriétaires en profitèrent pour créer une banque prospère, le Crédit foncier colonial et ils purent se lancer dans le commerce et l'importation.

Sous le Second Empire, le gouvernement de Napoléon III remplace l'esclavage – on était toujours à court de main-d'œuvre – par un *régime de travail coercitif* faisant appel aux travailleurs africains. Donc, malgré l'officielle suppression de la traite, on recourt dès 1852 à l'*immigration des Congos* (6 000 en Guadeloupe), puis à partir de 1854 l'*immigration indienne* prend le relais (45 000 en Guadeloupe). En 30 ans, la Guadeloupe « accueillera » 45 000 Indiens, venant des anciens comptoirs de l'Inde, dont environ 20 000 mourront à la tâche (les conditions de travail devaient être excellentes !) et 8 000 retourneront aux Indes. Leurs descendants vivent actuellement dans les zones d'anciennes activités sucrières (Saint-François, Sainte-Anne, Le Moule, Port-Louis). À la fin du XIXe s, Chinois, Libanais et Syriens, majoritairement commerçants, viendront compléter cette mosaïque de populations. Sous la IIIe République (1871), la Guadeloupe et la Martinique se voient attribuer à nouveau une représentation à l'Assemblée nationale. La période est marquée par de fortes tensions. La crise sucrière entraîne des restructurations (déjà !) dans le domaine agricole et industriel.

Le **10 mai 2001**, la loi Taubira reconnaît (enfin !) l'esclavage comme un crime contre l'humanité et instaure dans les départements d'outre-mer une date anniversaire (le 27 mai en Guadeloupe) pour la commémoration annuelle de l'abolition de l'esclavage. Quatre ans plus tard, un amendement qui visait purement et simplement à vanter la colonisation, en soulignant « le rôle positif de la présence française outre-mer », est contré in extremis : ce sont toutes les victimes de l'esclavage qui sont depuis

LA VRAIE VIE DES ESCLAVES

La découverte récente de cimetières d'esclaves (Le Moule, Saint-François...) prouve que les conditions de vie étaient encore plus rudes qu'on ne le croyait. Les cadavres montrent qu'ils sont tous morts avant 30 ans, sous-alimentés, la perte de quasiment toutes leurs dents l'atteste. Sur chaque corps, on décèle de l'arthrose et de la tuberculose. Enfin, 80 % des enfants mouraient dans les 10 jours !

honorées partout en France le 10 mai. Entretemps, l'ACTe, le Centre caribéen d'expressions et de mémoire de la traite et de l'esclavage, a vu le jour à Pointe-à-Pitre et a été inauguré en 2015, en présence de François Hollande et de plusieurs autres chefs d'État. Expos et manifestations culturelles évoquent remarquablement (voir le chapitre « Pointe-à-Pitre ») le vaste et délicat sujet de l'esclavage dans les Caraïbes, mais également la ségrégation postabolitionniste et la période contemporaine.

Une région française des Caraïbes

Comme la Martinique, la Guadeloupe est devenue un département français d'outre-mer en 1946. La départementalisation fit naître de grands espoirs, mais ne résolut rien. Il fallut attendre 1996 pour que le SMIC soit aligné sur celui de la métropole... Les Antilles françaises ont acquis, en 1982, le statut de région. Mais le 1er décembre 1999, les trois régions françaises de la Caraïbe (Guadeloupe, Martinique et Guyane) se mettent d'accord pour signer la déclaration de Basse-Terre, réclamant une plus grande autonomie interne. On le sait, le référendum organisé en décembre 2003 afin de doter la Guadeloupe et la Martinique d'une collectivité unique s'est soldé par un refus massif en Guadeloupe (73 % de « non »). Les scrutins favorables de Saint-Martin et Saint-Barthélemy, devenues « collectivités d'outre-mer » en 2007, n'ont rien changé à la donne.

Les années récentes

Revenu en 2014 à la tête de la Région, après son passage au gouvernement Ayrault, Victorin Lurel, l'homme qui avait initié la construction du Mémorial ACTe à Pointe-à-Pitre, est détrôné fin 2015 par le maire de Baie-Mahault, Ary Chalus (DVG, soutenu par les républicains). 2014 aura vu l'apparition d'une maladie qui a fait frémir l'île, le chikungunya. Partie de Saint-Martin, l'épidémie s'est étendue aux Antilles françaises, touchant particulièrement la Guadeloupe. Cela n'empêcha pas un vieux loup de mer, Loïck Peyron, de remporter la Route du rhum en battant le record en 7 jours et 15 heures. L'année 2015 vit l'apparition d'une autre épidémie, le virus zika, transmis par le moustique. En 2016, la Guadeloupe, mais aussi la Martinique, la Guyane et La Réunion ont pu fêter leurs 70 ans en tant que département français. Et l'hiver 2017 a enfin confirmé la bonne position de la Guadeloupe dans un domaine touristique qui avait connu, au début de la décennie, des moments difficiles.

MÉDIAS

Votre TV en français : TV5MONDE, la première chaîne culturelle francophone mondiale

Avec ses 11 chaînes et ses 14 langues de sous-titrage, TV5MONDE est distribuée dans plus de 190 pays du monde par câble, satellite et sur IPTV. Vous y retrouverez de l'information, du cinéma, du divertissement, du sport, du documentaire...
Grâce aux services pratiques de son site voyage • *voyage.tv5monde.com* •, vous pouvez préparer votre séjour, et une fois sur place, rester connecté avec les applications et le site • *tv5monde.com* • Demandez à votre hôtel le canal de diffusion de TV5MONDE et contacter • *tv5monde.com/contact* • pour toutes remarques.

Radios

Parmi les radios qui occupent la bande FM, notons **RFO,** bien pour écouter les infos locales, mais aussi **Radio Caraïbe Internationale (RCI),** utile pour connaître les bons plans qui occuperont vos soirées (clubs, bars, discothèques...).
Également de nombreuses **radios** dites « **libres** » : Zouk FM, Radyo Tanbou... Et, entre autres chaînes nationales, **France Inter** : les mêmes émissions, aux mêmes horaires de la journée qu'en métropole (mais sans rattraper le décalage horaire, le journal de midi est ainsi diffusé à 7h du matin).

MUSIQUES ET DANSES CRÉOLES

Des enfants se déchaînent sous la véranda d'une case. Bidons, casseroles, balustrades, tout ce qu'ils trouvent est percuté en rythme. Et aucun passant ne se plaint du fracas.

Tandis que chez les colons on dansait le menuet et le quadrille, chez les esclaves on attachait plus d'importance au son du tambour et des percussions pour accompagner les danses rituelles : le *léwoz*, rythme guerrier (sur lequel on attaquait les plantations) ; le *kaladja*, symbole de la lutte en amour ; le *pajyanbel*, quand on coupe la canne ; le *toumblak*, danse d'amour, de fertilité, danse de la terre ; le *graj*, pour accompagner les travaux agricoles ; le *woulé* (ou valse

LE TÉLÉPHONE DES ESCLAVES

Le gwo-ka fut le premier moyen d'expression et de communication des esclaves débarqués aux Antilles au XVIIIe s. Il s'agissait d'un tambour fabriqué à partir d'un quart de tonneau servant à transporter les salaisons, le « gros-quart », qui donna... gwo-ka. Ce « tam-tam » devint le témoin vital de tous les actes importants de la vie quotidienne : naissances, travail, révoltes, veillées mortuaires...

créole) ; le *mendé* – après l'abolition de l'esclavage – qui accompagne le carnaval ; et le fameux *gwo-ka* (ou « la voix de l'esclave ») – on pense avoir retrouvé ses traces vers le golfe de Guinée ou dans le haut Dahomey. Symbole de chants incantatoires et de danses rituelles, son rythme reste très prisé – avec quelques variantes – en Haïti, à Cuba, au Brésil et aux îles Vierges. Le *gwoka* de Guadeloupe a été inscrit sur la liste du Patrimoine immatériel de l'humanité par l'Unesco en 2014.

Mais les *danses à orchestre,* plus gaies et plus profanes, tiennent le haut du pavé : valse, mazurka, polka (souvenirs des colons). Tonique et lascive, la *biguine* est même devenue le sport national des Antilles françaises. Le *zouk,* surtout, fait le régal des radios. Le *zouk-love* est un zouk langoureux et moite, à danser « collé-serré », un des jeux favoris étant de réussir à danser avec sa ou son partenaire sur le même carreau et de surtout ne pas en sortir... ça crée des liens. Au début du XXe s, le mot *zouk* désignait un bal campagnard plutôt chaud, déconseillé aux femmes de la bonne bourgeoisie... on comprend pourquoi ! Le groupe de zouk qui fut le plus populaire reste Zouk Machine, avec ses séduisantes créatures et ses mélodies sexy bien sucrées. Malgré un retour aux racines – le *gwo-ka* –, l'influence des Grandes Antilles (salsa, reggae) domine la création musicale. Malavoi, Difé : dans l'Hexagone, la nouvelle musique antillaise est montée en puissance. Des groupes comme Kassav et Zouk Machine remplissent encore les salles et les stades jusqu'en Afrique ! Dans un autre registre, saluons le *festival Les Musiciennes* en Guadeloupe, courant mai, dont le but est de valoriser les compositrices oubliées. En 2016 a eu lieu le premier *festival rock de Guadeloupe,* « Rock in Gwada ». Signe des temps ? À suivre...

PERSONNAGES CÉLÈBRES

Écrivains d'aujourd'hui

Il existe une littérature antillaise spécifique, écrite dans un français savoureux, car « créolisé » par des écrivains de talent. En Guadeloupe, ce sont les femmes qui tiennent le devant de la scène littéraire. **Maryse Condé, Dany Bébel-Gisler** et **Simone Schwarz-Bart** (nées respectivement en 1937, 1935 et 1938) sont les représentantes de la première génération des romancières guadeloupéennes, et **Gisèle Pineau** (née en 1956) illustre la seconde génération. Parmi les hommes, on compte **Daniel Maximin, Ernest Pépin** et **Max Rippon** (voir les détails sur certains d'entre eux dans la rubrique « Livres de route » du chapitre « Guadeloupe utile »).

Outre les thèmes qu'ils (elles) abordent – comme l'identité antillaise, le rapport à l'histoire, et en particulier l'époque de l'esclavage, les relations familiales très complexes – les auteurs guadeloupéens se distinguent par leur langue. Maryse Condé a déclaré : « Quand je parle français, c'est un français que j'ai cannibalisé, réinterprété avec mon histoire, avec mon ethnicité, mon expérience particulière, ce n'est pas la langue coloniale, c'est devenu la mienne. » Beaucoup d'écrivains antillais peuvent souscrire à ces propos, et c'est aussi ce qui fait le plaisir de les lire.

– *Maryse Condé (née en 1937) :* figure de la conscience noire et antillaise, elle a pas mal bourlingué, notamment en Afrique, mais son île natale reste un sujet d'inspiration essentiel, notamment dans *Traversée de la mangrove* (Gallimard, coll. Folio, no 2411, 1989), *Désirada* (coll. Pocket, no 10506, 1999) ou encore le court récit autobiographique *Le Cœur à rire et à pleurer* (Pocket, 1999). Dans *Hugo le Terrible* (Sépias, coll. Poche, 2010), elle livre une description bouleversante du cyclone qui a ravagé la Guadeloupe en 1989, à travers le regard d'un enfant de 11 ans. Auteur prolifique, elle obtient en 1987 le Grand Prix littéraire de la Femme pour *Moi, Tituba sorcière* (Gallimard, coll. Folio, no 1929, 1988)...

– *Dany Bébel-Gisler (1935-2003) :* elle a travaillé ardemment à la reconnaissance de la langue créole, à travers ses activités de sociologue au CNRS, mais aussi au sein de l'Unesco. L'enseignement de son centre d'éducation populaire *Bwadoubout* est d'ailleurs dispensé entièrement en créole. Parmi ses œuvres les plus représentatives, on trouve *Léonora : l'histoire enfouie de la Guadeloupe* (Seghers, 1985) et *Grand'mère, ça commence où la route de l'esclave ?* (Jasor, 1998), un texte illustré pour enfants.

– **Simone Schwarz-Bart** *(née en 1938) :* a raconté, dans *Pluie et vent sur Télumée Miracle* (Seuil, Points roman, 1995), la vie d'une descendante d'esclaves, Télumée, et retracé la vie dans la Guadeloupe rurale du début du XXe s.

– **Gisèle Pineau** *(née en 1956) :* dans son roman *L'Espérance-macadam* (LGF, coll. Le Livre de Poche, n° 14496, 1995), elle montre notamment l'envers du décor guadeloupéen, sans complaisance (la misère, l'inceste, les cyclones), loin des clichés des catalogues de voyages. Elle a publié depuis de nombreux romans.

Personnages historiques

– **Saint-John Perse** *(1887-1975) :* celui qui allait devenir Prix Nobel de littérature en 1960 est né Alexis Léger sur un îlet au large de Pointe-à-Pitre. La famille aristocratique possède une caféière et une habitation sucrière. Mais Saint-John Perse n'est jamais retourné en Guadeloupe après 1899. On devine pourtant dans ses vers une nostalgie de l'enfance (*Éloges,* 1911), une attention particulière portée aux éléments (*Vents,* 1946, et *Amers,* 1957) par ce passionné d'ornithologie.

– **Victor Hugues** *(1762-1826) :* voilà un fervent révolutionnaire qui a laissé sa « trace » en Guadeloupe puisqu'un sentier de randonnée en Basse-Terre porte son nom ! Ce Marseillais, commissaire de la République chargé d'appliquer l'abolition de l'esclavage votée en février 1794, débarqua en Guadeloupe la guillotine dans les bagages. Malgré la terreur qu'il fait régner partout, Hugues bénéficie d'une certaine confiance de la part de la population, constituant même une armée de couleur de 10 000 hommes qui impressionne les Anglais. Mais le Directoire, fin 1798, rappelle ce Robespierre des colonies en métropole. Pas vraiment une disgrâce puisque Hugues rebondit, nommé « agent particulier » en Guyane, chargé d'y rétablir l'esclavage (!) et de développer cette colonie ingrate. Il y développe surtout sa propre fortune et passe en jugement à Paris pour avoir trop vite cédé face aux Portugais. Il finira ses jours en Guyane, retournant s'y établir comme simple colon.

– **Victor Schœlcher** *(1804-1893) :* a consacré de nombreuses années de sa vie à dénoncer inlassablement l'esclavage. Sous-secrétaire d'État aux Colonies dans le gouvernement issu de la révolution de 1848, il réussit à arracher l'abolition le 27 avril de la même année, malgré l'opposition des planteurs et le peu d'enthousiasme de certains membres du gouvernement qui craignent l'effondrement économique des îles. Les Guadeloupéens, au même titre que les Martiniquais et les Guyanais, lui en seront reconnaissants, puisqu'il sera élu dans les trois

QUAND C'EST ECRIT NOIR SUR BLANC...

En vendant de la porcelaine dans les îles, Schœlcher se rendit compte de l'horreur de l'esclavage. Ce riche bourgeois alsacien fit beaucoup de recherches pour prouver l'égalité des Noirs et des Blancs. Il réussit à convaincre les députés en écrivant un livre sur les civilisations éthiopiennes dirigées par des Noirs, ainsi que les nombreux pharaons tenant des empires et dont la peau était foncée. Encore fallait-il y penser, surtout à l'époque...

colonies à la fois. Il choisit de représenter la Martinique, pas pour longtemps, car il s'exile à Londres de 1852 à 1870, en tant que républicain opposé à Napoléon III. Réélu député en 1871, puis sénateur inamovible, il lègue à la Guadeloupe, de son vivant, une partie de sa collection d'objets d'art qui est abritée dans le musée construit dans ce dessein à Pointe-à-Pitre, en 1883. Schœlcher est enterré en 1893 au Père-Lachaise et ses cendres sont transférées au Panthéon en 1949. En Guadeloupe, on célèbre sa mémoire chaque année le 11 juillet, date anniversaire de sa naissance.

– *Le chevalier de Saint-Georges* *(1739-1799) :* un artiste si doué qu'on le surnomma « le Watteau de la musique ». Mulâtre guadeloupéen, il est le fils d'une esclave sénégalaise et d'un planteur aristocrate. Reconnu par son père, fait rare à l'époque, il reçut la meilleure des éducations dans l'esprit du Siècle des lumières. Il passa sa jeunesse sur l'île puis alla à Versailles. Violoniste exceptionnel, il fut le professeur de musique attitré de la reine Marie-Antoinette, composa et faillit diriger l'Opéra royal. Mais Louis XVI dut céder aux chantages de deux cantatrices qui refusaient d'être « dirigées par un Nègre »... Il s'engagea dans la Révolution et créa la légion de Saint-Georges, composée d'un millier de hussards, en majorité des métis et des Noirs. Pour saluer sa mémoire, la rue Richepanse (Paris Ier) a été rebaptisée rue du Chevalier-de-Saint-Georges. Le nom de ce « Mozart noir » remplaça ainsi un illustre général napoléonien envoyé en Guadeloupe en 1802 pour rétablir l'esclavage et mater dans le sang la rébellion des abolitionnistes.

Les autres célébrités

Les athlètes et les champions

Roger Bambuck (Pointe-à-Pitre, 1945) fut champion olympique d'athlétisme, puis ministre des Sports. *Marie-Jo Pérec,* née en 1968 à Basse-Terre, a quant à elle remporté trois titres olympiques, dont le fameux doublé 200-400 m aux J.O. d'Atlanta en 1996... Son héritière spirituelle, *Christine Arron* (Les Abymes, 1973), reste une référence dans les annales du 100 m et du 200 m. *Laura Flessel,* née en 1972 à Petit-Bourg, a été championne olympique d'escrime en 1996. Le judoka *Teddy Riner,* multiple champion du monde et médaillé olympique, est né en 1989 aux Abymes. Quant au tennisman *Gaël Monfils,* il est guadeloupéen par son père et martiniquais par sa mère.

Les footballeurs

Marius Trésor (Sainte-Anne, 1950) est un grand footballeur des années 1970. Le champion du monde 1998 *Thierry Henry* est né en banlieue parisienne en 1977, mais ses parents viennent de Guadeloupe et une partie de sa famille vit à la Désirade. Et on ne présente plus *Lilian Thuram,* né le 1er janvier 1972 à Pointe-à-Pitre, joueur de classe internationale et vainqueur de la Coupe du monde 1998. Sa famille habite Anse-Bertrand. Il a publié notamment en 2010, afin de rendre hommage à ceux à qui il doit sa fierté identitaire, *Mes étoiles noires* (éd. Philippe Rey).

Les vedettes du show-biz

Chanteuse et « zoukeuse » de la nouvelle génération, *Tanya Saint-Val* a fait partie des valeurs sûres de la variété antillaise, tout comme les jolies filles de *Zouk Machine* ou encore *Patrick Saint Eloi.* *Henri Salvador* (1917-2008), même s'il est né en Guyane, était le rejeton d'un couple natif de Guadeloupe. Bien que *Laurent Voulzy* soit né à Paris en 1948, il est arrière-petit-fils et fils d'hommes politiques guadeloupéens. Marie-galantais de cœur et de souche, on le découvre au travers de son album *Cœur grenadine.* Quant à son cousin germain, le comédien *Pascal Légitimus,* il est l'arrière-petit-fils d'Hégésippe Légitimus, homme politique guadeloupéen (socialiste) de la fin du XIXe s.

Les politiques

Lucette Michaux-Chevry (née le 5 mars 1929) fut longtemps l'indéboulonnable présidente du conseil régional de Guadeloupe, avant d'être remplacée par *Victorin Lurel* (né en 1951 à Vieux-Habitants). Celui-ci fut ministre des Outre-Mer de 2012 à 2014 dans le gouvernement Ayrault (succédant à *Marie-Luce*

Penchard, née en 1959 à Gourbeyre et fille de Lucette Michaux-Chevry), avant d'être à son tour remplacée à la tête de la Région par *Ary Chalus* (Pointe-à-Pitre, 1961) en 2015. Également ministre de gauche jusqu'en 2016, la Guadeloupéenne *George Pau-Langevin* (Pointe-à-Pitre, 1948). Issu d'une famille indienne, enseignant et auteur de nombreux livres dont un sur l'« indianité », *Ernest Moutoussamy* (né le 7 novembre 1941) est quant à lui entré en politique comme maire de Saint-François et député.

POPULATION

Un siècle et demi après l'abolition de l'esclavage, les poisons de l'intolérance ne se sont pas tout à fait dissipés. Subtiles distinctions de métissage (métis, mulâtre, quarteron, chabin, etc.), méfiance à l'égard des Indiens ou des Chinois... Les différentes communautés doivent encore apprendre à se connaître.

– *Grands Blancs ou békés :* descendants des anciens planteurs, ils forment une véritable caste. Grands propriétaires ou gros commerçants, certaines familles ont acquis au fil des siècles des fortunes considérables et contrôlent toujours en grands seigneurs une partie essentielle de l'économie (banane, sucre de canne, rhum) et la grande distribution. Les békés de la Martinique sont les *Blancs pays* à la Guadeloupe, bien que le terme de békés y soit également utilisé.

– *Petits Blancs :* à Saint-Barthélemy, aux Saintes, à Marie-Galante et à la Désirade. Ils venaient de Bretagne, de Normandie ou du Poitou, marins, flibustiers et colons. Ils ont préservé leur blancheur. On les a longtemps appelés les « békés goyaves », c'est-à-dire les békés pauvres.

– *Noirs :* d'origine africaine, la population noire demeure la principale communauté de Guadeloupe. Elle s'est toutefois largement métissée avec le temps, comme en témoigne la richesse du vocabulaire censé distinguer les nuances de couleurs de peau et de statut social. Le *quarteron,* par exemple, est un métis qui ne compte qu'un seul Noir parmi ses grands-parents. À ne pas confondre avec les *mulâtres,* descendants d'une union africano-européenne. Ils furent à l'avant-garde du combat contre l'esclavage et représentent aujourd'hui la population la plus dynamique. Appelés « libres de couleur », ils auraient dû bénéficier, dès le XVIIIe s, de droits égaux à ceux des Blancs, mais, en réalité, les mesures discriminatoires furent maintenues jusqu'à l'abolition.

– *Indiens ou coolies :* arrivés sous contrat, près de 45 000 Indiens débarquèrent de 92 bateaux entre 1854 et 1889. Pour des raisons économiques, ils

POURQUOI TANT DE BÉKÉS EN MARTINIQUE ET SI PEU EN GUADELOUPE ?

La Révolution française institua la Terreur jusqu'en Guadeloupe. La guillotine fonctionna à plein régime, éliminant les békés, descendants d'aristocrates, avérés ou pas. En revanche, point de guillotine en Martinique, puisque l'île fut anglaise de 1794 à 1802. Quand la France récupéra la Martinique, la Terreur était passée !

LES HOMMES DE MATIGNON

Dépossédée de ses esclaves par l'abolition (la première en date, en 1794), une communauté de paysans à peau claire et à cheveux blonds trouva refuge dans la région des Grands-Fonds, près du Gosier. Ruinés, rejetés par les Blancs et par les Noirs, ils se replièrent sur eux-mêmes et depuis vivent toujours en autarcie. Ils seraient d'origine aristocratique car ils s'appellent fréquemment Matignon, comme les comtes du même nom. On les appelle « les Blancs-Matignon ».

remplacèrent les esclaves noirs dans les plantations. La moitié d'entre eux (environ 20 000) moururent ; 8 000 repartirent aux Indes. Venus pour travailler la terre, les Indiens apportèrent leur culture, leurs coutumes et aussi leur cuisine. Aujourd'hui, ils forment environ 13 % de la population totale. Ils sont très présents dans le commerce, les professions libérales, la fonction publique et la politique. Malgré de gros efforts d'assimilation, ils restent un peu à l'écart.

– *Libanais et Syriens :* ils composent une grande partie du petit négoce et de l'import-export (magasins de bijoux, vêtements et tissus), surtout à Pointe-à-Pitre.

Petits conseils à un nouvel arrivant

Si vous visitez les îles pour la première fois, vous serez peut-être surpris de ne pas trouver le tempérament créole particulièrement avenant. Plutôt pudique et renfermé, un Antillais n'est, en général, pas du genre à vous raconter sa vie, à vous confier facilement ses sentiments ou à vous inviter à dîner chez lui dès la première rencontre. Le passé esclavagiste et aujourd'hui le tourisme ne facilitent pas les élans de générosité envers le Blanc. Aussi, ne vous attendez pas à être accueilli à bras ouverts pour la seule raison que vous venez de loin. C'est, hélas, parfois même le contraire. Mais puisque l'intégration n'est pas gagnée d'avance, des efforts d'humilité ne font pas de mal et la confiance gagnée n'en a que plus de saveur.

> ## CAS D'ÉCOLE
>
> *Les Antilles sont les seuls départements français où la plupart des écoles publiques imposent l'uniforme. On masque ainsi les différences sociales tout en permettant aux parents d'économiser en interdisant les vêtements de marque.*

Vêtement traditionnel

Pour être belle, autrefois, il fallait casser sa tirelire : superbe jupon de broderie anglaise, corsage décolleté, jupe ample en madras (un tissu mordoré à carreaux, acclimaté ici par les Indiens), foulard triangulaire, grande robe chatoyante pour les fêtes, sans oublier un arsenal de bijoux en or (collier-chou, chaîne forçat, etc.). Adieu foulards, adieu madras... Ce costume superbe a disparu du paysage courant, même s'il se porte toujours pour les cérémonies, les fêtes (comme celle des cuisinières) et le carnaval. Certes, vous pourrez toujours essayer de photographier les doudous, à vos risques et périls, sur les marchés. Les femmes antillaises, qui adorent s'habiller pour les grandes (et petites) occasions, arborent fréquemment leurs boucles d'oreilles... créoles, comme on les appelle. Autrefois, ces parements étincelants étaient enroulés de fil noir en période de deuil, tandis que la coiffe se parait de blanc.

> ## TU ME FAIS TOURNER LA *« MARÉ TÈT »*
>
> *« Antan lontan », les femmes se devaient d'enturbanner leurs cheveux dans un foulard de madras, la « maré tèt ». Un travail d'artiste tiré du turban importé par les Indiens, où le nœud « à pointes » jouait discrètement les feux de signalisation. Une pointe : cœur à prendre ; deux pointes : cœur pris ; trois pointes : mariée ; et quatre pointes... mariée mais vous pouvez tenter votre chance !*

RELIGIONS ET CROYANCES

Adventistes, baptistes, méthodistes, témoins de Jéhovah... Une insularité en appelle une autre. Comme en Polynésie, les micro-Églises sont ici chez elles. Pour beaucoup d'Antillais, en effet, la ferveur importe plus que le chemin.

Dans les villages, la **messe** est suivie avec conviction : femmes en coiffe, messieurs endimanchés et marmots aux cheveux gominés. Chacun prend sa plus belle voix pour chanter les cantiques. Le jour de leur première communion, les jeunes filles portent de magnifiques robes blanches en dentelle.

Les **temples hindous,** quant à eux, vous feront regretter Bénarès. Malgré les tridents et les lingams kitsch et bricolés, le shivaïsme originel s'est corrompu au contact des chrétiens créoles. La grande fête s'appelle tout simplement *Bon Dieu Cooli* (le coolie, c'est l'Indien). Quatre jours de sacrifices (un mouton, un coq) et de danses rituelles en habits bariolés, qui peuvent aller jusqu'aux transes sacrées sur le tranchant d'un sabre.

Les premiers colons ont introduit le **catholicisme** et l'ont imposé aux esclaves. Ces derniers, marqués par leurs croyances africaines, ont teinté la religion des maîtres de multiples superstitions, conservant ainsi une partie de leurs **croyances animistes.** Cependant, les chances sont minces de croiser un *gadédzafé* qui bénit, désenvoûte, ou encore un *quimboiseur* qui jette le mauvais sort. Les Guadeloupéens qui ont besoin de leurs services savent où les trouver. Les pratiques plus noires en appellent à l'aide des morts pour éliminer un rival. L'effet psychologique est assuré : un petit cercueil contenant un animal mort, un lézard, par exemple, s'il est déposé devant la porte d'une maison, est un cadeau qui aura toutes les chances de terroriser son destinataire.

Les Antillais entretiennent d'ailleurs un rapport étroit avec leurs morts. Pour vous en convaincre, observez l'importance des rubriques nécrologiques dans la presse ou à la radio. Les **veillées mortuaires** (qui se raréfient) servent à accompagner le défunt jusqu'à sa dernière demeure, pour qu'il ne revienne pas, courroucé, tourmenter les vivants. Alors que dans la chambre on pleure le disparu, à l'extérieur de la maison, sous la véranda, la famille et les amis se réunissent pour parler, rappeler sa mémoire et se raconter des histoires, terrifiantes ou drôles. Ils vont parfois rire et chanter. Ils vont manger et aussi boire du rhum. Avec, à chaque verre, une goutte versée à terre pour le mort.

Les esprits de la nuit

Aux Antilles, ils sont encore très présents. Ainsi le mois de mai est-il celui de la **diablesse.** À la tombée du jour, celle-ci surgit, dressée sur une charrette. Lancée au grand galop, elle fouette son attelage, crie à pleins poumons, frappe sur un tambour et entraîne avec elle l'esprit des hommes qui s'attardent sur sa beauté mulâtre. Il y a aussi ces gentils petits cochons, les **ti-cochons-sianes,** qu'on entend couiner au crépuscule autour de la maison. On ouvre la porte et il n'y a plus de petits cochons, mais seulement un grand type sans tête résolu à vous tordre le cou.

Sur ces îles où les trésors enfouis sont nombreux, il y a, dit-on, « toujours un corps au-dessus de l'or ». Le **gardien de l'argent,** comme on l'appelle, est souvent un ancien esclave qui, ayant creusé le trou, fut remercié d'une balle de plomb pour sceller le secret. Son esprit veille sur le trésor et terrorise ceux qui le convoitent.

Mais les esprits les plus célèbres des nuits tropicales sont sans conteste les **zombis.** Ils ont aux Antilles un sens différent du vaudou haïtien et désignent divers grands diables des îles. Ainsi, les *soucougnans* sont des « engagés » qui possèdent le pouvoir de voler. Les *morfoisés* (métamorphosés) quittent leur corps pour prendre l'apparence d'un animal : souvent un chien. Les Antillais n'ont pas oublié qu'au temps de l'esclavage les chiens servaient à traquer les « Nègres marron », et ils ne les aiment guère. Le *dorlis* est, quant à lui, une adaptation tropicale de nos incubes. Grâce à des pouvoirs conclus avec le démon, la nuit venue, il se glisse dans les maisons pour abuser des jeunes filles endormies. Les rencontres avec les **esprits** ont lieu la nuit. Ceux-ci quittent les cimetières pour se dérouiller les jambes et, accessoirement, terroriser les vivants. La mémoire collective antillaise a perpétué un ensemble de règles à respecter. D'abord, de manière paradoxale, il faut éviter les églises. Elles sont, la nuit, de vrais repaires à esprits. Également tous les endroits sombres, comme les ravins, les bois épais, les ruelles étroites ou le dessous des ponts. Éviter aussi de se promener avec une bouteille de rhum. Si, malgré tout, on croise un revenant, il convient de retrousser ses vêtements, ou d'arracher une touffe d'herbe avec un peu de terre accrochée. En dernier recours, faire un signe de croix.

Les rastas

Pour la plupart des gens, le rasta n'est rien plus qu'un amateur de reggae portant son bonnet comme un drapeau sur ses cheveux longs entrelacés en tresses très serrées (dreadlocks) en forme de lianes et enduites de pâte de cactus ou de cacao. Ce look de baba cool tropical, popularisé par Bob Marley, Peter Tosh et Jimmy Cliff, cache pourtant une philosophie érigée en culture et en mode de vie par de nombreux Noirs des Caraïbes, en majorité anglophones.

Né à la Jamaïque, ce mouvement religieux a gagné les autres villes anglophones en l'espace d'un demi-siècle. Contraction de *Ras Tafari,* titre de noblesse donné à l'empereur d'Éthiopie Hailé Sélassié, le rasta obéit à la doctrine fondée dans les années 1920 par le « prophète » noir américain Marcus Garvey. Le « rastafarisme » mélange de façon souvent nébuleuse les préceptes hébraïques et d'incroyables extrapolations sur le couronnement du négus. Hailé Sélassié, « roi des rois » et despote éclairé, s'est ainsi retrouvé « Dieu vivant ». À tel point que sa mort, en 1975, fut niée par ses adorateurs !

Cette mystique particulière aux Antilles aura au moins eu l'intérêt de donner à la musique l'un de ses genres les plus originaux : le *reggae*. Et son chanteur-prophète le plus doué, Bob Marley (1945-1981), a naturellement pris la place d'Hailé Sélassié dans le cœur des jeunes *rastamen*. Chantant l'exode de ses ancêtres, prêchant la pauvreté et vilipendant les représentants de Babylone la corruptrice, Marley a permis à des millions de Noirs exilés aux Antilles, en Grande-Bretagne, en France ou en Afrique, de comprendre que « Dieu est homme » et qu'« un homme sage ne parle pas trop ».

Les rastas, avant tout non violents, croient donc au pouvoir pacificateur de la musique, observent un régime alimentaire très strict et préfèrent vivre sans travailler. Leur occupation essentielle consiste à pratiquer un jardinage d'un genre particulier : ils plantent, cultivent et fument la *ganja,* une herbe qui n'a pas grand-chose à voir avec le gazon et qui procure un effet bœuf – du moins, à ce qu'on nous a dit. Sur ce chapitre, il est utile de préciser que si la marijuana a, aux yeux des rastafaris, de nombreuses vertus (médicinales, aphrodisiaques et autres), elle aura plutôt pour vous celle de causer des problèmes, sauf en cas d'évolution rapide de la législation. Malgré les palmiers et le soleil, les lois de la République s'appliquent ici comme ailleurs !

SPORTS ET LOISIRS

Les Guadeloupéens sont des sportifs accomplis ; que serait, par exemple, l'athlétisme français sans eux (voir plus haut « Personnages célèbres. Les autres célébrités ») ?

Randonnées pédestres

Il y a de quoi faire. Sur Grande-Terre, à Marie-Galante, aux Saintes ou à la Désirade, nous vous indiquons quelques balades sympas, le plus souvent accessibles à tous et tout à fait praticables en famille. Pour les randonneurs purs et durs, plus de 200 km de traces – c'est-à-dire de sentiers – en Basse-Terre. Mais la chaleur, la déclivité et l'état parfois chaotique du terrain peuvent rendre ces expéditions éprouvantes et dangereuses.

– **Avertissement :** ne partez jamais seul ; n'entamez jamais une randonnée après 15h30 (le jour tombe vers 17h30 en plaine, mais on n'y voit plus guère dès 16h en pleine forêt tropicale...) ; prévoyez de bonnes chaussures de marche (sandales, nu-pieds, etc. sont à proscrire), un vêtement chaud et imperméable, un couvre-chef et de la crème solaire ; emportez à boire, bien évidemment, et un peu de nourriture. Par ailleurs, la végétation très prolifique recouvre rapidement les traces (on est loin des sentiers clairement balisés de la métropole), et sans guide on a vite fait de s'égarer. Sans compter les éléments (séismes, cyclones, précipitations) qui rendent certains tracés impraticables : vérifiez bien auprès des organismes agréés ce qu'il est possible ou non de voir, et surtout de faire. Mais le plus sûr est de TOUJOURS SE RENSEIGNER SUR L'ÉTAT DES TRACES AVANT TOUTE EXPÉDITION, auprès du parc national de la Guadeloupe : ☎ 05-90-41-55-55. ● guadeloupe-parcnational.fr ●

– **Pluies :** attention aussi aux précipitations. Surveillez la météo. *Bulletin de prévision sur répondeur 24h/24 au* ☎ *0892-680-808 (0,30 €/mn).* Évitez de partir s'il a beaucoup plu. Se taper quelques kilomètres en terrain glissant, avec de la boue jusqu'aux genoux et des risques de chute grave, n'est pas forcément une partie de plaisir. Si l'eau monte, surtout attendez la décrue. Dernier conseil : essayez de choisir une journée de ciel bien dégagé pour grimper à la Soufrière.

– **Insécurité :** on conseille de ne pas laisser d'objets de valeur dans les voitures, d'intégrer plutôt un petit groupe de randonneurs et de ne pas emporter de choses précieuses avec soi.

– **Cartes :** avant le départ et sur place (quoique souvent en rupture de stock à la pleine saison), vous pouvez acheter les cartes au 1/25 000 IGN n° 4601 GT (Nord, Grande-Terre), IGN n° 4602 GT (Nord, Basse-Terre), IGN n° 4605 GT (Basse-Terre, Soufrière, Saintes, PN de la Guadeloupe) et IGN n° 4606 GT (Île Saint-Martin et Île Saint-Barthélemy). Celle de la Guadeloupe, au 1/100 000, se trouve facilement et surtout gratuitement, sur place, mais elle est insuffisamment renseignée pour la randonnée.

Guides professionnels

■ **Vert-Intense** (label Parc national de la Guadeloupe) **:** route de la Soufrière, Morne Houël, 97120 **Saint-Claude.** ▯ 06-90-55-40-47. ● info@vert-intense. com ● vert-intense.com ● Randonnées pédestres, canyoning, VTT.

■ **Canopée** (labels Parc national de la Guadeloupe et Association Guadeloupe Écotourisme) **:** plage de Malendure, 97125 **Bouillante.** ☎ 05-90-26-95-59. ● contact@cano peeguadeloupe.com ● canopeeguade loupe.com ● Intéressants parcours de canyoning et de randonnée, encadrés et commentés avec passion par des moniteurs diplômés.

■ **Jacky Action Sport** (label Parc national de la Guadeloupe) **:** 14, résidence Toussaint-Louverture, La Jaille, 97122 **Baie-Mahault.** ▯ 06-90-35-57-18 ou 06-90-35-17-54. ● jacky.noc@wanadoo. fr ● aventure-guadeloupe.fr ● Selon votre niveau et vos envies, bon cocktail de randonnées pédestres, « aqua-randos », canyoning et miniraids encadrés par des moniteurs diplômés d'État.

■ **Éco Balades** (label Rando Accueil) **:** route de Poirier, Pigeon, 97125 **Bouillante.** ▯ 06-90-59-30-95. ● contact@tigligli.com ● tigligli.com ● ⚘ Pour découvrir la Guadeloupe à pied, du bord de mer à la Soufrière, Martine, accompagnatrice en montagne diplômée d'alpinisme, a des thèmes plein le sac, une multitude de cordes à son arc (faune, flore, histoire, géologie), et propose également de formidables randonnées en *Joëlette*, une sorte de chaise à porteurs roulante sacrément bien conçue qui permet aux personnes à mobilité réduite de profiter de toutes ces balades. Un grand bravo !

■ **Club des Montagnards :** BP 45, 97120 **Saint-Claude.** ☎ 05-90-94-29-11. ● clubdesmontagnards@wanadoo. fr ● clubdesmontagnards.com ● Un club qui existe depuis une bonne centaine d'années ! Les randonnées, de différents niveaux, sont gratuites, il suffit de se rendre au lieu de rendez-vous (voir leur programme de sorties).

Plongée sous-marine

À l'eau, les p'tits canards !

En vacances, c'est le moment ou jamais de vous jeter à l'eau... de jour comme de nuit ! Pourquoi ne pas profiter de votre escapade dans ces régions où les paysages sous-marins sont aussi idylliques que les rivages tropicaux ? La mer est souvent calme, chaude, accueillante, et les fonds riches, pour vous initier à la plongée sous-marine. Pour faire vos premières bulles, pas besoin d'être sportif ni bon nageur. Il suffit d'avoir plus de 8 ans et d'être en bonne santé. Sachez que l'usage de certains médicaments est incompatible avec la plongée. De même, les femmes enceintes s'abstiendront formellement de toute incursion sous-marine. Enfin, vérifiez l'état de vos dents, il est toujours désagréable de se retrouver avec un plombage qui saute pendant les vacances. Sauf pour le baptême, un certificat médical vous sera demandé, et c'est dans votre intérêt. L'initiation des enfants requiert un encadrement qualifié dans un environnement approprié (site protégé, sans courant, matériel adapté).

Non, la plongée ne fait pas mal aux oreilles ; il suffit de souffler délicatement en se bouchant le nez pour rétablir la pression interne des tympans. Il ne faut pas forcer dans cet étrange « détendeur » que l'on met dans votre bouche, au contraire. Et le fait d'avoir une expiration active est décontractant puisque c'est la base de toute relaxation. Respectez impérativement les règles de sécurité, expliquées au fur et à mesure par votre moniteur. *Attention :* pensez à respecter un intervalle de 12 à 24h avant de prendre l'avion, afin de ne pas modifier le déroulement de la désaturation.

En Guadeloupe, sa ka plonjé !

Bienvenue dans « l'île aux belles eaux » ! Baignée par l'océan Atlantique et la mer des Caraïbes, la Guadeloupe livre des fonds marins éclatants de richesse et de vie. Plongeurs débutants et confirmés évoluent dans un univers insolite, tapissé de nombreuses espèces de coraux et d'éponges aux formes étonnantes et variées. Une véritable mosaïque de couleurs vives, où batifolent quantité de poissons tropicaux : poissons-papillons, anges, trompettes, poissons-perroquets, diodons, coffres... Mais aussi barracudas, thazars, carangues, mérous, murènes et tortues majestueuses... Certes, un type de corail brûle, quelques poissons (très peu) piquent, et l'on parle (trop) des requins... Mais la crainte des non-plongeurs est disproportionnée par rapport aux dangers réels de ce milieu. Bref, chausser les palmes en Guadeloupe est tout à fait irrésistible !

Bercés par des eaux chaudes (25-28 °C), limpides (visibilité de 15 à 30 m) et fréquemment peu profondes (souvent moins de 20 m), les spots offrent des conditions de plongée idéales et sécurisantes. La côte Sous-le-Vent (façade ouest), plus abritée, est très prisée des plongeurs, qui se rendent massivement à Malendure – haut lieu incontournable de la plongée en Guadeloupe –, réputé pour sa fameuse « réserve Cousteau » (qui n'en est pas une !)... Mais il n'y a pas que Malendure dans la vie ! Et « l'île papillon » offre bien d'autres sites peu fréquentés, assez sauvages et d'une beauté tout aussi exceptionnelle. Le petit paradis sous-marin des Saintes, par exemple, s'impose comme un spot phare des Caraïbes, avec en point d'orgue son célèbre Sec-Pâté. De même, Marie-Galante offre des sites absolument vierges, aux éponges fardées de couleurs éclatantes. Les arches sous-marines de Port-Louis sont étonnantes, alors que les spots de Saint-François, du Moule et de la Désirade demeurent dopés par les vigueurs de l'Atlantique. Enfin, la grande barrière de corail, au large de Sainte-Rose, permet des plongées sauvages dans le parc naturel du Grand Cul-de-Sac Marin, désormais intégré au parc national de la Guadeloupe...

Vous l'avez compris, « l'île aux belles eaux » est une destination plongée par excellence. Sachez aussi qu'elle se prête admirablement au *snorkelling* (exploration des fonds avec palmes, masque et tuba seulement)... Règle d'or : respectez absolument l'environnement fragile qui vous entoure. Ne prélevez rien, n'importunez pas la faune et attention où vous mettez vos palmes !

Les clubs de plongée

Ici, comme en métropole, certains clubs sont affiliés à la Fédération française d'études et de sports sous-marins (FFESSM), et d'autres rattachés à l'Association nationale des moniteurs de plongée (ANMP). L'encadrement – équivalent quelle que soit la structure – est assuré par des moniteurs brevetés d'État, véritables professionnels de la mer, qui maîtrisent le cadre des plongées, connaissent tous leurs spots « sur le bout des palmes », et affichent un souci permanent pour la protection des fonds marins. C'est à eux que le plongeur néophyte ou non s'adressera en priorité.

Un bon centre de plongée est un centre qui respecte toutes les règles de sécurité, sans négliger le plaisir. Méfiez-vous d'un club qui vous embarque sans aucune question préalable sur votre niveau ; il n'est pas « sympa », il est dangereux ! Vérifiez si le centre est bien entretenu (rouille, propreté, etc.), si le matériel de sécurité – obligatoire – (oxygène, trousse de secours, téléphone portable, radio, etc.) est à bord. Les diplômes des moniteurs doivent être affichés. N'hésitez pas à vous renseigner, car vous payez pour plonger. En échange, vous devez obtenir les meilleures prestations... Enfin, à vous de voir si vous préférez un centre genre « usine bien huilée » ou une petite structure souple pratiquant la « plongée à la carte et en petit comité », très répandue en Guadeloupe.

C'est la première fois ?

Alors, l'histoire commence par un baptême : une petite demi-heure pendant laquelle le moniteur s'occupe de tout et vous tient la main. Laissez-vous aller au plaisir, tout cet équipement s'oublie complètement une fois dans l'eau. Vous ne devriez pas descendre au-delà de 5 m. Compter 45 € environ pour un baptême (réduction pour les enfants). Puis l'histoire se poursuit par un apprentissage progressif...

Formation et niveaux

Les clubs de plongée délivrent des formations graduées par niveaux. Avec le *Niveau 1* (prévoir environ six plongées), vous descendez à 20 m accompagné d'un moniteur. Avec le *Niveau 2,* vous êtes autonome dans la zone des 20 m, mais encadré jusqu'à la profondeur maxi de 40 m. Passez ensuite le *Niveau 3*, et vous serez totalement autonome, dans la limite des tables de plongée. Pour ces deux derniers niveaux, il faut bien tabler sur une quinzaine de plongées (huit bonnes journées). Enfin, le *Niveau 4* prépare les futurs moniteurs à l'encadrement...

Le passage de ces brevets doit être étalé dans le temps, afin de pouvoir acquérir l'expérience indispensable. Demandez conseil à votre moniteur (il y est passé avant vous !). Tous les clubs délivrent un carnet de plongée indiquant l'expérience du plongeur, ainsi qu'un « passeport » mentionnant ses brevets.

Reconnaissance internationale

Indispensable si vous envisagez de plonger dans les îles des Caraïbes, hors Antilles françaises, ou partout ailleurs à l'étranger. Demandez absolument l'équivalence CMAS (Confédération mondiale des activités subaquatiques) ou CEDIP *(European Committee of Professional Diving Instructions)* de votre diplôme. Le meilleur plan consiste à faire évaluer votre niveau par un instructeur PADI *(Professional Association for Diving Instructors,* d'origine américaine), pour obtenir le brevet le mieux reconnu au monde ! En Guadeloupe, certains moniteurs d'État sont aussi instructeurs PADI, profitez-en. Sachez enfin que les brevets SSI *(Scuba Diving International)* jouissent d'une bonne reconnaissance internationale.

À l'inverse, si vous avez fait vos premières bulles à l'étranger, vos aptitudes à la plongée seront jugées – en Guadeloupe – par un moniteur qui, souvent après quelques exercices supplémentaires, vous délivrera un niveau correspondant...

Quelques lectures

– **Guide des poissons coralliens des Antilles,** de Christine et Lionel Parle. PLB Éditions.
– **Guide des coquillages des Antilles,** de J.-P. Pointier et D. Lamy. PLB Éditions.
– **Code Vagnon plongée Niveau 1,** de Denis Jeant. Éd. du Plaisancier.
– **Plongée Plaisir : de l'initiation à l'autonomie,** d'Alain Foret. Éd. Gap. Existe pour tous les niveaux.
– En presse, les magazines **Océans** et **Plongeurs International** (version en ligne : ● divosea.com ●).

Jour 1 : rando Soufrière, p158
Si tps mauvais : chutes du Carbet
et maison de la Banane

Jour 2 : Saintes

Jour 3 : Planta° de café Vanibel p162
Arrêt à plage de Malendure p171

Jour 4 : Jardin botanique p195
+ Sainte Rose p201

Jour 5 : Plage Grande-Anse

Route de la Traversée ?
Grand Cul de Sac Marin ? p206

10 nuits

Hotel Amaudo → 3 OK - 1 - 2 - 3 mars

Shambala Lodge → 2

(Au jardin des colibris)

ou p- 193 ♡ → 2 du 25

Le jardin Malanga → 22 au 24
et 26

↳ OK

Les Petits Sains OK ⎫ le 24
⎬ p 223
~~ou Lô Bleu Hôtel~~ ⎭

Tendacayou le 25 et 26 :
arrivée avant 18H

les ROUTARDS sur la FRANCE 2018-2019

(dates de parution sur • *routard.com* •)

Découpage de la FRANCE par le ROUTARD

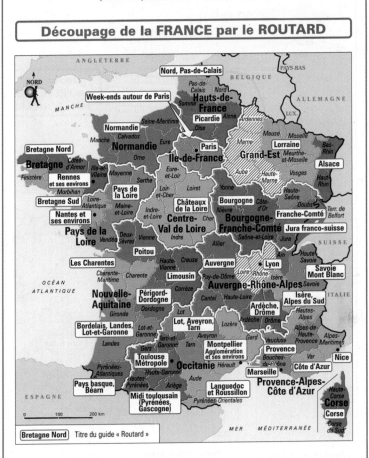

ANGLETERRE — PAYS-BAS

NORD

MANCHE

Nord, Pas-de-Calais

BELGIQUE

ALLEMAGNE

LUX.

Pas-de-Calais — Nord

Week-ends autour de Paris

Somme

Hauts-de-France

Ardennes

Seine-Maritime

Picardie

Aisne

Meuse — Moselle

Lorraine

Meurthe-et-Moselle

Bas-Rhin

Manche — Calvados

Normandie

Eure

Oise

Marne

Grand-Est

Vosges

Alsace

Haut-Rhin

Bretagne Nord

Côtes-d'Armor

Rennes et ses environs

Ille-et-Vilaine

Orne

Paris

Île-de-France

Eure-et-Loir

Haute-Marne

Haute-Saône

Terr. de Belfort

Finistère — Bretagne

Mayenne

Sarthe

Aube

Doubs

Morbihan

Pays de la Loire

Loiret

Yonne

Bourgogne

Côte-d'Or

Franche-Comté

Bretagne Sud

Loire-Atlantique

Maine-et-Loire

Loir-et-Cher

Châteaux de la Loire

Nièvre

Bourgogne-Franche-Comté

Jura

Jura franco-suisse

Nantes et ses environs

Indre-et-Loire

Centre-Val de Loire

Cher

Saône-et-Loire

SUISSE

Pays de la Loire

Vendée

Deux-Sèvres

Vienne

Indre

Allier

Ain

Haute-Savoie

Poitou

Haute-Vienne

Creuse

Auvergne

Lyon

Savoie

Savoie Mont Blanc

Les Charentes

Charente-Maritime

Charente

Limousin

Corrèze

Puy-de-Dôme

Loire — Rhône — Isère

Auvergne-Rhône-Alpes

Isère, Alpes du Sud

ITALIE

OCÉAN ATLANTIQUE

Nouvelle-Aquitaine

Périgord-Dordogne

Dordogne

Cantal

Haute-Loire

Ardèche, Drôme

Ardèche — Drôme

Hautes-Alpes

Alpes-de-Haute-Provence

Alpes-Maritimes

Bordelais, Landes, Lot-et-Garonne

Gironde

Lot

Lozère

Gard

Vaucluse

Provence

Nice

Landes

Lot-et-Garonne

Lot, Aveyron, Tarn

Tarn-et-Garonne

Aveyron

Tarn

Montpellier Agglomération et ses environs

Hérault

Bouches-du-Rhône

Var

Côte d'Azur

Pyrénées-Atlantiques

Toulouse Métropole

Gers

Haute-Garonne

Occitanie

Marseille

Provence-Alpes-Côte d'Azur

Pays basque, Béarn

Hautes-Pyrénées

Ariège

Aude

Languedoc et Roussillon

Haute-Corse

Corse

ESPAGNE

Midi toulousain (Pyrénées, Gascogne)

Pyrénées-Orientales

Corse du Sud

0   100   200 km

MER MÉDITERRANÉE

| Bretagne Nord | Titre du guide « Routard » |

Autres guides sur la France

- Hébergements insolites en France
- Canal des deux mers à vélo (mars 2018)
- La Loire à Vélo
- Paris – Île-de-France à vélo (juin 2018)
- La Vélodyssée (Roscoff-Hendaye)
- Nos meilleurs campings en France
- Nos meilleures chambres d'hôtes en France
- Nos meilleurs restos en France
- Les visites d'entreprises en France

Autres guides sur Paris

- Paris
- Paris balades
- Paris exotique (octobre 2017)
- Restos et bistrots de Paris
- Le Routard des amoureux à Paris
- Week-ends autour de Paris

les ROUTARDS sur l'ÉTRANGER 2018-2019

(dates de parution sur • routard.com •)

Découpage de l'ESPAGNE par le ROUTARD

Espagne du Nord-Ouest
Pays basque, Béarn
Barcelone
Madrid, Castille (Aragon et Estrémadure)
Madrid
Catalogne (+ Valence et Andorre)
Baléares
Séville
Andalousie
Canaries

Découpage de l'ITALIE par le ROUTARD

Lacs italiens et Milan
Milan
Venise
Italie du Nord
Florence
Toscane, Ombrie
Rome
Naples
Italie du Sud
Sardaigne
Sicile

Autres pays européens	- Pays baltes : Tallinn, Riga, Vilnius	- Islande
	- Crète	- Madère
	- Croatie	- Malte
- Allemagne	- Danemark, Suède	- Norvège
- Angleterre, Pays de Galles	- Écosse	- Pologne
- Autriche	- Finlande	- Portugal
- Belgique	- Grèce continentale	- République tchèque, Slovaquie
- Hongrie	- Îles grecques et Athènes	- Roumanie, Bulgarie
	- Irlande	- Suisse

Villes européennes	- Bruxelles	- Naples (décembre 2017)
	- Budapest (mars 2018)	- Porto (janvier 2018)
	- Copenhague	- Prague
	- Dublin	- Saint-Pétersbourg
- Amsterdam et ses environs	- Lisbonne	- Stockholm
- Berlin	- Londres	- Vienne
	- Moscou	

les ROUTARDS sur l'ÉTRANGER 2018-2019

(dates de parution sur • *routard.com* •)

Découpage des ÉTATS-UNIS par le ROUTARD

Autres pays d'Amérique

- Argentine
- Brésil
- Canada Ouest
- Chili et île de Pâques
- Colombie (avril 2018)

- Costa Rica
- Équateur et les îles Galápagos
- Guatemala, Yucatán et Chiapas

- Mexique
- Montréal
- Pérou, Bolivie
- Québec, Ontario et Provinces maritimes

Asie et Océanie

- Australie côte est + Red Centre
- Bali, Lombok
- Bangkok
- Birmanie (Myanmar)
- Cambodge, Laos
- Chine

- Hong-Kong, Macao, Canton
- Inde du Nord
- Inde du Sud
- Israël et Palestine
- Istanbul
- Jordanie
- Malaisie, Singapour

- Népal
- Shanghai
- Sri Lanka (Ceylan)
- Thaïlande
- Tokyo, Kyoto et environs
- Turquie
- Vietnam

Afrique

- Afrique du Sud
- Égypte

- Kenya, Tanzanie et Zanzibar
- Maroc

- Marrakech
- Sénégal
- Tunisie

Îles Caraïbes et océan Indien

- Cuba
- Guadeloupe, Saint-Martin, Saint-Barth
- Île Maurice, Rodrigues
- Madagascar

- Martinique République dominicaine (Saint-Domingue)
- Réunion

Guides de conversation

- Allemand
- Anglais
- Arabe du Maghreb
- Arabe du Proche-Orient
- Chinois
- Croate
- Espagnol

- Grec
- Italien
- Japonais
- Portugais
- Russe
- G'palémo (conversation par l'image)

Livres-photos Livres-cadeaux

- Voyages, mode d'emploi (octobre 2017)
- Nos 120 coins secrets en Europe (octobre 2017)
- Les 50 voyages à faire dans sa vie
- 1200 coups de cœur dans le monde
- 1200 coups de cœur en France
- Nos 52 week-ends dans les plus belles villes d'Europe

PETITS TRUCS ET ASTUCES
POUR ÉVITER LES ARNAQUES !

Un routard informé en vaut deux ! Pour éviter les arnaques en tous genres, il est bon de les connaître. Voici un petit vade-mecum destiné à parer aux coûts et aux coups de bambous. À commencer par **l'affichage des prix** : dans les hôtels comme dans les restos, il est **obligatoire** et doit être situé à l'extérieur de l'établissement, de manière visible. Vous ne pouvez donc contester des prix exorbitants que s'ils ne sont pas clairement affichés.

À L'HÔTEL

1 - Arrhes ou acompte ? : au moment de réserver votre chambre par téléphone – par précaution, toujours confirmer par écrit (ou mail) – il n'est pas rare que l'hôtelier vous demande de verser à l'avance une certaine somme, celle-ci faisant office de garantie. Il est d'usage de parler d'arrhes et non d'acompte (en fait, la loi dispose que « sauf stipulation contraire du contrat, les sommes versées d'avance sont des arrhes »). Légalement, aucune règle n'en précise le montant. Toutefois, ne versez que des arrhes raisonnables : 25 à 30 % du prix total, sachant qu'il s'agit d'un engagement définitif sur la réservation de la chambre. Cette somme ne pourra donc pas être remboursée en cas d'annulation de la réservation, sauf cas de force majeure qu'il vous faudra justifier (maladie ou accident) ou en accord avec l'hôtelier si l'annulation est faite dans des délais jugés raisonnables. Si, au contraire, l'annulation est le fait de l'hôtelier, il doit vous rembourser le double des arrhes versées. À l'inverse, l'acompte engage définitivement client et hôtelier.

2 - Subordination de vente : comme les restaurateurs, les hôteliers ont interdiction de pratiquer la subordination de vente. C'est-à-dire qu'ils ne peuvent pas vous obliger à réserver plusieurs nuits d'hôtel si vous n'en souhaitez qu'une. Dans le même ordre d'idées, on ne peut vous obliger à

« QUI DORT DÎNE ! »

Cet adage, venu du Moyen Âge, signifie que les hôteliers imposaient le couvert aux clients qui prenaient une chambre. Déjà de la vente forcée !

prendre votre petit déjeuner ou vos repas dans l'hôtel ; ce principe, illégal, est néanmoins répandu dans la profession, toléré en pratique, surtout en haute saison... notamment dans les zones touristiques, où la demande est bien plus importante que l'offre ! Bien se renseigner.

3 - Les réservations en ligne : elles se sont généralisées. Par l'intermédiaire de sites commerciaux ou en direct sur les sites des hôtels, elles sont simples et rapides. Mais voilà, les promesses ne sont pas toujours tenues et l'on constate parfois des dérives, notamment via les centrales de résa telles que promos bidons, descriptifs exagérés, avis d'internautes truqués... Des hôteliers s'estiment étranglés par les commissions abusives. N'hésitez pas à contacter l'hôtel sur son site pour vous faire préciser le type de chambre que l'on vous a réservé (sur rue, sur jardin ?).

4 - Responsabilité en cas de vol : un hôtelier ne peut en aucun cas dégager sa responsabilité pour des objets qui auraient été volés dans la chambre d'un de ses clients, même si ces objets n'ont pas été mis au coffre. En d'autres termes, les éventuels panonceaux dégageant la responsabilité de l'hôtelier n'ont aucun fondement juridique.

5 - En cas d'annulation : si vous avez réservé une chambre (sans avoir rien versé) et que vous avez un empêchement, passez un coup de téléphone pour annuler, c'est la moindre des politesses. Trop peu de gens le font, ce qui rend les hôteliers méfiants.

AU RESTO

1 - Menus : très souvent, les premiers menus (les moins chers) ne sont servis qu'en semaine ou que le midi, et avant certaines heures (12h30 et 20h30 généralement). C'est parfaitement légal, à condition que ce soit clairement indiqué sur le panneau extérieur : à vous d'être vigilant et d'arriver dans les bons créneaux horaires ! Il peut arriver que ce soit écrit en tout petit. Par ailleurs, bien vérifier que le « menu d'appel », le moins cher donc, est toujours présent dans la carte qu'on vous donne une fois installé. Il arrive qu'il disparaisse comme par enchantement. N'hésitez pas à le réclamer si vous êtes entré pour ce menu précis.

2 - Le « fait maison » : cette grande « tendance culinaire » de ces dernières années s'oppose aux plats sous-vide ou congelés achetés par les restaurateurs, réchauffés sur place et « agrémentés » d'une petite touche personnelle pour noyer le poisson (ou la souris d'agneau). Depuis 2013, le label « fait maison » permet de vérifier si les plats sont réellement préparés ou non sur place.

3 - Commande insuffisante : il arrive que certains restos refusent de servir une commande jugée insuffisante. Sachez, toutefois, qu'il est illégal de pousser le client à la consommation. Mais l'on peut également comprendre que commander un seul plat pour 3 personnes peut agacer un tantinet le restaurateur. Tout est une question de juste équilibre.

4 - Eau : une banale carafe d'eau du robinet est gratuite – à condition qu'elle accompagne un repas – sauf si son prix est affiché. On ne peut pas vous la refuser, sauf si elle est jugée impropre à la consommation par décret. La bouteille d'eau minérale quant à elle doit, comme le vin, être ouverte devant vous. L'arnaque dans certains restos « pousse-conso » consiste à proposer d'emblée une eau minérale et de la facturer 7 €, voire plus… À la question du serveur : « …et pour l'eau, Badoit ou Vittel ? » vous êtes en droit de répondre « une carafe ! ».

5 - Vins : les cartes des vins ne sont pas toujours très claires. Exemple : vous commandez un bourgogne à 16 € la bouteille. On vous la facture 32 €. En vérifiant sur la carte, vous découvrez que 16 € correspondent au prix d'une demi-bouteille. Mais c'était écrit en petits caractères illisibles. Attention au prix parfois exorbitant des vins au verre. Abus bien courant, l'année de référence n'est plus disponible : on vous sert un millésime plus récent mais au même tarif ! Vous devez obligatoirement en être informé avant le débouchage de la bouteille.

6 - Couvert enfant : le restaurateur peut tout à fait compter un couvert par enfant, même s'il ne consomme pas, à condition que ce soit spécifié sur la carte. Parfois il est libellé « Enfant ne mangeant pas », tant d'euros ! Cela dit, ce n'est quand même pas courant et ça donne une petite idée de la générosité du restaurateur !

7 - Sous-marin : après le coup de bambou et le coup de fusil, celui du sous-marin. Le procédé consiste à rendre la monnaie en plaçant dans la soucoupe (de bas en haut) : les pièces, l'addition puis les billets. Si l'on est pressé, on récupère les billets en oubliant les pièces cachées sous l'addition. Malin !

N'oublions pas que l'hôtellerie et la restauration sont des métiers de service, qui ne souffrent ni l'approximation, ni les (mauvais) écarts. Nous supprimons de nos guides tous les établissements qui abusent. Mais la réciproque est aussi valable : tout est question de respect mutuel.

Bonne route !

Nous tenons à remercier tout particulièrement Loup-Maëlle Besançon, Thierry Bessou, Gérard Bouchu, François Chauvin, Grégory Dalex, Fabrice Doumergue, Cédric Fischer, Carole Fouque, Michelle Georget, David Giason, Claude Hervé-Bazin, Emmanuel Juste, Dimitri Lefèvre, Fabrice de Lestang, Romain Meynier, Éric Milet, Pierre Mitrano, Jean-Sébastien Petitdemange et Thomas Rivallain pour leur collaboration régulière.

Emmanuelle Bauquis
Jean-Jacques Bordier-Chêne
Michèle Boucher
Diane Capron
Laura Charlier
Agnès Debiage
Jérôme Denoix
Tovi et Ahmet Diler
Marjorie Dubois
Clélie Dudon
Sophie Duval
Jeanne Favas
Alain Fisch
Alexandra Fouchard
Guillaume Garnier
Nicolas George

Bérénice Glanger
Adrien et Clément Gloaguen
Léa Guinolas
Manon Guyot
Bernard Hilaire
Sébastien Jauffret
Céline Kamand
Jacques Lemoine
Aurore de Lombarès
Caroline Ollion
Martine Partrat
Odile Paugam et Didier Jehanno
Prakit Saiporn
Jean Tiffon
Jean-Luc et Antigone Schilling
Caroline Vallano

Direction: Nathalie Bloch-Pujo
Contrôle de gestion: Jérôme Boulingre et Adeline Cazabat Barrere
Secrétariat: Catherine Maîtrepierre
Direction éditoriale: Hélène Firquet
Édition: Matthieu Devaux, Olga Krokhina, Gia-Quy Tran, Julie Dupré, Emmanuelle Michon, Ludmilla Guillet, Pauline Janssens, Margaux Lefebvre, Flora Sallot, Elvire Tandjaoui et Clémence Toublanc
Préparation-lecture: Estelle Gaudin
Cartographie: Frédéric Clémençon, Aurélie Huot et Thomas Dequeker
Fabrication: Nathalie Lautout et Audrey Detournay
Relations presse France: COM'PROD, Fred Papet. ☎ 01-70-69-04-69.
● info@comprod.fr ●
Direction marketing: Adrien de Bizemont, Clémence de Boisfleury et Charlotte Brou
Contacts partenariats: André Magniez (EMD). ● andremagniez@gmail.com ●
Édition des partenariats: Élise Ernest
Informatique éditoriale: Lionel Barth
Couverture: Clément Gloaguen et Seenk
Maquette intérieure: le-bureau-des-affaires-graphiques.com, Thibault Reumaux et npeg.fr
Relations presse: Martine Levens (Belgique) et Maureen Browne (Suisse)
Régie publicitaire: Florence Brunel-Jars

Pour que votre pub voyage autant que nos lecteurs,
contactez nos régies publicitaires:
● fbrunel@hachette-livre.fr ●
● veronique@routard.com ●

INDEX GÉNÉRAL

LISTE DES CARTES ET PLANS

...rque importante aux hôteliers et restaurateurs

...quêteurs du *Routard* travaillent dans le plus strict anonymat. Aucune réduction,
...un avantage quelconque, aucune rétribution n'est jamais demandé en contre-
partie. Face aux aigrefins, la loi autorise les hôteliers et restaurateurs à porter plainte.

Avis aux lecteurs

Le *Routard*, ce n'est pas comme le bon vin, il vieillit mal. On ne veut pas pousser à
la consommation, mais évitez de partir avec une édition ancienne. Les modifications
sont souvent importantes.
Les réductions accordées à nos lecteurs ne sont jamais demandées par nos rédacteurs afin de préserver leur indépendance. Les hôteliers et restaurateurs sont sollicités
par une société de mailing, totalement indépendante de la rédaction, qui reste donc
libre de ses choix. De même pour les autocollants et plaques émaillées.

Avec routard.com, choisissez, organisez, réservez et partagez vos voyages !

✓ Rejoignez la plus grande communauté francophone de voyageurs: de **2,2 à 2,6 millions
de visiteurs uniques (par mois!).**
✓ Échangez avec les routarnautes: forums, photos, avis d'hôtels.
✓ Retrouvez aussi toutes les informations actualisées pour choisir et préparer vos
voyages: plus de 200 fiches pays, une centaine de dossiers pratiques et un magazine
en ligne pour découvrir tous les secrets de votre destination.
✓ Enfin, comparez les offres pour organiser et réserver votre voyage au meilleur prix.

Les **Routards** parlent aux **Routards**

Faites-nous part de vos expériences, de vos découvertes, de vos tuyaux et de vos
coups de cœur. Aidez-nous à remettre l'ouvrage à jour. Indiquez-nous les renseignements périmés. Faites profiter les autres de vos adresses nouvelles, combines
géniales... On adresse un exemplaire gratuit de la prochaine édition à ceux qui nous
envoient les meilleurs courriers, pour la qualité et la pertinence des informations.
Quelques conseils cependant:
– Envoyez-nous votre courrier le plus tôt possible afin que l'on puisse insérer vos
tuyaux sur la prochaine édition.
– N'oubliez pas de préciser l'ouvrage que vous désirez recevoir, ainsi que votre
adresse postale.
– Vérifiez que vos remarques concernent l'édition en cours et notez les pages du
guide concernées par vos observations.
– Quand vous indiquez des hôtels ou des restaurants, pensez à signaler leur
adresse précise et, pour les grandes villes, les moyens de transport pour y aller.
Si vous le pouvez, joignez la carte de visite de l'hôtel ou du resto décrit.
En tout état de cause, merci pour vos nombreux mails.

122, rue du Moulin-des-Prés, 75013 Paris
● guide@routard.com ● routard.com ●

Routard Assurance 2018

Née du partenariat entre *AVI International* et le *Routard*, *Routard Assurance* est une
assurance voyage complète qui offre toutes les prestations d'assistance indispensables à l'étranger: dépenses médicales, pharmacie, frais d'hôpital, rapatriement
médical, caution et défense pénale, responsabilité civile vie privée et bagages.
Présent dans le monde entier, le plateau d'assistance d'*AVI International* donne
accès à un vaste réseau de médecins et d'hôpitaux: pas de franchise, aucune
avance de frais à faire, un numéro d'appel gratuit disponible 24h/24. *AVI International* dispose par ailleurs d'une filiale aux États-Unis qui permet d'intervenir
plus rapidement auprès des hôpitaux locaux. À noter, *Routard Assurance Famille*
couvre jusqu'à 7 personnes, et *Routard Assurance Longue Durée Marco Polo* couvre les voyages de plus de 2 mois dans le monde entier. AVI International est une
équipe d'experts qui répondra à toutes vos questions par téléphone : ☎ 01-44-63-
51-00 ou par mail ● routard@avi-international.com ● Conditions et souscription sur
● avi-international.com ● Avant de partir, pensez à télécharger l'appli mobile AVI et
accéder à tous vos documents d'assurance en 2 clics.

Édité par Hachette Livre (58, rue Jean-Bleuzen, CS 70007, 92178 Vanves Cedex, France)
Photocomposé par Jouve (45770 Saran, France)
Imprimé par Lego SPA Plant Lavis (via Galileo Galilei, 11, 38015 Lavis, Italie)
Achevé d'imprimer le 28 juillet 2017
Collection n° 13 - Édition n° 01
58/7364/8
I.S.B.N. 978-2-01-280008-3
Dépôt légal : juillet 2017

PAPIER À BASE DE
FIBRES CERTIFIÉES